DE RECHTELOZEN

Ian Rankin

De rechtelozen

Uitgeverij Luitingh

Ter nagedachtenis aan twee vriendinnen, Fiona en Annie, die zeer gemist worden.

Schotland is het lichtende voorbeeld van onze ideeën over beschaving.
VOLTAIRE

Het klimaat van Edinburgh is zodanig dat de zwakkeren jong bezwijken... en de sterkeren hen benijden.
DR. JOHNSON aan Boswell

DAG EEN

MAANDAG

I

'Ik hoor hier niet te zijn,' zei inspecteur John Rebus. Niet dat er iemand luisterde.

Knoxland was een nieuwbouwwijk aan de westelijke rand van Edinburgh, buiten het werkterrein van Rebus. Hij was daar omdat de jongens van West End met onderbezetting zaten. Hij was er ook omdat zijn eigen bazen niet wisten wat ze met hem moesten aanvangen. Het was een regenachtige maandagmiddag, en tot dusver voorspelde het verloop van de dag niet veel goeds voor de rest van de werkweek.

Het oude politiebureau van Rebus, zijn jachtterrein van de afgelopen acht jaar, was gereorganiseerd. Bijgevolg kon het nu niet langer bogen op een rechercheafdeling, want Rebus en zijn collega-rechercheurs waren naar andere bureaus verscheept. Hij was uiteindelijk beland op Gayfield Square, vlak bij Leith Walk: een luizenbaantje volgens sommigen. Gayfield Square lag aan de periferie van de chique wijk New Town, waar achter de achttiende- en negentiende-eeuwse gevels van alles kon gebeuren zonder dat de voorbijganger er iets van merkte. Het leek in ieder geval heel ver van Knoxland, verder dan de vijf kilometer die het was. Het was een andere cultuur, een ander territorium.

Knoxland was gebouwd in de jaren zestig, zo op het oog van papier-maché en balsahout. De muren waren zo dun dat je de buren hun teennagels kon horen knippen en hun eten op het fornuis kon ruiken. Vochtvlekken floreerden op de grijze betonnen muren. Graffiti hadden de buurt veranderd in 'Hard Knox'. Andere verfraaiingen waarschuwden de 'Paki's' dat ze moesten 'oprotten' en een slordige krabbel, die waarschijnlijk pas een uur oud was, vermeldde: 'Weer een minder'.

De weinige winkeliers hadden hun toevlucht genomen tot metalen rasterwerken voor de ramen en deuren, zonder de moeite te nemen die weg te halen tijdens openingsuren. De buurt zelf lag afgezonderd, omsloten door vierbaanswegen naar het noorden en het westen. Slimme projectontwikkelaars hadden tunnels onder de wegen gegraven. Op de oorspronkelijke tekeningen waren dat waarschijnlijk goed verlichte ruimten geweest, waarin buren elkaar staande hielden om een praatje te maken over het weer of de nieuwe gordijnen voor het raam van huisnummer 42. In werkelijkheid waren dit voor iedereen ontoegankelijke plekken geworden, behalve voor roekeloze of levensmoede lieden – zelfs overdag. Rebus zag onophoudelijk rapportjes over tassendiefstal en gewelddadige berovingen.

Waarschijnlijk diezelfde pientere projectontwikkelaars waren op het idee gekomen de torenflats te vernoemen naar Schotse schrijvers. Daarbij hadden ze aan die namen steeds het woord 'House' toegevoegd, wat moest benadrukken dat ze niets met echte huizen te maken hadden.

Barrie House.

Stevenson House.

Scott House.

Burns House.

Ze staken de lucht in met de subtiliteit van een opgestoken middelvinger.

Hij keek om zich heen om een plek te zoeken waar hij zich kon ontdoen van zijn halflege koffiebeker. Hij was gestopt bij een bakker op Gorgie Road – want naarmate hij verder van het centrum wegreed, zo wist hij, had hij ook minder kans iets te vinden wat enigszins drinkbaar was. Maar het was geen goede keus geweest. De koffie was eerst kokendheet en werd al snel lauw, wat het ontbreken van smaak benadrukte. In de buurt waren er geen afvalbakken en elders ook niet. Maar de stoepen en de grasstroken langs de weg deden hun best om hierin te voorzien en dus voegde Rebus zijn afval aan het mozaïek toe, waarna hij zich uitrekte en zijn handen diep in zijn jaszakken stopte. Hij zag zijn adem in de lucht.

'Dit is een buitenkansje voor de kranten,' mopperde iemand. Een stuk of tien figuren sjokten in de overdekte passage tussen twee van de torenflats rond. Het rook er vaag naar urine van mensen of dieren. Meer dan genoeg honden in de wijk, sommige zelfs met een halsband. Ze kwamen altijd snuffelen bij de ingang van de passage, totdat ze werden weggejaagd door een van de agenten in uniform. De linten waarmee de plaats delict was afgezet, sloten nu beide einden van de doorgang af. Langsfietsende kinderen keken reikhalzend om. Politiefotografen verzamelden bewijsmateriaal en wedijverden met de forensische ploeg om ruimte. Die droeg witte overalls met capuchons. Een anoniem grijs bestelbusje stond geparkeerd naast de politiewagens op het moddrige speelterrein verderop. De chauffeur had zich bij Rebus erover beklaagd dat enkele kinderen geld van hem hadden gevraagd om op de auto te letten.

'Aasgieren.'

Straks zou deze chauffeur het lijk naar het mortuarium vervoeren, waar autopsie zou plaatsvinden. Ze wisten nu al dat ze met moord te maken hadden. Een aantal steekwonden, waarvan één in de keel. Uit het bloedspoor bleek dat het slachtoffer zo'n drie meter verderop in de passage was aangevallen. Hij had waarschijnlijk nog geprobeerd weg te komen in de richting van het licht en was door zijn aanvaller nog een paar keer gestoken, toen hij wankelde en viel.

'Niets in zijn zakken, behalve wat kleingeld,' zei een andere rechercheur. 'Laten we hopen dat iemand weet wie hij is...'

Rebus wist niet wie het slachtoffer was, maar wel wát hij was: een geval, een statistisch gegeven. Maar vóór alles was hij een verhaal. Zelfs nu al zouden de journalisten hem ruiken, als een troep hongerige wolven die hun prooi bespeuren. Knoxland was geen populaire wijk. Alleen wanhopigen en kanslozen werden erdoor aangetrokken. Vroeger had de wijk gediend als dumpplaats voor huurders die door de gemeente moeilijk elders konden worden gehuisvest: verslaafden en ontredderden. De laatste tijd waren hier immigranten weggestopt in de meest bedompte en minst gastvrije uithoeken: asielzoekers en vluchtelingen, mensen aan wie niemand ooit dacht en met wie niemand ooit te maken wilde hebben. Om zich heen blikkend besefte Rebus dat die arme donders zich hier moesten voelen als muizen in een doolhof. Met dit verschil dat er in de laboratoria weinig roofdieren rondliepen en hier in de echte wereld overal.

Ze hadden messen bij zich. Ze zwierven vrij rond. Ze beheersten de straat.

En nu hadden ze een moord gepleegd.

Weer stopte er een auto en stapte er iemand uit. Rebus kende het gezicht: Steve Holly, de plaatselijke correspondent van een sensatieblad uit Glasgow. Zwaarlijvig en bedrijvig, zijn piekhaar stijf van de gel. Holly stak zijn laptop onder zijn arm, klaar voor gebruik, en sloot zijn auto af. Helemaal bij de tijd, die Steve Holly. Hij knikte naar Rebus.

'Heb je wat voor me?'

Rebus schudde van nee. Holly keek om zich heen, op zoek naar andere, toeschietelijkere bronnen. 'Ik hoorde dat je van St Leonard's af bent getrapt,' zei hij, alsof hij een gesprek begon. Zijn ogen waren gericht op van alles, maar niet op Rebus. 'Je gaat me toch niet vertellen dat je hier bent gedumpt?'

Rebus was zo verstandig hier niet op in te gaan, maar Holly begon er zin in te krijgen. 'Echt een plek om afval te dumpen. Een leerschool voor harde jongens, toch?' Holly stak een sigaret op. Rebus wist dat hij nadacht over het verhaal dat hij zou gaan schrijven en puntige zinnetjes en flinterdunne filosofietjes verzon.

'Een Aziaat, zeggen ze,' zei de journalist. Hij blies een rookwolkje uit en stak Rebus het pakje toe.

'Dat weten we nog niet,' moest Rebus erkennen. Die informatie was een sigaret waard. Holly gaf hem een vuurtje. 'Een donkere huidskleur... hij kan overal vandaan komen.'

'Overal vandaan, behalve uit Schotland,' zei Holly glimlachend. 'Maar wel een racistische moord. Dat moet wel. Gewoon een kwestie van tijd dat er híér ook een zou gebeuren.' Rebus wist waarom hij met nadruk hier zei. Hij bedoelde Edinburgh. In Glasgow was er minimaal één racistische moord gepleegd op een asielzoeker die daar zijn leven probeerde te slijten in een van de ruige wijken. Doodgestoken, zoals het slachtoffer voor hun voeten, dat na onderzocht en gefotografeerd te zijn in een lijkzak werd gestopt. Het was tijdens die procedure stil, een kort teken van respect van de professionals, die daarna hun taak om de moordenaar te vinden zouden hervatten. De lijkzak werd op een rollende kar getild en vervolgens uit de afzetting langs Rebus en Holly gereden.

'Heb jij de leiding?' vroeg Holly onopvallend, maar Rebus schudde weer van nee en keek toe terwijl het lijk in het busje werd geladen. 'Geef me dan een tip. Met wie moet ik praten?'

'Ik zou hier niet eens moeten zijn,' zei Rebus. Hij draaide zich om en liep naar zijn heel wat veiliger auto.

Ik ben een bofkont, dacht recherchebrigadier Siobhan Clarke stilletjes, waarmee ze bedoelde dat zijzelf tenminste een eigen bureau had gekregen. John Rebus – haar meerdere – was minder fortuinlijk geweest. Met fortuin had dit overigens niets van doen gehad. Ze wist dat Rebus het als een teken van hogerhand zag: we hebben geen plaats voor je, dus denk er eens over om eruit te stappen. Hij zou nu van zijn politiepensioen kunnen gaan genieten – politiemensen jonger dan hij, met minder dienstjaren, hielden het voor gezien en verzilverden hun vervroegd pensioen. Hij begreep heel goed welke boodschap de bazen aan hem wilden overbrengen. Ook Siobhan had dit begrepen en daarom haar eigen bureau aan hem aangeboden. Hij had dit vanzelfsprekend geweigerd en gezegd dat hij best de beschikbare ruimte wilde delen. Dat kwam neer op een tafel bij het kopieerapparaat met mokken, koffie en suiker erop. De waterkoker stond op de vensterbank daarnaast. Onder de tafel lag een doos kopieerpapier en er was ook een stoel met een kapotte rugleuning, die kreunend kraakte als iemand erop ging zitten. Geen telefoon. Zelfs geen aansluiting in de muur. En ook geen computer.

'Het is natuurlijk maar tijdelijk,' had hoofdinspecteur James Macrae uitgelegd. 'Het is niet makkelijk om ruimte te maken voor nieuwe mensen...'

Waarop Rebus had gereageerd met een glimlach en schouderophalen. Siobhan besefte dat hij zich niet durfde uit te spreken. Het was Rebus' heel eigen manier om zijn woede te beheersen, alles oppotten voor een later tijdstip. Die ruimteproblemen verklaarden ook waarom haar bureau in de kamer van de gewone rechercheurs stond. Er was een aparte kamer voor de brigadiers, die zij deelden met de administratief medewerker, maar voor Siobhan of Rebus was daar geen plaats. De inspecteur van de recherche had voor zichzelf een kleine kamer, tussen de beide andere in. Daar zat dus het probleem. Bureau Gayfield had al een inspecteur en had geen behoefte aan een tweede. Zijn naam was Derek Starr, en hij was lang, blond en knap. Het probleem was dat hij dat ook wist. Hij had Siobhan eens meegenomen voor een lunch op zijn club. Die club heette de Hallion en lag op vijf minuten loopafstand. Ze had niet durven vragen hoeveel het kostte om lid te worden. Achteraf bleek dat hij Rebus ook al eens had meegenomen.

'Omdat hij dat kan doen,' had Rebus opgemerkt. Starrs ster was rijzende, en hij wilde dat de twee nieuwkomers dat wisten.

Haar eigen bureau was prima. Ze had een computer, die Rebus wat haar betrof kon gebruiken wanneer hij maar wilde. En ze had een telefoon. Tegenover haar zat rechercheur Phyllida Hawes. In een aantal zaken hadden ze samengewerkt, ook al zaten ze toen bij verschillende bureaus. Siobhan was tien jaar jonger dan Hawes, maar hoger in rang. Tot dusverre was dit geen probleem geweest, en Siobhan hoopte dat dit zo zou blijven. Er zat nog een andere rechercheur in de kamer. Zijn naam was Colin Tibbet. Siobhan schatte hem op midden twintig, dus een paar jaar jonger dan zijzelf. Hij had een prettige glimlach, waardoor ze vaak zijn kleine, regelmatige tanden zag. Hawes had haar er al van beschuldigd dat ze hem wel zag zitten, verpakt in scherts weliswaar, maar toch.

'Ik val niet op jongetjes,' had Siobhan gereageerd.

'Dus je houdt meer van volwassen mannen?' had Hawes haar geplaagd, waarbij ze een blik op het kopieerapparaat wierp.

'Doe niet zo gek,' had Siobhan gezegd, in de wetenschap dat ze op Rebus doelde. Enkele maanden geleden, na afloop van een zaak, was Siobhan door Rebus omhelsd en gekust. Niemand anders wist hiervan en zelf hadden ze er nooit meer over gesproken. Maar toch hing het als ze alleen samen waren tussen hen in. Nou ja... in ieder geval wat háár betrof, want van John Rebus wist je het nooit.

Phyllida Hawes liep nu naar het kopieerapparaat en vroeg waar inspecteur Rebus naartoe was.

'Hij is opgeroepen,' antwoordde Siobhan. Meer wist zij ook niet, maar uit Hawes' blik bleek dat zij dacht dat Siobhan iets verzweeg. Tibbet schraapte zijn keel.

'Er is een lijk gevonden in Knoxland. Het is net binnengekomen op de computer.' Hij tikte tegen zijn scherm alsof hij dat wilde bevestigen. 'Laten we hopen dat het geen bendeoorlog is.'

Siobhan knikte bedachtzaam. Nog geen jaar geleden had een drugsbende geprobeerd zich in de wijk in te dringen, wat geleid had tot steekpartijen, ontvoeringen en vergeldingsacties. De indringers kwamen uit Noord-Ierland en er gingen geruchten over paramilitaire connecties. De meesten van hen zaten nu in de gevangenis.

'Niet ons probleem, toch?' zei Hawes. 'Dat is een van de weinige gunstige dingen hier... er zijn hier vlakbij geen toestanden zoals in Knoxland.'

En dat was maar al te waar. Gayfield Square was vooral een bureau voor de binnenstad: winkeldieven en herrieschoppers op Princes Street; dronkenlappen op zaterdagavond; inbraken in de New Town.

'Het is hier een beetje vakantie voor je, hè, Siobhan?' voegde Hawes er met een grijns aan toe.

'Op St Leonard's gebeurde er meer,' moest Siobhan toegeven. Toen de verhuizing destijds werd aangekondigd, werd over haar verteld dat zij op het hoofdbureau zou belanden. Hoe dat gerucht was ontstaan wist ze niet. Na enkele weken voelde ze het als een feit. Maar vervolgens had commissaris Gill Templer haar ontboden en ging ze plotseling toch naar Gayfield Square. Ze probeerde dat niet als tegenslag te zien, maar dat was het wel degelijk geweest. Templer zelf ging wél naar het hoofdbureau. Sommigen werden ver weggestopt in Balerno en East Lothian, en enkele anderen kozen voor pensionering. Alleen Siobhan en Rebus zouden naar Gayfield Square verhuizen.

'En net op het moment dat we begonnen te wennen aan onze baan hier,' had Rebus geklaagd, terwijl hij de inhoud van zijn bureaulades in een grote kartonnen doos liet glijden. 'Maar bekijk het eens van een wat zonniger kant. Je kunt 's ochtends langer in je bed blijven liggen.'

Dat klopte, het was vijf minuten lopen naar haar flat. Niet meer in de spits door het centrum van de stad. Dat was een van de weinige voordelen die ze kon bedenken; misschien zelfs het enige. Op St Leonard's waren ze een team geweest en dat gebouw was heel wat beter dan hun huidige, kleurloze onderkomen. De recherchekamer op St Leonard's was veel groter en lichter, en hier hing een – ze ademde diep door haar neusgaten in – nou ja, een geur. Een geur die ze niet precies kon plaatsen. Het was geen lichaamsgeur, het was niet de geur van het zakje boterhammen met kaas en pickles dat Tibbet iedere dag mee naar het werk bracht. Het leek van het gebouw zelf te komen. Op een ochtend, toen ze alleen in de kamer was, had ze zelfs aan de muren en de vloer geroken, maar er leek geen bron voor de geur te zijn. Op sommige momenten was hij zelfs helemaal verdwenen, maar dan kwam hij in vlagen terug. De radiatoren? De isolatie? Ze had haar pogingen om er een verklaring voor te vinden opgegeven en ze had er niets over gezegd, tegen niemand, ook niet tegen Rebus.

Haar telefoon ging en ze nam hem op. 'Recherche.'

'Met de balie. Ik heb hier een stel dat rechercheur Clarke wil spreken.'

Siobhan fronste haar voorhoofd. 'Hebben ze speciaal naar mij gevraagd?'

'Klopt.'

'Hoe heten ze?' Ze pakte een notitieblok en een pen.

'De heer en mevrouw Jardine. Ze zeiden dat ik moest zeggen dat ze van Banehall komen.'

Siobhan stopte met schrijven. Ze wist wie het waren. 'Zeg maar dat ik eraan kom.' Ze legde de hoorn neer en pakte haar jasje van de rugleuning van haar stoel.

'Nog iemand die ons verlaat?' zei Hawes. 'Je zou bijna gaan denken dat ons gezelschap niet welkom is, Col.' Ze knipoogde naar Tibbet.

'Er zijn bezoekers voor me,' verklaarde Siobhan.

'Breng ze maar hier,' zei Hawes uitnodigend, met haar armen open. 'Hoe meer zielen, hoe meer vreugd.'

'Ik zie wel,' zei Siobhan. Terwijl ze de kamer uit ging, drukte Hawes nogmaals op de knop van het kopieerapparaat en las Tibbet iets op zijn computerscherm, waarbij zijn lippen geluidloos bewogen. Onder geen beding bracht ze de Jardines hier naar binnen. Die geur op de achtergrond, die mufheid en het uitzicht over de parkeerplaats... de Jardines verdienden beter.

Ik ook, dacht ze er onwillekeurig achteraan.

Drie jaar geleden had ze hen voor het laatst gezien. Ze waren er niet op vooruitgegaan. John Jardines haar was nagenoeg verdwenen; het kleine beetje dat hij nog had, was peper-en-zoutkleurig. Ook zijn vrouw Alice had hier en daar wat grijs haar. Ze had het naar achteren opgebonden, wat haar gezicht breed en streng maakte. Ze was wat aangekomen, en haar kleren zagen eruit alsof ze maar wat bij elkaar gegraaid had: een lange bruine ribfluwelen rok, een donkerblauwe panty, groene schoenen, een geruite blouse, en over dat alles heen hing een roodgeblokte jas. John Jardine had er wat meer werk van gemaakt: een pak met een das, en een overhemd dat in het recente verleden een strijkplank had gezien. Hij reikte Siobhan de hand.

'Dag meneer Jardine,' zei ze. 'U hebt nog steeds katten, zie ik.' Ze plukte een paar haren van zijn revers.

Hij liet een kort, nerveus lachje horen en schoof iets opzij, zodat zijn vrouw naar voren kon stappen om Siobhan de hand te schudden. Maar in plaats van die te schudden, kneep ze erin en hield hem heel stil in de hare. Haar ogen waren rood doorlopen en Siobhan voelde dat er iets was en dat de vrouw hoopte dat zij dat zou zien.

'Ze hebben gezegd dat je nu brigadier bent,' zei John Jardine.

'Recherchebrigadier, ja.' Siobhan hield nog steeds de starende blik van Alice Jardine vast.

'Gefeliciteerd. We zijn eerst naar je oude bureau geweest, en daar hebben ze ons verteld dat we hierheen moesten. Dat de recherche reorganiseert, of zoiets?' Hij wreef met zijn handen over elkaar, alsof hij ze stond te wassen. Siobhan wist dat hij midden veertig was, maar hij zag er tien jaar ouder uit, en zijn vrouw ook. Drie jaar geleden had Siobhan gezinstherapie voorgesteld. Als ze haar advies al hadden opgevolgd, had het niet geholpen. Ze verkeerden nog steeds in een shocktoestand, nog steeds in de war en in de rouw.

'We hebben één dochter verloren,' zei Alice Jardine zacht, terwijl ze eindelijk haar greep ontspande. 'We willen er niet nog een verliezen... daarom hebben we je hulp nodig.'

Siobhan verlegde haar blik van de vrouw naar haar man, en weer terug. Ze was zich ervan bewust dat de brigadier achter de balie toekeek. En ze was zich ook bewust van de afbladderende verf op de muren, de opgespoten graffiti en de posters met gezochte personen.

'Zin in een kop koffie?' vroeg ze met een glimlach. 'Er is een zaak hier net om de hoek.'

En daar gingen ze dus heen. Een café dat tijdens de lunch ook nog dienstdeed als restaurant. Aan een van de tafeltjes bij het raam zat een zakenman, die zijn laatste hap naar binnen werkte terwijl hij mobiel belde en de papieren in zijn diplomatenkoffertje doorzocht. Siobhan ging het echtpaar voor naar een zitje, op enige afstand van de luidsprekers aan de muur. Er klonk instrumentale muziek, achtergrondpulp om de stilte te vullen. Moest waarschijnlijk vagelijk Italiaans klinken. Maar de kelner was voor honderd procent uit Edinburgh.

'Had u er nog iets bij willen eten?' Zijn klinkers klonken kleurloos en nasaal. Ter hoogte van zijn buik zat een eerbiedwaardige kwak bolognesesaus op zijn witte overhemd met korte mouwen. Zijn armen waren dik, met vervagende tatoeages van Schotse symbolen erop.

'Alleen koffie,' zei Siobhan. 'Tenzij...?' Ze keek naar het echtpaar tegenover haar, maar die schudden beiden van nee. De kelner liep naar het espressoapparaat, maar zijn aandacht werd getrokken door de zakenman, die ook iets wilde en blijkbaar een voorkeursbehandeling verdiende waar een bestelling van drie koffie niet tegenop kon. Nou ja, Siobhan zat niet te springen om naar haar bureau terug te keren, hoewel ze ervan overtuigd was dat ze weinig plezier zou beleven aan de conversatie die haar hier wachtte.

'En, hoe gaat het met u?' voelde ze zich verplicht te vragen.

De twee keken elkaar aan alvorens te antwoorden. 'Niet zo best,' zei meneer Jardine. 'Het gaat... niet zo best.'

'Ja, dat begrijp ik.'

Alice boog zich naar voren over de tafel. 'Het gaat niet om Tracy. Ik bedoel, we missen haar nog steeds...' Ze sloeg haar blik neer. 'Natuurlijk missen we haar. Maar we maken ons zorgen over Ishbel.'

'Vreselijke zorgen,' vulde haar man aan.

'Omdat ze ervandoor is, weet je. En we weten niet waarom, of waarheen.' Mevrouw Jardine barstte in tranen uit. Siobhan keek in de richting van de zakenman, maar die besteedde slechts aandacht aan zijn eigen bestaan. De kelner was bij het espressoapparaat blijven staan. Siobhan wierp hem een boze blik toe in de hoop dat hij die wenk begreep en zou opschieten met hun koffie. John Jardine had een arm om de schouders van zijn vrouw geslagen, en dat bracht Siobhan drie jaar terug in de tijd naar een bijna identieke scène: het rijtjeshuis in het dorp Banehall in West Lothian, en John Jardine die zijn vrouw naar zijn beste vermogen troostte. Netjes en schoon was het huis; de eigenaars konden er trots op zijn. Ze hadden het van de plaatselijke overheid gekocht. Overal in de omgeving stonden vrijwel identieke huizen, maar je kon zien welke privébezit waren: nieuwe deuren en ramen, verzorgde tuinen met nieuwe schuttingen en smeedijzeren hekken. Ooit had Banehall voorspoed gekend door de kolenmijnen, maar die industrie was allang verdwenen en daarmee ook veel van de vitaliteit van de stad. Toen ze voor het eerst door Main Street was gereden, had Siobhan dichtgespijkerde winkels en borden met TE KOOP gezien. Mensen sleepten zich voort onder het gewicht van boodschappentassen; kinderen hingen rond bij het oorlogsmonument en schopten, hoog opspringend, speels in elkaars richting.

John Jardine bracht in een auto bestellingen rond. Alice stond aan de lopende band in een elektronicafabriek aan de rand van Livingston. Ze spanden zich in voor het welzijn van henzelf en hun twee dochters. Maar een van die dochters was tijdens een avondje stappen in Edinburgh aangevallen. Ze heette Tracy. Ze had gedronken en gedanst met een groep vrienden en vriendinnen. Tegen het eind van de avond hadden ze zich in taxi's gepropt om naar een feest te gaan. Maar Tracy was alleen achtergebleven en ze was het adres van het feest vergeten tijdens het wachten op een taxi. De batterij van haar mobieltje was leeg, en daarom ging ze terug naar binnen en vroeg aan een van de jongens met wie ze had gedanst of ze dat van hem mocht lenen. Hij ging met haar naar buiten en liep met haar op met het verhaal dat het feest niet zo ver weg was.

Hij begon haar te zoenen en negeerde haar verzet. Hij sloeg en stompte haar, sleurde haar een steeg in en verkrachtte haar.

Dit alles wist Siobhan destijds al toen ze in het huis in Banehall zat. Zij had de zaak behandeld en gesproken met het slachtoffer en haar ouders. Het was niet moeilijk geweest de aanrander te vinden. Hij kwam zelf ook uit Banehall en woonde maar drie of vier straten verder, aan de andere kant van Main Street. Tracy kende hem van school. Zijn verdediging was de gebruikelijke: te veel gedronken, kon het zich niet meer herinneren... en zij had het trouwens zelf gewild. Verkrachtingen waren altijd moeilijke rechtszaken, maar tot opluchting van Siobhan werd Donald Cruikshank – Donny voor zijn vrienden –, van wie het gezicht voorgoed getekend was door de nagels van zijn slachtoffer, schuldig bevonden en tot vijf jaar veroordeeld.

En dat zou het einde zijn geweest van Siobhans betrokkenheid bij de familie, als niet enkele weken na de rechtszaak het bericht was binnengekomen dat Tracy op negentienjarige leeftijd een eind aan haar leven had gemaakt. Ze werd in haar eigen slaapkamer gevonden door haar vier jaar jongere zus Ishbel, aan een overdosis pillen gestorven.

Siobhan had de ouders bezocht in het besef dat wat zij ook zou zeggen, niets de feiten kon veranderen, maar toch voelde ze de behoefte om íéts te zeggen. Ze waren in de steek gelaten, niet zozeer door het systeem alswel door het leven zelf. Het enige wat Siobhan niet had gedaan – waarvan ze zich knarsetandend had weerhouden – was Cruikshank opzoeken in de gevangenis. Ze had hem haar woede willen laten voelen. Ze herinnerde zich hoe Tracy had getuigd in de rechtszaal. Haar stem was bij de stotterend uitgebrachte zinnen onhoorbaar weggezakt. Ze had niemand aangekeken, bijna beschaamd dat ze daar was. Ze weigerde de in zakken verpakte bewijsstukken, haar gescheurde jurk en ondergoed, aan te raken en veegde stille tranen weg. De rechter was meelevend geweest, terwijl de beklaagde geprobeerd had geen schaamte te tonen en de rol te spelen van het werkelijke slachtoffer: gewond, met een grote pleister op zijn wang, ongelovig zijn hoofd schuddend, zijn blik ten hemel gericht.

Achteraf, na de uitspraak, mocht de jury zijn eerdere veroordelingen vernemen: twee voor geweldpleging, een voor poging tot verkrachting. Donny Cruikshank was negentien.

'Die rotzak heeft zijn hele leven nog voor zich,' had John Jardine tegen Siobhan gezegd bij het verlaten van de begraafplaats. Alice had haar beide armen om haar andere dochter heen geslagen. Ishbel huilde tegen haar moeders schouder. Alice had recht voor zich uit gekeken, terwijl er iets in haar ogen doofde...

De koffie kwam. Dat bracht Siobhan met een schok terug in het heden. Ze wachtte tot de kelner weer weg was om de zakenman zijn rekening te brengen.

'Vertel me wat er gebeurd is,' zei ze.

John Jardine leegde een zakje suiker in zijn koffie en begon te roeren. 'Ishbel is vorig jaar van school gegaan. We wilden dat ze ging studeren, om een diploma te halen. Maar ze wilde per se kapster worden.'

'Daar heb je natuurlijk ook een diploma voor nodig,' onderbrak zijn vrouw hem. 'Ze volgt een deeltijdopleiding aan de hogere beroepsschool in Livingston.'

Siobhan knikte.

'Ja, dat deed ze. Totdat ze verdween,' merkte John Jardine met zachte stem op.

'Wanneer was dat?'

'Vandaag een week geleden.'

'Is ze er zomaar vandoor gegaan?'

'Wij dachten dat ze gewoon naar haar werk was – ze werkt bij de kapsalon in Main Street. Maar ze belden om te vragen of ze ziek was. Er waren wat kleren van haar weg, genoeg om een weekendtas mee te vullen. Geld, bankpasjes, mobieltje...'

'We hebben haar ik weet niet hoe vaak geprobeerd te bellen,' vulde zijn vrouw aan, 'maar ze heeft haar mobieltje niet aanstaan.'

'Hebt u buiten mij met anderen gesproken?' vroeg Siobhan, terwijl ze haar koffiekopje naar haar lippen bracht.

'Met iedereen die we maar konden bedenken. Haar vrienden, haar oude schoolvriendinnen, de meisjes met wie ze werkte.'

'En de mensen van haar opleiding?'

Alice Jardine knikte. 'Die hebben haar ook niet gezien.'

'We zijn naar het politiebureau in Livingston geweest,' zei John Jardine. Hij roerde nog steeds in zijn kopje, zonder aanstalten te maken om te drinken. 'Daar zeiden ze dat ze ouder dan achttien is en dus niet in strijd met de wet handelt. Dat ze een tas heeft ingepakt en dat het dus niet waarschijnlijk is dat ze is ontvoerd.'

'Dat klopt, vrees ik.' Siobhan had hier nog meer aan toe kunnen voegen – dat ze voortdurend meldingen kreeg van kinderen die van huis wegliepen en dat ze zelf waarschijnlijk ook zou zijn weggelopen als ze in Banehall had gewoond... 'Zijn er ruzies geweest thuis?'

Meneer Jardine schudde het hoofd. 'Ze spaarde voor een eigen appartement... en ze maakte al lijstjes van de spullen die ze ervoor zou gaan kopen.'

'Vriendjes?'

'Tot enkele maanden geleden had ze een vriendje. Ze zijn als vrienden...' Meneer Jardine kon niet op het woord komen waarnaar hij zocht. 'Ze zijn nog steeds vrienden.'

'Ze zijn als vrienden uit elkaar gegaan?' opperde Siobhan. Hij glimlachte en knikte. Ze had de juiste uitdrukking voor hem gevonden.

'We willen gewoon weten wat er aan de hand is,' zei Alice Jardine.

'Dat kan ik me voorstellen. Er zijn mensen die daarbij kunnen helpen. Instanties die op zoek gaan naar mensen als Ishbel, die om wat voor reden dan ook van huis zijn weggegaan.' Siobhan besefte dat die woorden er te gemakkelijk uit kwamen. Dit had ze al zo vaak tegen angstige ouders gezegd. Alice keek haar man aan.

'Vertel haar wat Susie je heeft verteld,' zei ze.

Hij knikte en legde toen pas zijn lepeltje op het schoteltje terug. 'Susie werkt bij Ishbel in de kapsalon. Ze zei me dat ze Ishbel in een

22

poenige auto had zien stappen... volgens haar was het een BMW of zoiets.'

'Wanneer was dat?'

'Een paar keer... de auto stond altijd wat verderop in de straat. Er zat een oudere kerel achter het stuur.' Hij zweeg even. 'Althans, iemand van mijn leeftijd.'

'Heeft Susie aan Ishbel gevraagd wie dat was?'

Hij knikte. 'Maar dat wilde Ishbel haar niet vertellen.'

'Dan is ze misschien bij die vriend ingetrokken.' Siobhan had haar koffie op en wilde geen tweede.

'Maar waarom vertelt ze ons dan niets?' vroeg Alice klaaglijk.

'Ik geloof niet dat ik u aan een antwoord kan helpen.'

'Susie zei er nog wat bij,' zei John Jardine, terwijl hij nog zachter ging praten. 'Dat die man... dat hij er een beetje onbetrouwbaar uitzag.'

'Onbetrouwbaar?'

'Wat ze feitelijk zei: hij zag eruit als een pooier.' Hij keek Siobhan aan. 'Je weet wel, zoals in films en op tv. Zonnebril, leren jasje... poenige auto.'

'Ik weet niet of we daar veel verder mee komen,' zei Siobhan, die onmiddellijk spijt had van het woord 'we'. Zo betrok ze zichzelf bij hun probleem.

'Ishbel is een echte schoonheid,' zei Alice. 'Dat weet je zelf ook. Waarom zou ze er zomaar vandoor gaan, zonder het ons te zeggen? Waarom hield ze die man voor ons geheim?' Ze schudde langzaam haar hoofd. 'Nee, hier moet meer achter zitten.'

Even viel er een stilte. Het mobieltje van de zakenman ging weer af, terwijl de kelner de deur voor hem openhield. De kelner maakte zelfs een lichte buiging. De man was óf een vaste klant óf hij had een stevige fooi gegeven. Nu waren er nog maar drie klanten in de zaak. Geen opwekkend vooruitzicht.

'Ik weet niet hoe ik u zou kunnen helpen,' zei Siobhan tegen de Jardines. 'U weet dat ik u zou helpen als ik dat kon...'

John Jardine had de hand van zijn vrouw gepakt. 'Je bent heel goed voor ons geweest, Siobhan. Je hebt met ons meegeleefd. Dat hebben we heel erg gewaardeerd, en Ishbel ook... Daarom dachten we aan jou.' Hij staarde haar met troebele ogen aan. 'We zijn Tracy al kwijtgeraakt. Ishbel is alles wat we nog hebben.'

'Luister...' Siobhan haalde diep adem. 'Misschien kan ik haar naam laten circuleren, om te zien of ze ergens opduikt.'

Zijn gezicht werd milder. 'Dat zou geweldig zijn.'

'Geweldig is overdreven, maar ik zal doen wat ik kan.' Ze zag dat

Alice Jardine haar hand alweer wilde vastpakken. Daarom stond ze op en keek op haar horloge, alsof ze een dringende afspraak had op het bureau. De kelner kwam en John Jardine stond erop dat hij mocht betalen. Toen ze ten slotte vertrokken, was de kelner nergens meer te zien. Siobhan trok de deur open.

'Soms hebben mensen wat tijd nodig voor zichzelf. Weet u zeker dat ze geen problemen had?'

De echtelieden keken elkaar aan. Alice nam het woord. 'Hij is weer vrij, weet je. Terug in Banehall, zo brutaal als de beul. Misschien heeft dat er iets mee te maken.'

'Wie?'

'Cruikshank. Hij heeft maar drie jaar gezeten. Ik zag hem op een dag toen ik aan het winkelen was. Ik moest een zijstraat in schieten om te kunnen kotsen.'

'Hebt u hem gesproken?'

'Ik zou nog niet op hem willen spugen.'

Siobhan keek John Jardine aan, maar die schudde zijn hoofd.

'Ik zou hem vermoorden,' zei hij. 'Als ik hem ooit tegenkom, maak ik hem af.'

'Weet wel tegen wie u dat zegt, meneer Jardine.' Siobhan dacht even na. 'Wist Ishbel dit? Dat hij vrij was, bedoel ik?'

'De hele stad wist het. En je weet hoe dat gaat. Kappers weten de roddels altijd het eerst.'

Siobhan knikte traag. 'Goed... zoals ik al zei, ik zal wat telefoontjes plegen. Een foto van Isbhel zou kunnen helpen.'

Mevrouw Jardine opende haar handtasje en haalde er een opgevouwen papier uit. Het was een uitvergrote foto, afgedrukt op A4-formaat, uit een computer. Ishbel zat op een bank, met een glas in haar hand en blozende wangen van de drank.

'Die naast haar, dat is Susie van de kapsalon,' zei Alice Jardine. 'John heeft die foto drie weken geleden genomen. Op mijn verjaardagsfeestje.'

Siobhan knikte. Ishbel was veranderd sinds zij haar voor het laatst had gezien. Ze had haar haar laten groeien en laten blonderen. Ook meer make-up. Een verharding rond de ogen, ondanks de grijns. En de aanzet van een onderkin. Haar haar was in het midden gescheiden. Bijna direct wist Siobhan aan wie zij deed denken: aan Tracy. Het lange blonde haar, die scheiding, de blauwe eyeliner.

Ze leek precies op haar overleden zuster.

'Bedankt,' zei ze, terwijl ze de foto in haar jaszak stak.

Siobhan vroeg of ze nog altijd hetzelfde telefoonnummer hadden. John Jardine knikte. 'We zijn verhuisd naar een straat verderop, maar we konden hetzelfde nummer houden.'

Natuurlijk waren ze verhuisd. Hoe hadden ze kunnen blijven wonen in dat huis waar Tracy de overdosis had genomen? Vijftien jaar oud was Ishbel geweest toen ze het levenloze lichaam had gevonden van haar zusje dat ze had aanbeden. Van haar rolmodel.

'U hoort nog van me,' zei Siobhan, waarna ze zich omdraaide en wegliep.

2

'En wat heb jij de hele middag uitgespookt?' vroeg Siobhan, terwijl
ze een glas IPA-bier voor Rebus neerzette. Toen ze tegenover hem
ging zitten, blies hij wat sigarettenrook naar het plafond. Zo dacht
hij een concessie te doen aan niet-rokend gezelschap. Ze zaten in de
bovenzaal van de Oxford Bar en alle tafels waren bezet door kan-
toorbedienden, die hier even kwamen bijtanken alvorens op huis aan
te gaan. Siobhan was nog maar net op haar werk gearriveerd, toen
er een tekst van Rebus op haar mobieltje was verschenen:
als je wat drinken wil ik zit in de ox
Het verzenden en ontvangen van teksten had hij eindelijk onder
de knie gekregen, maar nu moest hij het aanbrengen van interpunc-
tie nog uitvinden.
En van hoofdletters.
'Ik was in Knoxland,' zei hij nu.
'Col vertelde me dat daar een lijk is gevonden.'
'Moord,' stelde Rebus. Hij nam een flinke teug van zijn bier en
keek fronsend naar Siobhans ranke glas frisdrank.
'Hoe ben je daar verzeild geraakt?' vroeg ze.
'Ik werd gebeld. Iemand op het hoofdbureau had West End ge-
meld dat ik op Gayfield Square overtollig zat te zijn.'
Siobhan zette haar glas neer. 'Dat hebben ze toch niet gezegd?'
'Je hebt geen vergrootglas nodig om tussen de regels door te le-
zen, Shiv.'
Siobhan had haar pogingen allang opgegeven om mensen haar
volledige naam te laten gebruiken in plaats van deze verkorte vorm.
Zo werd Phyllida Hawes 'Phyl' genoemd en Colin Tibbet 'Col'. Kennelijk kon Derek Starr af en toe worden aangesproken met 'Deek',
maar dat had ze nog nooit horen gebruiken. Zelfs hoofdinspecteur
James Macrae had haar gevraagd hem 'Jim' te noemen, behalve als
ze in een formele vergadering zaten. Maar John Rebus... zolang ze
hem kende was hij altijd 'John' geweest, geen Jock of Johnny. Het

was alsof mensen alleen al door hem aan te kijken wisten dat hij niet het type was dat een roepnaam duldde. Door een roepnaam leek je vriendelijk, makkelijker te benaderen en wat vertrouwelijker in de omgang. Als hoofdinspecteur Macrae 'Shiv, heb je even?' of zoiets zei, dan had hij haar hulp nodig. Maar was het 'Siobhan, in mijn kamer graag', dan was ze bij hem uit de gratie of was er een zware misdaad gepleegd.

'Een cent voor je gedachten,' zei Rebus nu. Hij had de hele *pint* die ze voor hem had neergezet, al bijna verzwolgen.

Ze schudde haar hoofd. 'Ik dacht na over het slachtoffer.'

Rebus haalde zijn schouders op. 'Aziatisch uiterlijk, of wat de politiek-correcte uitdrukking van de week ook mag zijn.' Hij drukte zijn sigaret uit. 'Hij zou uit het Middellandse Zeegebied kunnen komen. Of het is een Arabier... Ik heb hem niet echt van dichtbij gezien. Vragen zat.' Hij schudde aan zijn pakje sigaretten, constateerde dat het leeg was en verfrommelde het. Hij dronk zijn glas leeg en vroeg, terwijl hij opstond: 'Nóg een?'

'Mijn glas is nog bijna vol.'

'Zet het dan weg en drink eens iets échts. Je hebt verder toch niks, vanavond?'

'Daarom ga ik nog niet mijn hele avond jou helpen een stuk in je kraag te drinken.' Hij hield aan. Ze mocht er nog even over nadenken. 'Nou, goed dan. Een gin-tonic.'

Rebus leek hier tevreden mee te zijn en liep de zaal uit. Ze kon stemmen horen vanuit de bar onderin, van klanten die hem daar begroetten.

'Waarom verstop je je hierboven?' vroeg een van hen. Ze kon het antwoord niet horen, maar kende het al. De bar was het domein van Rebus, een plek waar hij omringd werd door zijn mededrinkers – louter mannen. Maar dit onderdeel van zijn leven moest gescheiden blijven van de rest. Siobhan wist niet waarom, dit wilde hij gewoon niet delen. De bovenzaal was voor afspraken en 'gasten'. Ze leunde achterover en dacht aan de Jardines, en of ze echt betrokken wenste te raken bij hun zoektocht. Ze waren onderdeel van haar verleden en zelden kwamen zaken van vroeger zo tastbaar weer boven. Het hoorde nu eenmaal bij je baan, intiem betrokken raken bij het leven van mensen – intiemer dan velen van hen wilden, zij het voor een korte periode. Rebus had zich ooit tegenover haar laten ontvallen dat hij zich door spoken omringd voelde: verbroken vriendschappen en relaties, plus die talloze slachtoffers wier leven al was beëindigd voordat zijn belangstelling voor hen was begonnen.

Het kan je goed in de vernieling helpen, Shiv...

Ze was die woorden nooit vergeten. *In vino veritas,* enzovoorts. Ze hoorde een mobieltje overgaan in de bar, waarop ze haar eigen mobieltje pakte om het te controleren op berichten. Maar er kwam geen signaal, en dat was ze vergeten over deze tent. De Oxford Bar lag op maar een minuut loopafstand van de winkels in de binnenstad, maar toch had je in de bovenzaal nooit ontvangst. De bar lag namelijk in een smalle steeg, met kantoren en appartementen erboven. Dikke stenen muren, gebouwd om de eeuwen te trotseren. Ze hield het apparaatje in diverse richtingen, maar op het schermpje bleef hardnekkig het bericht GEEN BERICHTEN staan. Nu stond Rebus in de deuropening. Hij had geen glazen in zijn handen, maar zwaaide in plaats daarvan met zijn eigen mobieltje naar haar.

'Ze hebben ons nodig,' zei hij.

'Waar?'

Hij negeerde haar vraag. 'Heb je je auto hier?'

Ze knikte.

'Dan kun jij beter rijden. Wat een geluk dat je het bij frisdrank hebt gehouden, hè?'

Ze trok haar jasje weer aan en pakte haar tas. Rebus kocht sigaretten aan de bar en pepermuntjes. Hij stopte er een in zijn mond.

'Wordt dit een puzzelrit of hoe zit het?' vroeg Siobhan.

Hij schudde zijn hoofd en vermaalde het pepermuntje tussen zijn tanden. 'Fleshmarket Close,' zei hij. 'Lijken waar we misschien belangstelling voor hebben.' Hij trok de deur naar de buitenwereld open. 'Alleen niet zo vers als dat lijk in Knoxland...'

Fleshmarket Close was een nauwe doorgang, alleen voor voetgangers, die High Street verbond met Cockburn Street. De ingang bij High Street lag tussen een bar en een fotohandel. Daar was geen parkeerplaats vrij, zodat Siobhan Cockburn Street indraaide en voor de winkelgalerij parkeerde. Ze staken de weg over en liepen naar Fleshmarket Close. Aan deze ingang bevond zich een bookmaker en daartegenover verkocht een winkel kristalglas. Oud en nieuw Edinburgh, dacht Rebus bij zichzelf. De toegang tot de passage bij Cockburn Street was aan de elementen blootgesteld, terwijl de andere kant werd overschaduwd door vijf verdiepingen waarin hij appartementen vermoedde. Hun onverlichte ramen wierpen onheilspellende blikken op de gebeurtenissen beneden.

In de passage waren diverse deuren. Een ervan leidde naar de flats, en een andere recht daartegenover naar de lijken. Rebus zag enkele gezichten die hij herkende van de plaats delict in Knoxland: medewerkers van de technische recherche in witte pakken en politiefotografen. De deuropening was smal en laag en dateerde van enkele eeuwen geleden, toen de plaatselijke bevolking een heel stuk kleiner was. Rebus bukte zich toen hij naar binnen ging, met Siobhan vlak achter hem. Men wilde de armzalige verlichting, een peertje van 40 watt dat aan het plafond hing, opvoeren met een booglamp zodra er een kabel was gevonden om het dichtstbijzijnde stopcontact te bereiken.

Rebus bleef even aarzelend staan, totdat hij van de technische recherche verder mocht komen.

'Die lichamen liggen hier al een tijdje. Weinig kans dat we nog sporen verstoren.'

Rebus knikte, liep naar de dichte kring van witte pakken en zag een uitgesleten betonnen vloer. Vlakbij lag een pikhouweel. Er hing nog stof in de lucht, dat zich vastzette in zijn keel.

'Ze waren bezig het beton op te breken,' verklaarde iemand. 'Het ligt er kennelijk nog niet zo lang, maar ze wilden de vloer verlagen.'

'Wat is dit voor ruimte?' vroeg Rebus, om zich heen kijkend. Er stonden pakkisten en rekken met nog meer kisten. Oude vaten en reclamemateriaal voor bier en sterkedrank.

'Van de kroeg hierboven. Ze gebruikten het als opslagplaats. De kelder is vlak achter die muur.' Een gehandschoende hand wees naar de rekken. Rebus hoorde vloerplanken boven hen kraken en er waren gedempte geluiden van een jukebox of tv. 'Een bouwvakker was de vloer aan het openbreken, en toen heeft hij dit gevonden...'

Rebus draaide zich om en keek omlaag. Hij zag een schedel liggen. Er waren nog meer botten, en volgens hem zouden ze ongetwijfeld een volledig skelet vormen zodra de rest van het beton was verwijderd.

'Heeft daar waarschijnlijk al een tijdje gelegen,' opperde een technisch rechercheur. 'Dat wordt een ellendige klus voor iemand.'

Rebus en Siobhan keken elkaar aan. In de auto had ze zich al hardop afgevraagd waarom zíj de oproep hadden gekregen, en niet Hawes of Tibbet. Rebus trok een wenkbrauw op, waarmee hij aangaf dat ze volgens hem nu haar antwoord had gekregen.

'Een echte zwijnenstal,' hernam de rechercheur.

'Daarom zijn wij hier,' zei Rebus zacht, wat hem een wrange glimlach van Siobhan bezorgde vanwege de dubbelzinnige betekenis van zijn woorden. 'Waar is de eigenaar van het pikhouweel?'

'Boven. Hij zei dat een neutje zou helpen om hem weer tot leven te brengen.' De rechercheur snoof, alsof hem nu pas een lichtje opging.

'Dan moeten we maar eens met hem gaan praten,' zei Rebus.

'Het ging toch om méér lijken?' informeerde Siobhan.

De technisch rechercheur knikte naar een witte plastic zak die op de vloer lag, naast het opgebroken beton. Een van zijn collega's hief de zak enkele centimeters op. Siobhan hield haar adem in. Daar lag nog een geraamte, van zeer geringe omvang. Ze maakte een sissend geluid.

'Het was het enige wat we bij de hand hadden,' verontschuldigde de rechercheur zich. Hij bedoelde de zak. Ook Rebus staarde naar de kleine overblijfselen.

'Moeder en baby?' veronderstelde hij.

'Dat soort speculaties zou ik maar aan de deskundigen overlaten,' verklaarde een nieuwe stem. Rebus keerde zich om en kreeg een hand van de patholoog, dr. Curt.

'Jezus, John, ben jij er ook nog? Ze wilden je buitenspel zetten, hoorde ik.'

'Jij bent mijn grote voorbeeld, doc. Waar jij bent, ben ik ook.'

'En onze vreugde zal geen grenzen kennen. Goedenavond, Siobhan.' Curt boog lichtjes zijn hoofd. Had hij een hoed gehad, dan had hij die in aanwezigheid van een dame afgenomen; dat wist Rebus zeker. Hij leek van een andere tijd te zijn, met zijn onberispelijke donkere pak en keurig gepoetste schoenen, het gestijfde overhemd en de gestreepte das, die waarschijnlijk verwees naar het lidmaatschap van een eerbiedwaardig Edinburghs instituut. Zijn haar was grijs, maar dat gaf hem alleen maar een nog gedistingeerder uiterlijk. Het was strak naar achteren gekamd, elk haartje in het gelid. Hij keek naar de skeletten.

'De professor zal genieten,' mompelde hij. 'Hij houdt van dit soort puzzeltjes.' Hij richtte zich op en bekeek zijn omgeving. 'En ook van geschiedenis.'

Siobhan beging de fout om hem te vragen: 'Denk je dan dat ze hier al een tijdje liggen?' Curts ogen twinkelden.

'Ze lagen er zeker al voordat het beton werd gestort... maar waarschijnlijk niet zo lang daarvoor. Mensen storten geen vers beton op lichamen zonder goede reden.'

'Ja, natuurlijk.' De blos op de wangen van Siobhan zou niet zijn opgevallen als de booglamp het tafereel niet plotseling helder had verlicht en daarbij lange schaduwen op de muren en over het lage plafond had geworpen.

'Dat is beter,' zei de technisch rechercheur.

Siobhan keek naar Rebus en zag dat hij over zijn wangen wreef, alsof haar nog duidelijk gemaakt moest worden dat ze rood was aangelopen.

'Ik moet misschien proberen de professor hierheen te krijgen,' zei Curt tegen zichzelf. 'Ik denk dat hij ze graag *in situ* wil zien...' Hij tastte in een binnenzak naar zijn mobieltje. 'Jammer om die beste kerel te storen als hij onderweg is naar de opera. Maar de plicht roept, nietwaar?' Hij knipoogde naar Rebus, die glimlachend reageerde.

'Absoluut, doc.'

De professor was professor Sandy Gates, Curts collega en directe baas. Beide mannen werkten aan de universiteit, waar ze pathologie doceerden, maar waren voortdurend oproepbaar om ergens op een plaats delict te verschijnen.

'Heb je gehoord dat we een steekpartij hebben gehad in Knoxland?' vroeg Rebus, terwijl Curt de toetsen van zijn mobieltje indrukte.

'Heb ik gehoord,' antwoordde Curt. 'We zullen het slachtoffer waarschijnlijk morgenochtend bekijken. Ik weet niet of ook onze klanten hier zo'n dringende behandeling nodig hebben.' Hij keek weer naar het volwassen skelet. De baby was opnieuw toegedekt, ditmaal niet met een plastic zak maar met Siobhans eigen jasje, dat ze zeer zorgvuldig over de stoffelijke resten had gelegd.

'Ik wou dat je dat niet had gedaan,' mompelde Curt, terwijl hij het mobieltje aan zijn oor hield. 'Dat betekent dat we je jas moeten houden voor een vergelijking met eventuele vezels die we vinden.'

Rebus wilde Siobhan niet opnieuw zien blozen. In plaats daarvan gebaarde hij naar de deur. Terwijl ze naar buiten gingen, hoorden ze Curt tegen professor Gates spreken.

'Ben je al helemaal opgedirkt met rokkostuum en sjerp, Sandy? Want als dat niet zo is – en ook als het wél zo is – heb ik vanavond misschien een alternatief uitje voor je...'

In plaats van naar de pub te lopen, liep Siobhan de tegenovergestelde kant uit.

'Waar ga je heen?' vroeg Rebus.

'Ik heb een jack in de auto liggen,' verklaarde ze. Toen ze terugkwam, had Rebus een sigaret opgestoken.

'Gezond om je met wat kleur op de wangen te zien,' zei hij.

'Gut, gut, heb je dat helemaal zelf bedacht?' Ze maakte een geërgerd geluid en leunde tegen de muur naast hem, met haar armen over elkaar. 'Ik zou willen dat hij niet zo...'

'Wat?' vroeg Rebus, terwijl hij het gloeiende puntje van zijn sigaret bestudeerde.

'Ik weet niet...' Ze keek om zich heen, alsof ze naar inspiratie zocht. Er liepen pretmakers op straat, die zich zigzaggend een weg baanden naar de volgende kroeg. Met als achtergrond de helling naar het Castle fotografeerden toeristen elkaar voor Starbuck's. Oud en nieuw, dacht Rebus weer.

'Hij lijkt het wel als een spelletje te zien,' zei Siobhan ten slotte. 'Dat is nog niet precies wat ik bedoel, maar het komt in de buurt.'

'Hij is een van de meest serieuze mensen die ik ken,' zei Rebus. 'Het is een manier om ermee om te gaan, dat is alles. Dat doen we allemaal op onze eigen manier, toch?'

'Is dat zo?' Siobhan keek hem aan. 'En bij jouw manier horen hoeveelheden nicotine en alcohol, neem ik aan?'

'Je moet nooit aan een succesformule sleutelen.'

'Ook niet als het een dodelijke formule is?'

'Ken je dat verhaal van die ouwe koning? Die elke dag wat vergif innam om immuun te worden?' Rebus blies rook in de blauwgetinte avondlucht. 'Denk daar maar eens over na. En als je daarmee bezig bent, zal ik die bouwvakker op een drankje trakteren... en misschien neem ik er dan zelf ook een.' Hij duwde de deur van de bar open en liet die achter zich dichtvallen. Siobhan bleef er nog even staan, voordat ze hem achternaliep.

'Is die koning uiteindelijk toch niet om het leven gebracht?' vroeg ze, terwijl ze door de bar liepen.

De zaak droeg de naam The Warlock en leek te zijn afgestemd op vermoeide toeristen. Een van de muren was bedekt met een schildering die het verhaal vertelde van majoor Weir, die in de zeventiende eeuw hekserij had bekend en die zijn eigen zuster had aangewezen als medeplichtige. De twee waren terechtgesteld op Calton Hill.

'Leuk,' was Siobhans enige commentaar.

Rebus gebaarde naar een fruitautomaat, waar een zwaargebouwde man in een stoffige blauwe overall stond. Een leeg cognacglas stond op de bovenste rand van de automaat.

'Mag ik u nog iets te drinken aanbieden?' vroeg Rebus hem. Het gezicht dat zich naar hem toe draaide, was even spookachtig als dat van majoor Weir op de muurschildering. Het dikke haar was bezaaid met flinters kalk. 'Tussen haakjes, ik ben inspecteur Rebus. Misschien kunt u een paar vragen beantwoorden. Dit is mijn collega, brigadier Clarke. Wat dat drankje betreft, cognac neem ik aan?'

De man knikte. 'Maar ik ben met de bestelwagen... die moet terug naar de werkplaats.'

'We laten u wel door iemand rijden, maakt u zich maar geen zorgen.' Rebus wendde zich tot Siobhan. 'Hetzelfde als altijd voor mij. Een dubbele cognac voor meneer eh...'

'Evans, Joe Evans.'

Siobhan vertrok zonder protest. 'Nog een beetje geluk gehad?' vroeg Rebus.

Evans keek naar de fruitautomaat. 'Ik heb al drie pond verloren.'

'Het is niet uw dag, hè?'

De man glimlachte. 'Ik ben me de pokken geschrokken. Ik dacht eerst dat ze uit de Romeinse tijd waren of zo. Of dat het misschien een oude begraafplaats was.'

'U bent van mening veranderd?'

'Wie daar dat beton heeft gestort, moet ook hebben geweten dat zij daar lagen.'

'U zou een goeie rechercheur zijn, meneer Evans.' Rebus keek naar de bar, waar Siobhan werd bediend. 'Hoe lang bent u daar al aan het werk?'

'Ik ben er deze week pas begonnen.'

'En u gebruikt liever een pikhouweel dan een drilboor?'

'Je kunt in zo'n ruimte geen drilboor gebruiken.'

Rebus knikte alsof hij dat helemaal begreep. 'Doet u het werk alleen?'

'Aangenomen werd dat één man voldoende was.'

'Bent u daar al eerder beneden geweest?'

Evans schudde zijn hoofd. Bijna zonder te denken stopte hij weer een munt in het apparaat en drukte de startknop in. Een overdaad aan flitsende lichtjes en geluidseffecten, maar geen prijs. Hij drukte nogmaals de knop in.

'Hebt u enig idee wie dat beton heeft gestort?'

Nogmaals een schuddend hoofd en nogmaals een munt in de gleuf. 'De eigenaars horen dat bij te houden; een notitie van wie het werk heeft uitgevoerd, een rekening of zoiets.'

'Daar hebt u gelijk in,' zei Rebus. Siobhan keerde terug met de drankjes en deelde ze uit. Zelf was ze weer aan de frisdrank.

'Ik heb met de barkeeper gepraat,' zei ze. 'Het is een gepachte pub.' Dat betekende dat de zaak eigendom was van een van de brouwerijen. 'De kroegbaas was naar een groothandel, maar hij is nu op weg hierheen.'

'Weet hij wat er is gebeurd?'

Ze knikte. 'Dat heeft de barkeeper hem verteld. Hij kan hier binnen een paar minuten zijn.'

'Is er nog iets wat u ons wilt vertellen, meneer Evans?'

'Alleen maar dat u de afdeling fraudebestrijding hiernaartoe moet sturen. Dit apparaat heeft me straatarm gemaakt.'

'Er zijn misdrijven waar wij niets tegen kunnen doen.' Rebus dacht even na. 'Weet u waarom de kroegbaas die vloer eigenlijk wilde laten wegbreken?'

'Dat kan hij u zelf vertellen,' zei Evans, terwijl hij zijn glas leegdronk. 'Hij komt net binnen.' De kroegbaas had hen gezien, en hij baande zich al een weg naar de fruitautomaat. Hij had zijn handen diep in de zakken van een lange leren jas gestoken. Een crèmekleurige trui met een v-hals liet zijn hals ontbloot en onthulde een medaillon aan een gouden ketting. Zijn haar was kort, van voren piekerig gemaakt met gel. Hij had een bril op met rechthoekige oranje glazen.

'Gaat het een beetje, Joe?' vroeg hij, terwijl hij Evans in de arm kneep.

'Ik red me wel, meneer Mangold. Dit zijn twee rechercheurs.'

'Ik ben hier de baas. Mijn naam is Ray Mangold.' Rebus en Siobhan stelden zich voor. 'Tot dusver tast ik een beetje in het duister. Skeletten in de kelder; ik weet niet of dat wel of niet goed is voor mijn handel.' Hij grijnsde, waarbij hij al te witte tanden onthulde.

'Ik ben ervan overtuigd dat de slachtoffers geroerd zouden zijn door uw medeleven.' Rebus wist niet waarom hij al zo snel iets tegen de man had. Misschien kwam het door die getinte brillenglazen. Hij hield er niet van als hij iemands ogen niet kon zien.

Alsof hij zijn gedachten las, zette Mangold de bril af en begon hem met een witte zakdoek te poetsen. 'Het spijt me als ik een beetje harteloos klonk, inspecteur. Het is gewoon een beetje veel om te verwerken.'

'Ongetwijfeld. Bent u hier al lang de baas?'

'Bijna een jaar.' Hij had zijn ogen tot spleetjes geknepen.

'Weet u nog wanneer die vloer is gestort?'

Mangold dacht even na en knikte toen. 'Volgens mij gebeurde dat net op het moment dat ik de zaak overnam.'

'Wat deed u daarvoor?'

'Ik had een club in Falkirk.'

'Op de fles gegaan, neem ik aan?'

Mangold schudde zijn hoofd. 'Ik was het geruzie zat. Personeelsproblemen, plaatselijke bendes die probeerden de zaak geld af te troggelen...'

'Te veel verantwoordelijkheden?' veronderstelde Rebus.

Mangold zette zijn bril weer op. 'Daar komt het wel zo'n beetje op neer. Tussen haakjes, ik draag die bril niet alleen maar voor de show.' Weer was het alsof hij Rebus' gedachten kon lezen. 'Mijn netvlies is overgevoelig en kan niet tegen scherp licht.'

'Bent u daarom een club in Falkirk begonnen?'

Mangold grijnsde, waarbij hij nog meer tanden toonde. Rebus overwoog om zelf zo'n bril met oranje glazen aan te schaffen. Maar goed, dacht hij, als je mijn gedachten kunt lezen, vraag me dan of ik iets wil drinken.

Maar de barkeeper riep; hij wilde zijn baas ergens over spreken. Evans keek op zijn horloge en zei dat hij weg wilde als er geen verdere vragen waren. Rebus vroeg of hij geen chauffeur nodig had, maar dat wees hij af.

'Brigadier Clarke noteert alleen maar even uw gegevens, voor het geval we u nog nodig hebben.' Terwijl Siobhan in haar tas op zoek ging naar een notitieboekje, liep Rebus naar Mangold die over de bar hing zodat de barkeeper zijn stem niet hoefde te verheffen. Een gezelschap van vier personen – volgens Rebus Amerikaanse toeristen – stond midden in de zaak en glimlachte overdreven vriendelijk. Verder was er niemand in de zaak. Voordat Rebus bij hem was, had Mangold zijn gesprek beëindigd. Hij had misschien naast zijn telepathische vermogen ook ogen in zijn achterhoofd.

'We waren nog niet uitgepraat,' zei Rebus alleen maar, met zijn ellebogen op de bar steunend.

'Ik dacht van wel.'

'Het spijt me als ik die indruk heb gewekt. Ik wilde u nog iets vragen over die werkzaamheden in de kelder. Waar is dat precies voor?'

'Ik ben van plan om die kelder te openen als uitbreiding van deze zaak.'

'Het is nogal klein.'

'Dat is ook de bedoeling; mensen een indruk geven van hoe de traditionele drankgelegenheden ooit waren. Het wordt intiem en gezellig, wat gemakkelijke zitplaatsen... geen muziek of zoiets en zo weinig mogelijk licht. Ik had aan kaarsen gedacht, maar dat idee werd door de brandweer afgeblazen.' Hij glimlachte om zijn eigen grap. 'Ook beschikbaar voor besloten feestjes, alsof je af en toe je eigen appartement in het hartje van de Old Town hebt.'

'Was dat idee van u of van de brouwerij?'

'Het was helemaal mijn werk.' Mangold maakte bijna een lichte buiging.

'En u hebt de heer Evans ingehuurd?'

'Hij is een goeie. Hij heeft al eerder voor me gewerkt.'

'Wat die betonnen vloer betreft; hebt u enig idee wie die heeft gestort?'

'Zoals ik al zei, dat was allemaal aan de gang voordat ik hier kwam.'

'Maar het werk werd voltooid toen u hier was. Dat zei u toch?

En dat betekent dat u er ergens documentatie over moet hebben... een rekening op zijn minst?' Rebus toonde nu zelf een glimlach. 'Of was het handje contantje en verder geen vragen?'

Mangold zette zijn stekels op. 'Er zal wel iets op papier staan, ja.' Hij zweeg even. 'Natuurlijk kan dat weggegooid zijn, of de brouwerij heeft het misschien ergens opgeborgen...'

'En wie had hier de leiding voordat u de zaak overnam, meneer Mangold?'

'Dat weet ik niet meer.'

'Heeft hij u niet wegwijs gemaakt? Ik dacht dat er meestal zoiets als een overnameperiode bestond?'

'Dat is mogelijk... ik ben alleen zijn naam vergeten.'

'Ik weet zeker dat die naam na enige inspanning wel weer bij u bovenkomt.' Rebus haalde een visitekaartje uit de borstzak van zijn jasje. 'En belt u me dan wanneer dat gebeurt.'

'Dat zal ik doen.' Mangold nam het kaartje aan en bestudeerde het nadrukkelijk.

Rebus zag dat Evans vertrok. 'Nog een laatste vraag voor dit moment, meneer Mangold?'

'Ja, inspecteur?'

Siobhan stond nu naast Rebus. 'Ik vroeg me af wat de naam van uw club was.'

'Mijn club?'

'Die club in Falkirk... tenzij u er meer dan een had?'

'Die heette Albatross. Naar dat nummer van Fleetwood Mac.'

'Kende u het gedicht toen nog niet?' vroeg Siobhan.

'Pas later,' zei Mangold knarsetandend.

Rebus bedankte hem, maar gaf hem geen hand. Buiten keek hij links en rechts de straat door, alsof hij overlegde waar hij zijn volgende glas zou gaan drinken. 'Welk gedicht?' vroeg hij.

'"Rime of the Ancient Mariner." Een zeeman schiet een albatros neer en dat legt een vloek over het schip.'

Rebus knikte traag. 'Daar schoot hij dus niet veel mee op?'

'Dat zal wel niet...' Ze zweeg even. 'Wat vond je van hem?'

'Hij mag zichzelf wel.'

'Hij doet kennelijk zijn best op een *Matrix*-image met die gekke jas?'

'God mag het weten. Maar we moeten hem achter zijn vodden blijven zitten. Ik wil weten wie dat beton heeft gestort en wanneer.'

'Het zal toch niet in scène zijn gezet? Om wat publiciteit voor de bar te krijgen?'

'Dat is dan lang van tevoren gepland.'

'Misschien is dat beton niet zo oud als iedereen beweert.'

Rebus keek haar aan. 'Heb je de laatste tijd soms spannende boeken over samenzweringen gelezen? Het vorstenhuis ontdoet zich van lady Di? De maffia en JFK...?'

'Je bent weer gezellig bezig.'

Ze keek net weer wat vriendelijker toen hij gebulder uit Fleshmarket Close hoorde komen. Een agent stond er voetgangers tegen te houden, maar hij kende Rebus en Siobhan en liet hen met een knik passeren. Toen Rebus over de drempel de kelder in wilde stappen, botste hij tegen iemand aan, die een pak en een vlinderdas droeg.

'Goeienavond, professor Gates,' zei Rebus.

De patholoog bleef staan en keek hem dreigend aan. Het was het soort blik dat een student op twintig passen afstand in elkaar deed krimpen, maar Rebus was uit sterker hout gesneden. 'John...' hij herkende hem uiteindelijk. 'Heb jij iets met deze stompzinnige vertoning te maken?'

'Misschien, als je me even vertelt waar het om gaat.'

Het hoofd van dr. Curt verscheen in de steeg, met een schaapachtige uitdrukking op zijn gezicht.

'Die eikel,' sprak Gates met een boze blik, op zijn collega achter hem duidend, 'heeft mij de eerste akte van *La Bohème* laten missen, en dat allemaal vanwege een of andere studentengrap!'

Rebus keek Curt vragend aan.

'Zijn ze nep?' vroeg Siobhan.

'Inderdaad,' zei Gates, langzaam kalmerend. 'Ongetwijfeld zal mijn gewaardeerde vriend hier jullie informeren over de bijzonderheden... tenzij dat misschien ook te moeilijk voor hem is. Als jullie me nu willen excuseren...' Hij stapte naar de uitgang van de steeg, en de agent gaf hem alle ruimte die hij nodig had.

Curt gebaarde naar Rebus en Siobhan dat ze hem moesten volgen naar de kelder. Daar stonden nog een paar mensen van de technische recherche, die probeerden hun verlegenheid te verbergen.

'Als we naar uitvluchten zoeken,' begon Curt, 'dan kunnen we de slechte verlichting noemen. Of het feit dat we te maken hadden met skeletten in plaats van vlees en bloed. Dat laatste zou mogelijk veel interessanter...'

'Wat bedoel je met 'we'?' jende Rebus hem. 'En zijn ze soms van plastic of zo?' Hij hurkte neer bij de skeletten. Siobhans jasje was opzij gegooid door de professor. Rebus reikte het haar aan.

'Die baby wel, ja. Plastic of een of ander samengesteld materiaal. Ik zou het hebben gemerkt zodra ik het ook maar even had aangeraakt.'

'Natuurlijk,' zei Rebus. Hij zag dat Siobhan probeerde niet te lachen om de afgang van Curt.

'De volwassene is een echt skelet,' vervolgde Curt. 'Maar waarschijnlijk heel oud en gebruikt voor onderwijsdoeleinden.' De patholoog hurkte neer naast Rebus, en Siobhan voegde zich bij hen.

'Hoe bedoel je?'

'Gaatjes in de botten geboord... zie je ze?'

'Niet duidelijk, zelfs niet bij dit licht.'

'Juist.'

'En waartoe dienen die gaatjes?'

'Voor de een of andere verbinding, schroeven of draad. Om het ene bot met het andere te verbinden.' Hij tilde een dijbeen op en wees op de twee keurig geboorde gaten. 'Je vindt ze in musea.'

'Of als lesmateriaal op universiteiten?' opperde Siobhan.

'Helemaal goed, rechercheur Clarke. Het is een vaardigheid die in onze tijd verloren is gegaan. Het werd gedaan door specialisten die articulators werden genoemd.' Curt stond op en wreef zijn handen tegen elkaar alsof hij elk spoortje van zijn eerdere vergissing weg wilde wassen. 'We gebruikten ze vroeger veel met studenten. Tegenwoordig niet meer zo vaak. En zeker geen echte. Skeletten kunnen realistisch zijn zonder echt te zijn.'

'Zoals zojuist is aangetoond,' liet Rebus zich ontvallen. 'Maar wat kunnen wij ermee? Denk je dat de professor gelijk heeft, dat het een of andere practical joke is?'

'Als dat zo is, dan heeft iemand het zich wel heel erg moeilijk gemaakt. Het verwijderen van de schroeven en stukjes draad en zo moet uren hebben gekost.'

'Is er een melding dat er skeletten worden vermist op de universiteit?' vroeg Siobhan.

Curt leek te aarzelen. 'Niet voor zover ik weet.'

'Maar het is specialistenwerk, toch? Je kunt toch niet de supermarkt in je buurt binnenwandelen om er een te kopen?'

'Dat neem ik aan... Ik ben de laatste tijd niet in een supermarkt geweest.'

'Het is toch verdomd vreemd,' mompelde Rebus, terwijl hij opstond.

Siobhan bleef gehurkt bij de baby zitten. 'Wat een lugubere grap,' zei ze.

'Misschien heb je gelijk, Shiv.' Rebus wendde zich tot Curt. 'Nog maar vijf minuten geleden vroeg ze zich af of het misschien een publiciteitsstunt was.'

Siobhan schudde haar hoofd. 'Maar, zoals je al zei, je moet er veel moeite voor doen. Er moet iets meer achter zitten.' Ze drukte haar jas tegen zich aan alsof ze een baby wiegde. 'Zou u misschien het volwassen skelet willen onderzoeken?' Ze keek Curt aan, die zijn schouders ophaalde.

'En waar moet ik dan precies naar zoeken?'

'Naar alles wat ons een aanwijzing kan geven over wie het is, waar het vandaan komt... en hoe oud het is.'

'Wat heeft dat voor zin?' Curt had zijn ogen half dichtgeknepen, wat erop duidde dat zijn nieuwsgierigheid gewekt was.

Siobhan stond op. 'Misschien is professor Gates niet de enige die van een puzzel houdt die met geschiedenis te maken heeft.'

'Je kunt maar beter toegeven, doc,' zei Rebus glimlachend. 'Dat is de enige manier om van haar af te komen.'

Curt keek hem aan. 'Aan wie doet me dat nu toch denken?'

Rebus opende zijn armen met een weids gebaar en haalde zijn schouders op.

DAG TWEE

DINSDAG

3

Omdat hij niets beters te doen had, was Rebus de volgende morgen in het mortuarium, waar de autopsie van het tot nu toe niet geïdentificeerde lijk uit Knoxland al aan de gang was. De toeschouwersruimte bestond uit drie rijen banken, door een glazen wand gescheiden van de autopsiezaal. Sommige mensen kregen hier een onaangenaam gevoel in hun maag. Misschien was het de klinische doelmatigheid van het geheel: de roestvrijstalen tafels met hun afvoerleiding, de potten en flessen. Of misschien was het het gevoel dat de gang van zaken te veel leek op die in een slagerij: het snijden en fileren door mannen met schorten en rubberlaarzen aan. Dat liet niet alleen de sterfelijkheid zien, maar ook de dierlijkheid: de mens teruggebracht tot een stuk vlees op een snijtafel.

Er waren nog twee andere toeschouwers, een man en een vrouw. Ze begroetten Rebus met een knik en de vrouw schoof iets van hem weg toen hij naast haar plaatsnam.

'Goeiemorgen,' zei hij, terwijl hij vanachter het glas zwaaide naar waar Curt en Gates aan het werk waren. Volgens de voorschriften moesten er bij iedere autopsie twee pathologen aanwezig zijn, waarmee deze dienst, die het werk toch al niet aankon, nodeloos extra werd belast.

'Wat voert jou hierheen?' vroeg de man. Zijn naam was Hugh Davidson, bij iedereen bekend onder de bijnaam 'Shug'. Hij was inspecteur van de recherche bij het bureau West End aan Torphichen Place.

'Jij blijkbaar, Shug. Zal wel iets te maken hebben met een tekort aan politiemensen die hogerop willen.'

Davidsons gezicht vertrok tot iets wat op een glimlach moest lijken. 'En sinds wanneer zoek jij het hogerop, John?'

Rebus negeerde dit en richtte zich in plaats daarvan op Davidsons metgezel. 'Een tijd niet gezien, Ellen.'

Ellen Wylie was brigadier bij de recherche en Davidson was haar baas. Ze had een geopende archiefdoos op haar schoot. Die zag er splinternieuw uit en bevatte tot nu toe maar een paar velletjes papier. Op het voorste blad was bovenaan een casusnummer geschreven. Rebus wist dat de doos weldra uit zijn voegen zou barsten van de rapporten, foto's en presentielijsten. Dit was het moordboek: de 'bijbel' voor het komende onderzoek.

'Ik heb gehoord dat jij gisteren in Knoxland was,' zei Wylie, met haar blik recht voor zich uit gericht alsof ze naar een film zat te kijken waarvan ze de draad kwijt zou raken op het moment dat haar aandacht zou verslappen. 'En dat je een uitvoerig onderonsje had met een vertegenwoordiger van de pers.'

'En ten behoeve van onze Engelssprekende kijkers?'

'Steve Holly,' zei ze. 'En in de context van het huidige onderzoek zou het woord "Engelssprekend" als racistisch kunnen worden aangemerkt.'

'Dat komt omdat tegenwoordig alles racistisch of seksistisch is, lieverd.' Rebus wachtte even op een reactie, maar ze was niet van plan die te geven. 'Het laatste waarvan ik heb gehoord dat we het niet mogen zeggen, is "het ziet zwart van de mensen" of "indianenverhalen".'

'Of "bruinwerker",' vulde Davidson aan, terwijl hij zich naar voren boog om oogcontact met Rebus te maken, die zijn hoofd schudde over de waanzin van dit alles alvorens zijn blik weer op het tafereel achter het glas te richten.

'En, hoe is het op Gayfield Square?' vroeg Wylie.

'Daarvan wordt waarschijnlijk binnenkort ook de naam veranderd vanwege politieke incorrectheid.'

Dit ontlokte een lachbui aan Davidson, hard genoeg om de blikken van de mannen achter het glas op zich gericht te krijgen. Hij stak een hand op ter verontschuldiging, terwijl hij met de andere hand zijn mond bedekte. Wylie noteerde iets in het moordboek.

'Het ziet ernaar uit dat je in verzekerde bewaring wordt gesteld, Shug,' merkte Rebus op. 'Hoe staat het ervoor met de zaak? Heb je al een idee wie hij is?'

Het was Wylie die antwoordde. 'Kleingeld in zijn zakken... nog niet eens een huissleutel.'

'En er is niemand gekomen om hem op te eisen,' vulde Davidson aan.

'Huis-aan-huis navraag gedaan?'

'John, we hebben het hier over Knoxland.' Hetgeen betekende dat niemand praatte. Dat was een ongeschreven wet in de wijk, die van ouder op kind overging. Wat er ook gebeurde, je vertelde niets aan de politie.

'En de media?'

Davidson reikte Rebus een opgevouwen tabloid aan. De moord had de voorpagina niet gehaald. De kop op pagina vijf was van Steve Holly: DOOD ASIELZOEKER RAADSEL. Terwijl Rebus het artikel vluchtig doorlas, wendde Wylie zich tot hem.

'Ik vraag me af wie het over asielzoekers heeft gehad.'

'Ik niet,' antwoordde Rebus. 'Holly verzint zoiets ter plekke. "Bronnen die nauw bij het onderzoek zijn betrokken".' Hij snoof. 'Wie van jullie bedoelt hij daarmee? Of bedoelt hij misschien jullie allebei?'

'Zo maak je je niet geliefd bij ons, John.'

Rebus gaf de krant terug. 'Hoeveel mensen hebben jullie op die zaak gezet?'

'Niet genoeg,' bekende Davidson.

'Jijzelf en Ellen?'

'Plus Charlie Reynolds.'

'En jij blijkbaar,' voegde Wylie eraan toe.

'Ik weet niet of ik dat wel zie zitten.'

'Er gaan een paar prima agenten in uniform de deuren langs,' zei Davidson op defensieve toon.

'Geen probleem dan, zaak opgelost.' Rebus zag dat de autopsie bijna gereed was. Het lijk zou weer dichtgenaaid worden door een van de assistenten. Curt gebaarde dat hij de rechercheurs beneden wilde ontmoeten en verdween vervolgens door een deur om zijn operatiekleding uit te trekken.

De pathologen hadden geen eigen kamer. Curt stond te wachten in een donkere gang. Er kwamen geluiden vanuit de personeelsruimte: een waterketel die begon te fluiten en een kaartspel dat een soort hoogtepunt bereikte.

'Is de professor ervandoor?' vroeg Rebus.

'Hij heeft over tien minuten een college.'

'En wat hebt u voor ons, dokter?' vroeg Ellen Wylie. Als ze al ooit het vermogen tot een gezellige babbel had gehad, dan was dat erg lang geleden.

'Twaalf afzonderlijke wonden in totaal, bijna zeker toegebracht met hetzelfde mes. Waarschijnlijk een keukenmes met een gekartelde rand, niet meer dan een centimeter breed. De diepste steek was vijf centimeter.' Hij zweeg even, alsof hij op obscene grappen wachtte. Wylie schraapte haar keel ter waarschuwing. 'Die steek in zijn keel heeft waarschijnlijk een eind aan zijn leven gemaakt. Heeft de halsslagader doorboord. Bloed in de longen duidt erop dat hij in het bloed is gestikt.'

'Nog wonden omdat hij zich verzet heeft?' vroeg Davidson.

Curt knikte. 'Handpalmen, vingertoppen en polsen. Hij heeft zich verweerd.'

'U denkt dat er maar één aanvaller was?'

'Maar één mes,' corrigeerde Curt Davidson. 'Dat is niet helemaal hetzelfde.'

'Tijdstip van overlijden?' vroeg Wylie. Ze noteerde zo veel mogelijk informatie.

'Meting van de diepe lichaamstemperatuur werd op de plaats delict verricht. Hij stierf vermoedelijk een halfuur voordat jullie werden geïnformeerd.'

'Tussen haakjes,' vroeg Rebus, 'wie heeft ons gebeld?'

'Een anoniem telefoontje om dertien uur vijftig,' antwoordde Wylie.

'Ofwel tien voor twee in gewonemensentaal. Was de beller een man?'

Wylie schudde haar hoofd. 'Een vrouw; ze belde vanuit een telefooncel.'

'En hebben we daar het nummer van?'

Een bevestigende knik. 'En het gesprek is opgenomen. We zullen haar opsporen, maar dat zal wel wat tijd vergen.'

Curt keek op zijn horloge om kenbaar te maken dat hij wilde vertrekken.

'Kunt u ons nog meer vertellen, dokter?' vroeg Davidson.

'Het slachtoffer lijkt over het geheel genomen in goede gezondheid te hebben verkeerd. Lichtjes ondervoed, maar met een goed gebit; óf hij is hier niet opgegroeid, óf hij heeft zich nooit aan de Schotse eetwijze overgegeven. Er gaat vandaag een specimen van de maaginhoud – wat ervan over was – naar het lab. Zijn laatste maaltijd zag er niet zo stevig uit: voornamelijk rijst met groenten.'

'Enig idee van zijn afkomst?'

'Daar ben ik geen expert in.'

'Dat begrijpen we, maar toch...'

'Uit het Midden-Oosten, mediterraan...?' Curts stem stierf weg.

'Goed, dat beperkt de zaak,' zei Rebus.

'Geen tatoeages of opvallende kenmerken?' vroeg Wylie, nog altijd als een bezetene aantekeningen makend.

'Geen enkele.' Curt zweeg even. 'Dit wordt allemaal voor u uitgetypt, brigadier Wylie.'

'Maar dan hebben we intussen al iets om mee aan de slag te gaan, dokter.'

'Een dergelijke toewijding is zeldzaam in deze tijd.' Curt glimlachte naar haar. Dat paste niet echt bij zijn grimmige gelaatstrekken. 'U weet waar u me kunt vinden als er nog meer vragen bij u opkomen...'

'Bedankt, dokter,' zei Davidson. Curt wendde zich tot Rebus. 'John, even een kort onderonsje, als het mag?' Zijn blik ontmoette die van Davidson. 'Een persoonlijke aangelegenheid,' verklaarde hij. Hij leidde Rebus bij de elleboog naar de deur achter in de gang, en via die deur naar de bewaarruimte van het mortuarium. Daar was niemand, in ieder geval niemand met een kloppend hart. Ze zagen een muur van metalen laden voor zich en daartegenover bevond zich de laadruimte waar de stroom grijze transportwagens de niet-aflatende roepstem van de dood afleverde. Het enige geluid was het achtergrondgezoem van de koelinstallatie. Desondanks keek Curt naar links en rechts, alsof hij bang was dat ze afgeluisterd konden worden.

'Over dat verzoek van Siobhan,' zei hij.

'Ja?'

'Misschien wil je haar laten weten dat ik bereid ben het in te willigen.' Curts gezicht kwam vlakbij dat van Rebus. 'Maar alleen op voorwaarde dat Gates er nooit achter komt.'

'Ik neem aan dat hij al meer dan genoeg tegen je heeft verzameld.'

Curts linkeroog vertoonde een zenuwtrekje. 'Ik ben ervan overtuigd dat hij het verhaal al aan iedereen die maar wil luisteren heeft verteld.'

'We zijn er allemaal ingeluisd door die botten, doc. Niet jij alleen.'

Maar Curt maakte een reddeloze indruk. 'Luister, zeg nu maar tegen Siobhan dat ik het in stilte moet doen. Ik ben de enige met wie ze erover moet praten, begrepen?'

'Het blijft ons geheim,' verzekerde Rebus hem en hij legde een hand op zijn schouder.

Curt staarde troosteloos naar de hand. 'Waarom voelt dit als een schrale troost, vraag ik me af.'

'Ik snap wat je bedoelt, doc.'

Curt keek hem aan. 'Maar je snapt er geen woord van, heb ik gelijk of niet?'

'Je hebt zoals altijd gelijk, doc. Zoals altijd.'

Siobhan besefte dat ze de laatste minuten naar het beeldscherm van haar computer had zitten staren zonder de tekst echt te zien. Ze stond op en liep naar de tafel waarop de waterkoker stond, de tafel waaraan Rebus zou moeten zitten. Hoofdinspecteur Macrae was al twee keer in de kamer geweest en hij leek in beide gevallen bijna verheugd dat Rebus nergens te zien was. Derek Starr zat in zijn eigen kamer en besprak een zaak met iemand van het departement van de officier van justitie.

'Koffie, Col?' vroeg Siobhan.

'Nee, dank je,' antwoordde Tibbet. Hij streek langs zijn keel en zijn vingers bleven rusten op iets wat eruitzag als een snijwondje van het scheren. Hij wendde zijn blik geen moment van zijn computerscherm af en zijn stem klonk buitenaards, alsof hij nauwelijks verbonden was met het hier en nu.

'Iets interessants?'

'Niet echt. Ik probeer erachter te komen of er enig verband bestaat tussen een groot aantal recente winkeldiefstallen. Ik vermoed dat ze met de aankomsttijden van treinen te maken hebben...'

'Hoe dan?'

Hij besefte dat hij te veel had gezegd, zag ze. Als je er zeker van wilde zijn met alle eer te gaan strijken moest je informatie voor jezelf houden. Dat was de pest van Siobhans werk. Politiemensen deelden niet graag hun kennis met anderen; samenwerking ging meestal gepaard met wantrouwen. Tibbet negeerde haar vraag. Ze tikte met het theelepeltje tegen haar tanden.

'Laat me raden,' zei ze. 'Een groot aantal diefstallen duidt meestal op een of meer georganiseerde bendes... Het feit dat jij treintijden zit te bekijken doet vermoeden dat ze van buiten de stad komen... Dus de overvallen kunnen niet beginnen voordat de trein aankomt en ze stoppen zodra ze weer naar huis gaan?' Ze knikte. 'Zit ik op het juiste spoor?'

'Het gaat erom wáár ze vandaan komen,' zei Tibbet kregelig.

'Newcastle?' veronderstelde Siobhan. Tibbets lichaamstaal maakte haar duidelijk dat ze een punt had gescoord en de wedstrijd had gewonnen. Toen het water kookte, vulde ze haar mok en liep ermee naar haar bureau terug.

'Newcastle,' herhaalde ze, terwijl ze weer ging zitten.

'Ik doe tenminste iets constructiefs. Ik zit niet alleen maar wat te surfen.'

'En dat doe ik de hele tijd, volgens jou?'

'Daar ziet het in ieder geval wel naar uit.'

'Als je het weten wilt, ik werk aan een zaak van een vermiste persoon... en ik bezoek alle sites die zouden kunnen helpen.'

'Ik kan me niet herinneren dat ik een bericht over vermiste personen binnen heb zien komen.'

Siobhan vloekte in zichzelf. Ze was in haar eigen val getrapt en had zich ertoe laten verleiden te veel te zeggen.

'Hoe dan ook, ik werk eraan. En mag ik je eraan herinneren dat ik hier de hoogste in rang ben?'

'Wou je me vertellen dat ik me met mijn eigen zaakjes moet bemoeien?'

'Dat klopt, rechercheur Tibbet, dat vertel ik je. En maak je niet druk: Newcastle is helemaal voor jou.'

'Ik moet misschien gaan praten met de recherche daar, om te zien wat zij hebben over plaatselijke bendes.'

Siobhan knikte. 'Doe wat je denkt dat nodig is, Col.'

'Oké, Shiv. Bedankt.'

'En noem me nooit meer zo, anders ruk ik je kop van je romp.'

'Iedereen noemt je Shiv,' protesteerde Tibbet.

'Klopt, maar jij gaat dat patroon doorbreken. Jij gaat me Siobhan noemen.'

Tibbet zweeg even, en Siobhan dacht dat hij weer aan zijn theorie over de treintijden werkte. Maar toen sprak hij weer. 'Je wilt niet graag Shiv genoemd worden... Maar dat heb je nooit tegen iemand gezegd. Merkwaardig...'

Siobhan wilde hem vragen wat hij bedoelde, maar bedacht toen dat dat de discussie alleen maar zou voeden. Ze ging ervan uit dat ze het toch al wist. Wat Tibbet betrof, gaf deze nieuwe informatie hem enige macht. Een klein bommetje dat hij voor later kon bewaren. Het had geen zin om daarover in te zitten voordat het zover was. Ze concentreerde zich op haar beeldscherm en besloot tot een nieuwe zoekpoging. Ze had sites bezocht die werden onderhouden door groepen die op zoek waren naar vermiste personen. Vaak wilden die vermiste personen niet door hun naaste familie worden gevonden, maar wilden ze wel laten weten dat het goed met hen ging. Berichten konden worden uitgewisseld met de groepen als contactpersoon. Siobhan had een tekst opgesteld, die ze eerst driemaal in klad had geschreven, en die ze nu naar de verschillende websites stuurde.

Ishbel, pa en ma missen je, en ook de meisjes in de salon. Neem contact met ons op om ons te laten weten dat het goed met je gaat. We houden van je en we missen je.

Siobhan dacht dat dit wel volstond. Het was niet te onpersoonlijk en ook niet te overdreven. Het duidde er niet op dat iemand van buiten Ishbels onmiddellijke omgeving aan het zoeken was. En zelfs wanneer de Jardines hadden gelogen en er wél onenigheid was geweest thuis, dan zou het vermelden van de meisjes in de salon Ishbel een schuldgevoel kunnen geven over het in de steek laten van vriendinnen als Susie. Siobhan had de foto naast haar toetsenbord gelegd.

'Vriendinnen van je?' had Tibbet eerder belangstellend gevraagd. Het waren knappe meiden, gangmakers op feestjes en in de pub. Het leven was lachen voor hen... Siobhan wist dat ze niet mocht hopen ooit te begrijpen wat hen dreef, maar dat weerhield haar er niet van het toch te proberen. Ze verzond nog een aantal e-mails, ditmaal naar politiebureaus. Ze kende rechercheurs in Dundee en Glasgow, en ze gaf hun het signalement van Ishbel; alleen de naam en een globale beschrijving, samen met de opmerking dat ze hen zeer dankbaar zou zijn als ze konden helpen. Bijna onmiddellijk ging haar mobieltje. Het was Liz Hetherington, haar contact in Dundee, recherchebrigadier bij de politie van Tayside.

'Dat is lang geleden,' zei Hetherington. 'Wat is er zo bijzonder aan deze persoon?'

'Ik ken de familie,' zei Siobhan. Het was onmogelijk om zo zacht te praten dat Tibbet haar niet kon verstaan, daarom stond ze op en liep de gang in. Ook hier hing de geur, alsof het bureau van binnenuit wegrotte. 'Ze wonen in een dorp in West Lothian.'

'Goed, ik zal de bijzonderheden doorgeven. Waarom denk je dat ze hier zou kunnen zijn?'

'Noem het een poging om een speld in een hooiberg te zoeken. Ik heb haar ouders beloofd dat ik zou doen wat ik kon.'

'Denk je dat ze in de prostitutie is beland?'

'Waarom zeg je dat?'

'Meisje vertrekt uit dorp, op weg naar de grote wereld... je zou verbaasd staan hoe vaak dat voorkomt.'

'Ze is kapster.'

'Daar zijn genoeg banen voor,' gaf Hetherington toe. 'Dat kun je overal doen, net als tippelen.'

'Het is toch vreemd,' zei Siobhan. 'Ze had vaak afspraakjes met een man. Een van haar vriendinnen zei dat hij eruitzag als een pooier.'

'Zie je wel. Heeft ze vriendinnen bij wie ze kan blijven pitten?'

'Zover ben ik nog niet.'

'Goed, als er een hier in de omgeving woont, laat me dat dan weten, dan zal ik een bezoekje bij haar afleggen.'

'Bedankt, Liz.'

'En kom ons eens opzoeken, Siobhan. Dan zal ik je laten zien dat Dundee niet zo'n getto is als jullie zuiderlingen denken.'

'Een van de komende weekends, Liz.'

'Beloofd?'

'Beloofd.' Siobhan beëindigde het gesprek. Ja, ze zou naar Dundee gaan... zodra dat aanlokkelijker zou lijken dan een weekend onderuitgezakt op de bank, met chocola en klassieke films als gezelschap; ontbijt op bed met een goed boek en Goldfrapps eerste album op de stereo... lunchen en daarna misschien een film in het Dominion of het filmhuis, en een fles koele witte wijn die thuis op haar wachtte.

Ze stond naast haar bureau. Tibbet keek haar aan.

'Ik moet ervandoor,' zei ze.

Hij keek op zijn horloge, alsof hij de tijd van haar vertrek wilde noteren. 'Blijf je lang weg?'

'Een paar uur, als je het goedvindt, rechercheur Tibbet.'

'Voor het geval iemand ernaar vraagt,' verklaarde hij met opgetrokken neus.

'Goed dan,' zei Siobhan en ze pakte haar jasje en haar tas. 'Er staat een mok koffie voor je als je er trek in hebt.'

'Fijn, bedankt.'

Ze ging weg zonder verder een woord te zeggen, liep de weg af naar haar straat en opende haar Peugeot. De auto's ervoor en erachter hadden niet veel ruimte opengelaten. Het kostte haar een reeks manoeuvres om uit de kleine ruimte weg te komen. Hoewel ze in een parkeerzone voor bewoners stond, zag ze dat de auto voor haar een indringer was, die al een parkeerbon had gekregen. Ze stopte en schreef de woorden POLITIE GEÏNFORMEERD op een bladzij van haar notitieboekje. Toen stapte ze uit en stak het blad onder de ruitenwisser van de BMW. Met een prettiger gevoel stapte ze weer in de Peugeot en reed weg.

Er was veel verkeer in de stad, en er was geen sluiproute naar de M8. Ze tikte met haar vingers op het stuur en neuriede mee met Jackie Leven: een verjaardagscadeautje van Rebus, die haar had verteld dat Leven uit hetzelfde deel van de wereld kwam als hij.

'En moet dat een aanbeveling zijn?' had ze gereageerd. Ze vond het een goede cd, maar ze kon zich niet concentreren op de teksten. Ze dacht aan de skeletten in Fleshmarket Close. Het zat haar dwars dat ze er geen verklaring voor kon vinden. En het zat haar ook dwars dat ze zo zorgvuldig haar eigen jas over een nepskelet had gelegd...

Banehall lag halverwege Livingston en Whitburn, net even ten noorden van de snelweg. De afrit lag voorbij het dorp. De wegwijzer gaf ook de PLAATSELIJKE VOORZIENINGEN aan, met tekeningen van een tankstation en een mes en vork. Siobhan betwijfelde of veel reizigers hier een tussenstop zouden maken als ze vanaf de snelweg een blik op Banehall hadden geworpen. De plaats maakte een deprimerende indruk; rijen huizen uit de beginjaren van de twintigste eeuw, een dichtgespijkerde kerk en een verlaten industrieterrein met niets dat erop wees dat er ooit een bloeiende industrie had bestaan. Het tankstation – dat niet meer in gebruik was en waarvan de oprit overwoekerd was met onkruid – was de eerste plek die ze passeerde na het bord WELKOM IN BANEHALL. Dit bord was 'bewerkt', waardoor er nu stond WIJ ZIJN BANE. Inwoners, en niet alleen de tieners onder hen, noemden het dorp 'Bane' zonder enig gevoel voor ironie.* Een stukje verder was een bord veranderd van KINDEREN – LET OP! in KINDEREN – ROT OP! Dit ontlokte haar een glimlach, terwijl ze beide zijden van de straat afzocht naar de kapsalon. Er waren nog maar zo weinig bedrijven actief, dat die niet moeilijk te vinden was. De kapsalon heette niet meer dan dat: 'Kapsalon'. Siobhan besloot er voorbij te rijden tot ze aan het andere eind van Main Street was. Daar keerde ze om en reed terug, waarbij ze een zijstraat indraaide die naar een woonwijk leidde.

Ze vond het huis van de familie Jardine vrij gemakkelijk, maar er was niemand thuis. Geen teken van leven achter de ramen van de buren. Een paar geparkeerde auto's, een driewielertje van een kind, waaraan een van de achterwielen ontbrak. Een overdaad aan satellietschotels was aan de ruw betonnen muren bevestigd. Ze zag zelfgemaakte borden achter een paar ramen: WHITEMIRE MOET BLIJVEN. Whitemire, wist ze, was een oude gevangenis, een kilometer of drie van Banehall. Twee jaar geleden was de gevangenis veranderd in een immigratiecentrum. Op dit moment was het waarschijnlijk de grootste werkverschaffer van Banehall... en het was de bedoeling dat het verder werd uitgebreid. Op Main Street droeg de enige pub van Banehall de naam 'Bane'. Siobhan was niet langs andere cafés gekomen, alleen langs een eenzame friettent. De smachtende reiziger die hoopte van mes en vork gebruik te kunnen maken, zou gedwongen zijn de pub te proberen, hoewel het onduidelijk was of daar voedsel verkrijgbaar was. Siobhan parkeerde langs de stoeprand en stak de straat over naar de kapsalon. Ook hier hing een pro-Whitemirebord voor het raam.

Twee vrouwen zaten koffie te drinken en een sigaret te roken. Er waren geen klanten, en geen van de personeelsleden leek blij met de komst van een mogelijke klant. Siobhan haalde haar legitimatie tevoorschijn en stelde zich voor.

'Ik herken u,' zei de jongste van het tweetal. 'U bent die agent van de begrafenis van Tracy. U had uw arm om Ishbel geslagen in de kerk. Ik heb het achteraf aan haar moeder gevraagd.'

* bane = pest, verderf

52

'Je hebt een goed geheugen, Susie,' antwoordde Siobhan. Geen van beiden maakte aanstalten om op te staan en Siobhan kon nergens anders zitten dan op een van de kappersstoelen. Ze bleef staan.

'Een kopje koffie zou ik wel lusten, als dat kan,' zei ze, en ze probeerde vriendelijk te klinken.

De oudste vrouw kwam traag overeind. Siobhan zag dat haar vingernagels waren beschilderd met ingewikkelde kleurige kringetjes. 'Er is geen melk meer,' waarschuwde de vrouw.

'Doe dan maar zwart.'

'Suiker?'

'Nee, dank je.'

De vrouw slofte naar een nis achter in de zaak. 'Tussen haakjes, ik heet Angie,' zei ze. 'Eigenares en wereldkapster.'

'Gaat het om Ishbel?' vroeg Susie.

Siobhan knikte en ging op de vrijgekomen ruimte op de gecapitonneerde bank zitten. Susie stond onmiddellijk op, alsof ze daarmee reageerde op Siobhans nabijheid, en ze drukte haar sigaret uit in een asbak, terwijl de laatste rook nu door haar neusgaten naar buiten kwam. Ze liep naar een van de andere stoelen, ging zitten en draaide hem heen en weer met haar voeten, terwijl ze haar haar in de spiegel bekeek. 'We hebben niets van haar gehoord,' zei ze.

'En je hebt geen idee waar ze naartoe kan zijn gegaan?'

Een schouderophalen. 'Haar vader en moeder zijn helemaal de kluts kwijt, dat is alles wat ik weet.'

'Wat was het voor een man met wie je Ishbel hebt gezien?'

Weer een schouderophalen. Ze speelde met haar pony. 'Kleine man, kort en stevig.'

'Wat voor haar?'

'Dat weet ik niet meer.'

'Was hij misschien kaal?'

'Volgens mij niet.'

'En zijn kleren?'

'Leren jasje... zonnebril.'

'Niet van hier?'

Ze schudde haar hoofd. 'Hij reed in een snelle wagen.'

'Een BMW? Mercedes?'

'Ik heb niet veel verstand van auto's.'

'Was deze auto groot, klein... had hij een dak?'

'Middenmaatje... met een dak, maar het zou een vouwdak kunnen zijn.'

Angie kwam terug met een mok. Ze reikte hem aan en ging zitten op de plek waar Susie had gezeten.

Siobhan knikte om haar te bedanken. 'Hoe oud was die man, Susie?'

'Oud... zo'n veertig, vijftig jaar.'

Angie snoof. 'Oud voor jou, misschien.' Waarschijnlijk was ze zelf vijftig, met haar dat er twintig jaar jonger uitzag.

'Als je haar iets over hem vroeg, wat zei ze dan?'

'Dat ik mijn kop moest houden.'

'Heb je enig idee hoe ze hem heeft ontmoet?'

'Nee.'

'Waar gaat ze naartoe als ze uitgaat?'

'Naar Livingston... misschien Edinburgh of Glasgow af en toe. Gewoon pubs en clubs.'

'Waren er buiten jou nog anderen met wie ze uitging?'

Susie noemde een paar namen, die Siobhan noteerde.

'Susie heeft al met ze gepraat,' waarschuwde Angie. 'U zult niet veel aan ze hebben.'

'In ieder geval bedankt.' Siobhan keek om zich heen. 'Is het meestal zo stil?'

'We krijgen zo direct een paar klanten. Later in de week is het drukker.'

'Maar is het geen probleem dat Ishbel er niet is?'

'We redden het wel.'

'Daarom vraag ik me af...'

Angie kneep haar ogen halfdicht. 'Wat?'

'Waarom je twee kapsters nodig hebt.'

Angie wierp een blik naar Susie. 'Wat kon ik anders doen?'

Siobhan dacht dat ze het begreep. Angie had medelijden met Ishbel gekregen na de zelfmoord. 'Kun je de een of andere reden bedenken waarom ze zo plotseling van huis is weggegaan?'

'Misschien heeft ze iets beters aangeboden gekregen... Zat mensen vertrekken uit Bane om nooit meer terug te komen.'

'En die geheimzinnige man?'

Ditmaal was het de beurt aan Angie om haar schouders op te halen. 'Ik wens haar alle geluk als dat is wat ze wil.'

Siobhan wendde zich tot Susie. 'Jij hebt tegen de ouders van Ishbel gezegd dat hij eruitzag als een pooier.'

'Heb ik dat gezegd?' Ze leek oprecht verbaasd. 'Nou ja, misschien heb ik dat wel gezegd. Die zonnebril en dat jasje... net iets uit een film.' Haar ogen werden groter. '*Taxi Driver*!' zei ze. 'Die pooier in die... hoe heet hij ook weer? Ik heb hem een paar maanden geleden op tv gezien.'

'En leek die man daarop?'

'Nee... maar hij had een hoed op. Daarom wist ik niet meer wat voor haar hij had!'

'Wat voor hoed?'

Het enthousiasme van Susie zakte weg. 'Weet ik niet... gewoon, een hoed.'

'Een honkbalpet? Een baret?'

Susie schudde haar hoofd. 'Hij had een rand.'

Siobhan keek Angie aan om hulp. 'Een gleufhoed?' opperde Angie. 'Een vilthoed?'

'Ik weet niet eens wat dat zijn,' zei Susie.

'Zo'n hoed als een gangster in een oude film zou dragen?' vervolgde Angie.

Susie dacht even na. 'Dat zou kunnen,' besloot ze.

Siobhan schreef haar mobiele telefoonnummer op. 'Prima, Susie. En als je je verder nog iets mocht herinneren, wil je me dan bellen?'

Susie knikte. Ze stond te ver weg, dus overhandigde Siobhan het blaadje met haar nummer aan Angie. 'Hetzelfde geldt voor jou.' Angie knikte en vouwde het papiertje op.

De deur ging open en er kwam een oudere vrouw binnen die gebogen liep.

'Dag, mevrouw Prentice,' begroette Angie haar.

'Ik ben een beetje vroeger dan ik had gezegd, Angie. Kun je me ertussendoor nemen?'

Angie stond al. 'Voor u kan ik altijd iets regelen, mevrouw Prentice.' Susie kwam van de stoel af zodat mevrouw Prentice erop kon gaan zitten zodra ze haar jas had uitgetrokken.

Siobhan stond ook op. 'Nog één ding, Susie,' zei ze.

'Wat?'

Siobhan liep naar de nis en Susie volgde haar. Siobhan dempte haar stem toen ze sprak. 'Ik heb van meneer en mevrouw Jardine gehoord dat Donald Cruikshank uit de gevangenis is.'

Susies gezicht verhardde zich.

'Heb je hem gezien?' vroeg Siobhan.

'Een of twee keer... de vuile smeerlap.'

'Heb je hem gesproken?'

'Voor geen geld! De gemeente heeft hem een eigen huis gegeven, snapt u dat nou? Zijn vader en moeder wilden niets meer met hem te maken hebben.'

'Heeft Ishbel het wel eens over hem gehad?'

'Alleen maar dat ze er net zo over dacht als ik. Denkt u dat ze er daarom vandoor is gegaan?'

'Wat denk jij?'

'Dat hij degene is die we het dorp uit zouden moeten jagen,' siste Susie.

Siobhan knikte instemmend. 'Goed,' zei ze terwijl ze haar tas aan haar schouder hing, 'vergeet niet me te bellen als er nog iets anders bij je opkomt.'

'Zal ik doen,' zei Susie. Ze keek naar Siobhans haar. 'Kan ik daar nog iets voor u aan doen?'

Onwillekeurig ging Siobhans rechterhand naar haar hoofd. 'Wat is er mis mee?'

'Ik weet niet... Alleen... het maakt u ouder dan u misschien bent.'

'Misschien wil ik dat wel,' antwoordde Siobhan defensief, terwijl ze naar de deur liep.

'Een beetje permanent en een opknapbeurtje?' hoorde ze Angie aan haar klant vragen toen ze de deur uit ging. Ze bleef even staan, zich afvragend wat ze nu zou kunnen gaan doen. Ze had Susie nog iets willen vragen over de ex-vriend van Ishbel, met wie ze nog steeds bevriend was. Maar ze wilde niet terug naar binnen en besloot dat het kon wachten. Er was een kiosk open. Ze dacht even aan chocola, maar besloot in plaats daarvan een kijkje te nemen in de pub. Dan zou ze iets te vertellen hebben aan Rebus; misschien zou ze in zijn achting stijgen als het een van de weinige kroegen in Schotland was die hem niet tot de klantenkring konden rekenen.

Ze duwde de zwarte houten deur open en werd geconfronteerd met gebutst rood linoleum en bijbehorend fluwelig behang. Een designleuteraar zou het 'kitsch' noemen en zich enthousiast tonen over het feit dat het een revival liet zien van wansmaak uit de jaren zeventig... maar dit was echt, niet gereconstrueerd. Er hingen teugels aan de muren en ingelijste cartoons van honden die als kerels tegen een muur pisten. Paardenrennen op de tv en een mist van sigarettenrook tussen haar en de bar. Drie mannen keken op van hun spelletje domino.

Een van hen stond op en liep achter de bar. 'Wat kan ik voor je betekenen, mop?'

'Limoensap met mineraalwater,' zei ze, terwijl ze op een barkruk ging zitten. Er hing een sjaal van de Glasgow Rangers rond het dartbord gedrapeerd, naast een poolbiljarttafel met een opgelapt laken. En niets rechtvaardigde het mes en de vork op het bord langs de afrit van de snelweg.

'Vijfentachtig cent,' zei de barkeeper, terwijl hij het glas voor haar neerzette. Ze besefte dat ze op dit moment maar één openingszet had: Komt Ishbel Jardine hier wel eens? Maar ze zag niet in wat ze daarmee zou opschieten. In de eerste plaats zouden de mensen in de pub erop attent worden gemaakt dat ze van de politie was. Verder betwijfelde ze of deze mannen iets zouden kunnen toevoegen aan wat ze al wist, ook als ze Ishbel zouden kennen. Ze bracht het glas naar haar lippen en merkte dat er te veel vruchtensiroop in zat. Het drankje was walgelijk zoet.

'Lekker?' zei de barkeeper. Het klonk eerder uitdagend dan vragend.

'Prima,' antwoordde ze.

Hij liep tevreden achter de bar vandaan en hervatte zijn spel. Er lag een pot bestaande uit kleingeld op de tafel. De mannen met wie hij speelde, zagen eruit als pensioentrekkers. Ze legden elke dominosteen neer met een overdreven harde klap, en tikten driemaal op tafel als ze niet konden aanleggen. Ze hadden hun belangstelling voor haar al verloren. Ze keek om zich heen op zoek naar een damestoilet, zag dat dat links van het dartbord was en ging er naar binnen. Nu zouden ze denken dat ze alleen maar was binnengekomen om een plasje te plegen, en dat het drankje diende als gewetensgeld. Het toilet was schoon, hoewel de spiegel boven het fonteintje was verdwenen. Daarvoor waren met pen geschreven teksten in de plaats gekomen.

SEAN IS EEN ZAK
DE BALLEN VOOR KENNY REILLY!!!
SLETTEN, VERENIG JE!
ALLE MACHT AAN DE MEIDEN VAN BANE

Siobhan lachte en ging de enige wc binnen. Het slot was stuk. Ze ging zitten om van nog meer op de muur geschreven teksten te genieten.

DOOD AAN CRUIKSHANCK
DONNY SMEERPIJP
FRITUUR DIE VIEZERIK
BAK ZIJN BALLEN
BLOEDIGE WRAAK, ZUSTERS!!!
GOD ZEGENE TRACY JARDINE

Er was nog meer – veel meer – en zeker niet allemaal door één persoon geschreven. Een zwarte marker, een blauwe balpen, een goudkleurige viltstift. Siobhan stelde vast dat de drie uitroeptekens van dezelfde persoon afkomstig waren als de tekst boven het fonteintje. Toen ze de kroeg was binnengegaan, had ze het idee gehad dat er bijna nooit vrouwelijke klanten kwamen; nu wist ze dat dat niet zo was. Zou Ishbel Jardine een of meer van die teksten hebben geschreven? Dat kon ze te weten komen door de opschriften met haar handschrift te vergelijken. Ze rommelde in haar tas, maar besefte toen dat ze haar digitale camera in het handschoenenvakje van de Peugeot had laten liggen. Mooi, ze zou hem even gaan halen. Die dominospelers mochten ervan denken wat ze wilden.

Toen ze de deur opentrok, zag ze dat er een nieuwe klant binnen was gekomen. Hij leunde met zijn ellebogen op de bar, met zijn hoofd omlaag en wiebelend met zijn heupen. Hij stond vlak naast haar kruk. Toen hij de deur van het toilet hoorde, keerde hij zich naar haar toe. Ze zag een kaalgeschoren hoofd, een wit gezicht met zware kaken en een baard van twee dagen.

Drie lijnen op de rechterwang: littekens.

Donny Cruikshank.

De laatste keer dat ze hem had gezien, was in een rechtszaal in Edinburgh geweest. Hij zou haar niet herkennen. Ze was niet als getuige opgetreden en ze had ook niet de kans gehad hem te ondervragen. Het deed haar goed dat hij er zo verlopen uitzag. De te korte tijd die hij in de gevangenis had doorgebracht, was toch genoeg geweest om hem van wat jeugdigheid en vitaliteit te beroven. Ze wist dat er in iedere gevangenis een pikorde bestond, en dat verkrachters onder aan de ladder stonden. Zijn mond hing nu open in een grijns en hij had geen aandacht voor het glas bier dat op hetzelfde moment voor hem werd neergezet. De barkeeper hield met een strak gezicht zijn hand op voor de betaling. Het was duidelijk dat hij niet blij was met de aanwezigheid van Cruikshank in zijn zaak. Een van Cruikshanks ogen was bloeddoorlopen, alsof hij er een klap op had gekregen.

'Gaat het, schatje?' riep hij.

Ze liep naar hem toe. 'Noem mij geen schatje,' zei ze op kille toon.

'Ach! "Noem mij geen schatje."' De poging om haar na te bauwen was lachwekkend. Alleen Cruikshank lachte. 'Ik hou van een griet met ballen.'

'Blijf zo doorgaan, dan ben je die van jou heel gauw kwijt.'

Cruikshank kon zijn oren niet geloven. Na een moment van verbijstering gooide hij het hoofd achterover en loeide: 'Heb je ooit zoiets gehoord, Malky?'

'Hou je koest, Donny,' waarschuwde Malky, de barkeeper.

'Of anders? Ga je me weer een rooie kaart geven?' Hij keek om zich heen. 'Ja, ik zal die tent hier vast wel missen.' Hij liet zijn blik op Siobhan rusten en nam haar van top tot teen op. 'Het gaat er hier in ieder geval wel op vooruit wat lekkere wijven betreft...'

De cel had hem fysiek wel aangetast, maar had hem daar iets voor in de plaats teruggegeven, een soort lef, met een irritante houding. Siobhan wist dat ze, als ze zou blijven, uiteindelijk zou uithalen. Ze wist dat ze in staat was om hem pijn te doen, maar wist ook dat dat alleen maar fysieke pijn zou zijn en dat het hem verder niet zou raken. Dan zou hij hebben gewonnen door haar haar zelfbeheersing te laten verliezen. Dus in plaats daarvan liep ze weg en probeerde ze zijn woorden tegen haar vertrekkende rug te negeren.

'Wat een kontje, hè, Malky? Kom terug, lekker wijf. Ik heb iets lekkers voor je hangen!'

Buiten liep Siobhan naar haar auto. Haar adrenaline was tot het kookpunt gestegen, haar hart ging als een razende tekeer. Ze ging achter het stuur zitten en probeerde controle over haar ademhaling te krijgen. Smeerlap, dacht ze. Smeerlap, smeerlap, smeerlap... Ze keek naar het handschoenenvakje. Ze zou een andere keer terug moeten gaan om de foto's te nemen. Haar mobieltje ging en ze viste het uit haar tas. Het nummer van Rebus stond op haar schermpje. Ze haalde diep adem, want ze wilde niet dat hij iets aan haar stem zou horen.

'Wat is er, John?'

'Siobhan? Wat is er met jóú?'

'Hoe bedoel je?'

'Je klinkt alsof je om Arthur's Seat heen hebt gerend.'

'Alleen maar hard naar mijn auto teruggelopen.' Ze keek naar de helderblauwe hemel. 'Het regent hier.'

'Regen? Waar hang je dan uit?'

'Banehall.'

'En waar mag dat dan wel zijn?'

'West Lothian, net van de snelweg af voordat je naar Whitburn gaat.'

'Ik weet het, met een pub die The Bane heet?'

Ondanks alles lachte ze. 'Inderdaad,' zei ze.

'Wat voert jou daarheen?'

'Dat is een lang verhaal. Waar ben jij mee bezig?'

'Met iets wat wel kan wachten als jij een lang verhaal te vertellen hebt. Kom je terug naar de stad?'

'Ja.'

'Dan kom je praktisch langs Knoxland.'

'En daar vind ik jou?'

'Je kunt me niet missen. We hebben de wagens in een kring gezet om de inboorlingen op afstand te houden.'

Siobhan zag dat de deur van de pub van binnenuit geopend werd.

Donny Cruikshank kwam achteruitlopend vloekend naar buiten. Een afscheidsgebaar met een opgestoken middelvinger werd gevolgd door een stevige fluim. Het zag ernaar uit dat Malky genoeg van hem had. Siobhan startte de motor.

'Ik zie je over een minuut of veertig.'

'Breng munitie mee, wil je? Twee pakjes Benson Gold.'

'Sigaretten kopen gaat me te ver, John.'

'Het laatste verzoek van een stervende man, Shiv,' smeekte Rebus.

Toen ze de mengeling van woede en wanhoop op het gezicht van Donny Cruikshank zag, kon Siobhan een glimlach niet onderdrukken.

4

De 'wagens in een kring' van Rebus bestonden in werkelijkheid uit een portakabin van één kamer, geplaatst op het parkeerterrein naast de dichtstbijzijnde torenflat. Hij was vanbuiten donkergroen, met een traliewerk dat het enige raam beschermde en een versterkte deur. Toen Rebus zijn auto had geparkeerd, had de alomtegenwoordige bende schoffies hem om geld gevraagd om op zijn auto te passen. Hij had een vinger tegen hen opgeheven. 'Als er ook maar een mus op mijn raam schijt, laat ik het jullie eraf likken.'

Hij stond nu in de deuropening van de portakabin een sigaret te roken. Ellen Wylie zat op een laptop te typen. Een laptop was een vereiste geweest, zodat ze hem aan het eind van de dag konden loskoppelen en meenemen. Het was dat of een nachtwaker de wacht laten houden. Het was onmogelijk om een telefoonverbinding te maken, dus gebruikten ze mobiele telefoons. Rechercheur Charlie Reynolds, achter zijn rug bekend als 'Rattenreet', kwam aangelopen vanuit een van de woontorens. Hij was achter in de veertig, bijna even breed als lang. Hij had ooit rugby gespeeld, onder meer een wedstrijd op nationaal niveau met het politieteam. Als gevolg daarvan was zijn gezicht een samenraapsel van slordig oplapwerk, krassen en deuken. Zijn haardos zou een straatjongen van rond de jaren twintig niet hebben misstaan. Reynolds had de reputatie van grapjas, maar hij vertoonde ditmaal geen glimlach.

'Stomme tijdsverspilling,' grauwde hij.

'Doet niemand zijn mond open?' veronderstelde Rebus.

'Het zijn degenen die hun mond wél opendoen; díé zijn het probleem.'

'Hoezo?' Rebus besloot Reynolds een sigaret aan te bieden, die de forsgebouwde man zonder dank accepteerde.

'Ze spreken geen woord Engels. Ze hebben daar verdomme wel zevenenvijftig variaties.' Hij gebaarde naar de torenflat. 'En die etenslucht... God mag weten wat ze daar klaarmaken, maar ik heb niet veel katten in de buurt gezien.' Reynolds zag de blik in Rebus' ogen. 'Begrijp me niet verkeerd, John. Ik ben geen racist. Maar ik heb toch zo mijn vragen...'

'Waarover?'

'Over die hele asieltoestand. Ik bedoel, stel nou dat je Schotland uit moest, ja? Dat je werd gemarteld of zoiets... Dan zou je toch naar het dichtstbijzijnde veilige land gaan, want je zou toch niet te ver van je oude vaderland willen zitten? Maar die gasten...' Hij keek naar de torenflat en schudde zijn hoofd. 'Je snapt toch wel wat ik bedoel, hè?'

'Ik denk van wel, Charlie.'

'De helft van die gasten is te belazerd om de taal te leren... Ze incasseren hun uitkering en verder geloven ze het wel.' Hij rookte met enig geweld: de sigaret tussen zijn tanden geklemd en krachtig inhalerend. 'Jij kan tenminste weer oplazeren naar Gayfield wanneer je maar wilt, maar sommigen van ons zitten hier tot sint-juttemis.'

'Je moet smartlappen gaan schrijven, Charlie,' zei Rebus. Er stopte weer een auto voor de deur: Shug Davidson. Hij was naar een bespreking geweest om het budget voor de operatie te regelen en hij was zo te zien niet blij met het resultaat.

'Geen tolken?' raadde Rebus.

'O, we mogen net zoveel tolken gebruiken als we willen,' antwoordde Davidson. 'We kunnen ze alleen niet betalen. Onze hooggeachte ondercommissaris beweert dat we de raad zouden kunnen vragen of ze er ons niet een stuk of twee kosteloos kunnen verschaffen.'

'Dat kan er nog wel bij,' mompelde Reynolds.

'Wat wou je daarmee zeggen?' snauwde Davidson.

'Niks, Shug, niks.' Reynolds stampte op de resten van zijn sigaret alsof hij een putje voor een rugbybal maakte.

'Charlie vindt dat de bewoners hier een beetje te veel vertrouwen op kosteloze giften,' lichtte Rebus toe.

'Dat heb ik niet gezegd.'

'Ik kan af en toe zien wat mensen denken. Dat zit in de familie, overgegaan van vader op zoon. Mijn opa heeft het vermoedelijk doorgegeven aan mijn vader...' Rebus drukte zijn eigen sigaret uit. 'Hij was een Pool, trouwens, mijn opa. Wij zijn een volk van bastaards, Charlie, daar moet je maar aan wennen.' Rebus liep naar de overkant om Siobhan Clarke te begroeten, die net was aangekomen. Ze bleef even staan om de omgeving in zich op te nemen.

'Beton was zo'n aantrekkelijke optie in de jaren zestig,' merkte ze op. 'En wat die muurschilderingen betreft...'

Rebus lette daar al niet meer op. ZWARTJOEKELS OPGELAZERD... ROT OP NAAR PAKISTAN... BETER WIT DAN BRUIN... De een of andere grappenmaker had tussen de woorden 'beter' en 'wit' in 'een onsje' gekrabbeld. Rebus vroeg zich af hoe sterk de greep van de drugsdealers hier in de buurt was. Misschien een bijkomende reden voor de algemene onvrede: immigranten konden zich waarschijnlijk geen drugs veroorloven, als je al mocht aannemen dat ze die wilden. SCHOTLAND VOOR DE SCHOTTEN... Een tekst was veranderd van JUNKIE TUIG in ZWART TUIG.

'Ziet er gezellig uit hier,' zei Siobhan. 'Leuk dat je me hebt uitgenodigd.'

'Heb je je uitnodiging meegebracht?'

Ze stak hem de pakjes sigaretten toe. Rebus drukte er een kus op en liet ze in zijn zak glijden. Davidson en Reynolds waren verdwenen in de portakabin.

'Krijg ik nu dat lange verhaal van je?' vroeg hij.

'Krijg ik nu die rondleiding van je?'

Rebus haalde zijn schouders op. 'Waarom niet?' Ze zetten zich in beweging. Er stonden vier blokken met torenflats in Knoxland, elk acht verdiepingen hoog en elk op de hoek van het plein geplaatst. Ze zagen uit over het centrale troosteloze speelterrein. Er waren open galerijen op elke verdieping, en iedere flat had een balkon met uitzicht op de tweebaansweg.

'Overal schotelantennes,' merkte Siobhan op. Rebus knikte. Hij had zich over die schotels wel eens afgevraagd wat voor wereld ze in die huiskamers en levens brachten. Overdag zouden de reclamespotjes wel over letselschadevergoedingen gaan, en 's avonds over alcohol. Een generatie groeide op in het geloof dat het leven kan worden geregeld via de afstandsbediening van de tv.

Er fietsten nu kinderen in rondjes om hen heen. Anderen schoolden samen tegen een muur en deelden een sigaret en iets in een limonadefles wat er niet uitzag als limonade. Ze hadden honkbalpetjes op en gympies aan, een mode die was overgewaaid vanuit een andere cultuur.

'Hij is te oud voor je!' riep een jongen, wat werd gevolgd door gelach en de gebruikelijke schimpscheuten over politie.

'Ik ben wel klein, maar zwaar geschapen, teef!' riep dezelfde jongen.

Ze liepen door. Aan elke kant van de plaats delict stond een politieman in uniform. Ze hadden steeds minder geduld als buurtbewoners vroegen waarom ze geen gebruik mochten maken van de doorgang.

'Alleen maar omdat er zo'n spleetoog koud gemaakt is...'

'Het was geen spleetoog... zo'n tulband heb ik gehoord.'

De stemmen verhieven zich. 'Hé, joh, waarom mogen zij er wel door en wij niet? Dat is toch pure discriminatie...'

Rebus had Siobhan langs de agent gevoerd. Niet dat er veel te zien viel. De grond was nog roestkleurig van het bloed en er hing nog steeds de vage geur van urine. Elke centimeter van de wanden was beklad met teksten.

'Wie hij ook was, iemand mist hem,' zei Rebus zacht, toen hij een klein bosje bloemen op de plek zag liggen. Hoewel, het waren niet echt bloemen, gewoon wat sprieten wild gras en een paar paardenbloemen. Geplukt in het wild.

'Proberen ze ons iets duidelijk te maken?' vroeg Siobhan.

Rebus haalde zijn schouders op. 'Misschien konden ze zich gewoon geen bloemen veroorloven... of ze wisten niet hoe je die moet kopen.'

'Zijn er echt zoveel immigranten in Knoxland?'

Rebus schudde zijn hoofd. 'Waarschijnlijk niet meer dan een stuk of zestig, zeventig.'

'Dat zouden er dan zestig of zeventig meer zijn dan een paar jaar geleden.'

'Ik hoop dat je niet zo wordt als Rattenreet Reynolds.'

'Ik bekijk het alleen maar vanuit het gezichtspunt van de buurtbewoners. Mensen houden niet van binnendringers: immigranten, zigeuners, iedereen die ook maar even anders is... Zelfs met een Engels accent als het mijne kun je in de problemen komen.'

'Dat is wat anders. De Schotten hebben historische redenen te over om de Engelsen te haten.'

'En andersom, natuurlijk.'

Ze liepen nu aan het andere eind de steeg uit. Hier stonden lagere flats van vier verdiepingen en wat rijtjeshuizen.

'Die huizen zijn gebouwd voor gepensioneerden,' verklaarde Rebus. 'Dat had iets te maken met ze binnen de gemeenschap houden.'

'Een mooie droom, zou Thom Yorke zeggen.'

Dat was Knoxland inderdaad: een mooie droom. Een overdaad van hetzelfde elders in de stad. De architecten zullen best trots geweest zijn op de ontwerptekeningen en de schaalmodellen. Vanzelfsprekend is niemand er ooit op uit geweest om een getto te ontwerpen.

'Waarom heet het Knoxland?' vroeg Siobhan na enig zwijgen. 'Zeker niet naar Knox de Calvinist genoemd.'

'Dat denk ik niet. Knox wilde dat Schotland een nieuw Jeruzalem werd. Ik betwijfel of Knoxland daaraan beantwoordt.'

'Alles wat ik over hem weet, is dat hij geen beelden in zijn kerken wilde en dat hij het niet zo op vrouwen had.'

'Hij wilde ook niet dat mensen plezier hadden. Schuldigen stond de duikstoel of een heksenproces te wachten...' Rebus zweeg even. 'Dus hij had zo zijn goeie kanten.'

Rebus wist niet waar ze naartoe liepen. Siobhan leek vol krampachtige energie, die op de een of andere manier een plek moest vinden. Ze had zich omgedraaid en liep in de richting van een van de hogere torenflats.

'Zullen we?' vroeg ze, en ze wilde de deur openen. Maar die zat op slot.

'Dat is net veranderd,' legde Rebus uit. 'Plus veiligheidscamera's bij de liften. Pogingen om de barbaren buiten te houden.'

'Camera's?' Siobhan keek toe hoe Rebus een code van vier cijfers op het paneeltje bij de deur intoetste.

Hij schudde zijn hoofd bij haar vraag. 'Uiteindelijk zijn ze nooit aangezet. Het wijkbestuur kon geen bewaker betalen om ze in het oog te houden.' Hij trok de deur open. Er waren twee liften in de hal. Ze werkten allebei, dus deed het cijferslot zijn werk.

'Bovenste verdieping,' zei Siobhan terwijl ze de linker lift instapten. Rebus drukte op de knop en de deuren sloten trillend.

'En nu je verhaal...' zei Rebus. Ze vertelde het hem. Het duurde niet lang. Tegen de tijd dat ze uitgesproken was, stonden ze op een van de galerijen en leunden ze tegen de lage rand ervan. De wind floot en zwiepte om hen heen. Er was uitzicht naar het noorden en het oosten, met vage indrukken van Corstorphine Hill en Craiglockhart.

'Moet je al die ruimte zien,' zei ze. 'Waarom hebben ze niet gewoon huizen voor iedereen gebouwd?'

'Wat? En het gemeenschapsgevoel vernietigen?' Rebus draaide zijn lichaam naar haar toe, zodat ze kon zien dat ze zijn volle aandacht had. Hij had zelfs geen sigaret in zijn hand.

'Wil je Cruikshank oppakken om hem te ondervragen?' vroeg hij. 'Ik kan hem vasthouden terwijl jij hem een paar flinke schoppen geeft.'

'Ouderwetse politieaanpak hè?'

'Heb ik altijd een verfrissend idee gevonden.'

'Mooi, maar het zal niet nodig zijn. Ik heb hem al een pak slaag gegeven... hierin.' Ze tikte op haar schedel. 'Maar in ieder geval bedankt voor het voorstel.'

Rebus haalde zijn schouders op en draaide zich om om weer naar het uitzicht te kijken. 'Je weet dat ze opduikt als ze dat wil?'

'Dat weet ik.'

'Ze kan niet als vermiste persoon worden aangemerkt.'

'En heb jij nooit een vriend een dienst bewezen?'

'Daar valt wat voor te zeggen,' gaf Rebus toe. 'Je moet alleen geen resultaten verwachten.'

'Zit daar maar niet over in.' Ze wees naar het blok torenflats diagonaal tegenover het flatgebouw waar zij stonden. 'Valt je daar niets aan op?'

'Niets waar ik halleluja om kan roepen.'

'Nauwelijks graffiti. Ik bedoel, vergeleken met de andere blokken.'

Rebus bekeek het flatgebouw van boven naar beneden. Het klopte: de bepleisterde muren van dat ene blok waren schoner dan de andere. 'Dat is Stevenson House. Misschien heeft iemand in de wijkraad plezierige herinneringen aan *Schateiland*. De volgende keer dat een van ons een parkeerbon krijgt, hebben ze genoeg geld voor verf voor een andere flat.' De liftdeur achter hen gleed open en er stapten twee agenten in uniform uit, niet erg enthousiast kijkend, met een clipboard in hun hand.

'Gelukkig is dit de laatste verdieping,' gromde een van hen. Hij zag Rebus en Siobhan. 'Woont u hier?' vroeg hij, klaar om hen aan zijn lijst op het clipboard toe te voegen.

Rebus ving de blik van Siobhan op. 'We moeten er nog wanhopiger uitzien dan ik dacht.' Vervolgens, tegen de agent: 'Wij zijn van de recherche.'

De andere agent moest lachen om de vergissing van zijn collega. Hij klopte al aan bij de eerste deur. Rebus hoorde stemmen door de gang naar de deur komen. De deur vloog open.

De man was al witheet. Zijn vrouw stond achter hem, met gebalde vuisten. Toen hij zag dat het politie was, rolde de man met zijn ogen. 'Dat is verdomme het laatste waar ik op zat te wachten.'

'Rustig aan, meneer...'

Rebus had de jonge agent kunnen vertellen dat dit niet de manier was waarop je met nitroglycerine omging. Je hoeft springstof niet te vertellen wat het is.

'Rustig aan? Kan jij makkelijk zeggen, eikel. Het gaat zeker over die zak die zelfmoord heeft gepleegd, hè? Mensen kunnen hier moord en brand schreeuwen, auto's kunnen in de fik staan en overal lopen de junks rond... Maar de enige keer dat we jullie te zien krijgen, is wanneer een van die gasten begint te jammeren. Noem je dat eerlijk?'

'Het is hun verdiende loon,' snerpte zijn vrouw. Ze was gekleed in een grijze joggingbroek en een bijpassend jack met capuchon. Niet dat ze een sportieve indruk maakte; net als de agenten tegenover haar droeg ze een soort uniform.

'Mag ik u eraan herinneren dat er iemand vermoord is?' Het bloed was de agent naar de wangen gestegen. Ze hadden hem boos gemaakt en nu zouden ze het weten ook.

Rebus besloot tussenbeide te komen. 'Inspecteur Rebus,' zei hij, terwijl hij zijn legitimatie liet zien. 'We moeten hier ons werk doen, zo simpel ligt het, en we zouden uw medewerking op prijs stellen.'

'En wat worden wíj daar wijzer van?' De vrouw was naast haar man komen staan en met zijn tweeën vulden ze de voordeur ruimschoots. Het was alsof hun eigen ruzie was vergeten. Ze waren nu een team, schouder aan schouder tegen de wereld.

'Dat u een gevoel van burgerlijke verantwoordelijkheid krijgt,' antwoordde Rebus. 'Dat u een bijdrage levert aan de buurt... Of misschien maakt u zich geen zorgen dat hier een moordenaar rondloopt alsof hij hier de baas is?'

'Wie het ook is, hij zit toch niet achter óns aan?'

'Van mij mag hij net zoveel van die gasten te pakken nemen als hij wil... dat schrikt ze wel af,' viel haar man haar bij.

'Ik geloof mijn oren niet,' mompelde Siobhan. Misschien was het niet haar bedoeling dat ze haar hoorden, maar ze hadden haar nu gezien.

'Wie is dat kutwijf?' vroeg de man.

'Dat is mijn kutcollega,' repliceerde Rebus. 'Kijk me aan...' Hij leek plotseling groter, en het paar keek hem aan. 'We doen dit met de zachte of met de harde aanpak. De keus is aan jullie.'

De man nam Rebus van top tot teen op. Ten slotte ontspanden zijn schouders zich lichtjes. 'We weten niks,' zei hij. 'Tevreden?'

'Maar het kan u niet schelen dat een onschuldige man dood is?'

De vrouw snoof. 'Nou, met de manier waarop hij tekeerging, is het een wonder dat het niet eerder is gebeurd...' Haar stem stierf weg toen ze de woedende blik van haar man zag.

'Stomme trut,' zei hij zacht. 'Nou zitten we er de hele avond mee.' Hij keek Rebus weer aan.

'De keus is aan jullie,' zei Rebus. 'In jullie huiskamer, óf op het bureau.'

Man en vrouw kozen als één man voor de huiskamer.

Langzamerhand werd het druk in huis. De agenten waren weggestuurd met de opdracht om verder te gaan met het huis-aan-huisonderzoek en hun mond te houden over wat er gebeurd was.

'En dat betekent waarschijnlijk dat het hele bureau het al weet voordat wij terug zijn,' had Shug Davidson berustend gezegd. Hij had de ondervraging overgenomen en Wylie en Reynolds ondersteunden hem daarbij. Rebus had Davidson even apart genomen.

'Zorg ervoor dat Rattenreet ze aan de praat krijgt.' Davidsons blik vroeg hem om een verklaring. 'Laten we zeggen dat ze tegen hem misschien vrijuit spreken. Ik denk dat ze bepaalde sociale en politieke opvattingen gemeen hebben. Door Rattenreet wordt het minder "wij" en "zij".'

Davidson had geknikt en tot dusver werkte het. Bijna bij alles wat het paar zei, knikte Reynolds instemmend.

'Het is zo'n conflict dat bij die cultuur hoort,' stemde hij met hen in. Of: 'Ik denk dat wij allemaal begrip hebben voor uw standpunt.'

De kamer was claustrofobisch. Rebus betwijfelde of de ramen ooit open stonden. Ze hadden dubbel glas, maar ertussenin zat condens, wat sporen achterliet die op tranen leken. Er brandde een elektrische haard. De lampen die voor het effect van brandend hout moesten zorgen, waren al heel lang stuk, waardoor de kamer nog somberder werd. Drie meubelstukken vulden de kamer: een enorme bruine bank, geflankeerd door forse bruine fauteuils. In die laatste twee hadden man en vrouw het zich gemakkelijk gemaakt. Er was hun geen koffie of thee aangeboden, en toen Siobhan een gebaar maakte alsof ze uit een kopje dronk, had Rebus zijn hoofd geschud. Ze wisten niet wat voor gezondheidsrisico's ze daarmee zouden lopen. Bijna de hele ondervraging lang had hij bij de wandkast gestaan en gekeken wat er op de planken lag. Video's: romantische films voor haar, komische en voetbal voor hem. Hij zag wat illegale kopieën, waarvan de hoezen zelfs geen poging deden om echt te lijken. Ook stonden er een paar paperbacks: biografieën van filmsterren en een boek over afslanken dat beweerde 'vijf miljoen levens' te hebben veranderd. Vijf miljoen, zo'n beetje de bevolking van Schotland. Rebus zag geen enkele aanwijzing dat het enig leven in deze kamer had veranderd.

Waar het op neerkwam, was dat het slachtoffer naast hen had gewoond. Nee, ze hadden nooit met hem gepraat, behalve om hem te zeggen dat hij zijn kop moest houden. Waarom? Omdat hij 's nachts af en toe het hele huis bij elkaar gilde. Altijd liep hij rond te stampen. Geen vrienden of familie voor zover zij wisten. Nooit hadden ze bezoekers gehoord of gezien.

'Maar hij zou een hele ploeg klompendansers in huis kunnen hebben, met dat lawaai dat hij maakte.'

'Lawaaiige buren kunnen een plaag zijn,' beaamde Reynolds, zonder een spoortje ironie.

Veel meer was er niet. De flat had leeggestaan voordat hij kwam, en ze wisten niet precies wanneer hij was gekomen... misschien zo'n vijf, zes maanden geleden. Nee, ze wisten niet hoe hij heette of waar hij werkte: 'Maar je kon er vergif op innemen dat hij geen werk had... klaplopers, allemaal.'

Op dat moment was Rebus naar buiten gelopen om een sigaret op te steken. Het was dat, óf hij had gevraagd: 'En wat doen jullie dan precies? Wat dragen jullie bij aan de som van het menselijk streven?' Terwijl hij uitkeek over de wijk, dacht hij: ik heb geen van die mensen gezien, die mensen waar iedereen zo kwaad op is. Hij nam aan dat ze zich verborgen – zich verborgen voor de haat van de anderen, en probeerden samen met hun eigen mensen een bestaan op te bouwen. Als ze daarin slaagden, dan zou de haat alleen maar toenemen. Maar dat zou er dan misschien niet langer toe doen, omdat ze dan in staat zouden zijn weg te trekken uit Knoxland. En dan zouden de buurtbewoners weer gelukkig zijn achter hun barricades en hun oogkleppen.

'Op dit soort momenten zou ik willen dat ik rookte,' zei Siobhan, die zich bij hem had gevoegd.

'Het is nooit te laat om te beginnen.' Hij stak zijn hand in zijn zak, alsof hij het pakje tevoorschijn wilde halen, maar ze schudde haar hoofd.

'Maar iets te drinken zou wel prettig zijn,' zei ze.

'Dat drankje dat je gisteravond niet hebt gekregen?'

Ze knikte. 'Maar dan thuis... in bad... misschien met een paar kaarsen.'

'Denk je dat je dit soort mensen van je af kunt spoelen?' Rebus gebaarde naar de flat.

'Maak je geen zorgen. Ik weet dat ik dat niet kan.'

'Elk stukje van het leven draagt bij aan een veelkleurig tapijt, Shiv.'

'Is dat niet heerlijk om te weten?'

De liftdeuren gingen open. Nog meer agenten in uniform, maar andere nu: kogelvrije vesten en valhelmen. Met zijn vieren, geoefend in hardheid. Opgeroepen door Zware Misdrijven. Dit was de drugsbrigade, en ze hadden hun vaste gereedschap bij zich: de 'sleutel', een stalen buis die diende als stormram. Die moest hen toegang verschaffen tot versterkte huizen van dealers, voordat bewijsmateriaal kon worden verdonkeremaand.

'Een stevige trap is waarschijnlijk voldoende,' zei Rebus tegen hen.

De leider keek hem aan zonder met zijn ogen te knipperen. 'Welke deur?'

Rebus wees hem aan. De man keerde zich om naar zijn ploeg en knikte. Ze kwamen naar voren, brachten de buis in de juiste positie en zwaaiden ermee.

Hout versplinterde en de deur ging open.

'Er schoot mij net iets te binnen,' zei Siobhan. 'Het slachtoffer had geen sleutels bij zich...'

Rebus onderzocht de versplinterde deurpost en draaide vervolgens aan de deurknop. 'Niet op slot,' zei hij, waarmee hij haar theorie bevestigde. Het lawaai had mensen naar buiten, de galerij op, gelokt. Niet alleen buren, maar ook Davidson en Wylie.

'Wij kijken wel even rond,' bood Rebus aan. Davidson knikte.

'Wacht even,' zei Wylie. 'Shiv hoort hier helemaal niet bij.'

'Dat is nou de teamgeest die we bij jou zo zoeken, Ellen,' beet Rebus terug.

Met een hoofdbeweging maakte Davidson Wylie duidelijk dat hij wilde dat ze terugging naar de ondervraging. Ze gingen naar binnen.

Rebus wendde zich tot de teamleider, die net tevoorschijn kwam uit de flat van het slachtoffer. Het was daarbinnen donker, maar de ploeg had lantaarns. 'Alles veilig,' zei de leider.

Rebus stak zijn hand uit en probeerde het licht in de gang aan te doen: geen licht. 'Vind je het erg als ik een lamp van je leen?' Hij zag dat de man dat heel erg vond. 'Ik breng hem terug, dat beloof ik.' Hij hield een hand op.

'Alan, geef hem je lamp,' snauwde de ander.

De lamp werd overhandigd.

'Morgenochtend,' beval de teamleider.

'Het eerste wat ik morgen doe, is hem terugbrengen,' verzekerde Rebus hem. De man keek hem dreigend aan en gebaarde vervolgens naar zijn mannen dat hun taak erop zat. Ze marcheerden terug naar de lift.

Zodra de deuren zich achter hen hadden gesloten, proestte Siobhan het uit. 'Niet te geloven!'

Rebus probeerde de lamp en zag dat hij het deed. 'Vergeet niet met welke ellende ze te maken hebben. Huizen vol wapens en spuiten. Zou jij als eerste naar binnen willen stormen?'

'Ik neem het terug,' verontschuldigde ze zich.

Ze gingen naar binnen. Het was er niet alleen donker, maar ook koud. In de huiskamer vonden ze oude kranten die eruitzagen alsof ze uit vuilnisbakken waren gered, en lege conservenblikken en melkpakken. Geen meubels. De keuken was vuil, maar niet rommelig. Siobhan wees omhoog naar een van de muren. Een meter voor munten. Ze haalde een munt uit haar zak, stopte die erin en draaide aan de knop. De lichten gingen aan.

'Dat is beter,' zei Rebus, en hij legde de lantaarn op de aanrecht. 'Niet dat er veel te zien valt.'

'Ik geloof niet dat hij vaak kookte.' Siobhan trok de kasten open. Daarin stonden een paar borden en kommen, pakken rijst en kruiden, twee gebarsten theekopjes en een theeblik dat half gevuld was met losbladige thee. Een zak suiker stond op de aanrecht naast de gootsteen, en er stak een lepel uit. Rebus keek in de gootsteen waar hij het afschrabsel van wortels zag. Rijst en groenten: de laatste maaltijd van de overledene.

In de badkamer leek het alsof er een rudimentaire poging tot het wassen van kleding had plaatsgevonden. Shirts en onderbroeken hingen over de rand van de badkuip, naast een stuk zeep. Op de wastafel lag een tandenborstel, maar geen tandpasta.

Bleef alleen de slaapkamer nog over. Rebus deed het licht aan. Ook hier weer geen meubilair. Er lag een ontrolde slaapzak op de vloer. Net als in de huiskamer was er grijze vloerbedekking, die met tegenzin los leek te komen van de schoenzolen van Rebus toen hij naar de slaapzak liep. Er waren geen gordijnen, maar het raam keek alleen uit op een andere torenflat, een meter of twintig verderop.

'Er is niet veel te vinden dat het lawaai dat hij maakte kan verklaren,' zei Rebus.

'Dat weet ik nog zo net niet... Als ik hier zou moeten wonen, zou ik waarschijnlijk ook gaan gillen.'

'Daar zit wat in.' In plaats van een kast had de man een plastic vuilniszak gebruikt. Rebus opende die en zag versleten kleren, keurig opgevouwen. 'Die spullen zullen wel uit een tweedehandswinkel komen,' zei hij.

'Of van een liefdadigheidsinstelling. Die werken vaak met asielzoekers.'

'Denk je dat hij een asielzoeker was?'

'We kunnen in ieder geval zeggen dat het er niet naar uitziet dat hij zich hier gesetteld had. Volgens mij is hij hier met heel weinig persoonlijke bezittingen aangekomen.'

Rebus pakte de slaapzak op en schudde eraan. Het was een ouderwetse: wijd en dun. Er vielen een stuk of vijf foto's uit. Rebus raapte ze op. Kiekjes, vaag geworden aan de randen doordat ze vaak opgepakt waren. Een vrouw en twee kleine kinderen.

'Zijn vrouw en kinderen?' veronderstelde Siobhan.

71

'Waar zijn ze volgens jou gemaakt?'

'Niet in Schotland.'

Nee, vanwege de achtergrond: de witgepleisterde muren van een appartement, een raam dat uitzag over de daken van een stad. Rebus had de indruk van een warm land met een onbewolkte, diepblauwe hemel. De kinderen maakten een verdwaasde indruk; een ervan had zijn vingers in zijn mond. De vrouw en haar dochter glimlachten met de armen om elkaar geslagen.

'Iemand zou hen misschien kunnen herkennen...' opperde Siobhan.

'Dat is misschien niet nodig,' verklaarde Rebus. 'Dit is een gemeenteflat, weet je nog?'

'En dat betekent dat ze bij de gemeente weten wie hij was?'

Rebus knikte. 'Het eerste wat we moeten doen, is deze flat op vingerafdrukken laten onderzoeken, om zeker te weten dat we geen overhaaste conclusies trekken. Daarna moeten we naar de gemeente om de naam aan de weet te komen.'

'En brengt dat ons dichter bij het vinden van de moordenaar?'

Rebus haalde zijn schouders op. 'Wie het ook gedaan heeft, hij is helemaal onder het bloed naar huis gegaan. Het is onmogelijk om zo door Knoxland te lopen zonder op te vallen.' Hij zweeg even. 'Wat nog niet wil zeggen dat zich iemand met informatie meldt.'

'Hij is dan wel een moordenaar, maar hij is wel een van hen?' raadde Siobhan.

'Dat kan, maar het kan ook zijn dat ze bang van hem zijn. Er lopen zat harde jongens rond in Knoxland.'

'Dus zijn we nog geen stap verder.'

Rebus hield een van de foto's omhoog. 'Wat zie je?' vroeg hij.

'Een gezin.'

Rebus schudde zijn hoofd. 'Je ziet een weduwe en twee kinderen die hun vader nooit meer terugzien. Zij zijn degenen aan wie we moeten denken, niet aan onszelf.'

Siobhan knikte instemmend. 'Ik neem aan dat we die foto's altijd nog in de openbaarheid kunnen brengen.'

'Dat dacht ik ook. Ik denk zelfs dat ik er de juiste man voor weet.'

'Steve Holly?'

'Die krant waar hij voor schrijft mag dan een vod zijn, maar een heleboel mensen lezen hem.' Hij keek om zich heen. 'Heb je genoeg gezien?' Siobhan knikte nogmaals. 'Laten we dan aan Shug Davidson gaan vertellen wat we hebben gevonden...'

Davidson belde naar de ploeg die de flat op vingerafdrukken moest onderzoeken, en Rebus haalde hem over om hem een van de foto's te laten houden om aan de pers door te geven.

'Het kan nooit kwaad,' was Davidsons weinig enthousiaste reactie. Maar hij was wel verheugd over de opmerking dat de gemeentelijke volkshuisvesting een naam zou hebben op de huurovereenkomst.

'O ja,' zei Rebus, 'hoe groot het budget ook is, het is zojuist een pond minder geworden.' Hij gebaarde naar Siobhan. 'Ze moest geld in de meter stoppen.'

Davidson lachte en haalde een paar muntstukken uit zijn zak. 'Alsjeblieft, Shiv. Koop voor de rest maar iets te drinken.'

'En ik dan?' klaagde Rebus. 'Is dit seksediscriminatie of niet?'

'John, jij gaat straks Steve Holly een primeurtje bezorgen. Als hij je daarvoor niet op een paar biertjes trakteert, moet hij ontslagen worden...'

Toen Rebus wegreed uit de wijk, schoot hem plotseling iets te binnen. Hij belde Siobhan op haar mobiele nummer. Ook zij was onderweg naar de stad.

'Ik zie Holly waarschijnlijk in de pub,' zei hij, 'als je zin hebt om mee te gaan...'

'Hoe verleidelijk je aanbod ook klinkt, ik moet ergens anders naartoe. Maar bedankt.'

'Dat was niet precies waarvoor ik belde... Heb je geen zin om nog even terug te gaan naar de flat van het slachtoffer?'

'Nee.' Ze zweeg even, en toen ging er haar een lichtje op. 'Je had beloofd die lantaarn terug te brengen!'

'Maar in plaats daarvan ligt hij op de aanrecht in de keuken.'

'Bel Davidson of Wylie.'

Rebus trok zijn neus op. 'Och, het kan wachten. Ik bedoel, wat kan ermee gebeuren als hij voor het grijpen ligt in een lege flat met een opengebroken deur? Ik weet zeker dat het daar allemaal eerlijke, godvrezende mensen zijn...'

'Jij hoopt echt dat-ie pootjes krijgt, hè?' Hij hoorde haar bijna grinniken. 'Alleen maar om te zien wat ze eraan doen als je hem niet terugbrengt.'

'Wat dacht je: in de vroege ochtend mijn deur inrammen en door mijn huis stampen op zoek naar iets anders wat licht geeft?'

'Er zit een gemeen trekje in jou, John Rebus.'

'Zeker, want er is geen enkele reden waarom ik anders zou zijn dan anderen.'

Hij beëindigde het gesprek, reed naar de Oxford Bar, waar hij langzaam een glas Deuchar's naar binnen werkte, om daarmee het laatste broodje cornedbeef dat er nog was weg te spoelen. Harry, de barkeeper, vroeg hem of hij iets wist van dat satanische ritueel.

'Welk satanisch ritueel?'

'In de Fleshmarket Close. De een of andere heksengroep...'

'Jezus, Harry, geloof jij elk verhaal dat hier verteld wordt?'

Harry probeerde niet teleurgesteld te kijken. 'Maar dat skelet van die baby...'

'Namaak... is daar neergelegd.'

'Waarom zou iemand zoiets doen?'

Rebus zocht naar een antwoord. 'Misschien heb je gelijk, Harry. Het zou de barkeeper wel eens kunnen zijn, die zijn ziel aan de duivel heeft verkocht.'

Harry's mondhoek vertoonde even een trekje. 'Denk je dat er met die ziel van mij nog een deal te sluiten valt?'

'Dacht het niet,' zei Rebus, terwijl hij het glas naar zijn mond bracht. Hij moest denken aan Siobhans opmerking dat ze ergens anders naartoe moest. Dat betekende misschien dat ze van plan was dokter Curt onder druk te zetten. Rebus pakte zijn telefoon en controleerde of het signaal sterk genoeg was om hiervandaan te bellen. Het nummer van de verslaggever had hij in zijn portefeuille. Holly nam onmiddellijk op.

'Inspecteur Rebus, een onverwacht genoegen...' Wat betekende dat hij op zijn mobieltje kon aflezen wie er belde, en dat hij in gezelschap was van iemand die hij wilde imponeren door Rebus' naam te noemen...

'Het spijt me dat ik je lastigval midden in een bespreking met je redacteur,' zei Rebus. Het bleef even stil, en Rebus stond zichzelf een brede glimlach toe. Hij hoorde Holly zich verontschuldigen; hij liep vast de kamer uit.

Zijn stem werd fluisterend gesis. 'Word ik soms in de gaten gehouden?'

'O ja, Steve, je bent al even beroemd als die verslaggevers van Watergate.' Rebus zweeg even. 'Ik raadde er maar naar, dat is alles.'

'Ja?' Holly klonk verre van overtuigd.

'Luister, ik heb iets voor je, maar het kan wachten tot je je voor die paranoia hebt laten behandelen.'

'Ho, wacht even... Wat is het?'

'Het slachtoffer van Knoxland. We hebben een foto gevonden, het ziet ernaar uit dat hij vrouw en kinderen had.'

'En die geef je aan de pers?'

'Op dit moment ben jij de enige aan wie hij aangeboden wordt. Als je hem wilt, is hij voor jou zodra de mensen van de forensische dienst bevestigen dat hij van het slachtoffer was.'

'Waarom voor mij?'

'Wil je de waarheid? Omdat een primeurtje meer ruimte krijgt, een vettere kop, hopelijk op de voorpagina...'

'Ik beloof niks,' zei Holly snel. 'En hoe lang daarna krijgen de anderen hem?'

'Vierentwintig uur.'

De verslaggever leek dit te overwegen. 'Ik moet nogmaals vragen: waarom voor mij?'

Het gaat niet om jou, wilde Rebus zeggen, het gaat om die krant van je, of beter nog, de oplage van jouw krant. Díe krijgt de foto, het verhaal... In plaats daarvan bleef hij zwijgen en hoorde hij Holly luidruchtig uitademen.

'Oké, goed. Ik zit in Glasgow. Kun je hem even komen brengen?'

'Ik laat hem wel achter bij de bar van de Ox. Daar kun je hem ophalen. Tussen haakjes, er ligt dan ook een rekening bij die jij mag betalen.'

'Natuurlijk.'

'Tot kijk dan.' Rebus klapte zijn telefoon dicht en stak een sigaret op. Natuurlijk zou Holly de foto opnemen, want als hij hem afwees en de concurrentie dat niet deed, had hij zijn baas iets uit te leggen.

'Nog een?' vroeg Harry. Tja, de man stond al met het glanzende glas in zijn hand, klaar om het te vullen. Hoe kon Rebus weigeren zonder hem te beledigen?

5

'Op grond van een vluchtig onderzoek van het vrouwelijke skelet zou ik zeggen dat het tamelijk oud is.'

'Vluchtig?'

Dokter Curt wiebelde op zijn stoel. Ze zaten in zijn kamer in de medische faculteit van de universiteit, weggestopt op een binnenplaats achter McEwan Hall. Zo af en toe – meestal wanneer ze samen in een bar zaten – herinnerde Rebus Siobhan eraan dat veel van de voorname gebouwen van Edinburgh – met name Usher Hall en McEwan Hall – gebouwd waren door dynastieën van bierbrouwers, en dat dat niet mogelijk zou zijn geweest zonder drinkers als hij.

'Vluchtig?' herhaalde ze in de stilte. Curt schikte met veel vertoon een aantal van de pennen op zijn bureau.

'Tja, ik kon nu eenmaal niet om hulp vragen... Het is een soort onderwijsskelet, Siobhan.'

'Maar is het écht?'

'Heel echt. In minder teergevoelige tijden dan de onze was het medisch onderricht afhankelijk van dat soort dingen.'

'Wordt dat niet meer gedaan?'

Hij schudde zijn hoofd. 'Nieuwe technologieën hebben veel van de oude gebruiken vervangen.' Hij klonk bijna weemoedig.

'Dus die schedel daar is niet echt?' Ze doelde op de schedel op de plank achter hem, die in een houten doos met glas op een groen stuk vilt rustte.

'O, die is zeer authentiek. Die heeft eens behoord aan de anatoom dr. Robert Knox.'

'Degene die onder één hoedje speelde met de *bodysnatchers*?'

Curt kreunde. 'Hij heeft hén niet geholpen; zij hebben hém vernietigd.'

'Oké, dus echte skeletten werden gebruikt als leermiddelen...' Siobhan zag dat Curts gedachten nu vervuld waren van zijn voorganger. 'Hoe lang geleden is men daarmee gestopt?'

'Waarschijnlijk vijf of tien jaar geleden, maar we hebben een paar van de... specimina nog wat langer behouden.'

'En is onze mysteriedame een van uw specimina?'

Curts mond ging open, maar er kwam niets uit.

'Een eenvoudig ja of nee volstaat,' drong Siobhan aan.

'Ik kan je geen van beide bieden... Ik weet het gewoon niet zeker.'

'Goed, hoe werden ze weggedaan?'

'Luister, Siobhan...'

'Wat zit u dwars, dokter?'

Hij keek haar aan en leek tot een besluit te komen. Hij steunde met zijn armen op het bureaublad voor hem en vouwde zijn handen ineen. 'Vier jaar geleden... misschien weet je dat niet meer... werden er wat lichaamsdelen in de stad gevonden.'

'Lichaamsdelen?'

'Een hand hier, een voet daar... Bij onderzoek bleken ze geconserveerd te zijn in formaldehyde.'

Siobhan knikte traag. 'Ik herinner me dat ik daar iets over heb gehoord.'

'Het bleek dat ze uit een van de labs waren gestolen om te gebruiken bij een practical joke. Niet dat er iemand werd aangehouden, maar we hebben heel veel onnodige aandacht van de pers gekregen... en ook stevige uitbranders, zelfs van de rector-magnificus.'

'Ik zie het verband niet.'

Curt stak zijn hand op. 'Twee jaar later werd een tentoongesteld exemplaar vermist uit de hal voor de kamer van professor Gates...'

'Een vrouwelijk skelet?'

Het was Curts beurt om te knikken. 'Het spijt me dat ik het moet zeggen, maar we hebben het onder de pet gehouden. Het was in een tijd dat we veel oude leermiddelen wegdeden...' Hij keek haar aan voordat hij zijn blik weer op zijn gerangschikte pennen richtte. 'Volgens mij hebben we in die tijd ook wat plastic skeletten weggegooid.'

'Waaronder dat van een baby?'

'Ja.'

'U zei tegen me dat er geen stukken vermist werden.' Hij haalde alleen maar zijn schouders op. 'U hebt tegen mij gelogen, dokter.'

'*Mea culpa*, Siobhan.'

Ze dacht even na en streek over haar neus. 'Ik weet niet of ik dit helemaal begrijp. Waarom werd het vrouwelijke skelet bewaard om te exposeren?'

Curt begon weer te wiebelen. 'Omdat een van de voorgangers van professor Gates dat had besloten. Haar naam was Mag Lennox. Heb je wel eens van haar gehoord?' Siobhan schudde haar hoofd. 'Mag Lennox werd beschouwd als een heks, dat was tweehonderdvijftig jaar geleden. Ze werd vermoord door gewone burgers en niemand wilde haar begraven. Vermoedelijk waren ze bang dat ze weer uit haar kist zou klimmen. Ze lieten haar lichaam wegrotten. Wie er belangstelling voor had, mocht de resten bestuderen, naar ik aanneem om te zoeken naar tekens van de duivel. Alexander Monro nam uiteindelijk het skelet in bezit en liet het na aan de medische faculteit.'

'En toen heeft iemand het gestolen, en dat hebt u geheimgehouden?'

Curt haalde zijn schouders op, wierp het hoofd in de nek en keek naar het plafond.

'Enig idee wie het heeft gedaan?'

'O ja, we hadden ideeën... Medische studenten staan bekend om hun zwarte humor. Het verhaal ging dat het de huiskamer van een gezamenlijk bewoonde flat opluisterde. We hebben het door iemand laten onderzoeken...' Hij keek haar aan. 'Vertrouwelijk laten onderzoeken, begrijp je...'

'Een privédetective? Ach, dokter toch.' Ze schudde haar hoofd, teleurgesteld over de keus voor deze aanpak.

'Er werd niets gevonden. Natuurlijk konden ze het gemakkelijk hebben laten verdwijnen...'

'Door het in Fleshmarket Close te begraven?'

Curt haalde zijn schouders op. Zo'n gereserveerde man, een gewetensvol mens... Siobhan zag dat dit gesprek hem bijna lichamelijk pijn deed. 'Wat waren hun namen?'

'Twee jongelui, bijna onafscheidelijk... Alfred McAteer en Alexis Cater. Ik denk dat ze zich hebben laten inspireren door de karakters uit de tv-serie *Mash*. Ken je dat?'

Siobhan knikte. 'Studeren ze hier nog steeds?'

'Ze lopen stage in het ziekenhuis, god sta ons bij.'

'Alexis Cater... familie van?'

'Zijn zoon.'

Siobhans lippen vormden een O. Gordon Cater was een van de weinige Schotse acteurs van zijn generatie die het gemaakt hadden in Hollywood. Hij speelde karakterrollen, maar in winstgevende kassuccessen. Er ging zelfs het gerucht dat hij op een bepaald moment de rol van James Bond zou krijgen, na Roger Moore, maar op het nippertje was verslagen door Timothy Dalton. Een woesteling, en een acteur naar wie de meeste vrouwen zouden kijken, hoe slecht de film ook was.

'Ik neem aan dat je een fan bent,' mompelde Curt. 'We hebben geprobeerd het stil te houden dat Alexis hier studeerde. Hij is de zoon uit Gordons tweede of derde huwelijk.'

'En u denkt dat hij Mag Lennox heeft gestolen?'

'Hij was een van de verdachten. Begrijp je waarom we het onderzoek niet officieel hebben gemaakt?'

'U bedoelt iets anders dan het feit dat u en de professor weer opnieuw als onverantwoordelijk zouden worden beschouwd?' Siobhan glimlachte om de verlegenheid van Curt. Plotseling griste hij de pennen van het bureau en gooide ze in een la, alsof ze hem opeens irriteerden. 'Geeft u zo richting aan uw agressie, dokter?'

Curt keek haar somber aan en zuchtte. 'Er schuilt mogelijk nog een addertje onder het gras. De een of andere plaatselijke historica... heeft blijkbaar aan de pers verteld dat zij denkt dat er een bovennatuurlijke verklaring is voor de skeletten in Fleshmarket Close.'

'Bovennatuurlijk?'

'Bij opgravingen bij het paleis Holyrood zijn een tijdje geleden een paar skeletten blootgelegd... er gingen verhalen dat ze geofferd waren.'

'Door wie? Door Mary, koningin der Schotten?'

'Hoe het ook zij, die "historica" probeert die skeletten in verband te brengen met Fleshmarket Close... Het is misschien relevant dat ze in het verleden heeft gewerkt voor een van de spookrondleidingen van High Street.'

Siobhan was met een van die rondleidingen mee geweest. Verschillende ondernemingen organiseerden wandelingen langs de Royal Mile en de belendende stegen, waarbij bloederige verhalen werden verteld, die werden vergezeld van speciale effecten die een spookhuis op de kermis niet zouden hebben misstaan.

'Dus ze heeft een bijbedoeling?'

'Daar kan ik alleen maar naar gissen.' Curt keek op zijn horloge. 'De krant van vanavond heeft misschien wel wat van haar geleuter opgenomen.'

'Hebt u eerder met haar te maken gehad?'

'Ze wilde weten wat er met Mag Lennox was gebeurd. We hebben haar gezegd dat haar dat niet aanging. Ze probeerde de belangstelling van de kranten te wekken...' Curt zwaaide met een hand voor zich om de herinnering weg te wuiven.

'Hoe heet ze?'

'Judith Lennox... en ja, ze beweert dat ze een afstammeling is.'

Siobhan noteerde de naam, onder die van Alfred McAteer en Alexis Cater. Na enige aarzeling voegde ze er nog een naam aan toe – Mag Lennox – en verbond die met een pijltje met Judith Lennox.

'Is het eind van mijn beproeving in zicht?' vroeg Curt op lijzige toon.

'Ik denk van wel,' antwoordde Siobhan. Ze tikte met de pen tegen haar tanden. 'En wat gaat u nu doen met het skelet van Mag?'

De patholoog haalde zijn schouders op. 'Ze lijkt weer thuis te zijn gekomen, hè? Misschien zetten we haar wel weer in haar vitrine.'

'Hebt u het de professor al verteld?'

'Ik heb hem vanmiddag een e-mail gestuurd.'

'Een mailtje? Hij zit hier twintig meter verderop...'

'Toch heb ik een e-mail gestuurd.' Curt maakte aanstalten om op te staan.

'U bent bang voor hem, hè?' plaagde Siobhan hem.

Curt reageerde niet op deze opmerking. Hij hield de deur voor haar open, met een lichtjes gebogen hoofd. Misschien was dat ouderwetse hoffelijkheid, dacht Siobhan. Maar het leek haar waarschijnlijker dat hij haar niet in de ogen wilde kijken.

Op weg naar huis reed ze langs de George IV Bridge. Ze sloeg rechts af bij de verkeerslichten en besloot tot een korte omweg over de High Street. Er stonden sandwichborden voor de St Giles-kathedraal, waarop de spookrondleidingen van die avond stonden vermeld. Ze zouden de eerste uren nog niet beginnen, maar toeristen stonden de borden al te bekijken. Verderop, voor de oude Tron Kirk, stonden nog meer borden, nog meer verlokkingen om 'de spoken uit het verleden van Edinburgh' te beleven. Siobhan hield zich meer bezig met de spoken van het heden. Ze keek Fleshmarket Close in: geen teken van leven. Maar zouden de gidsen de steeg niet graag aan hun route willen toevoegen? Op Broughton Street stopte ze langs de stoeprand en ging een buurtwinkel binnen, waaruit ze even later weer tevoorschijn kwam met een zak levensmiddelen en de laatste editie van de avondkrant. Haar flat was vlakbij. Er was geen parkeerruimte meer in het deel voor de bewoners, daarom liet ze haar Peugeot achter op een gele lijn. Ze zou hem wel verplaatsen voordat de parkeerwachters aan hun ochtendronde begonnen.

Haar appartement was in een flatgebouw van vier verdiepingen. Ze had geluk met haar buren; geen nachtelijke feesten of oefenende rockdrummers. Ze kende enkele van de mensen van gezicht, maar ze wist van geen van hen hoe ze heetten. Edinburgh verwachtte niet dat je iets meer met je buren had dan een groet in het voorbijgaan, tenzij er een gezamenlijk probleem moest worden aangepakt, zoals een lekkend dak of een kapotte goot. Ze dacht aan Knoxland met zijn flinterdunne scheidingsmuren, waardoorheen je alles kon horen.

Iemand in het flatgebouw hield katten, dat was haar enige klacht. Ze kon ze in het trapportaal ruiken. Maar als ze eenmaal in haar appartement was, smolt de buitenwereld weg.

Ze zette de beker ijs in de vriezer en de melk in de koelkast, waarna ze de kant-en-klaarmaaltijd uitpakte en in de magnetron stopte. Het was een vetarme maaltijd, waarmee ze alvast rekening hield met de mogelijkheid toe te geven aan de drang om zich vol te proppen met chocolade-pepermuntijs. Er stond een fles wijn op de aanrecht, met de kurk er weer op en een paar glazen wijn eruit. Ze schonk een beetje in een glas, proefde en stelde vast dat ze er niet door vergiftigd zou worden. Ze ging zitten met haar krant, wachtend tot haar maaltijd was opgewarmd. Ze maakte bijna nooit zelf iets klaar, niet wanneer ze in haar eentje at. Toen ze aan tafel zat, merkte ze dat ze de laatste tijd was aangekomen; ze moest haar broek los doen. Ook haar blouse zat strak onder haar armen. Ze stond op van tafel en keerde enkele minuten later terug op slippers en in een ochtendjas. Het eten was klaar, dus nam ze het op een bord mee naar de huiskamer, met haar glas en de krant.

Judith Lennox had de binnenpagina's gehaald. Er stond een foto van haar bij de ingang van Fleshmarket Close, waarschijnlijk die middag gemaakt. Alleen haar hoofd en schouders waren afgebeeld. Volumineus zwart krulhaar en een lichte sjaal om. Siobhan wist niet naar welke pose ze had gezocht, maar haar lippen en ogen straalden een en al zelfbehagen uit. Gek op de aandacht van de camera en bereid elke houding aan te nemen die van haar werd gevraagd. Ernaast stond nog een geposeerde foto, ditmaal van Ray Mangold, met zijn armen in een bezitterige houding over elkaar geslagen, buiten voor de Warlock.

Er was een kleinere foto van de archeologische vindplaats op het terrein van Holyrood, waar de andere skeletten waren opgegraven. Iemand van Historic Scotland was geïnterviewd, die zich geringschattend uitliet over de veronderstelling van Lennox dat er iets ritueels was aan deze doden, of aan de manier waarop de lichamen waren neergelegd. Maar dat stond in de laatste alinea van het verhaal. De meeste aandacht werd besteed aan de bewering van Lennox dat het mogelijk was, of de skeletten van Fleshmarket Close nu wel of niet echt waren, dat ze in dezelfde houding waren gelegd als de skeletten in Holyrood, en dat iemand die vroegere teraardebestellingen had nagebootst. Siobhan lachte schamper en ging verder met eten. Ze bladerde de rest van de krant door en besteedde de meeste tijd aan de tv-pagina. Helaas, geen programma's om haar bezig te houden tot ze naar bed ging. In plaats daarvan werd het muziek en een boek. Ze checkte haar telefoon op berichten, die er niet waren, laadde haar mobieltje op en haalde boek en dekbed uit de slaapkamer. John Martyn op de cd-speler; Rebus had haar de cd geleend. Ze vroeg zich af hoe hij zijn avond zou doorbrengen. Misschien in de pub met Steve Holly, of gewoon alleen in de pub. Goed, zij zou een rustige avond hebben om de volgende morgen weer een stuk fitter te zijn. Ze besloot dat ze twee hoofdstukken zou lezen voordat ze een aanval zou doen op de beker ijs...

Toen ze wakker werd, ging haar telefoon. Ze stond wankelend op van de bank en nam hem op. 'Hallo?'

'Ik heb je toch niet wakker gemaakt?' Het was Rebus.

'Hoe laat is het?' Ze probeerde haar blik op haar horloge te richten.

'Halftwaalf. Sorry als je al in bed lag...'

'Ik lag nog niet in bed. Waar is de brand?'

'Niet precies een brand. Het lijkt eerder op iets wat smeult. Dat stel waarvan die dochter is weggelopen...'

'Wat is daarmee?'

'Ze hebben naar jou gevraagd.'

Ze wreef met een hand over haar gezicht. 'Ik geloof niet dat ik je kan volgen.'

'Ze zijn opgepakt in Leith.'

'Gearresteerd bedoel je?'

'Wegens het lastigvallen van een paar tippelaarsters. De moeder was hysterisch... Ze is naar het bureau van Leith gebracht om ervoor te zorgen dat ze tot bedaren kwam.'

'En hoe weet jij dit allemaal?'

'Leith belde hiernaartoe; ze vroegen naar jou.'

Siobhan fronste haar voorhoofd. 'Zit jij nog altijd op Gayfield Square?'

'Het is hier leuk als het stil is. Ik kan elk bureau nemen dat ik wil.'

'Je moet toch ook eens een keer naar huis.'

'Ik was ook al op weg toen dat telefoontje kwam.' Hij grinnikte. 'Weet je waar Tibbet mee bezig is? Er staat niets anders op zijn computer dan treintijden.'

'Dus jij bespioneert ons?'

'Het is mijn manier om vertrouwd te raken met een nieuwe omgeving, Shiv. Wil je dat ik je op kom halen, of zie ik je in Leith?'

'Ik dacht dat je op weg naar huis was.'

'Dit klinkt veel aantrekkelijker.'

'Dan zie ik je in Leith.'

Siobhan legde de telefoon neer en ging naar de badkamer om zich aan te kleden. De resterende halve beker chocolade-pepermuntijs was vloeibaar geworden, maar ze zette hem terug in de vriezer.

Het politiebureau van Leith stond in Constitution Street. Het was een mistroostig stenen gebouw, met een onvriendelijke uitstraling, net als de omgeving. Leith, ooit een welvarende havenstad met een heel aparte sfeer, had in de afgelopen twintig jaar moeilijke tijden doorgemaakt. Minder werkgelegenheid, drugs, prostitutie. Delen waren geheel gerenoveerd, andere opgeknapt. Er kwamen nieuwkomers, die niet het oude, stoffige Leith wilden. Siobhan dacht dat het jammer was als het karakter van het gebied verloren zou gaan, maar zij hoefde er tenslotte niet te wonen...

Leith had jarenlang een 'gedoogzone' voor prostituees. Het was niet zo dat de politie geen oogje in het zeil hield, maar ze grepen niet in. Maar hier was een eind aan gekomen en de tippelaarsters waren verspreid, wat leidde tot meer geweld tegen hen. Enkelen hadden geprobeerd terug te keren naar hun oude jachtterrein, terwijl anderen koers zetten in de richting van Salamander Street of langs Leith Walk naar het centrum van de stad.

Hoewel Siobhan dacht dat ze begreep wat de Jardines van plan waren geweest, wilde ze het toch van hen zelf horen.

Rebus wachtte haar op bij de receptie. Hij zag er moe uit, maar ja, hij zag er altijd moe uit. Donkere wallen onder zijn ogen, ongekamde haren. Ze wist dat hij de hele week hetzelfde pak aanhad en dat hij het iedere zaterdag liet stomen. Hij stond te praten met de dienstdoende agent, maar brak het gesprek af toen hij haar zag. De agent opende met een zoemer de gesloten deur, die Rebus voor haar openhield.

'Ze zijn niet gearresteerd of zo,' zei hij. 'Alleen hierheen gebracht voor een babbel. Ze zitten hier...' Hier, dat was VK1, verhoorkamer 1.

Het was een kleine ruimte zonder raam, die een tafel en twee stoelen bevatte. John en Alice Jardine zaten tegenover elkaar, met uitgestrekte armen zodat ze elkaars handen konden vasthouden. Er stonden twee lege mokken op de tafel.

Zodra de deur openging, vloog Alice overeind en gooide een mok om. 'U kunt ons niet de hele nacht hier vasthouden!' Ze zweeg abrupt, met open mond, toen ze Siobhan zag. Haar gezicht verloor iets van de spanning, terwijl haar man schaapachtig lachte en de mok weer overeind zette.

'Sorry dat we je hiernaartoe hebben laten komen,' zei John Jardine. 'We dachten dat ze ons misschien wel zouden laten gaan als we jouw naam noemden.'

'Voor zover ik weet, John, word je niet vastgehouden. Tussen haakjes, dit is inspecteur Rebus.'

Er volgden knikken ter begroeting. Alice Jardine was weer gaan zitten. Siobhan stond met haar armen over elkaar naast de tafel. 'Uit wat ik begrepen heb, hebben jullie de eerlijke, hardwerkende dames van Leith geterroriseerd.'

'We hebben alleen maar vragen gesteld,' protesteerde Alice.

'Helaas verdienen ze niet veel met een babbeltje,' informeerde Rebus het paar.

'We waren gisteravond in Glasgow,' zei John Jardine zacht. 'Dat leek goed te gaan...'

Siobhan en Rebus wisselden een blik uit. 'En dat allemaal omdat Susie jullie had verteld dat Ishbel met een man omging die op een pooier leek?' vroeg Siobhan. 'Luister, laat mij jullie iets duidelijk maken. De meiden in Leith hebben misschien iets met drugs, maar dat is alles waar ze iets mee hebben, niet met pooiers zoals je die in Hollywoodfilms ziet.'

'Oudere mannen,' zei John Jardine met zijn blik op het tafelblad gericht. 'Ze krijgen macht over meisjes als Ishbel en exploiteren ze. Dat lees je steeds weer.'

'Dan leest u de verkeerde kranten,' zei Rebus.

'Het was mijn idee,' zei Alice. 'Ik dacht alleen...'

'Waardoor zijn jullie over de rooie gegaan?' vroeg Siobhan.

'We hebben twee nachten geprobeerd om hoeren over te halen met ons te praten,' verklaarde John Jardine. Maar Alice schudde haar hoofd. 'We praten nu met Siobhan,' berispte ze hem. En vervolgens tegen Siobhan: 'De laatste vrouw met wie we hebben gesproken... Zij zei dat ze dacht dat Ishbel misschien... Ik moet even nadenken over wat ze precíes zei...'

John Jardine sprong haar bij. 'Dat Ishbel "misschien in de Schaamstreek zat",' zei hij.

Zijn vrouw knikte. 'En toen we haar vroegen wat ze daarmee bedoelde, begon ze alleen maar te lachen... en ze zei dat we naar huis moesten gaan. En toen verloor ik mijn zelfbeheersing.'

'Er kwam een politieauto voorbij,' voegde haar man er schouderophalend aan toe. 'Ze hebben ons hierheen gebracht. Het spijt me dat we je zoveel overlast bezorgen, Siobhan.'

'Dat doe je niet,' verzekerde Siobhan hem. Ze geloofde haar eigen woorden maar half.

Rebus had zijn handen in zijn zakken gestoken. 'De Schaamstreek is vlak bij Lothian Road: striptenten, seksshops...'

Siobhan wierp hem een waarschuwende blik toe, maar te laat.

'Misschien is ze daar dan wel,' zei Alice met een stem die trilde van emotie. Ze greep zich vast aan de rand van de tafel alsof ze wilde opstaan en vertrekken.

'Wacht even.' Siobhan stak haar hand op. 'Eén vrouw vertelt je – waarschijnlijk voor de grap – dat Ishbel wel eens als stripper zou kunnen werken... en jullie willen er gelijk al tegenaan gaan?'

'Waarom niet?' vroeg Alice.

Rebus gaf haar het antwoord: 'Die zaken worden niet altijd gerund door de meest betrouwbare figuren, mevrouw Jardine. Het zijn ook niet de meest geduldige types als iemand komt rondneuzen...'

John Jardine knikte.

'Het zou helpen,' vervolgde Rebus, 'als die dame aan een bepaalde zaak dacht...'

'Als we er tenminste vanuit gaan dat ze jullie niet alleen maar op de kast joeg,' waarschuwde Siobhan.

'Er is maar één manier om daarachter te komen,' zei Rebus. Siobhan keek hem aan. 'Jouw auto of de mijne?'

Ze namen de hare, met de Jardines achterin. Ze waren nog niet ver toen John Jardine aangaf dat de 'jongedame' aan de overkant van de straat had gestaan, tegen de muur van een leegstaand pakhuis. Ze was nergens te zien, maar een van haar collega's liep op de stoep heen en weer, met haar schouders opgetrokken tegen de kou.

'We wachten tien minuten,' zei Rebus. 'Er zijn vannacht niet veel klanten op straat. Met een beetje geluk is ze gauw weer terug.'

Dus reed Siobhan langs Seafield Road, helemaal tot aan de rotonde van Portobello, waarna ze rechts afsloeg bij Inchview Terrace en weer naar rechts ging bij Craigentinny Avenue. Dit waren rustige, keurige woonstraten. De lichten in de meeste bungalows waren uit en de bewoners lagen in bed.

'Ik rij graag op dit uur in de nacht,' zei Rebus om het gesprek gaande te houden.

Meneer Jardine leek met hem in te stemmen. 'Het is totaal anders als er geen verkeer op straat is. Veel relaxter.'

Rebus knikte. 'En het is ook gemakkelijker om de boeven eruit te pikken...'

Hierop werd het stil op de achterbank, totdat ze in Leith terug waren. 'Daar is ze,' zei John Jardine.

Mager, kort zwart haar dat in haar ogen woei bij elke windvlaag. Ze droeg kniehoge laarzen, een zwart minirokje en een dichtgeknoopt spijkerjack. Geen make-up, bleek gezicht. Zelfs van deze afstand waren blauwe plekken op haar benen zichtbaar.

'Ken je haar?' vroeg Siobhan.

Rebus schudde zijn hoofd. 'Ziet ernaar uit dat ze nieuw is in de stad. Die andere...' doelend op de vrouw die ze eerder waren gepasseerd, 'kan niet meer dan een meter of vijf bij haar vandaan zijn, maar ze praten niet met elkaar.'

Siobhan knikte. Omdat ze niemand anders hadden, waren de tippelaarsters vaak solidair met elkaar, maar niet hier. Dat betekende dat de oudere vrouw vond dat de nieuweling haar territorium binnen was gedrongen. Ze reed langs het magere meisje, keerde en stopte langs de stoeprand.

Rebus had zijn raampje omlaaggedraaid. De prostituee stapte naar voren, behoedzaam vanwege het aantal mensen in de auto. 'Ik doe niet aan groepsseks,' zei ze. Toen herkende ze de gezichten achterin. 'Jezus, toch niet weer jullie.' Ze draaide zich om en wilde weglopen. Rebus stapte uit, greep haar bij de arm en draaide haar naar zich toe. Zijn legitimatie hield hij geopend in zijn andere hand. 'Recherche,' zei hij. 'Hoe heet je?'

'Cheyanne.' Ze hief haar kin op. 'Je maakt mij niet bang.' Ze probeerde stoerder te klinken dan ze was.

'Is dat je vaste verhaal?' zei Rebus ongelovig. 'Hoe lang ben je al in de stad?'

'Lang genoeg.'

'Is dat een Birminghams accent?'

'Gaat je niks an.'

'Ik kan ervoor zorgen dat het me aangaat. Ik kan bijvoorbeeld je werkelijke leeftijd controleren...'

'Ik ben achttien!'

Rebus ging verder alsof ze niets gezegd had. 'Dat zou betekenen dat ik je geboorteakte moet zien, wat weer zou betekenen dat ik met je ouders moet gaan praten.' Hij zweeg even. 'Of je kunt ons helpen. Deze mensen zijn hun dochter kwijt.' Hij knikte naar de auto en de inzittenden. 'Ze is van huis weggelopen.'

'Fijn voor haar.' Ze klonk nukkig.

'Maar háár ouders geven om haar... misschien zou je wel willen dat de jouwe dat ook deden.' Hij zweeg even om dit te laten bezinken en bekeek haar onopvallend. Geen duidelijke tekens van recent drugsgebruik, maar misschien kwam dat doordat ze niet genoeg verdiend had voor een shot. 'Maar vannacht heb je geluk,' vervolgde hij, 'omdat je hen misschien kunt helpen... als we er tenminste van uitgaan dat je hen niet hebt zitten dollen met je opmerking over de Schaamstreek.'

'Alles wat ik weet, is dat er een paar nieuwe meiden zijn aangenomen.'

'Waar precies?'

'De Nook. Dat weet ik omdat ik het zelf ben wezen vragen... ze zeiden dat ik te mager was.'

Rebus draaide zich naar de achterbank van de auto. De Jardines hadden hun raampje omlaaggedraaid. 'Hebben jullie Cheyanne een foto van Ishbel laten zien?' Toen Alice knikte, wendde Rebus zich weer tot het meisje, van wie de aandacht al afdwaalde. Ze keek links en rechts, alsof ze mogelijke klanten zocht. De vrouw verderop deed alsof ze alles negeerde en alleen maar naar de weg voor zich keek.

'Heb je haar herkend?' vroeg hij Cheyanne.

'Wie?' Ze keek hem nog steeds niet aan.

'Die meid op de foto.'

Ze schudde bruusk haar hoofd, waarna ze de haren weer uit haar ogen moest wegstrijken.

'Je schiet niet veel op met dit werk, hè?' zei Rebus.

'Voorlopig gaat het wel.' Ze probeerde haar handen in de strakke zakken van haar jack te begraven.

'Kun je ons verder nog iets vertellen? Iets wat Ishbel zou kunnen helpen?'

Cheyanne schudde haar hoofd weer, met haar blik op de weg voor zich gericht. 'Alleen... dat het me spijt wat er eerder gebeurd is. Ik weet niet waarom ik moest lachen... dat gebeurt af en toe.'

'Zorg voor jezelf,' riep John Jardine vanaf de achterbank. Zijn vrouw hield hun foto van Ishbel buiten het raampje.

'Als je haar ziet...' zei ze, met een wegstervende stem.

Cheyanne knikte en nam zelfs een van Rebus' visitekaartjes aan. Hij draaide het raampje dicht. Siobhan gaf richting aan en nam haar voet van de rem.

'Waar staat jullie auto?' vroeg ze aan de Jardines. Ze noemden een straat aan het andere eind van Leith, waarop Siobhan weer draaide en nogmaals langs Cheyanne reed. Het meisje negeerde hen. Maar de vrouw verderop staarde hen na. Ze liep naar Cheyanne, kennelijk om te vragen wat er aan de hand was.

'Dat zou wel eens het begin van een mooie vriendschap kunnen worden,' mijmerde Rebus, terwijl hij zijn armen over elkaar sloeg. Siobhan luisterde niet. Ze keek in haar achteruitkijkspiegel.

'Jullie gaan daar niet heen, begrepen?'

Geen antwoord.

'Het is het beste als inspecteur Rebus en ik dit voor jullie afhandelen. Dat wil zeggen, als inspecteur Rebus dat wil.'

'Ik? Naar een striptent?' Rebus probeerde een pruillip te trekken. 'Nou ja, als je werkelijk vindt dat het nodig is, brigadier Clarke...'

'Dan gaan we morgen,' zei Siobhan. 'Even voor openingstijd.' Nu pas keek ze hem aan. En ze lachte.

DAG DRIE

WOENSDAG

6

Toen rechercheur Colin Tibbet de volgende morgen op zijn werk verscheen, ontdekte hij dat iemand een speelgoedlocomotiefje op zijn muismat had gezet. De muis zelf was losgekoppeld en in een van zijn bureauladen gelegd... een la die nota bene op slot zat, die hij had gesloten toen hij de voorgaande avond vertrok en die ochtend weer had geopend... En toch zat er zijn muis in... Hij keek Siobhan Clarke aan en wilde iets gaan zeggen toen ze hem met een hoofdbeweging tot zwijgen bracht.

'Wat het ook is,' zei ze, 'het kan wachten. Ik ga nu weg.'

En weg was ze. Ze was uit de kamer van de inspecteur gekomen toen Tibbet arriveerde. Tibbet had de laatste woorden van Derek Starr gehoord: 'Een dag of twee, Siobhan, niet langer...' Tibbet nam aan dat het iets te maken had met Fleshmarket Close, maar hij wist niet wat. Eén ding wist hij wel: Siobhan wist dat hij de vertrek- en aankomsttijden van treinen onderzocht. Dat maakte haar tot hoofdverdachte. Maar er waren andere mogelijkheden: Phyllida Hawes was ook niet vies van een grapje. Hetzelfde kon worden gezegd van de rechercheurs Paddy Connolly en Tommy Daniels. Zou hoofdinspecteur Macrae een schooljongensgrap hebben uitgehaald? Of wat te denken van de man die koffiedronk aan de kleine opklaptafel in de hoek? Tibbet kende Rebus alleen maar van naam, maar zijn reputatie was formidabel. Hawes had hem gewaarschuwd niet te zeer tegen hem op te kijken.

'Regel nummer één bij Rebus,' had ze gezegd, 'is: leen hem geen geld en bied hem niets te drinken aan.'

'Zijn dat geen twee regels?' had hij gevraagd.

'Niet per se... ze komen allebei voor in kroegen.'

Op deze ochtend zag Rebus er onschuldig uit: slaperige ogen en wat grijze haartjes op zijn keel die het scheerapparaat had overgeslagen. Hij droeg een das zoals sommige schooljongens dat deden: met tegenzin. Elke ochtend kwam hij de kamer binnen terwijl hij een of ander irritant popliedje floot. Tegen het eind van de ochtend stopte hij meestal met het fluiten ervan, maar dan was het te laat. Tibbet floot het dan in zijn plaats, niet in staat om zich aan het fatale refrein te onttrekken.

Rebus hoorde Tibbet het begin van 'Wichita Linesman' neuriën en probeerde niet te lachen. Hij had zijn taak hier erop zitten. Hij stond op en trok zijn jasje weer aan. 'Ik moet ergens naartoe,' zei hij.

'O?'

'Leuk treintje,' merkte Rebus op, naar het groene locomotiefje knikkend. 'Is dat een hobby van je?'

'Een cadeautje van een van mijn neefjes,' loog Tibbet.

Rebus knikte, heimelijk onder de indruk. Tibbets gezicht verraadde niets. Die knaap kon snel denken en hij was geloofwaardig: twee nuttige eigenschappen voor een rechercheur. 'Mooi, tot kijk.'

'En als iemand je nodig heeft...' vroeg Tibbet, vissend naar wat meer details.

'Geloof me, niemand heeft mij nodig.' Hij gaf Tibbet een knipoog en vertrok.

Hoofdinspecteur Macrae was in de gang met papieren onder zijn arm geklemd op weg naar een bespreking. 'Waar ga je naartoe, John?'

'De zaak Knoxland. Om de een of andere reden schijn ik van nut te zijn.'

'Ondanks al je inspanningen, neem ik aan.'

'Absoluut.'

'Ga dan maar, maar vergeet niet dat je bij ons hoort en niet bij hen. Als er hier iets gebeurt, halen we je binnen de kortste keren terug.'

'Probeer me maar hiervandaan te houden,' zei Rebus, terwijl hij al lopend naar de uitgang zijn zakken op zijn autosleutels doorzocht.

Hij stond op de parkeerplaats toen zijn mobieltje ging. Het was Shug Davidson.

'Heb je de krant vandaag gezien, John?'

'Is er iets wat ik moet weten?'

'Misschien wil je weten wat je vriend Steve Holly over ons schrijft.'

Rebus' gezicht verstrakte. 'Ik bel je terug,' zei hij. Vijf minuten later stopte hij voor een tijdschriftenwinkel en liep naar binnen. Hij verdiepte zich in de krant terwijl hij achter zijn stuur zat. Holly had de foto afgedrukt, maar hij had er een artikel over de harder wordende praktijken van zogenaamde asielzoekers aan toegevoegd. Er werd melding gemaakt van vermoedelijke terroristen die Engeland binnen waren gekomen als vluchtelingen. Er waren halfslachtige aanwijzingen over klaplopers en charlatans, tezamen met verhalen van inwoners van Knoxland. De boodschap was tweeledig: Engeland is een gemakkelijk doelwit, en we kunnen de situatie niet zo laten doorgaan.

Daardoor leek de foto niet meer dan een aandachttrekker.

Rebus belde Holly op zijn mobiel, maar kreeg zijn voicemail. Na een reeks doordachte scheldwoorden te hebben ingesproken verbrak hij de verbinding.

Hij reed naar de gemeentelijke dienst volkshuisvesting aan Waterloo Place, waar hij afgesproken had met ene mevrouw Mackenzie. Ze was een kleine, bedrijvige vrouw van ergens in de vijftig. Shug Davidson had haar al zijn officiële verzoek om informatie gefaxt, maar ze was daar toch niet tevreden mee.

'Het is een kwestie van privacy,' zei ze tegen Rebus. 'Er zijn tegenwoordig allerlei regels en restricties.' Ze ging hem voor door een kantoortuin.

'Ik denk niet dat de overledene een klacht zal indienen, mevrouw Mackenzie, zeker niet wanneer we zijn moordenaar te pakken krijgen.'

'Ja, maar toch...' Ze had hem naar een kleine ruimte gebracht die afgescheiden was door glazen wanden.

Rebus begreep dat dit haar kantoor was. 'En ik dacht dat de muren van Knoxland dun waren.' Hij tikte op het glas.

Ze haalde wat papieren van een stoel en gebaarde hem te gaan zitten. Vervolgens wrong ze zich om het bureau heen en ging op haar eigen stoel zitten. Ze zette een half leesbrilletje op en doorzocht wat papieren.

Rebus dacht niet dat charme zou werken bij deze vrouw. Dat was misschien maar goed ook, omdat hij nooit hoog scoorde op dat vlak. Hij besloot een beroep te doen op haar professionaliteit.

'Weet u, mevrouw Mackenzie, we zorgen er allebei graag voor dat we ons werk op de juiste manier doen.' Ze keek hem over haar brillenglazen heen aan. 'Mijn werk bestaat vandaag uit het onderzoeken van een moordzaak. We kunnen niet goed aan dat werk beginnen als we niet weten wie het slachtoffer was. We hebben vanmorgen vroeg vergelijkende vingerafdrukken binnengekregen: het slachtoffer was zonder twijfel uw huurder...'

'Ja, ziet u, inspecteur, dat is nu net mijn probleem. De arme man die gestorven is, was níét een van mijn huurders.'

Rebus trok zijn wenkbrauwen op. 'Dat begrijp ik niet.'

Ze reikte hem een blad papier aan.

'Dit zijn de gegevens van de huurder. Ik geloof dat uw slachtoffer een Aziaat of zoiets was. Is het aannemelijk dat hij Robert Baird heette?'

Rebus blik bleef op die naam hangen. Het flatnummer was juist... ook de juiste torenflat. Robert Baird stond ingeschreven als de huurder. 'Hij zal wel verhuisd zijn.'

Mackenzie schudde haar hoofd. 'Deze gegevens zijn up-to-date. De laatste huursom die we hebben ontvangen was van vorige week. Betaald door meneer Baird.'

'Denkt u dat hij onderverhuurde?'

Een brede glimlach verhelderde het gezicht van mevrouw Mackenzie. 'Dat is streng verboden volgens het huurcontract,' zei ze.

'Maar zijn er mensen die dat doen?'

'Natuurlijk zijn die er. Waar het om gaat is dat ik zelf wat speurwerk heb verricht...' Ze klonk erg met zichzelf ingenomen.

Rebus boog zich naar voren; hij begon iets voor haar te voelen. 'Vertel,' zei hij.

'Ik heb het nagetrokken bij de andere woonwijken. Er staat een aantal Robert Bairds op de lijst. Plus andere voornamen, allemaal met de achternaam Baird.'

'Sommige zouden echt kunnen zijn,' zei Rebus, die advocaat van de duivel speelde.

'En sommige niet.'

'Denkt u dat die Baird op grote schaal huurwoningen van de gemeente heeft geprobeerd te huren?'

Ze haalde haar schouders op. 'Er is maar één manier om daarachter te komen...'

Het eerste adres dat ze probeerden, was een blok torenflats in Dumbiedykes, in de buurt van Rebus' oude werkplek. De vrouw die de deur opendeed, zag er Afrikaans uit. Kleine kinderen scharrelden achter haar rond.

'We zijn op zoek naar meneer Baird,' zei Mackenzie. De vrouw schudde alleen maar haar hoofd. Mackenzie herhaalde de naam.

'De man aan wie u de huur betaalt,' vulde Rebus aan. De vrouw bleef haar hoofd schudden en sloot de deur langzaam maar vastberaden voor hun neus.

'Ik denk dat we iets op het spoor zijn,' zei Mackenzie. 'Kom mee.'

Buiten de auto was ze kortaf en zakelijk, maar naast Rebus in de auto ontspande ze en vroeg Rebus over zijn werk, waar hij woonde en of hij getrouwd was.

'Gescheiden,' zei hij. 'Heel lang geleden. En u?'

Ze hield een hand op en liet hem haar trouwring zien.

'Maar soms dragen vrouwen die alleen maar om gedoe te vermijden,' zei hij.

Ze lachte. 'En ik dacht dat ík achterdochtig was.'

'Dat hoort bij het werk van ons allebei, denk ik.'

Ze slaakte een zucht. 'Mijn werk zou een heel stuk makkelijker zijn zonder hen.'

'Immigranten, bedoelt u?'

Ze knikte. 'Ik kijk hen soms in de ogen en dan vang ik een glimp op van wat ze hebben doorgemaakt om hiernaartoe te komen.' Ze zweeg even. 'En al wat ik hun kan aanbieden zijn plekken als Knoxland...'

'Beter dan niets,' zei Rebus.

'Dat hoop ik maar...'

Hun volgende doel was een blok flats in Leith. De liften waren buiten dienst, dus moesten ze vier verdiepingen klimmen. Mackenzie ging als een speer voorop op haar luidruchtige schoenen. Rebus moest even op adem komen, waarna hij knikte dat ze op de deur kon kloppen. Een man deed open. Hij was donkergetint, ongeschoren, en hij droeg een wit onderhemd en een joggingbroek. Hij streek met zijn vingers door dik zwart haar.

'Wie ben jij verdomme?' vroeg hij, met een zwaar accent.

'Jij hebt een goeie spraakleraar,' zei Rebus, zijn stem verheffend om niet onder te doen voor die van de man. De man staarde hem niet-begrijpend aan.

Mackenzie wendde zich tot Rebus. 'Slavisch misschien? Oost-Europees?' Ze draaide zich om naar de man. 'Waar komt u vandaan?'

'Rot op,' antwoordde de man. Er klonk weinig boosheid in door. Of hij probeerde de woorden uit om te zien wat voor effect ze hadden, óf omdat ze hem in het verleden hadden geholpen.

'Robert Baird,' zei Rebus. 'Kent u hem?' De ogen van de man vernauwden zich, en Rebus herhaalde de naam. 'U betaalt hem geld.' Hij wreef zijn duim en vingers langs elkaar in de hoop dat de man het zou begrijpen. In plaats daarvan raakte hij geagiteerd.

'Rot op!'

'We vragen u niet om geld,' probeerde Rebus uit te leggen. 'We zijn op zoek naar Robert Baird. Dit is zijn flat.' Rebus wees naar binnen.

'Huisbaas,' probeerde Mackenzie, maar het hielp niet. Het gezicht van de man vertrok; zweet parelde op zijn voorhoofd.

'Geen probleem,' zei Rebus tegen hem en hij hief zijn handen met de palmen naar voren op in de hoop dat dit gebaar tot hem zou doordringen. Plotseling ontdekte hij een andere gedaante in het duister achter in de gang. 'Spreekt u Engels?' riep hij.

De man draaide zijn hoofd en bulderde een paar keelklanken. Maar de gedaante bleef naar voren komen, totdat Rebus zag dat het een tiener was.

'Spreek je Engels?' herhaalde hij.

'Beetje,' antwoordde de jongen. Hij was mager en knap, gekleed in een blauw shirt met korte mouwen en een spijkerbroek.

'Zijn jullie immigranten?' vroeg Rebus.

'Dit hier ons land,' antwoordde de jongen defensief.

'Maak je geen zorgen, beste jongen, wij zijn niet van de immigratiedienst. Jullie betalen geld om hier te wonen, ja?'

'Wij betalen, ja.'

'De man aan wie je het geld geeft, met hem willen wij praten.'

De jongen vertaalde iets voor zijn vader. De vader keek Rebus aan en schudde zijn hoofd.

'Zeg tegen je vader,' zei Rebus tegen de jongen, 'dat er een bezoek van de immigratiedienst kan worden geregeld als hij liever met hen praat.'

De ogen van de jongen gingen wijd open van angst. De vertaling duurde ditmaal langer. De man keek Rebus weer aan, nu met iets van trieste overgave, alsof hij eraan gewend was dat autoriteiten hem grof bejegenden, maar had gehoopt dat hij wat respijt zou krijgen. Hij mompelde iets en de jongen liep terug de gang in. Hij keerde terug met een opgevouwen papiertje.

'Hij komen voor geld. Als wij probleem hebben, wij dit...'

Rebus vouwde het papiertje open. Een mobiel telefoonnummer en een naam: Gareth. Rebus liet Mackenzie het briefje zien.

'Gareth Baird is een van de namen op de lijst,' zei ze.

'Daar kunnen er niet veel van zijn in Edinburgh. Een goede kans dat het dezelfde is.' Rebus nam het briefje weer terug en vroeg zich af wat een telefoontje voor effect zou hebben. Hij zag dat de man probeerde hem iets aan te bieden: een handjevol geld.

'Probeert hij ons om te kopen?' vroeg Rebus aan de jongen. De zoon schudde zijn hoofd.

'Hij begrijpt niet.' Hij sprak weer met zijn vader. De man mompelde iets, keek Rebus aan en Rebus moest onmiddellijk denken aan wat Mackenzie in de auto had gezegd. Het was waar: in de ogen was pijn te zien.

'Deze dag,' zei de jongen tegen Rebus. 'Geld... deze dag.'

Rebus kneep zijn ogen half toe. 'Komt Gareth vandaag de huur ophalen?'

De zoon overlegde met zijn vader en knikte toen.

'Hoe laat?' vroeg Rebus.

Weer overleg. 'Misschien nu... gauw,' vertaalde de jongen.

Rebus wendde zich tot Mackenzie. 'Ik kan een wagen bellen om u terug te laten brengen naar uw kantoor.'

'Wacht u hier op hem?'

'Dat ben ik van plan.'

'Als hij zich niet houdt aan zijn huurcontract hoor ik hier ook te zijn.'

'Het zou wel eens lang wachten kunnen worden... Ik hou u op de hoogte. Het alternatief is dat u de hele dag met mij opgescheept zit.' Hij haalde zijn schouders op om haar duidelijk te maken dat de keus aan haar was.

'Belt u me dan?' vroeg ze.

Hij knikte. 'Intussen zou u nog een paar van die andere adressen kunnen controleren.'

Daar zag ze de zin van in. 'Oké,' zei ze.

Rebus pakte zijn mobieltje. 'Ik zal een patrouillewagen laten komen.'

'Wat als dat hem afschrikt?'

'Daar zegt u wat... een taxi dan.' Hij belde, en zij ging naar beneden, Rebus achterlatend bij vader en zoon.

'Ik blijf wachten op Gareth,' zei hij tegen hen. Vervolgens keek hij de gang in. 'Mag ik binnenkomen?'

'U bent welkom,' zei de zoon.

Rebus liep naar binnen. De flat moest nodig opgeknapt worden. Handdoeken en lappen waren in de kieren van de ramen gestopt om de tocht tegen te houden. Maar er stonden meubelen en het zag er netjes uit. De gashaard brandde.

'Koffie?' vroeg de jongen.

'Graag,' antwoordde Rebus. Hij gebaarde naar de bank om daarmee te vragen of hij mocht gaan zitten. Toen de vader knikte, ging hij zitten. Vervolgens stond hij weer op om de foto's op de schoorsteenmantel te bekijken. Drie of vier generaties van dezelfde familie. Rebus keerde zich naar de vader en knikte glimlachend. De gelaatstrekken van de man verzachtten enigszins. Er was verder niet veel in de kamer dat de aandacht van Rebus trok: geen versieringen of boeken, geen tv of stereo. Er stond een draagbaar radiootje op de vloer naast de stoel van de vader. Het was omwikkeld met plakband, waarschijnlijk om te voorkomen dat het uit elkaar viel. Rebus zag geen asbak, dus hield hij zijn sigaretten in zijn zak. Toen de jongen terugkwam uit de keuken nam Rebus het kopje van hem aan. Er werd hem geen melk aangeboden. De koffie was dik en zwart, en toen Rebus zijn eerste slok nam, wist hij niet of de klap van de cafeïne of van de suiker kwam. Hij knikte om zijn gastheer duidelijk te maken dat het smaakte. Ze staarden naar hem alsof hij een tentoongesteld beeld was. Hij besloot dat hij de jongen naar zijn naam zou vragen en naar het een en ander over de geschiedenis van de familie. Maar toen ging zijn mobieltje. Hij mompelde iets wat op een verontschuldiging leek toen hij het gesprek aannam.

Het was Siobhan.

'Nog iets schokkends te melden?' vroeg ze. Ze zat in een soort openbare wachtruimte. Ze had niet verwacht dat ze de dokters onmiddellijk zou kunnen spreken, maar ze had op een kantoor of wachtkamer gerekend. Hier zat ze tussen poliklinische patiënten en bezoekers, rumoerige kinderen en personeel dat alle buitenstaanders negeerde terwijl ze snacks trokken uit de twee verkoopautomaten. Siobhan had de inhoud van de automaten lang bestudeerd. Een ervan bevatte een beperkt assortiment sandwiches: driehoekjes van dun witbrood met mengsels van sla, tomaten, tonijn, ham en kaas. De andere was meer in trek: chips en chocola. Er was ook nog een frisdrankautomaat, maar die droeg het opschrift BUITEN DIENST.

Toen ze op de automaten uitgekeken was, nam ze het leesmateriaal op de koffietafel door. Oude nummers van tijdschriften, waarvan de bladzijden nog zo'n beetje aan elkaar hingen, behalve waar er foto's en aanbiedingen uitgescheurd waren. Er lagen ook een paar strips voor kinderen, maar die bewaarde ze voor later. In plaats daarvan begon ze op haar mobieltje de ongewenste berichten en overzichten van gesprekken te wissen. Daarna had ze berichten aan een paar vrienden en vriendinnen gestuurd. Ten slotte was ze volledig ingestort en had ze Rebus gebeld.

'Ik mag niet mopperen,' was alles wat hij zei. 'Waar ben jij mee bezig?'

'Ik hang een beetje rond in het ziekenhuis. En jij?'

'Ik hang een beetje rond in Leith.'

'Ze zullen nog gaan denken dat we niet van Gayfield houden.'

'Maar we weten dat ze het bij het verkeerde eind hebben, toch?'

Ze moest hierom lachen. Er was weer een kind binnengekomen, nauwelijks oud genoeg om de deur open te duwen. Hij stond op zijn tenen om munten in de chocoladeautomaat te stoppen, maar kon toen niet beslissen. Hij drukte zijn neus en handen tegen het glas voor het uitgestalde lekkers, volkomen gebiologeerd.

'Zien we elkaar later op de dag nog?' vroeg Siobhan.

'Als dat niet lukt, laat ik het je weten.'

'Je gaat me toch niet vertellen dat je iets beters te doen hebt.'

'Je weet nooit. Heb je dat vod van Steve Holly vanmorgen gezien?'

'Ik lees alleen echte kranten. Heeft hij de foto afgedrukt?'

'Ja... en daarna is hij de stad in gegaan, op zoek naar asielzoekers.'

'O jee.'

'Dus als de een of andere arme donder eindigt in de diepvries, weten we wie daar de schuld van is.'

De deur van de wachtruimte ging weer open. Siobhan dacht dat het de moeder van het kind was, maar het bleek de receptioniste te zijn. Ze gebaarde naar Siobhan dat ze haar moest volgen.

'John, we praten later nog wel.'

'Jíj belde, weet je nog?'

'Sorry, maar het ziet ernaar uit dat ik ergens nodig ben.'

'En ik plotseling niet meer? Tot kijk, Siobhan.'

'Ik zie je vanmiddag...'

Maar Rebus had het gesprek al beëindigd. Siobhan volgde de receptioniste eerst door de ene gang en vervolgens door een andere. De vrouw stapte stevig door waardoor er geen gesprek tussen hen mogelijk was. Ten slotte wees ze op een deur. Siobhan knikte bij wijze van dank, klopte aan en ging naar binnen.

Het was een soort kantoor. Rijen planken, een bureau en een computer. De ene dokter in witte jas zat op de enige stoel te draaien. De andere leunde tegen het bureau, met zijn armen uitgestrekt boven zijn hoofd. Het waren allebei knappe mannen, en dat wisten ze.

'Ik ben brigadier Clarke,' zei Siobhan, terwijl ze de hand van de dichtstbijzijnde schudde.

'Alf McAteer,' zei hij, terwijl zijn vingers over de hare streken. Hij wendde zich tot zijn collega, die opstond van zijn stoel. 'Is dat geen teken dat je oud wordt?' vroeg hij.

'Wat?'

'Als politiemensen er steeds aantrekkelijker uit gaan zien.'

De ander grijnsde. Hij gaf Siobhan een stevige handdruk. 'Ik ben Alexis Cater. Trekt u zich niets van hem aan, de viagra is bijna uitgewerkt.'

'Echt waar?' McAteer klonk verschrikt. 'Dan wordt het tijd voor een nieuw recept.'

'Weet u,' zei Cater tegen Siobhan, 'als het over die kinderporno op Alfs computer gaat...'

Siobhan keek hem streng aan. Hij boog zijn gezicht naar haar toe. 'Grapje,' zei hij.

'Goed,' antwoordde ze, 'we kunnen jullie samen meenemen naar het bureau... beslag leggen op jullie computers en software... dat kan natuurlijk een paar dagen duren.' Ze zweeg even. 'En, tussen haakjes, het kan zijn dat de politie er beter uit gaat zien, maar we hebben op de eerste dag op het werk óók een gevoel-voor-humor-bypass gekregen...'

Ze keken haar, schouder aan schouder tegen het bureau geleund, aan.

'Dat weten we dan ook weer,' zei Cater tegen zijn vriend.

'Luid en duidelijk,' beaamde McAteer.

Ze waren lang en slank, met brede schouders. Particuliere school en rugby, schatte Siobhan in. Ook wintersport, te oordelen naar hun kleur. McAteer was de donkerste van de twee: dikke wenkbrauwen, die elkaar in het midden bijna raakten, weerbarstig zwart haar en een ongeschoren gezicht. Cater had blond haar, net als zijn vader, maar het leek geverfd te zijn. Ook werd zijn haar aan de slapen al dunner. Dezelfde groene ogen als zijn vader, maar verder waren er weinig overeenkomsten. Gordon Caters ongedwongen charme was bij zijn zoon verruild voor iets minder innemends: een absoluut zelfvertrouwen – een vertrouwen dat hij altijd een van de winnaars in het leven zou zijn, niet om wat hij was of om eventuele kwaliteiten die hij bezat, maar dankzij die afstamming.

McAteer had zich tot zijn vriend gewend. 'Het moeten die video's van je zijn van onze Filippijnse werksters...'

Cater gaf McAteer een klap op zijn schouder, maar hield zijn blik gericht op Siobhan.

'We zijn écht benieuwd,' zei hij.

'Spreek voor jezelf, schatje,' zei McAteer, een nichterige houding aannemend. In een flits zag Siobhan hoe hun relatie in elkaar stak. McAteer werkte er constant aan, min of meer zoals de vroegere hofnar, uit behoefte aan Caters bescherming. Cater bezat de macht: iedereen wilde zíjn vriend zijn. Hij kreeg alles waarnaar McAteer hunkerde zomaar in de schoot geworpen: de uitnodigingen en de meisjes. Alsof hij deze verhouding tussen hen wilde benadrukken, wierp Cater zijn vriend een blik toe, waarop McAteer met veel vertoon deed alsof hij zijn mond dichtritste.

'Wat kunnen wij voor u betekenen?' vroeg Cater met bijna overdreven beleefdheid. 'We hebben echt maar enkele minuten tussen het behandelen van de patiënten in...'

Ook dit was een slimme zet: het benadrukken van zijn afstamming, ik ben de zoon van een ster, maar hier is het mijn taak om mensen te helpen, levens te redden. Ik ben nodig, en er is niets wat daar verandering in kan brengen...

'Mag Lennox,' zei Siobhan.

'Wat bedoelt u?' vroeg Cater. Hij verbrak het oogcontact om zijn voeten over elkaar te slaan.

'Dat weet u best,' zei Siobhan. 'U hebt haar skelet uit de medische faculteit gestolen.'

'Echt?'

'En nu is ze weer opgedoken... begraven in Fleshmarket Close.'

'Ik heb dat verhaal gelezen,' zei Cater met een uiterst licht knikje. 'Griezelige vondst, hè? Ik dacht dat het artikel vermeldde dat het iets met het opwekken van de duivel te maken had?'

Siobhan schudde haar hoofd.

'Meer dan genoeg duivels in deze stad, hè, Lex?' zei McAteer.

Cater negeerde hem. 'Dus u denkt dat wij een skelet uit de medische faculteit hebben gestolen en het in een kelder hebben begraven?' Hij zweeg even. 'Is dat toen aangegeven bij de politie? Maar ik kan me niet herinneren dat ik dat heb gelezen. Vanzelfsprekend zou de universiteit de autoriteiten hebben gewaarschuwd.' McAteer knikte instemmend.

'U weet dat dat niet gebeurd is,' zei Siobhan zacht. 'Ze zaten nog in de problemen omdat ze jullie het pathologielab uit hadden laten wandelen met een aantal lichaamsdelen.'

'Dit zijn ernstige beschuldigingen.' Cater glimlachte. 'Moet ik mijn advocaat laten komen?'

'Ik wil alleen maar weten wat jullie met die skeletten hebben gedaan.'

Hij keek haar aan, waarschijnlijk met de blik die de meeste jonge vrouwen in verwarring bracht. Siobhan knipperde zelfs niet met haar ogen. Hij snoof en haalde diep adem.

'Hoe ernstig is het om een museumstuk onder een kroeg te begraven?' Hij probeerde haar nogmaals glimlachend met een schuin gebogen hoofd van haar stuk te brengen. 'Zijn er geen drugsdealers of verkrachters meer die u in plaats van ons te ondervragen zou moeten achtervolgen?'

Meteen zag ze Donny Cruikshank voor zich, met zijn gezicht met littekens. 'U krijgt er geen problemen mee,' zei ze ten slotte. 'Alles wat u me vertelt blijft onder ons.'

'Net zoals bedpraatjes?' proestte McAteer uit. Zijn gegiechel stopte bij een blik van Cater.

'Dat betekent dat we u een dienst bewijzen, rechercheur Clarke. Een dienst waar iets tegenover zou moeten staan.'

McAteer grijnsde bij de opmerking van zijn vriend, maar hield zich stil.

'Dat hangt ervan af,' zei Siobhan.

Cater boog zich licht naar haar toe. 'Ga vanavond iets met me drinken, dan vertel ik het u.'

'Vertel het me nu.'

Hij schudde zijn hoofd, terwijl hij haar bleef aankijken. 'Vanavond.'

McAteer keek teleurgesteld. Blijkbaar dreigde een vooraf overeengekomen afspraak te worden gebroken.

'Ik dacht van niet,' zei Siobhan.

Cater keek op zijn polshorloge. 'We moeten terug naar de zaal...' Hij stak zijn hand weer uit. 'Het was interessant u te ontmoeten. Ik weet zeker dat we elkaar een heleboel te vertellen zouden hebben gehad...' Toen ze bleef staan waar ze stond, zonder zijn hand aan te nemen, trok hij een wenkbrauw op. Het was een favoriete pose van zijn vader; die had ze in een stuk of vijf films gezien. Licht verward en teleurgesteld...

'Eén drankje dan,' zei ze.

'Met twee rietjes,' voegde Cater eraan toe. Zijn zelfverzekerdheid keerde terug: ze was er niet in geslaagd hem af te wijzen. De zoveelste overwinning op zijn lijstje. 'De Opal Lounge om acht uur?' stelde hij voor.

Ze schudde haar hoofd. 'De Oxford Bar om halfacht.'

'Ken ik niet... een nieuwe zaak?'

'Integendeel. Zoek het maar op in het telefoonboek.' Ze opende de deur om weg te gaan, maar wachtte even alsof haar op dat moment iets inviel. 'En laat dat narretje van je in zijn doosje.' Hierbij knikte ze naar Alf McAteer.

Alexis Cater lachte toen ze de kamer uit ging.

7

De man die Gareth heette, lachte luid in zijn mobiele telefoon toen de deur openging. Er zaten gouden ringen om elk van zijn vingers en kettingen bengelden om zijn nek en zijn polsen. Hij was niet groot maar breed. Rebus kreeg de indruk dat veel daarvan vet was. Zijn pens hing over zijn broekriem. Hij werd behoorlijk kaal, en het beetje haar dat hij nog had, liet hij ongeknipt groeien, zodat het tot over zijn kraag hing. Hij droeg een zwartleren trenchcoat en een zwart T-shirt, met een wijde spijkerbroek en afgetrapte gympen. Hij hield zijn vrije hand al op voor het geld, en had niet verwacht dat een andere hand de zijne beetpakte en hem de flat binnen rukte. Hij liet de telefoon vallen van schrik, vloekte en zag toen Rebus pas.

'Wie ben jij verdomme?'

'Goeiemiddag, Gareth. Sorry dat ik een beetje onbehouwen was... dat heb ik soms na drie koppen koffie.'

Gareth kalmeerde wat toen hij zag dat hij niet in elkaar zou worden getimmerd. Hij bukte om zijn mobieltje op te rapen, maar Rebus zette zijn voet erop en schudde zijn hoofd. 'Later,' zei hij, en hij schopte het mobieltje naar buiten, waarna hij de deur dichtgooide.

'Wat gebeurt hier, godverdomme?'

'Wij gaan een praatje met elkaar maken, dat is wat er gebeurt.'

'Volgens mij ben jij van de kit.'

'Dat heb je goed ingeschat.' Rebus gebaarde naar de gang en moedigde Gareth aan de huiskamer binnen te gaan, met zijn hand tegen de rug van de jongeman duwend. Toen hij langs vader en zoon liep, die in de deuropening van de keuken stonden, keek Rebus de zoon aan en die knikte, wat betekende dat hij de juiste man had.

'Ga zitten,' beval Rebus. Gareth liet zich op de armleuning van de bank zakken. Rebus ging voor hem staan. 'Is dit jouw flat?'

'Wat gaat jou dat aan?'

'Alleen staat je naam niet onder het huurcontract.'

'O nee?' Gareth speelde met de kettingen rond zijn linkerpols.

Rebus boog zich over hem heen en keek hem van dichtbij recht in de ogen. 'Is Baird je echte achternaam?'

'Ja.' Zijn toon daagde Rebus uit hem een leugenaar te noemen. Vervolgens vroeg Gareth: 'Wat is daar zo leuk aan?'

'Gewoon een klein trucje, Gareth. Weet je, ik wist eigenlijk niet wat je achternaam was.' Rebus zweeg even en ging weer rechtop staan. 'Maar nu weet ik het. Wie is Robert, je broer? Je vader?'

'Over wie heb je het?'

Rebus lachte weer. 'Daar is het nu wel te laat voor, Gareth.'

Gareth leek daarmee in te stemmen. Hij wees met een vinger in de richting van de keuken. 'Hebben zij ons erbij gelapt?'

Rebus schudde zijn hoofd en wachtte tot hij de volle aandacht van Gareth had. 'Nee, Gareth,' zei hij. 'Dat heeft een dode man gedaan...' Waarna hij de jongeman een minuut of vijf zachtjes liet sudderen, als voor de zoveelste keer opgewarmde kippensoep. Rebus checkte met veel vertoon de berichten op zijn mobiele telefoon. Hij opende een nieuw pakje sigaretten en stak er een tussen zijn lippen.

'Mag ik er een?' vroeg Gareth.

'Natuurlijk... zodra je me hebt verteld of Robert je broer of je vader is. Ik neem aan je vader, maar ik kan ernaast zitten. Tussen haakjes, ik kan het aantal aanklachten dat je op dit moment boven het hoofd hangt niet tellen. Onderverhuur is nog maar het begin ervan. Geeft Robert al die illegale inkomsten aan de belasting door? Weet je, als de belastingdienst je eenmaal bij je kladden heeft, zijn ze erger dan Bengaalse tijgers. Geloof me, ik heb gezien hoe dat afloopt.' Hij zweeg even. 'Dan hebben we het nog over onder bedreiging afpersen van geld... Daar kom jij om de hoek kijken.'

'Ik heb nooit iets gedaan!'

'Nee?'

'Niet bedreigen... Ik haal alleen maar de huur op, dat is alles.' Er kwam een smekende toon in zijn stem. Rebus vermoedde dat Gareth zo'n slome op school was geweest; zonder echte vrienden, alleen maar figuren om hem heen die hem tolereerden vanwege zijn omvang, waarvan ze gebruikmaakten als dat te pas kwam.

'Ik ben niet in jou geïnteresseerd,' verzekerde Rebus hem. 'Ik heb niet eens het adres van je vader, een adres dat ik trouwens toch wel krijg. Ik probeer alleen maar om ons beiden al die rompslomp te besparen...'

Gareth keek op, zich afvragend wat hij met dat 'ons beiden' bedoelde. Rebus haalde verontschuldigend zijn schouders op.

'Kijk, ik kan je meenemen naar het bureau en je daar in verzekerde bewaring stellen tot ik het adres heb... dan gaan we op bezoek...'

'Hij woont in Porty,' stootte Gareth uit. Hiermee bedoelde hij Portobello, aan de zeekant in het zuidoosten van de stad.

'En is hij je vader?'

Gareth knikte.

'Zie je nou wel,' zei Rebus, 'dat was niet zo moeilijk. En nu opstaan...'

'Waarom?'

'Omdat jij en ik hem een bezoek gaan brengen.'

Rebus zag dat Gareth dit geen aantrekkelijk aanbod vond, maar hij bood geen enkel verzet, niet zodra Rebus hem overeind had getrokken. Rebus gaf zijn gastheren een hand en bedankte hen voor de koffie. De vader wilde bankbiljetten aan Gareth geven, maar Rebus schudde zijn hoofd. 'Jullie hoeven geen huur meer te betalen,' zei hij tegen de zoon. 'Is dat niet zo, Gareth?'

Gareth knikte, maar zei niets. Buiten was zijn mobieltje al verdwenen. Even schoot Rebus de geleende lamp door het hoofd...

'Iemand heeft hem gejat,' klaagde Gareth.

'Dat moet je aangeven,' adviseerde Rebus. 'En zorg er ook voor dat de verzekering dat in orde maakt.' Hij zag de blik in Gareths ogen. 'Ervan uitgaande natuurlijk dat het ding al niet eerder gestolen was.'

Op de begane grond werd de Japanse sportwagen van Gareth omringd door een stuk of vijf jongens van wie de ouders het hadden opgegeven om hen naar school te sturen.

'Hoeveel heeft hij jullie gegeven?' vroeg Rebus aan de jongens.

'Twee pond.'

'En hoe lang mag hij daarvoor blijven staan?'

Ze keken Rebus alleen maar aan. 'Het is geen parkeermeter,' zei een van hen. 'Wij geven geen bonnen.' Zijn maatjes lachten met hem mee.

Rebus knikte en wendde zich tot Gareth. 'We nemen mijn wagen,' zei hij. 'Je kunt alleen maar hopen dat de jouwe hier nog staat als je terugkomt...'

'En als dat niet zo is?'

'Terug naar het bureau voor een aangifte waarmee je naar de verzekering kunt gaan... Ervan uitgaande natuurlijk dat je verzekerd bent.'

'Ga er maar van uit,' zei Gareth berustend.

Het was geen lange rit naar Portobello. Ze reden naar Seafield Road, waar nu geen prostituees liepen. Gareth dirigeerde Rebus naar een zijstraat bij de promenade. 'We moeten hier parkeren en verder lopen,' verklaarde hij. En dat deden ze.

De zee had de kleur van leisteen. Honden joegen op het strand achter stokken aan. Rebus had het gevoel dat hij teruggegaan was in de tijd: friettenten en automatenhallen. Jaren geleden, toen hij nog kind was, hadden zijn ouders hem en zijn broer in de zomervakantie meegenomen naar een caravan in St. Andrews of naar een goedkoop pension in Blackpool. Sindsdien kon iedere stad aan zee hem meteen weer naar die tijd terugvoeren.

'Ben je hier opgegroeid?' vroeg hij aan Gareth.

'Ik ben opgegroeid in een huurwoning in Gorgie.'

'Dan ben je erop vooruitgegaan,' zei Rebus.

Gareth haalde alleen maar zijn schouders op en duwde een hek open. 'Hier is het.'

Een tuinpad leidde naar de voordeur van een rijtjeshuis van vier verdiepingen met een dubbele gevel. Rebus bleef even kijken. Elk raam had ongehinderd uitzicht op het strand.

'Een stuk opgeschoten vanuit Gorgie,' mompelde hij, terwijl hij Gareth over het pad volgde. De jongeman opende de deur en riep dat hij thuis was. De gang was kort en smal, met deuren en een trap. Gareth keek niet in een van de kamers, maar liep meteen naar de eerste verdieping, met Rebus nog steeds op de hielen.

Ze gingen de salon binnen. Acht meter lang, met een erker van de vloer tot het plafond. De kamer was smaakvol ingericht en gemeubileerd, maar te modern: chroom, leer en abstracte kunst. De vorm en de afmetingen van de kamer pasten daar niet bij. De oorspronkelijke kroonluchter en kroonlijsten waren gebleven en lieten een glimp zien van wat had kunnen zijn. Een koperen telescoop stond bij het raam, ondersteund door een houten driepoot.

'Waar kom je nou verdomme mee aanzetten?'

Er zat een man aan de tafel bij de telescoop. Hij droeg een bril aan een koord rond zijn nek. Zijn haar was zilvergrijs, keurig gekapt, en het gezicht was eerder gerimpeld door verwering dan door ouderdom.

'Meneer Baird, ik ben inspecteur Rebus...'

'Wat heeft hij nou weer gedaan?' Baird sloeg de krant dicht die hij had zitten lezen en keek zijn zoon woedend aan. Er klonk eerder berusting dan boosheid in zijn stem. Rebus vermoedde dat de zaken in het familiebedrijfje niet zo liepen als werd gehoopt.

'Het gaat niet om Gareth, meneer Baird, het gaat om u.'

'Om mij?'

Rebus keek rond in de kamer. 'De gemeente gaat er tegenwoordig op vooruit met de huurwoningen.'

'Wat wilt u?' De vraag was bestemd voor Rebus, maar Bairds blik vroeg zijn zoon om uitleg.

'Hij wachtte me op, pa,' barstte Gareth uit. 'Ik moest van hem ook mijn auto en alles daar achterlaten.'

'Fraude is een ernstig vergrijp, meneer Baird,' zei Rebus. 'Het verbaast me altijd weer, maar de rechtbanken lijken dat erger te vinden dan inbraak of beroving. Ik bedoel, wie bedriegt u nou ten slotte helemaal? Geen persoon, niet echt... alleen maar dat grote anonieme ding dat "de gemeente" heet.' Rebus schudde zijn hoofd. 'Maar ze komen toch op je af als vliegen op de stront.'

Baird was achterovergeleund in zijn stoel gaan zitten, met zijn armen voor zijn borst gekruist.

'Het zit dus zo,' vervolgde Rebus, 'dat u niet tevreden was met het kleine werk... Hoeveel flats worden door u onderverhuurd? Tien? Twintig? Volgens mij hebt u uw hele familie ingeschakeld... misschien staan er ook nog een paar dode ooms en tantes op de contracten.'

'Komt u mij arresteren?'

Rebus schudde zijn hoofd. 'Ik ben bereid om op mijn tenen uit uw leven te verdwijnen zodra ik heb gekregen waar ik voor kom.'

Baird keek plotseling geïnteresseerd nu bleek dat hij zaken kon doen. Maar hij was nog niet helemaal overtuigd. 'Gareth, had hij nog iemand anders bij zich?'

Gareth schudde zijn hoofd. 'Hij zat in de flat op mij te wachten...'

'Stond er niemand buiten? Geen chauffeur of zo?'

Hij bleef zijn hoofd schudden. 'We zijn met zijn auto hier gekomen... alleen hij en ik.'

Baird dacht hier even over na. 'En, hoeveel gaat me dat kosten?'

'Geen geld, maar antwoorden op een paar vragen. Een van uw huurders is gisteren vermoord.'

'Ik zeg ze altijd dat ze zich met niemand moeten bemoeien,' betoogde Baird, in een poging zich te verdedigen tegen de eventuele gevolgtrekking dat hij een ongevoelige huisbaas was. Rebus stond bij het raam en keek naar het strand en de promenade. Een ouder paar wandelde hand in hand voorbij. Het zat hem dwars dat zij de mogelijke slachtoffers zouden kunnen zijn van zo'n haai als Baird. Of misschien stonden hun naar woonruimte smachtende kleinkinderen op een wachtlijst voor een huurflat.

'Dat is heel sociaal van u, vind ik,' zei Rebus. 'Wat ik moet weten is zijn naam en waar hij vandaan kwam.'

Baird snoof. 'Ik vraag ze niet waar ze vandaan komen. Die fout heb ik één keer gemaakt en toen hebben ze de oren van mijn kop geluld. Waar het mij om gaat, is dat ze allemaal een dak boven hun

hoofd nodig hebben. En als de gemeente niet wil of kan helpen...
dan doe ik dat.'

'Tegen betaling.'

'Tegen een redelijke betaling.'

'Ja, u bent een en al menslievendheid. Dus u weet helemaal niet
hoe hij heette?'

'Hij gebruikte Jim als voornaam.'

'Jim? Was dat zijn idee of het uwe?'

'Het mijne.'

'Hoe hebt u hem gevonden?'

'Klanten vinden mij op de een of andere manier altijd. De een zegt
het tegen de ander. Dat zou niet gebeuren als ze niet op prijs zouden stellen wat ze krijgen.'

'Ze krijgen gemeenteflats... en ze betalen zich blauw aan u voor
dat voorrecht.' Rebus wachtte vergeefs tot Baird iets zou zeggen. Hij
wist wat de ogen van de man hem vertelden: Heb je je hart nu ge-
lucht? 'En hebt u geen enkel idee wat zijn nationaliteit is? Waar
kwam hij vandaan? Hoe is hij hier gekomen...?'

Baird schudde zijn hoofd. 'Gareth, haal eens een biertje uit de
koelkast.' Gareth voldeed gretig aan dit verzoek. Rebus liet zich niet
misleiden door de gedachte aan een biertje. Hij begreep dat er geen
voor hem bij zou zijn.

'Hoe communiceert u dan met al die mensen als u hun taal niet
verstaat?'

'Er zijn manieren. Een beetje gebarentaal en zo...' Gareth kwam terug met één blikje bier, dat hij aan zijn vader gaf. 'Gareth heeft op
school Frans geleerd. Ik dacht dat dat ons wel van pas kon komen.'
Zijn stem stierf weg aan het eind van de zin, en Rebus nam aan dat
Gareth ook op dit gebied niet had beantwoord aan de verwachtingen.

'Maar Jim had geen gebarentaal nodig,' vulde de jongen aan, blij
dat hij een bijdrage aan het gesprek kon leveren. 'Hij sprak een beetje Engels. Niet zo goed als zijn vriendin, hoor...' Zijn vader wierp
hem een woedende blik toe, maar Rebus ging tussen hen in staan.

'Wat voor vriendin?' vroeg hij aan Gareth.

'Gewoon, een vrouw... ongeveer van mijn leeftijd.'

'Woonden ze samen?'

'Jim woonde op zichzelf. Ik had het idee dat ze alleen maar een
kennisje van hem was.'

'Uit de buurt?'

'Dat neem ik aan...'

Maar nu stond Baird op. 'Luister, u hebt waar u voor gekomen
bent.'

'Is dat zo?'

'Oké, laat ik het dan anders stellen. U krijgt niet meer dan dat.'

'Dat bepaal ik, meneer Baird.' Vervolgens tot de zoon: 'Hoe zag ze eruit, Gareth?'

Maar Gareth had de hint begrepen. 'Weet ik niet meer.'

'Wat? Zelfs haar huidskleur niet? Je kon je wel herinneren hoe oud ze was.'

'Een stuk donkerder dan Jim... dat is alles wat ik weet.'

'Maar sprak ze Engels?'

Gareth probeerde zijn vader aan te kijken voor steun, maar Rebus deed zijn best om oogcontact tussen hen onmogelijk te maken.

'Ze sprak Engels en ze was bevriend met Jim,' drong Rebus aan. 'En ze woonde in de buurt... Vertel me nog wat meer.'

'Dat is alles.'

Baird stapte langs Rebus heen en legde een arm om de schouders van zijn zoon. 'U hebt die jongen helemaal van streek gemaakt,' klaagde hij. 'Als hem nog iets te binnen schiet, laat hij u dat wel weten.'

'Daar ben ik van overtuigd,' zei Rebus.

'En u meende wat u zei over ons met rust laten?'

'Helemaal, meneer Baird... Uiteraard heeft het bureau voor volkshuisvesting waarschijnlijk zo haar eigen visie op de zaak.'

Bairds gezicht vertrok tot een spottende grijns.

'Ik kom er wel uit,' zei Rebus.

Op de promenade blies een stevige bries. Het kostte hem vier pogingen om zijn sigaret aan te steken. Hij bleef even staan, keek omhoog naar het raam van de salon en herinnerde zich toen dat hij de lunch had gemist. Er waren heel wat pubs in High Street, dus liet hij zijn auto staan waar hij stond en maakte een korte wandeling naar de dichtstbijzijnde. Hij belde mevrouw Mackenzie en lichtte haar in over Baird, en hij beëindigde het gesprek toen hij de deur van de pub openduwde. Hij bestelde een glas IPA-bier om het broodje kip met salade weg te spoelen. Eerder op de dag hadden ze soep en stoofschotel geserveerd, en de geur daarvan hing nog in de pub. Een van de vaste klanten vroeg de barkeeper om de zender met de paardenrennen op te zoeken. Terwijl hij met de afstandsbediening langs een stuk of tien zenders zapte, kwam er een voorbij die Rebus deed ophouden met kauwen.

'Ga terug,' beval hij, terwijl de brokken uit zijn mond vlogen.

'Naar welke zender?'

'Ja, die.' Een plaatselijk nieuwsprogramma toonde een demonstratie in wat duidelijk Knoxland was. Haastig in elkaar geflanste spandoeken en borden:

IN DE STEEK GELATEN

ZO KUNNEN WE NIET LEVEN

EIGEN VOLK HEEFT OOK HULP NODIG...

De reporter interviewde het stel uit de flat naast het slachtoffer. Rebus ving af en toe een woord en een zinsnede op: de gemeente is verantwoordelijk... gevoelens genegeerd... alles wordt hier maar gedumpt... geen overleg... Het leek wel of ze waren ingeseind welke kreten ze moesten gebruiken. De reporter wendde zich tot een goedgeklede man met een Aziatisch uiterlijk die een bril met een zilveren montuur droeg. Zijn naam verscheen in beeld als Mohammad Dirwan. Hij was van iets dat de Glasgow New Citizens Collective heette.

'Het barst daar van die mafkezen,' merkte de barkeeper op.

'Ze kunnen er net zoveel in Knoxland dumpen als ze maar willen,' beaamde een vaste klant. Rebus keerde zich naar hem toe.

'Zoveel van wat?'

De man haalde zijn schouders op. 'Noem ze maar zoals je wilt: vluchtelingen of oplichters. Wat ze ook zijn, ik weet verdomd goed wie uiteindelijk voor ze betaalt.'

'Helemaal waar, Matty,' zei de barkeeper. Vervolgens tegen Rebus: 'Genoeg gezien?'

'Meer dan genoeg,' zei Rebus. Hij liet de rest van zijn bier onaangeroerd staan en liep naar de deur.

8

Knoxland was al gekalmeerd tegen de tijd dat Rebus er aankwam. Persfotografen waren bezig met het vergelijken van de opnames op de beeldschermpjes van hun digitale camera's. Een radioreporter interviewde Ellen Wylie. Rattenreet Reynolds schudde zijn hoofd terwijl hij over de rommelige kale grond naar zijn auto liep.

'Wat is er aan de hand, Charlie?' vroeg Rebus.

'Het zou de druk een beetje van de ketel kunnen halen als we ze hun gang lieten gaan,' gromde Reynolds, waarna hij de deur van zijn auto dichtsloeg en een al geopend zakje chips oppakte.

Er stond een groepje mensen naast de portakabin. Rebus herkende gezichten van de tv-beelden. De demonstratieborden vertoonden al tekenen van slijtage. Hij zag vingers opgestoken worden bij een woordenwisseling tussen de buurtbewoners en Mohammad Dirwan. Van dichtbij kwam Dirwan op Rebus over als een advocaat. Een zo te zien nieuwe zwarte wollen jas, gepoetste schoenen, een zilvergrijze snor. Hij gebaarde met zijn handen en verhief zijn stem om boven het lawaai uit te komen. Rebus tuurde door het tralievenster van de portakabin. Zoals hij verwachtte, zat daar niemand. Hij keek om zich heen en nam uiteindelijk de doorgang naar de andere kant van het woonblok. Hij herinnerde zich het bosje bloemen op de plek van de moord. Ze waren nu vertrapt. Misschien had de vriendin van Jim die daar neergelegd...

Er stond een eenzame bestelbus op een afgezette plek die normaal diende als parkeerplaats voor de bewoners. Er zat niemand voorin, maar Rebus klopte op de achterdeuren. De ramen waren zwartgemaakt, maar hij wist dat hij van binnenuit te zien was. De deur werd geopend en hij stapte naar binnen.

'Welkom in de speelgoeddoos,' zei Shug Davidson, terwijl hij weer naast de operator ging zitten. De bus stond achterin vol met opnameapparatuur. Van elke burgerlijke ordeverstoring in de stad wilde de politie graag een overzicht hebben. Nuttig voor het identificeren van de herrieschoppers en voor het verzamelen van bewijsmateriaal voor het geval dat nodig was. Aan de hand van de beelden op het videoscherm leek het Rebus alsof iemand vanaf de tweede of derde verdieping had staan filmen. Shots werden in- en uitgezoomd en wazige close-ups kwamen plotseling in beeld.

'Niet dat er tot nu toe geweld heeft plaatsgevonden,' mompelde Davidson. Vervolgens tegen de operator: 'Ga een ietsje terug... ja, daar... zet dat beeld stil, wil je, Chris?'

Het verstilde beeld flikkerde een beetje en Chris probeerde het te corrigeren.

'Wie is degene over wie je je zorgen maakt, Shug?' vroeg Rebus.

'Nog altijd even slim, hè John...' Davidson wees op een van de figuren achteraan in de demonstratie. De man had een olijfgroene parka aan, waarvan hij de capuchon over zijn hoofd had getrokken, zodat alleen zijn kin en zijn lippen zichtbaar waren. 'Volgens mij was hij hier een paar maanden geleden... We zaten toen met die bende uit Belfast, die probeerde hier de drugshandel in handen te krijgen.'

'Je hebt ze toch opgeborgen?'

'De meesten van hen zitten in voorlopige hechtenis. Een paar zijn weer naar huis gegaan.'

'En waarom is hij hier weer?'

'Weet ik niet.'

'Heb je geprobeerd het hem te vragen?'

'Hij smeerde hem toen hij onze camera's zag.'

'Wat is zijn naam?'

Davidson schudde zijn hoofd. 'Dat moet ik opzoeken...' Hij wreef over zijn voorhoofd. 'En hoe was jouw dag tot nu toe, John?'

Rebus lichtte hem in over Robert Baird.

Davidson knikte. 'Goed werk,' zei hij, maar hij slaagde er niet in daar enig enthousiasme in te leggen.

'Ik weet dat we er verder niet veel mee opschieten...'

'Sorry, John, het is alleen dat ik...' Davidson schudde langzaam zijn hoofd. 'We hebben iemand nodig die zich meldt. Het wapen moet daar ergens zijn en de bebloede kleren van de moordenaar. Iemand wéét het.'

'Die vriendin van Jim zou wel eens een idee kunnen hebben. We kunnen Gareth hierheen halen om te zien of hij haar kan aanwijzen.'

'Dat is een idee,' mijmerde Davidson. 'En intussen wachten we tot Knoxland ontploft...'

Op vier verschillende schermen waren filmbeelden te zien. Op een ervan stond een groepje jongelui achteraan in de menigte. Ze hadden sjaals voor hun mond en mutsen op. Toen ze de cameraman zagen, draaiden ze zich om en boden hem een blik op hun achterkant. Een van hen pakte een steen op en gooide, maar die trof geen doel.

'Zie je,' zei Davidson, 'zoiets kan de lont in het kruitvat steken...'

'Heeft er al geweld plaatsgevonden?'

'Alleen maar verbaal.' Hij leunde achterover en rekte zich uit. 'We zijn klaar met de huis-aan-huisgesprekken... Dat wil zeggen, klaar met alle mensen die met ons wilden praten.' Hij zweeg even. 'Of beter gezegd: die met ons kónden praten. Het lijkt hier wel de toren van Babel... een horde tolken zou een begin kunnen zijn.' Zijn maag ging tekeer en hij probeerde dat te verbergen door op zijn stoel te draaien.

'Tijd voor een pauze?' opperde Rebus. Davidson schudde zijn hoofd. 'Wie is die Dirwan eigenlijk?'

'Een advocaat uit Glasgow, die gewerkt heeft met een aantal van de vluchtelingen in de woonwijken daar.'

'En wat voert hem hierheen?'

'Afgezien van de publiciteit hoopt hij misschien een nieuwe klantenkring op te bouwen. Hij wil dat de burgemeester zelf in Knoxland komt kijken, en hij wil een ontmoeting tussen politici en de gemeenschap van immigranten. Hij wil een heleboel dingen.'

'Op dit moment vormt hij een minderheid van één persoon.'

'Weet ik.'

'Vind je het leuk om hem voor de leeuwen te gooien?'

Davidson keek hem aan. 'We hebben onze mensen daar, John.'

'Het begon daar behoorlijk verhit te raken.'

'Bied je jezelf aan als bodyguard?'

Rebus haalde zijn schouders op. 'Ik doe alles wat je me zegt, Shug. Dit is jouw feestje...'

Davidson wreef weer over zijn voorhoofd. 'Sorry, John, sorry...'

'Neem die pauze, Shug. Op zijn minst een beetje frisse lucht inademen...' Rebus opende de achterdeur.

'O ja, John, ik heb nog een bericht voor je. Die jongens van de drugsbrigade willen hun lamp terug. Ik moest je zeggen dat het dringend was.'

Rebus knikte, stapte uit en sloot de deur weer. Hij liep naar Jims flat. De deur stond te klapperen. Geen spoor van de lamp in de keuken of ergens anders. De forensische ploeg was hier geweest, maar hij betwijfelde of zij de lamp hadden meegenomen. Toen hij naar buiten ging, kwam Steve Holly uit de flat ernaast, met zijn bandrecorder tegen zijn oor om te checken of het apparaat zijn werk had gedaan.

'Ze pakken ze veel te zacht aan, dat is het probleem met dit land,' hoorde Rebus iemand zeggen. 'Ik neem aan dat jij het daar wel mee eens bent,' zei hij, waarmee hij de verslaggever deed opschrikken. Holly zette de band stop en stopte de recorder in zijn zak.

'Objectieve journalistiek, Rebus: twee kanten van de zaak laten zien.'

'Heb je dan ook gepraat met een paar van die arme sodemieters die in deze leeuwenkuil zijn gegooid?'

Holly knikte. Hij keek over de balustrade naar beneden, alsof alles wat hij zou moeten weten op de begane grond gebeurde. 'Ik heb zelfs Knoxers gevonden die helemaal geen bezwaar hebben tegen al die nieuwe bewoners. Ik wed dat jou dat verbaast... mij in ieder geval wel.' Hij stak een sigaret op en bood Rebus er een aan.

Rebus schudde zijn hoofd. 'Ik heb er net een uitgemaakt,' loog hij.

'Heb je al reacties op de foto die we hebben afgedrukt?'

'Misschien is hij niemand opgevallen, zoals hij was weggestopt tussen je verhaal. De lezers hadden het denk ik te druk met lezen over belastingontduiking, misbruik van uitkeringen en voorkeursbehandeling bij huisvesting.'

'Dat is allemaal waar,' protesteerde Holly. 'Ik heb niet gezegd dat daarvan hier sprake is, maar er zijn plaatsen waar dat gebeurt.'

'Als je nog een beetje lager zinkt, kan ik je kop als tee voor een golfbal gebruiken.'

'Mooi gezegd,' merkte Holly grijnzend op. 'Misschien gebruik ik dat nog wel eens...' Zijn mobieltje ging, en hij nam het gesprek aan, waarbij hij Rebus zijn rug toekeerde en wegliep alsof de rechercheur niet bestond.

En dat was volgens Rebus de manier waarop iemand als Holly werkte. Hij leefde voor het moment, zijn interesse was net genoeg voor dat ene verhaal. Zodra het was geschreven, was het oud nieuws en moest iets anders de vrijgekomen ruimte weer opvullen. Het was moeilijk om deze gang van zaken niet te vergelijken met de manier waarop sommige van zijn eigen collega's te werk gingen: de ene zaak was uit het geheugen gewist en een nieuwe zaak diende zich al weer aan, waarbij ze hoopten op iets wat een beetje ongewoon of interessant was. Hij wist dat er ook goede journalisten waren: ze waren niet allemaal zoals Steve Holly. Sommigen van hen konden die man niet uitstaan.

Rebus volgde Holly naar beneden en naar buiten in de afnemende storm. Hoogstens een stuk of tien volhouders waren overgebleven om uiting te geven aan hun grieven tegenover de advocaat, die nu gezelschap had gekregen van een paar van de immigranten zelf. Dat was voldoende reden voor een nieuwe fotosessie. Sommige van de immigranten schermden hun gezicht af met hun handen. Rebus hoorde een geluid achter zich; iemand riep 'Goed zo, Howie!' Hij draaide zich om en zag een jongen doelgericht op de groep aflopen, terwijl zijn vrienden hem van een veilige afstand aanmoedigden. De jongen besteedde geen aandacht aan Rebus. Hij had zijn gezicht bedekt en zijn handen weggestopt in de zak aan de voorkant van zijn jack. Hij begon sneller te lopen toen hij passeerde. Rebus hoorde zijn hese ademhaling en hij kon de adrenaline die van hem afspatte bijna ruiken.

Hij greep een arm en rukte die naar achteren. De jongen draaide om zijn as, en zijn handen kwamen uit de zak. Er viel iets op de grond: een steen. De jongen schreeuwde het uit van pijn toen Rebus zijn arm hoger achter zijn rug wrong en hem op zijn knieën dwong. De menigte had zich omgedraaid bij het geluid, en camera's klikten. Maar Rebus hield zijn blik gericht op de bende om te zien of ze niet en masse zouden aanvallen. Dat deden ze niet. Integendeel, ze liepen weg zonder enige intentie om hun vriend te helpen. Een man stapte in een gedeukte rode BMW. Een man in een olijfgroene parka.

De overmeesterde jongen vloekte en jammerde tegelijk. Geüniformeerde agenten bogen over hen heen, van wie er een de jongen in de handboeien sloeg. Toen Rebus overeind kwam, stond hij oog in oog met Ellen Wylie.

'Wat is er gebeurd?' vroeg ze.

'Hij had een steen in zijn zak... hij wilde Dirwan aanvallen.'

'Dat lieg je,' stootte de jongen uit. 'Ik word er ingeluisd!' De capuchon was van zijn hoofd getrokken, en de sjaal van zijn mond. Rebus zag een gladgeschoren schedel en een gezicht dat geteisterd werd door acne. Een van zijn middelste tanden ontbrak, wat te zien was doordat zijn mond openhing van ongeloof over de wending die de situatie had genomen. Rebus bukte zich en raapte de steen op.

'Hij is nog warm,' zei hij.

'Breng hem naar het bureau,' zei Wylie tegen de agenten. En vervolgens, tegen de jongen: 'Heb je nog iets scherps op zak, voordat we je zakken doorzoeken?'

'Gaat je niks an.'

'Stop hem in een auto, mannen.'

De jongen werd weggevoerd en camera's volgden hem terwijl hij weer begon te klagen. Rebus zag nu dat de advocaat voor hem stond.

'U hebt mijn leven gered, meneer!' Hij klemde Rebus' handen in de zijne.

'Dat zou ik niet willen beweren...'

Maar Dirwan had zich tot de menigte gewend. 'Ziet u wel? Ziet u hoe de haat overgaat van vader op zoon? Het is als een langzaam werkend vergif, waardoor de grond die ons moet voeden wordt vervuild!' Hij probeerde Rebus te omarmen, maar ontmoette weerstand. Dit leek hem niet te deren. 'Bent u van de politie?'

'Ik ben inspecteur bij de recherche,' bevestigde Rebus.

'Zijn naam is Rebus!' riep een stem. Rebus zag een grijnzende Steve Holly.

'Meneer Rebus, ik ben u dank verschuldigd tot wij ten onder gaan op deze aarde. Wij zijn u allen dank verschuldigd.' Dirwan doelde op de groep immigranten die dichtbij stond, zich kennelijk niet bewust van wat er zojuist gebeurd was. En nu kwam Shug Davidson in beeld, verbijsterd over het spektakel en begeleid door een grijnzende Rattenreet Reynolds.

'Je bent weer eens het middelpunt van de belangstelling, John,' zei Reynolds.

'Wat is er gebeurd?' vroeg Davidson.

'Een jongen wou meneer Dirwan hier aanvallen,' mompelde Rebus. 'Dus heb ik dat voorkomen.' Hij haalde zijn schouders op, alsof hij te kennen wilde geven dat hij het liever niet had gedaan. Een van de agenten die de jongen weggebracht had, kwam terug.

'Het lijkt me goed dat u dit eens bekijkt,' zei hij tegen Davidson. Hij had een plastic zak voor bewijsmateriaal in zijn hand. Er lag iets kleins en scherps in.

Een keukenmes van vijftien centimeter.

Rebus speelde babysitter voor zijn nieuwe beste vriend.

Ze zaten in de recherchekamer op Torphichen Place. De jongen werd ondervraagd in een van de verhoorkamers door Shug Davidson en Ellen Wylie. Het mes was naar het forensisch lab in Howdenhall gebracht. Rebus probeerde een sms'je naar Siobhan te sturen, om haar te laten weten dat ze hun afspraak moesten verzetten. Hij stelde zes uur voor.

Nadat hij zijn verklaring had afgelegd, zat Mohammad Dirwan zwarte thee met veel suiker te drinken aan een van de bureaus, met zijn blik op Rebus gevestigd.

'Ik heb die ingewikkelde nieuwe technieken nooit onder de knie gekregen,' verklaarde hij.

'Ik ook niet,' bekende Rebus.

'Maar toch zijn ze onmisbaar geworden voor onze manier van leven.'

'Dat zal wel.'

'U bent een man van weinig woorden, inspecteur. Of het kan zijn dat ik u nerveus maak.'

'Ik probeer alleen een afspraak te verzetten, meneer Dirwan.'

'Alstublieft...' De advocaat stak een hand op. 'Ik heb u gezegd dat u me Mo kunt noemen.' Hij grijnsde, waarbij hij een rij onberispelijke tanden toonde. 'Mensen zeggen tegen me dat dat een vrouwennaam is, ze brengen de naam in verband met het personage in *EastEnders*. Kent u die?' Rebus schudde zijn hoofd. 'Ik heb tegen hen gezegd: "Kennen jullie de voetballer Mo Johnston dan niet? Hij heeft zowel bij de Rangers als bij Celtic gespeeld, waardoor hij tweemaal een held en een misdadiger werd. Een truc die zelfs de beste advocaat niet voor elkaar krijgt."'

Rebus slaagde erin te glimlachen. Rangers en Celtic: het protestantse en het katholieke elftal. Hij moest aan iets denken. 'Vertel me eens, meneer...' Een boze blik van Dirwan. 'Mo... zeg eens, je hebt ook te maken gehad met asielzoekers in Glasgow, hè?'

'Inderdaad.'

'Een van de demonstranten van vandaag... Wij denken dat hij uit Belfast komt.'

'Dat zou me niet verbazen. Hetzelfde gebeurt in de woonwijken van Glasgow. Het is een gevolg van de problemen in Noord-Ierland.'

'Hoezo?'

'Immigranten zijn bezig naar plaatsen als Belfast te verhuizen. Ze zien daar mogelijkheden. De mensen die bij het religieuze conflict zijn betrokken, zijn daar niet zo gelukkig mee. Zij zien alles in termen van katholiek en protestant... misschien schrikken die nieuwe religies die op die manier binnenkomen hen af. Er heeft fysiek geweld plaatsgevonden. Ik noem het een primitief instinct, die behoefte om ons af te keren van alles wat we niet begrijpen.' Hij stak een vinger op. 'Wat niet betekent dat ik het veroordeel.'

'Maar wat zou die mensen vanuit Belfast naar Schotland brengen?'

'Misschien willen ze ontevreden buurtbewoners voor hun eigen doeleinden inschakelen.' Hij haalde zijn schouders op. 'Onrust lijkt soms een doel op zich voor sommige mensen.'

'Dat zou wel eens waar kunnen zijn.' Rebus had het zelf meegemaakt. De behoefte om moeilijkheden uit te lokken, om dingen op te kloppen, met geen enkele andere reden dan een gevoel van macht.

De advocaat nam de laatste slok van zijn thee. 'Denkt u dat die jongen de moordenaar is?'

'Dat zou kunnen.'

'Iedereen lijkt een mes te dragen in dit land. Wist u dat Glasgow de gevaarlijkste stad van Europa is?'

'Dat heb ik gehoord, ja.'

'Steekpartijen... steeds weer steekpartijen.' Dirwan schudde zijn hoofd. 'En toch doen mensen nog steeds hun best om Schotland binnen te komen.'

'Bedoelt u immigranten?'

'Uw eerste minister zegt dat hij zich zorgen maakt over de afname van de bevolking. Daar heeft hij gelijk in. We hebben jonge mensen nodig om het werk te doen, want hoe kunnen we anders de vergrijzende bevolking ondersteunen? We hebben ook vakbekwame mensen nodig. Maar tegelijkertijd maakt de regering immigratie zo moeilijk... en wat asielzoekers betreft...' Hij schudde zijn hoofd weer, langzaam ditmaal, alsof hij het niet kon geloven. 'Kent u Whitemire?'

'Het detentiecentrum?'

'Dat is zo'n godverlaten plek, inspecteur. Ze zien me daar niet graag komen. U kunt zich misschien wel voorstellen waarom.'

'Hebt u cliënten in Whitemire?'

'Een aantal, die allemaal beroep hebben aangetekend. Het is een gevangenis geweest, weet u, en nu huisvest het gezinnen en individuele personen die doodsbang zijn... mensen die weten dat teruggestuurd worden naar het land waar ze vandaan komen een terdoodveroordeling betekent.'

'En ze worden in Whitemire vastgehouden omdat ze zich anders aan het gerecht onttrekken en ervandoor gaan.'

Dirwan keek Rebus aan en glimlachte ironisch. 'Natuurlijk, u bent deel van het staatsapparaat.'

'Wat wilt u daarmee zeggen?' steigerde Rebus.

'Vergeef me mijn cynisme... maar u bent toch van mening, nietwaar, dat we al dat zwarte tuig terug naar huis moeten sturen? Dat Schotland een Utopia zou zijn als er maar geen Paki's, zigeuners en nikkers waren?'

'Godallemachtig...'

'Hebt u Arabische of Afrikaanse vrienden, inspecteur? Gaat u wel eens iets drinken met een Aziaat? Of zijn dat alleen maar gezichten achter de kassa van uw krantenkiosk?'

'Hier heb ik geen zin in,' verklaarde Rebus, terwijl hij een lege koffiebeker in de afvalbak gooide.

'Het is een emotioneel onderwerp, toegegeven, maar wel een waar ik iedere dag weer mee te maken krijg. Ik denk dat Schotland jarenlang zelfgenoegzaam was. Zo van: wij hebben geen ruimte voor racisme, want we hebben het te druk met onverdraagzaamheid! Maar dat is helaas niet het geval.'

'Ik ben geen racist.'

'Het is alleen maar een punt van overweging. Trek het u niet aan.'

'Ik trek het me niet aan.'

'Het spijt me... Ik vind het moeilijk om de knop om te zetten.' Dirwan haalde zijn schouders op. 'Het hoort bij mijn werk.' Zijn blik ging snel de kamer rond, alsof hij naar een ander onderwerp zocht. 'Denkt u dat de moordenaar wordt gevonden?'

'Daar doen we verdomd hard ons best voor.'

'Dat is mooi. Ik ga ervan uit dat u allen toegewijde en deskundige mensen bent.'

Rebus moest aan Reynolds denken, maar hij zei niets.

'En u weet dat als er iets is wat ik persoonlijk kan doen om u te helpen...'

Rebus knikte en dacht vervolgens even na. 'Eigenlijk...'

'Ja?'

'Kijk, het lijkt erop dat het slachtoffer een vriendin had... of in ieder geval een jonge vrouw kende. Het zou ons helpen als we haar zouden kunnen vinden.'

'Woont ze in Knoxland?'

'Misschien. Haar huidskleur is donkerder dan die van het slachtoffer. Waarschijnlijk spreekt ze beter Engels dan hij.'

'Is dat alles wat u weet?'

'Dat is alles wat ik weet,' bevestigde Rebus.

'Ik zou eens rond kunnen vragen... de nieuwe bewoners zijn misschien niet zo bang om met mij te praten.' Hij zweeg even. 'En ik dank u dat u mij om hulp hebt gevraagd.' Er was warmte in zijn ogen te zien. 'U kunt ervan verzekerd zijn dat ik zal doen wat ik kan.'

Beide mannen draaiden zich om toen Reynolds de kamer kwam binnensjokken, kauwend op een theebeschuitje dat een spoor van kruimels op zijn hemd en das had achtergelaten.

'We klagen hem aan,' zei hij, even zwijgend voor het effect. 'Maar niet voor moord. Volgens het lab was het niet hetzelfde mes.'

'Dat was snel,' zei Rebus.

'Volgens de autopsie is het een gekarteld mes en dit is een mes met een gladde snijkant. Ze zijn nog bezig met een bloedproef, maar die zal niet veel opleveren.' Reynolds keek in de richting van Dirwan. 'We kunnen hem misschien pakken voor een poging tot mishandeling en het dragen van een verborgen wapen.'

'En dat is dan gerechtigheid,' zei de advocaat met een zucht.

'Wat wilt u dan dat we doen? Zijn handen afhakken?'

'Was die opmerking bedoeld voor mij?' De advocaat was gaan staan. 'Dat is moeilijk te beoordelen als u weigert mij aan te kijken.'

'Ik kijk u nu aan,' beet Reynolds terug.

'En wat ziet u?'

Rebus greep in. 'Wat rechercheur Reynolds wel of niet ziet, doet niet ter zake.'

'Ik wil het hem wel vertellen als hij dat wil,' zei Reynolds, terwijl er kruimels uit zijn mond vlogen. Maar Rebus duwde hem al in de richting van de deur. 'Bedankt, rechercheur Reynolds.' Hij gaf hem bijna een duw de gang in. Reynolds wierp nog een laatste uitdagende blik op de advocaat, draaide zich om en vertrok.

'U moet me toch eens vertellen,' zei Rebus tegen Dirwan, 'maakt u ook wel eens vrienden, of alleen maar vijanden?'

'Ik beoordeel mensen naar mijn maatstaven.'

'En een verhoor van twee tellen is voor u voldoende om uw mening te bepalen?'

Dirwan dacht hier even over na. 'Eigenlijk wel, ja, soms is dat genoeg.'

'Hebt u zich dan ook al een mening over mij gevormd?' Rebus sloeg zijn armen over elkaar.

'Dat niet, inspecteur... U bent moeilijk te doorgronden.'

'Maar alle politiemensen zijn racisten?'

'We zijn allemaal racisten, inspecteur... ook ik. Hoe we met dat vervelende feit omgaan, dat is belangrijk.'

De telefoon op het bureau van Wylie rinkelde. Rebus nam op.

'Recherche, met Rebus.'

'O, hallo...' Een aarzelende vrouwenstem. 'Bent u bezig met die moordzaak? De asielzoeker in die woonwijk?'

'Dat klopt.'

'In de krant van vanochtend...'

'De foto?' Rebus ging gehaast zitten en pakte pen en papier.

'Ik denk dat ik weet wie ze zijn... Ik bedoel, ik wéét wie ze zijn.' Haar stem klonk zo broos dat Rebus vreesde dat ze bang zou worden en het gesprek zou verbreken.

'Goed, we stellen elke hulp die u kunt geven heel erg op prijs, mevrouw...?'

'Wat?'

'Ik heb uw naam nodig.'

'Waarom?'

'Omdat mensen die bellen en hun naam niet willen geven meestal niet zo serieus worden genomen.'

'Maar ik ben...'

'Het blijft echt tussen u en mij, dat verzeker ik u.'

Er volgde een korte stilte. Toen: 'Eylot, Janet Eylot.'

Rebus krabbelde de naam neer in hoofdletters.

'En mag ik u vragen waar u de mensen op de foto van kent, mevrouw Eylot?'

'Omdat... ze hier zijn.'

Rebus keek naar de advocaat zonder hem echt te zien. 'Waar is hier?'

'Luister... misschien zou ik eerst toestemming moeten vragen.'

Rebus besefte dat ze dreigde op te hangen. 'U hebt er absoluut goed aan gedaan te bellen, mevrouw Eylot. Ik heb alleen wat meer gegevens nodig. We willen graag de persoon die dit heeft gedaan pakken, maar op dit moment tasten we vrijwel in het duister, en u lijkt de enige te zijn die wat licht in de duisternis kan brengen.' Hij probeerde een luchthartige toon, omdat hij niet het risico wilde lopen haar af te schrikken.

'Ze heten...' Het kostte Rebus veel moeite om haar niet hardop aan te moedigen. 'Yurgii.' Hij vroeg haar die naam te spellen en schreef hem op toen ze dat deed.

'Dat klinkt Oost-Europees.'

'Het zijn Turkse Koerden.'

'Werkt u met vluchtelingen, mevrouw Eylot?'

'In zekere zin, ja.' Ze klonk wat zelfverzekerder nu ze hem de naam had gegeven. 'Ik bel vanuit Whitemire, kent u dat?'

Rebus richtte zijn blik op Dirwan. 'Merkwaardig genoeg had ik daar zojuist een gesprek over. Ik neem aan dat u het detentiecentrum bedoelt?'

'Eigenlijk zijn we een vertrekcentrum.'

'En die mensen op de foto... zijn die daar bij u?'

'De moeder en twee kinderen, ja.'

'De man niet?'

'Die is gevlucht voordat het gezin werd opgepakt en hier werd gebracht. Dat gebeurt af en toe.'

'Dat kan ik me voorstellen...' Rebus tikte met de pen op het notitieblok. 'Luister, mag ik een nummer waarop ik u kan bereiken?'

'Tja...'

'Op uw werk of thuis, wat u het best uitkomt.'

'Ik weet niet...'

'Wat is er, mevrouw Eylot? Waar bent u bang voor?'

'Ik had eerst met mijn baas moeten praten.' Ze zweeg even. 'U komt nu hiernaartoe, toch?'

'Waarom hebt u niet met uw baas gepraat?'

'Dat weet ik niet.'

'Zou uw baan in gevaar komen als uw baas dit wist?'

Ze leek dit te overwegen. 'Moeten ze weten dat ík u heb gebeld?'

'Nee, helemaal niet,' zei Rebus. 'Maar ik wil wel graag de mogelijkheid hebben om contact met u op te nemen.'

Ze liet zich vermurwen en gaf hem haar mobiele nummer.

Rebus bedankte haar en vertelde haar dat hij haar misschien nog een keer zou moeten spreken. 'Vertrouwelijk,' verzekerde hij haar, er niet helemaal van overtuigd dat dit ook werkelijk het geval zou zijn. Toen hij had opgehangen, scheurde hij het blaadje van het notitieblok.

'Hij heeft familie in Whitemire,' merkte Dirwan op.

'Ik verzoek u dat voorlopig voor u te houden.'

De advocaat haalde zijn schouders op. 'U hebt mijn leven gered; dit is het minste wat ik kan doen. Maar wilt u dat ik met u meega?'

Rebus schudde zijn hoofd. Het laatste waar hij behoefte aan had was een schermutseling tussen Dirwan en de bewakers. Hij ging op zoek naar Shug Davidson en vond hem in gesprek met Ellen Wylie, in de gang naast de verhoorkamer.

'Heeft Reynolds het je al verteld?' vroeg Davidson.

Rebus knikte. 'Niet hetzelfde mes.'

'Maar we zullen die kleine rotzak nog een tijdje laten zweten. Misschien weet hij iets wat we kunnen gebruiken. Hij heeft een verse tatoeage op zijn arm: een rode hand met de letters UVF.' De afkorting voor Ulster Volunteer Force.

'Laat dat maar zitten, Shug.' Rebus liet de notitie zie. 'Ons slachtoffer was weggelopen van Whitemire. Zijn gezin zit daar nog.'

Davidson keek hem aan. 'Heeft iemand die foto gezien?'

'Bingo. Tijd om een bezoekje te gaan brengen, vind je niet? Jouw wagen of de mijne?'

Maar Davidson wreef over zijn wang. 'John?'

'Wat?'

'Die vrouw... die kinderen... ze weten niet dat hij dood is, hè? Denk je echt dat jij de juiste persoon bent voor die klus?'

'Ik kan ook mensen troosten.'

'Ongetwijfeld, maar Ellen gaat met je mee. Is dat oké wat jou betreft, Ellen?'

Wylie knikte en wendde zich vervolgens tot Rebus. 'Mijn wagen,' zei ze.

9

Haar wagen was een Volvo S40 met nog maar een paar duizend kilometer op de teller. Er lagen cd's op de stoel naast de hare, die Rebus snel had bekeken.

'Zet maar iets op als je wilt.'

'Ik moet eerst Siobhan sms'en,' zei hij. Dat was zijn excuus om niet te hoeven kiezen tussen Norah Jones, de Beastie Boys en Mariah Carey. Het kostte hem een aantal minuten om de boodschap SORRY HAAL ZES UUR NIET MISSCHIEN ACHT te versturen. Daarna vroeg hij zich af waarom hij haar niet gewoon had gebeld; dat was waarschijnlijk twee keer zo snel gegaan. Ze belde bijna direct terug.

'Neem je een loopje met me?'

'Ik ben op weg naar Whitemire.'

'Het detentiecentrum?'

'Ik heb uit gezaghebbende bron vernomen dat het in feite een vertrekcentrum is. Het is ook de plek waar de vrouw en de kinderen van het slachtoffer zitten.'

Ze was even stil. 'Goed, acht uur kan ik niet. Ik heb met iemand afgesproken iets te gaan drinken. Ik hoopte dat jij er dan ook zou zijn.'

'Het zou kunnen dat ik het wel haal. Ik doe mijn best. En dan kunnen we daarna naar de Schaamstreek.'

'Wanneer daar leven in de brouwerij komt, bedoel je?'

'Samenloop van omstandigheden, Siobhan, dat is alles.'

'Goed... zul je voorzichtig met hen zijn?'

'Wat bedoel je?'

'Ik neem aan dat je het slechte nieuws in Whitemire gaat vertellen.'

'Waarom denkt iedereen toch dat ik een botterik ben?' Wylie wierp een blik op hem en glimlachte. 'Ik kan een heel zorgzame politieman zijn als ik dat wil.'

'Tuurlijk kun je dat, John. Dus ik zie je rond achten in de Ox.'

Rebus borg zijn mobieltje op en concentreerde zich op de weg. Ze reden in westelijke richting Edinburgh uit. Whitemire lag tussen Banehall en Bo'ness, een kilometer of vijfentwintig van het stadscentrum. Het was tot het eind van de jaren zeventig een gevangenis geweest, waar Rebus slechts één keer was geweest, toen hij net bij de politie zat. Hij vertelde het aan Ellen Wylie.

'Dat was voor mijn tijd,' reageerde ze.

'Ze hebben hem korte tijd daarna gesloten. Het enige wat ik mij herinner, is dat iemand mij liet zien waar ze vroeger mensen ophingen.'

'Enig.' Wylie trapte op de rem. Ze zaten midden in het spitsuur, tussen forensen die zich moeizaam een weg naar huis zochten. Er waren geen sluipweggetjes of kortere routes, en ze leken elk verkeerslicht tegen te hebben.

'Dit zou ik niet elke dag kunnen,' zei Rebus.

'Maar het is wel leuk om buiten de stad te wonen.'

Hij keek haar aan. 'Waarom?'

'Meer ruimte, minder hondenstront.'

'Hebben ze dan honden verboden op het platteland?'

Ze lachte weer. 'Plus: voor de prijs van een flat in New Town waar nog nét een tweepersoonsbed in past, heb je er een paar hectaren eigen grond en een biljartkamer.'

'Ik biljart niet.'

'Ik ook niet, maar ik zou het kunnen leren.' Ze zweeg even. 'En, wat is het plan als we daar aankomen?'

Rebus had erover zitten denken. 'We hebben misschien een tolk nodig.'

'Daar had ik niet aan gedacht.'

'Misschien hebben ze er een daar... die zou de echtgenote kunnen inlichten...'

'Ze zal haar echtgenoot moeten identificeren.'

Rebus knikte. 'Dat kan de tolk haar ook vertellen.'

'Nadat wij vertrokken zijn?'

Rebus haalde zijn schouders op. 'Wij stellen onze vragen en zijn daar zo snel mogelijk weer weg.'

Ze keek hem aan. 'En er wordt wel eens beweerd dat jij een botterik bent...'

Hierna reden ze een tijdlang zwijgend verder terwijl Rebus een andere zender op de radio vond. Er was niets over de schermutseling in Knoxland. Hij hoopte dat niemand er iets over zou opvangen. Ten slotte gaf een bord de afslag naar Whitemire aan.

'Er schiet me net iets te binnen,' zei Wylie. 'Hadden we niet moeten melden dat we eraan komen?'

'Daar is het nu een beetje laat voor.' De weg werd enkelbaans met kuilen in het wegdek. Borden waarschuwden overtreders dat ze zouden worden vervolgd. Het drieënhalve meter hoge hek rond het terrein was afgedekt met lichtgroene golfplaten.

'Dat betekent dat niemand naar binnen kan kijken,' merkte Wylie op.

'Of naar buiten,' voegde Rebus eraan toe. Hij wist dat er was gedemonstreerd tegen het vertrekcentrum en vermoedde dat dat de reden was voor de recent aangebrachte bedekking.

'En wat is dit in godsnaam?' vroeg Wylie. Er stond een eenzame figuur langs de weg. Het was een vrouw, goed ingepakt tegen de kou. Achter haar stond een tent die net groot genoeg was voor één persoon, met ernaast een smeulend kampvuur waarboven een ketel hing. De vrouw had een kaars in de hand en beschermde met haar vrije hand de flakkerende vlam. Rebus keek naar haar in het voorbijrijden. Ze hield haar blik op de grond voor zich gericht en haar mond bewoog lichtjes. Vijftig meter verder stond het portiershokje. Wylie stopte en claxonneerde, maar er verscheen niemand. Rebus stapte uit en liep naar het portiershokje. Achter het raam zat een bewaker op een boterham te kauwen.

'Goeienavond,' zei Rebus.

De man drukte op een knop en zijn stem klonk vanuit een luidspreker. 'Hebt u een afspraak?'

'Heb ik niet nodig.' Rebus liet zijn legitimatie zien. 'Politie.'

De man leek niet onder de indruk. 'Leg maar in het laatje.'

Rebus legde de kaart in een metalen la en keek toe terwijl de bewaker de kaart oppakte en bestudeerde. Even later belde hij iemand, maar Rebus kon niets van het gesprek horen. Daarna noteerde de bewaker de gegevens van Rebus en drukte weer op de knop.

'Nummerbord van de auto.'

Rebus voldeed aan dit verzoek en merkte dat de laatste drie letters WYL waren. Wylie had een gepersonaliseerd nummerbord.

'Hebt u nog iemand bij u?' vroeg de bewaker.

'Brigadier Ellen Wylie.'

De bewaker vroeg hem Wylie te spellen en noteerde de naam. Rebus keek achterom naar de vrouw langs de weg.

'Is zij daar altijd?' vroeg hij.

De bewaker schudde zijn hoofd.

'Zit hier familie van haar of zo?'

'Gewoon een halvegare,' zei de bewaker, terwijl hij Rebus' legitimatie terugschoof. 'U kunt parkeren op een van de bezoekersplaatsen op het parkeerterrein. U wordt daar opgehaald.'

Rebus knikte en liep terug naar de Volvo. De slagboom ging automatisch omhoog, maar de bewaker moest naar buiten komen om het hek van het slot te doen. Hij gebaarde dat ze door konden rijden. Rebus wees Wylie in de richting van de parkeerplekken voor bezoekers.

'Ik zag dat je een gepersonaliseerd nummerbord hebt,' merkte hij op.

'En?'

'Ik dacht dat dat speeltjes voor jongens waren.'

'Een cadeautje van mijn vriend,' bekende ze. 'Wat had ik er anders mee moeten doen?'

'En wie is die vriend?'

'Gaat je niks aan,' zei ze met een boze blik die aangaf dat dit onderwerp was afgerond.

Het parkeerterrein was van de hoofdgebouwen gescheiden door nog een hek. Er werd gebouwd; ze waren bezig met het leggen van funderingen.

'Goed om te zien dat we tenminste één groeiende industrie in West Lothian hebben,' mompelde Rebus.

'Vanuit het hoofdgebouw was een bewaker tevoorschijn gekomen. Hij opende een hek in de afzetting en vroeg of Wylie haar auto had afgesloten.

'En ook mijn alarm aangezet,' bevestigde ze. 'Worden hier vaak auto's gestolen?'

De grap ontging hem. 'We zitten hier met tamelijk wanhopige mensen.' Vervolgens ging hij hen voor naar de hoofdingang, waar een man hen opwachtte, gekleed in een pak in plaats van het grijze uniform van een bewaker. De man knikte naar de bewaker om hem te kennen te geven dat hij het hier overnam. Rebus bekeek het onopgesmukte bakstenen gebouw, waarvan de kleine ramen hoog in de muur waren aangebracht. Er stonden veel nieuwere, witgekalkte bijgebouwen aan de linker- en rechterkant.

'Mijn naam is Alan Traynor,' zei de man. Hij schudde eerst Rebus de hand en vervolgens Wylie. 'Waarmee kan ik u van dienst zijn?'

Rebus haalde een exemplaar van de ochtendkrant uit zijn zak. Hij was opengevouwen bij de foto.

'Wij denken dat deze mensen hier worden vastgehouden.'

'Werkelijk? En hoe komt u daarbij?'

Rebus reageerde daar niet op. 'Ze heten Yurgii.'

Traynor bekeek de foto nogmaals en knikte toen traag. 'Gaat u maar met mij mee.

Hij ging hen voor de gevangenis in. In Rebus' ogen was het inderdaad een gevangenis, ondanks de aangepaste benaming. Traynor gaf uitleg over de veiligheidsmaatregelen. Als ze gewone bezoekers waren geweest, dan zouden er eerst vingerafdrukken en foto's van hen zijn gemaakt, en daarna zouden ze met metaaldetectors gefouilleerd zijn. Het personeel dat ze tegenkwamen, droeg blauwe uniformen en er hingen sleutelbossen rinkelend aan hun zij. Net als in een gevangenis. Traynor was voor in de dertig. Het donkerblauwe pak zou voor hem op maat gemaakt kunnen zijn. Zijn donkere haar had links een scheiding en was zo lang dat hij het af en toe uit zijn ogen moest vegen. Hij vertelde hun dat hij adjunct-directeur was en dat zijn baas met ziekteverlof was.

'Niets ernstigs?'

'Stress.' Traynor haalde zijn schouders op om duidelijk te maken dat dat kon worden verwacht. Ze volgden hem een paar trappen op en door een kleine kantoortuin. Een jonge vrouw zat over een computer gebogen.

'Weer laat aan het werk, Janet?' vroeg Traynor glimlachend. Ze reageerde niet, maar keek alleen. Rebus beloonde haar, ongezien door Traynor, met een knipoog.

Het kantoor van Traynor was klein en functioneel. Achter de glazen wand stond een reeks beeldschermen waarop afwisselend een tiental locaties te zien waren. 'Het spijt me, er is maar één extra stoel,' zei hij, terwijl hij zich achter zijn bureau terugtrok.

'Ik blijf wel staan,' zei Rebus, en hij knikte naar Wylie dat zij kon gaan zitten. Maar zij besloot ook om te blijven staan. Traynor, die op zijn eigen stoel was gaan zitten, moest nu omhoogkijken naar de rechercheurs.

'Is het gezin Yurgii hier?' vroeg Rebus, terwijl hij belangstelling voor de beeldschermen voorwendde.

'Inderdaad, ja.'

'Maar de man niet?'

'Weggeglipt...' Hij haalde zijn schouders op. 'Dat is ons probleem niet. De immigratiedienst heeft het verknald.'

'En u maakt geen deel uit van de immigratiedienst?'

Traynor snoof. 'Whitemire wordt geleid door Cencrast Security, dat op zijn beurt onderdeel is van ForeTrust.'

'Met andere woorden, de particuliere sector?'

'Juist.'

'ForeTrust is Amerikaans, toch?' vroeg Wylie.

'Klopt. Zij hebben particuliere gevangenissen in de Verenigde Staten.'

127

'En hier in Engeland?'

Traynor erkende dit min of meer met een knik. 'Wat de familie Yurgii betreft...' Hij speelde met zijn horlogebandje om aan te geven dat hij zijn tijd beter kon gebruiken.

'Kijk,' begon Rebus, 'ik heb u dat stuk in de krant laten zien, en u hebt er nauwelijks een blik op geworpen... U leek niet geïnteresseerd in de kop of het verhaal.' Hij zweeg even. 'Dat geeft mij het gevoel dat u al weet wat er is gebeurd.' Rebus zette zijn knokkels op het bureau en boog zich naar voren. 'En dat roept bij mij de vraag op waarom u geen contact met ons hebt opgenomen.'

Traynor keek Rebus heel even aan en richtte toen zijn blik op de beeldschermen. 'Weet u hoe vaak wij slechte pers krijgen, inspecteur? Vaker dan we verdienen, heel wat vaker. Vraag het de inspectieteams, wij worden viermaal per jaar gecontroleerd. Zij zullen u vertellen dat wij hier humaan en efficiënt te werk gaan en dat we ons aan de wet houden.' Hij wees op een scherm dat een groepje mannen liet zien dat aan een tafel zat te kaarten. Wij weten heus wel dat dit mensen zijn en we behandelen hen ook als zodanig.'

'Meneer Traynor, als ik de brochure had willen hebben, had ik wel gevraagd of u er een op wilde sturen.' Rebus boog zich dieper naar de jongeman, zodat die zijn blik niet kon ontwijken. 'Als ik tussen de regels van deze onderneming door lees, zou ik zeggen dat u bang was dat Whitemire deel van het verhaal zou gaan uitmaken. Daarom hebt u niets gedaan... en dat, meneer Traynor, geldt als obstructie. Hoe lang denkt u dat Cencrast u zou handhaven met een strafblad?'

Traynors gezicht werd rood vanaf zijn hals. 'U kunt niet bewijzen dat ik iets wist,' schreeuwde hij.

'Maar dat kan ik wel proberen, toch?' Rebus' glimlach was waarschijnlijk de minst prettige die de jongeman ooit had gezien. Rebus ging rechtop staan en wendde zich tot Wylie, die hij een totaal ander soort glimlach toewierp voordat hij zijn aandacht weer op Traynor richtte.

'En zullen we nu dan maar terugkeren naar de familie Yurgii?'

'Wat wilt u weten?'

'Alles.'

'Ik ben niet op de hoogte van ieders levensverhaal,' zei Traynor defensief.

'Dan zou u in ieder geval hun dossier kunnen raadplegen.'

Traynor knikte en stond op. Hij liep naar Janet Eylot om de relevante documenten op te halen.

'Het gaat leuk,' fluisterde Wylie.

'En het wordt nog veel leuker.'

Rebus' gezicht verhardde weer toen Traynor terugkwam. De jongeman ging zitten en keek de papieren door. Het verhaal dat hij vertelde was op het eerste gezicht heel simpel. Yurgii en zijn gezin waren Turkse Koerden. Ze waren eerst in Duitsland beland en hadden aangegeven dat ze in hun eigen land bedreigd werden. Er waren familieleden verdwenen. De vader had als zijn naam Stef opgegeven...

Traynor keek hierbij op.

'Ze hadden geen papieren bij zich, niets om aan te tonen dat hij de waarheid vertelde. Het klinkt niet echt als een Koerdische naam, vindt u niet? Maar misschien... hier staat dat hij journalist was...'

Ja, een journalist, die kritische stukken schreef over de regering. Die onder verschillende pseudoniemen werkte in een poging zijn gezin te beschermen. Toen er een oom en een neef werden vermist, werd aangenomen dat ze waren opgepakt en dat ze gemarteld zouden worden om gegevens over Stef los te krijgen.

'Hij geeft als leeftijd negenentwintig op... maar dat zou natuurlijk ook gelogen kunnen zijn.'

Zijn vrouw, vijfentwintig, de kinderen zes en vier. Ze hadden tegen de autoriteiten in Duitsland gezegd dat ze in Groot-Brittannië wilden gaan wonen, en de Duitsers waren hen tegemoetgekomen: vier vluchtelingen minder waar ze zich om moesten bekommeren. Maar de immigratiedienst in Glasgow had na de verhoren besloten dat het gezin terug moest naar Duitsland, en daarvandaan waarschijnlijk naar Turkije.

'En werd daarvoor een reden gegeven?' vroeg Rebus.

'Ze hadden niet bewezen dat ze geen economische vluchtelingen waren.'

'Dat is lekker,' zei Wylie, terwijl ze haar armen voor haar borst kruiste. 'Alsof je moet bewijzen dat je geen heks bent...'

'Deze gevallen worden heel zorgvuldig onderzocht,' zei Traynor defensief.

'En hoe lang zitten ze hier al?' vroeg Rebus.

'Zeven maanden.'

'Dat is lang.'

'Mevrouw Yurgii weigert te vertrekken.'

'Kan ze dat dan?'

'Er is een advocaat met haar zaak bezig.'

'Toch niet Mo Dirwan?'

'Hoe raadt u het?'

Rebus vloekte in stilte. Als hij het aanbod van Dirwan had aangenomen, had die het nieuws aan de weduwe kunnen overbrengen.

'Spreekt mevrouw Yurgii Engels?'

'Een beetje.'

'Ze moet naar Edinburgh komen om het lichaam te identificeren. Zou ze dat begrijpen?'

'Geen idee.'

'Hebben jullie een tolk hier?'

Traynor schudde zijn hoofd.

'Zijn haar kinderen bij haar?' vroeg Wylie.

'Ja.'

'De hele dag?' Ze zag dat hij knikte. 'Gaan ze dan niet naar school of zoiets?'

'Er komt een leraar hier.'

'Voor hoeveel kinderen precies?'

'Zo tussen de vijf en de twintig, dat hangt af van wie hier wordt vastgehouden.'

'Allemaal verschillende leeftijden en verschillende nationaliteiten?'

'Nigerianen, Russen, Somaliërs...'

'En maar één leraar?'

Traynor glimlachte. 'U moet de krantenkoppen niet geloven, rechercheur. Ik weet dat wij "Schotlands Guantanamo Bay" worden genoemd... demonstranten hebben hand in hand rondom de afzetting gestaan...' Hij zweeg even en maakte plotseling een vermoeide indruk. 'Wij vangen hen alleen maar op, dat is alles. Wij zijn geen monsters en dit is geen gevangenenkamp. De nieuwe gebouwen die u hebt gezien toen u binnenkwam, zijn speciaal ingericht voor gezinnen. Tv's, een kantine, tafeltennis en snackautomaten...'

'En wat daarvan heeft een gevangenis dan niet?' vroeg Rebus.

'Als ze het land hadden verlaten toen ze daartoe de opdracht kregen, zouden ze hier niet zitten.' Traynor gaf een klopje op het dossier. 'De ambtenaren hebben de beslissing genomen.' Hij haalde diep adem. 'Ik neem aan dat u nu mevrouw Yurgii wilt spreken...'

'Straks,' zei Rebus. 'Eerst wil ik van u weten wat uw aantekeningen vermelden over de vlucht van Stef.'

'Alleen maar dat toen de politie naar de flat van de familie Yurgii ging...'

'En waar was dat?'

'Sighthill in Glasgow.'

'Een fijne omgeving.'

'Beter dan sommige andere, inspecteur... Hoe dan ook, toen ze daar kwamen, was meneer Yurgii niet thuis. Volgens zijn vrouw was hij de avond ervoor vertrokken.'

'Had hij er lucht van gekregen dat jullie kwamen?'

'Dat was geen geheim. Er was uitspraak gedaan; hun advocaat had hen daarover geïnformeerd.'

'Had hij middelen om voor zichzelf te zorgen?'

Traynor haalde zijn schouders op. 'Nee, tenzij Dirwan hem heeft geholpen.'

Goed, dat was iets wat Rebus aan de advocaat kon vragen. 'Heeft hij geprobeerd contact met zijn gezin op te nemen?'

'Niet voor zover ik weet.'

Rebus dacht even na en keek toen naar Wylie om te zien of zij nog vragen had. Toen ze alleen maar haar mond vertrok, knikte Rebus. 'Goed, dan gaan we nu naar mevrouw Yurgii...'

Het avondeten was zojuist beëindigd en de kantine liep leeg.

'Ze eten allemaal op dezelfde tijd,' merkte Wylie op.

Een bewaker in uniform stond te ruziën met een vrouw van wie het hoofd met een sjaal was bedekt. Ze droeg een baby op haar schouder. De bewaker hield een vrucht op.

'Soms smokkelen ze voedsel mee terug naar hun kamers,' verklaarde Traynor.

'En is dat niet toegestaan?'

Hij schudde zijn hoofd. 'Ik zie ze hier niet... Ze zijn zeker al klaar. Hierheen...' Hij ging hen voor door een gang met een bewakingscamera. Het gebouw mocht dan schoon en nieuw zijn, voor Rebus was het een gevangenis binnen een gevangenis.

'Zijn er wel eens zelfmoorden hier?' vroeg hij.

Traynor keek hem woedend aan. 'Een stuk of twee pogingen. Ook een hongerstaker. Dat hoort bij dit bedrijf...' Hij was bij een open deur blijven staan en gebaarde met zijn hand. Rebus keek naar binnen. De kamer was vier bij drie, op zich niet zo klein, maar er stond een tweepersoonsbed in, een eenpersoonsbed, een kleerkast en een tafel. Twee kleine kinderen zaten aan de tafel te tekenen en fluisterden met elkaar. Hun moeder zat op haar bed en staarde in de verte, met haar handen in haar schoot.

'Mevrouw Yurgii?' vroeg Rebus, terwijl hij de kamer wat verder binnenging. De tekeningen waren van bomen en bollen gele zonneschijn. De kamer had geen raam en werd geventileerd door een rooster in het plafond. De vrouw keek naar hem op met holle ogen.

'Mevrouw Yurgii, ik ben van de politie.' Hij had nu de aandacht van de kinderen. 'Dit is een collega van me. Kunnen we misschien praten waar de kinderen niet bij zijn?'

Ze wendde haar blik geen moment van de zijne af en knipperde niet met haar ogen. Tranen begonnen langs haar gezicht te druppelen en ze kneep haar lippen stijf op elkaar om het snikken binnen te houden. De kinderen gingen naar haar toe en troostten haar. Het leek of ze dat gewend waren. De jongen was zes of zeven. Hij keek de indringers met een bijna volwassen blik aan.

'U moet weg, niet dit voor ons doen.'

'Ik moet met je moeder praten,' zei Rebus zacht.

'Dat is niet toegestaan. Lazer op nu.' Hij articuleerde deze woorden nauwkeurig, met iets van het plaatselijke accent; opgepikt van de bewakers, veronderstelde Rebus.

'Ik moet echt met je moeder...'

'Ik weet alles,' zei mevrouw Yurgii plotseling. 'Hij... niet...' Ze keek Rebus smekend aan, maar hij kon alleen maar knikken. Ze trok haar kinderen tegen zich aan. 'Hij niet,' herhaalde ze. Het meisje begon ook te huilen, maar de jongen niet. Het was alsof hij wist dat zijn wereld alweer was veranderd en de zoveelste beproeving bracht.

'Wat is er?' De vrouw van de ruzie bij de kantine stond voor de deur.

'Kent u mevrouw Yurgii?' vroeg Rebus.

'Zij is mijn vriendin.' De baby was nu van de schouder van de vrouw verdwenen en had een plekje opgedroogde melk of speeksel achtergelaten. Ze kwam de kamer in en hurkte neer voor de weduwe.

'Wat is er gebeurd?' vroeg ze. Haar stem klonk laag en gebiedend.

'We hebben slecht nieuws gebracht,' zei Rebus tegen haar.

'Wat voor nieuws?'

'Over de man van mevrouw Yurgii,' kwam Wylie tussenbeide.

'Wat is er gebeurd? Er blonk nu angst in de ogen, de werkelijkheid begon door te dringen.

'Het is geen goed nieuws,' bevestigde Rebus. 'Haar man is dood.'

'Dood?'

'Hij is vermoord. Iemand moet het lichaam identificeren. Kende u het gezin voordat u hier kwam?'

Ze keek hem aan alsof hij niet goed bij zijn hoofd was. 'Niemand van ons kende de anderen voordat we hier kwamen.' Ze spuwde de laatste woorden uit.

'Kunt u haar vertellen dat ze haar man moet identificeren? We kunnen morgenochtend een auto sturen om haar op te halen...'

Traynor hief een hand op. 'Dat is niet nodig. Wij beschikken over vervoer...'

'O ja?' zei Wylie sceptisch. 'Met tralies voor de ramen?'

'Mevrouw Yurgii staat te boek als een potentiële wegloper. Ze blijft míjn verantwoordelijkheid.'

'U brengt haar naar het mortuarium achter in een boevenwagen?'

Hij keek Wylie dreigend aan. 'Ze wordt begeleid door bewakers.'

'Ik ben ervan overtuigd dat de samenleving zich daardoor gerustgesteld voelt.'

Rebus legde zijn hand op de elleboog van Wylie. Ze leek op het punt te staan nog iets aan haar opmerking toe te voegen, maar draaide zich om en liep de gang uit. Rebus haalde lichtjes zijn schouders op.

'Tien uur morgenochtend?' vroeg hij. Traynor knikte. Rebus gaf hem het adres van het mortuarium. 'Is het mogelijk dat de vriendin van mevrouw Yurgii met haar meegaat?'

'Ik zou niet weten waarom niet.' Traynor gaf zich gewonnen.

'Bedankt,' zei Rebus, waarna hij Wylie volgde naar het parkeerterrein. Ze liep nijdig heen en weer en schopte denkbeeldige stenen weg, gadegeslagen door een bewaker die langs de afzetting patrouilleerde met een zaklantaarn, ondanks het felle licht van de schijnwerpers. Rebus stak een sigaret op.

'Voel je je al wat beter, Ellen?'

'Waar zou ik me beter over moeten voelen?'

Rebus stak zijn handen in de lucht, alsof hij zich overgaf. 'Ik ben niet degene aan wie je de pest hebt.'

Het geluid dat uit haar mond kwam, begon als een snauw, maar eindigde in een zucht. 'Dat is juist het probleem, wie is het aan wie ik de pest heb?'

'De mensen die de leiding hebben?' opperde Rebus. 'Degenen die we nooit te zien krijgen.' Hij wachtte om te zien of ze hiermee instemde. 'Dit is mijn theorie,' vervolgde hij. 'Wij besteden het grootste deel van onze tijd met achter iets aan jagen wat "de onderwereld" wordt genoemd, maar het is de bóvenwereld die we echt in de gaten zouden moeten houden.'

Ze dacht er even over na en knikte.

De bewaker liep naar hen toe.

'Verboden te roken,' blafte hij. Rebus keek hem alleen maar aan. 'Het is niet toegestaan.'

Rebus nam nog een haal en kneep zijn ogen halfdicht. Wylie wees op een vage gele streep op de grond.

'Waar is dat voor?' vroeg ze, in een poging om zijn aandacht van Rebus af te leiden.

'De beheerszone,' antwoordde de bewaker. 'Gedetineerden mogen daar niet overheen.'

'Waarom niet in godsnaam?'

Hij verplaatste zijn blik naar haar. 'Ze zouden kunnen proberen te ontsnappen.'

'Heb je de laatste tijd nog wel eens naar die hekken gekeken? Zegt de hoogte van de omheining je niets? Prikkeldraad en ijzeren golfplaten?' Ze stapte op hem af. Hij stapte achteruit.

Rebus stak zijn hand uit om haar arm weer aan te raken. 'Ik denk dat we nu maar beter kunnen gaan,' zei hij, terwijl hij zijn sigaret zo wegschoot dat hij op de gepoetste schoen van de bewaker afketste en een paar vonkjes in de nacht verspreidde. Toen ze van het terrein wegreden, sloeg de eenzame vrouw hen gade vanachter haar kampvuur.

IO

'Zo, dit is... rustiek.' Alexis Cater keek naar de nicotinekleurige muren van de kamer op de bovenverdieping van de Oxford Bar.

'Ik ben blij dat je je verwaardigt er je goedkeuring aan te hechten.'

Hij stak een vermanende vinger op. 'Er zit vuur in je, dat mag ik wel. Ik heb een paar brandjes geblust in mijn leven, maar pas nadat ik ze eerst had aangestoken.' Hij lachte zelfgenoegzaam terwijl hij het glas naar zijn lippen bracht en het bier in zijn mond rond liet gaan alvorens te slikken. 'Geen slecht biertje, weet je, en verdomd goedkoop. Ik zou deze tent in gedachten moeten houden. Is het je stamkroeg?'

Ze schudde haar hoofd, net op het moment dat Harry de barkeeper verscheen om een paar lege glazen op te ruimen. 'Alles goed, Shiv?' riep hij. Ze knikte terug.

Cater grijnsde. 'Je dekking is naar de knoppen, Shiv.'

'Siobhan,' corrigeerde ze hem.

'Luister, ik zal je Siobhan noemen als jij mij Lex noemt.'

'Probeer je een deal te maken met een politiefunctionaris?'

Zijn ogen twinkelden boven de rand van het glas. 'Het is moeilijk om me je voor te stellen in uniform... maar het is wel de inspanning waard.'

Ze was bewust op een van de banken gaan zitten, omdat hij dan de stoel tegenover haar zou moeten nemen, maar hij was gewoon naast haar op de bank gekomen en kroop steeds dichter naar haar toe.

'Werkt dit charmeoffensief van je wel eens?'

'Ik mag niet klagen. Weet je...' Hij keek op zijn horloge. 'We zijn hier al meer dan tien minuten en je hebt nog niets over mijn vader gevraagd. Dat is waarschijnlijk een record.'

'Dus je beweert dat vrouwen je ter wille zijn om wie je bent?'

Hij kreunde. 'Die komt hard aan.'

'Weet je nog waarom we hier hebben afgesproken?'

'Jezus, je maakt het zo formeel.'

'Als je het "formeel" wilt hebben, kunnen we het gesprek voortzetten op Gayfield Square.'

Hij trok een wenkbrauw op. 'Is daar je flat?'

'Daar is mijn politiebureau,' zo corrigeerde ze hem.

'Godallemachtig, dit is inspannend.'

'Dat dacht ik ook al.'

'Ik moet een sigaretje,' zei Cater. 'Rook jij?' Siobhan schudde haar hoofd en hij keek om zich heen. Er was weer een klant binnengekomen, die aan de tafel tegenover hen plaatsnam en zijn krant opensloeg. Cater keek naar het pakje sigaretten dat naast de krant lag. 'Excuseer me,' riep hij. 'Heeft u misschien een sigaretje voor me?'

'Nee,' zei de man. 'Ik heb zelf elke sigaret nodig waar ik mijn hand op kan leggen.' Hij keek zijn krant weer in.

Cater wendde zich tot Siobhan. 'Aardige klanten.'

Siobhan haalde haar schouders op. Ze was niet van plan hem te vertellen dat er een sigarettenautomaat om de hoek bij de toiletten stond.

'Het skelet,' bracht ze hem in herinnering.

'Wat is daarmee?' Hij leunde achterover alsof hij wenste ergens anders te zijn.

'Je hebt dat voor de kamer van professor Gates weggenomen.'

'En?'

'Ik wil weten hoe het terechtkwam in een betonnen vloer in Fleshmarket Close.'

'Ik ook,' zei hij lachend. 'Misschien kan ik het idee aan mijn vader verkopen voor een miniserie.'

'Nadat je het had meegenomen...' drong Siobhan aan.

Hij draaide zijn glas rond, waardoor er een nieuw schuimlaagje op het bier kwam. 'Je ziet mij voor een goedkoop afspraakje aan. Denk je dat ik na één drankje mijn geheim verklap?'

'Goed dan...' Siobhan maakte aanstalten om op te staan.

'Drink tenminste je glas leeg,' protesteerde hij.

'Nee, dank je.'

Hij schudde zijn hoofd op een overdreven manier. 'Goed dan, het is duidelijk...' Hij gebaarde met zijn arm. 'Ga zitten, dan vertel ik het je.' Ze aarzelde, en trok toen de stoel tegenover hem naar zich toe. 'Jezus,' zei hij, 'jij bent een echte diva wanneer je eenmaal begint.'

'Jij volgens mij ook.' Ze pakte haar glas tonic op. Toen ze de bar binnenkwamen, had Cater voor haar een gin-tonic besteld, maar ze had Harry een teken gegeven dat ze de gin niet wilde; dat was de reden waarom het rondje zo goedkoop was...

'Als ik het je vertel, gaan we dan straks ergens een hapje eten?' Ze keek hem woedend aan. 'Ik ben uitgehongerd,' drong hij aan.

'Er is een goeie friettent in Broughton Street.'

'Is dat ergens in de buurt van je flat? Dan kunnen we de *fish and chips* daarnaartoe meenemen...'

Opeens moest ze glimlachen. 'Jij geeft het nooit op, hè?'

'Niet voordat ik er echt helemaal zeker van ben.'

'Zeker van wat?'

'Dat de dame niet geïnteresseerd is.' Hij wierp haar een glimlach toe. Intussen schraapte aan de tafel achter haar de man zijn keel terwijl hij een nieuwe pagina opsloeg.

'We zullen zien,' was haar reactie. En vervolgens: 'Vertel me nu over de botten van Mag Lennox...'

Hij keek naar het plafond om de herinnering op te roepen. 'Die goeie, ouwe Mag...' Hij zweeg abrupt. 'Dit is toch *off the record*, hè?'

'Maak je geen zorgen.'

'Goed, je had gelijk, natuurlijk... we wilden Mag "lenen". We gaven een feestje en vonden het leuk als Mag aan het hoofd van de tafel zou zitten. We waren op dat idee gekomen op een feestje van een student diergeneeskunde. Die had een dode hond uit het lab gepikt en hem in zijn badkamer gezet, zodat elke keer wanneer iemand moest...'

'Ik begrijp het.'

Hij haalde zijn schouders op. 'Net zoiets deden we met Mag. We hebben haar bij het diner op een stoel aan het hoofd van de tafel gezet. Later hebben we volgens mij zelfs nog met haar gedanst. Het had iets te maken met de hoeveelheid spiritualiën, mevrouw. We waren van plan om haar later terug te brengen...'

'Maar jullie hebben dat niet gedaan?'

'Tja, toen wij de volgende ochtend wakker werden, was ze er al op eigen kracht vandoor gegaan.'

'Dat lijkt me sterk.'

'Goed dan, iemand heeft haar meegenomen.'

'En de baby ook; hebben jullie die meegenomen toen ze op de afdeling werd afgedankt?' Hij knikte. 'Ben je er ooit achter gekomen wie ze heeft meegenomen?'

Hij schudde zijn hoofd. 'We zaten met zijn zevenen aan het diner, maar daarna kwam het feest pas goed op gang en moeten er zo'n twintig, dertig mensen zijn geweest. Iedereen kan het geweest zijn.'

'Heb je geen hoofdverdachten?'

Hij dacht even na. 'Pippa Greenlaw had een nogal ruig type mee-gebracht. Dat bleek later voor één nacht te zijn, want we hebben nooit meer iets van hem gehoord.'

'Had hij een naam?'

'Ik denk van wel.' Hij keek haar aan. 'Maar waarschijnlijk niet zo sexy als de jouwe.'

'En Pippa, is zij ook medicus?'

'Goeie hemel, nee. Ze werkt in de pr. O ja, zo had ze die aanbid-der ontmoet. Hij was voetballer.' Hij zweeg even. 'Nou ja, hij wil-de voetballer zijn.'

'Heb je een nummer van Pippa?'

'Ergens... zou wel eens een oud nummer kunnen zijn...' Hij boog zich naar voren. 'Ik heb het natuurlijk niet bij me. Ik neem aan dat dit betekent dat we nog een rendez-vous nodig hebben.'

'Het betekent dat je mij belt om me dat nummer te geven.' Ze gaf hem haar kaartje. 'Je kunt een bericht op het bureau achterlaten als ik er niet ben.'

Zijn glimlach verzachtte terwijl hij haar bekeek, waarbij hij zijn hoofd in verschillende richtingen bewoog.

'Wat is er?' vroeg ze.

'Ik vraag me af hoeveel van die ijzige-maagdhouding alleen maar houding is. Stap je ooit uit je rol?' Hij stak zijn hand uit over de ta-fel, pakte haar bij haar pols en drukte die tegen zijn lippen. Ze wrong zich los. Hij leunde weer achterover met een tevreden blik.

'Vuur en ijs,' mijmerde hij. 'Dat is een mooie combinatie.'

'Wil je nog een mooie combinatie zien?' vroeg de man aan het an-dere tafeltje, terwijl hij zijn krant opvouwde. 'Wat dacht je van een knal voor je kop en een schop onder je reet?'

'Hemeltjelief, het is Ridder Roelant!' Cater lachte. 'Sorry, beste kerel, er zijn hier geen jonkvrouwen die uw hulp behoeven.'

De man was opgestaan en stapte naar het midden van de kleine ruimte. Siobhan stond op en blokkeerde zijn zicht op Cater.

'Het is oké, John,' zei ze. Vervolgens tegen Cater: 'Ik denk dat je er maar beter vandoor kunt gaan.'

'Ken jij deze primaat?'

'Hij is een collega van me,' bevestigde Siobhan.

Rebus rekte zijn nek uit om Cater beter in het vizier te krijgen. 'Zorg er nou maar voor dat je haar dat telefoonnummer geeft. En verder geen gezeik.'

Cater was opgestaan. Hij treuzelde met veel vertoon lang genoeg om zijn glas leeg te drinken. 'Het was een heerlijke avond, Siobhan...

We moeten dit nog een keer overdoen, met of zonder de aap die kunstjes doet.'

Harry de barkeeper stond in de deuropening. 'Is die Aston buiten van jou, makker?'

Cater keek meteen wat vriendelijker. 'Mooie wagen, hè?'

'Dat weet ik niet, maar de een of andere sukkel heeft hem zojuist voor een pisbak aangezien...'

Met een kreet haastte Carter zich het trapje af naar de uitgang. Harry gaf een knipoog en ging terug naar de bar. Siobhan en Rebus keken elkaar aan en schoten in de lach.

'De slijmjurk,' merkte Rebus op.

'Zou jij misschien ook zijn, als je zo'n vader had.'

'Tot over zijn oren verwend, denk ik.' Rebus ging weer aan zijn tafeltje zitten. Siobhan draaide haar stoel om en ging tegenover hem zitten.

'Misschien is het alleen maar zíjn houding.'

'Net zoals jouw "ijzige-maagdhouding"?'

'En jouw schreeuwlelijk-houding.'

Rebus knipoogde en zette zijn glas aan zijn mond. Het was haar al eens eerder opgevallen hoe hij zijn mond opende wanneer hij dronk: alsof hij de drank aanviel en daarbij zijn tanden liet zien. 'Nog een?' vroeg ze.

'Probeer je het zondige moment uit te stellen?' zei hij plagend. 'Och, waarom niet? Het is hier vast goedkoper dan daar.'

Ze kwam met de drankjes terug. 'Hoe is het op Whitemire gegaan?'

'Zoals te verwachten was. Ellen Wylie is nog tegen een van die figuren tekeergegaan.' Hij beschreef het bezoek en eindigde met Wylie en de bewaker. 'Waarom zou ze dat volgens jou hebben gedaan?'

'Aangeboren rechtvaardigheidsgevoel?' opperde Siobhan. 'Misschien is ze van niet-Engelse oorsprong?'

'Net zoals ik, bedoel je?'

'Ik meen me te herinneren dat jij me verteld hebt dat je uit Polen komt.'

'Ik niet, mijn opa.'

'Misschien heb je daar nog familie.'

'God mag het weten.'

'En vergeet niet dat ik ook een immigrant ben. Mijn ouders zijn beiden Engels... grootgebracht ten zuiden van de grens.'

'Maar jij bent hier geboren.'

'En weggevoerd voordat ik uit de luiers was.'

'Dat maakt je toch tot een Schot. Probeer daar nou niet onderuit te komen.'

'Ik zeg alleen maar...'

'Wij zijn een volk van bastaards, dat is altijd zo geweest. Gekoloniseerd door de Ieren, verkracht en geplunderd door de Vikingen. Toen ik klein was, leek het wel of alle friettenten werden gerund door Italianen. Ik had klasgenoten met Poolse en Russische achternamen...' Hij staarde in zijn glas. 'Ik kan me niet herinneren dat iemand daarvoor werd neergestoken,' voegde hij er peinzend aan toe.

'Maar jij bent opgegroeid in een dorp.'

'Nou, en?'

'Ik wou alleen maar zeggen dat het in Knoxland misschien om iets anders gaat.'

Hij knikte instemmend en dronk zijn glas leeg. 'Laten we gaan,' zei hij.

'Ik heb nog een half glas.'

'Word je soms bang, brigadier Clarke?'

Een grom weerklonk in haar keel, maar ze stond toch op.

'Ben jij wel eens eerder in een van die tenten geweest?'

'Een paar keer,' bekende hij. 'Als ik ging stappen.'

Ze parkeerden de auto in Bread Street, voor een van de chiquere hotels van de stad. Rebus vroeg zich af wat hotelgasten dachten die vanuit hun suite de Schaamstreek in stapten. Het gebied strekte zich uit van de striptenten van Tollcross en Lothian Road tot aan Lawson Street. Bars adverteerden met de 'grootste tieten' van de stad, 'viptafeldansen' en 'non-stopactie'. Er was in Bread Street tot nu toe maar één onopvallende seksshop en niets duidde erop dat ook maar één van de tippelaarsters van Leith hier haar werkgebied had.

'Het voert me terug in de tijd,' bekende Rebus. 'Jij bent hier niet geweest in de jaren zeventig, hè? Gogodanseressen tijdens de lunch... een pornobioscoop in de buurt van de universiteit...'

'Fijn om je zo nostalgisch te horen,' zei Siobhan koeltjes.

Hun bestemming was een opgeknapte pub aan de overkant van de straat, recht tegenover een leegstaande winkel. Rebus kon zich zo een paar vroegere namen van de pub herinneren: Laurie Tavern, Wheaten Inn, Snakepit. Maar nu was het de Nook. Een bord op het grote zwartgeverfde raam riep de zaak uit tot 'Uw eerste lekkere stopplaats in de stad', en bood 'onmiddellijk lidmaatschap met gouden status'. Twee uitsmijters bewaakten de toegang om dronkenlappen en ongewenste personen te weren. Ze waren beiden te zwaar en hadden kaalgeschoren hoofden. Ze droegen identieke zwarte pakken en zwarte overhemden met open kraag. Ze hadden oortjes in, zodat ze konden worden opgeroepen als er binnen problemen waren.

'Twiedeliedom en Twiedeliedommer,' fluisterde Siobhan. Ze keken naar haar in plaats van naar Rebus; vrouwen waren nu eenmaal niet de doelgroep van de Nook.

'Sorry, geen stellen,' zei een van hen.

'Ha, die Bob,' reageerde Rebus. 'Hoe lang ben je al vrij?'

De uitsmijter had even tijd nodig om hem te plaatsen. 'U ziet er goed uit, meneer Rebus.'

'Jij ook. Je bent zeker in het fitnesscentrum van Saughton geweest.' Rebus wendde zich tot Siobhan. 'Laat me je even voorstellen aan Bob Dodds. Bob heeft een halfjaar gezeten voor een tamelijk forse geweldpleging.'

'Verminderd na beroep,' voegde Dodds hieraan toe. 'En die rotzak had het verdiend.'

'Hij had je zus gedumpt... dat was het toch? Jij ging op hem af met een honkbalknuppel en een stanleymes. En nu sta je hier, in levenden lijve.' Rebus glimlachte breed. 'En je vervult een nuttige taak in de gemeenschap.'

'Bent u van de politie?' De andere uitsmijter begreep het eindelijk.

'Ik ook,' zei Siobhan. 'En dat betekent, stel of geen stel, dat wij naar binnen gaan.'

'Wilt u de directeur spreken?' vroeg Dodds.

'Daar komt het wel zo'n beetje op neer.'

Dodds trok een walkietalkie uit zijn jasje tevoorschijn. 'Deur aan kantoor.'

Er was wat geruis, waarna een krakend antwoord kwam. 'Wat is er nou godverdomme weer?'

'Twee politiemensen die u willen spreken.'

'Zijn ze uit op smeergeld of zo?'

Rebus nam de walkietalkie van Dodds over. 'We willen alleen maar een rustig gesprek. Maar als u ons wilt omkopen, dan is dat iets wat we op het politiebureau moeten bespreken...'

'Jezus, het was maar een grap. Laat Bob u binnen brengen.'

Rebus gaf de walkietalkie terug. 'Ik denk dat dit ons tot leden met een gouden status maakt,' zei hij.

Achter de deur was een dunne scheidingswand, opgetrokken om iedereen die van buiten kwam te beletten naar binnen te kijken voordat entree was betaald. De receptie bestond uit een vrouw van middelbare leeftijd en een ouderwetse kassa. De vloerbedekking was vuurrood met paars, de muren waren zwart, met kleine oplichtende lampjes, wat óf bedoeld was om de nachtelijke hemel na te bootsen óf om te voorkomen dat klanten een nauwgezette studie konden maken van de barprijzen en voorschriften. De bar had voor zover Rebus zich kon herinneren heel veel weg van de bar uit de tijd dat de zaak nog Laurie Tavern heette. Er was geen tapbier, alleen het winstgevender assortiment in flesjes. In het midden van de ruimte was een klein podium met twee zilverkleurige palen tot aan het plafond. Een jonge donkere vrouw danste op te luid klinkende instrumentale muziek, gadegeslagen door een man of vijf. Siobhan merkte dat ze haar ogen de hele tijd gesloten hield en zich concentreerde op de muziek. Twee andere mannen zaten op een bank er vlakbij, terwijl een andere vrouw topless tussen hen danste. Een pijl wees de weg naar een VIP-PRIVÉBOX, door zwarte gordijnen afgeschermd van de rest van de ruimte. Drie keurig in het pak gestoken zakenlieden zaten op krukken aan de bar en deelden een fles champagne.

'Het wordt later drukker,' zei Dodds tegen Rebus. 'In het weekend is het hier een gekkenhuis...' Hij ging hen voor over de vloer, bleef staan voor een deur met een bordje PRIVÉ erop en toetste een nummer in op het paneeltje naast de deur. Hij duwde de deur open en gebaarde met een knik dat ze door konden lopen.

Ze stonden in een korte, smalle gang met een deur aan het eind. Dodds klopte aan en wachtte.

'Als het dringend is!' hoorden ze vanuit de kamer. Rebus maakte Dodds met een hoofdgebaar duidelijk dat ze zich verder wel zonder hem konden redden. Toen draaide hij de deurknop om.

Het kantoor was niet veel groter dan een bergruimte, en het was er propvol. Planken kreunden onder de formulieren en allerlei afgedankte spullen, van een kapotte bierpomp tot en met een oude schrijfmachine. Tijdschriften lagen opgestapeld op de linoleumvloer, voornamelijk vakbladen. De onderste helft van een koeltank voor drinkwater diende als bergplaats voor in krimpfolie verpakte bierviltjes. Een indrukwekkende groene safe stond open en bevatte dozen met rietjes en pakken papieren servetten. Achter het bureau was een klein getralied venster, dat overdag een minimum aan natuurlijk licht zou doorlaten. De hele muur hing vol ingelijste foto's uit kranten: foto's in paparazzistijl van mannen die de Nook verlieten. Rebus herkende een paar voetballers die niet meer op het hoogste niveau speelden.

De man die achter het bureau zat, was in de dertig. Hij had een strak zittend T-shirt aan dat zijn gespierde torso en armen accentueerde. Zijn gezicht was gebruind en het kortgeknipte haar was nog zwart. Geen sieraden, op een gouden horloge met een overdaad aan wijzers na. Zijn blauwe ogen straalden, zelfs bij de schemerige verlichting in deze kamer. 'Stuart Bullen,' zei hij, en hij stak zijn hand uit zonder op te staan.

Rebus stelde zichzelf en Siobhan voor. Na de handdrukken verontschuldigde Bullen zich voor het gebrek aan stoelen. 'Daar is hier geen ruimte voor,' zei hij schouderophalend.

'We blijven graag staan, meneer Bullen,' verzekerde Rebus hem.

'Zoals u ziet heeft de Nook niets te verbergen... en dat maakt mij des te nieuwsgieriger naar de reden van uw bezoek.'

'U heeft geen plaatselijk accent, meneer Bullen,' merkte Rebus op.

'Ik kom oorspronkelijk van de westkust.'

Rebus knikte. 'Volgens mij ken ik die naam ergens van...'

Bullens mond vertrok. 'Om u gerust te stellen, ja, mijn vader was Rab Bullen.'

'Een gangster uit Glasgow,' verklaarde Rebus aan Siobhan.

'Een gerespecteerd zakenman,' zo corrigeerde Bullen hem meteen.

'Die stierf toen iemand hem van dichtbij op de drempel van zijn eigen huis doodschoot,' vulde Rebus aan. 'Wanneer was dat; zo'n vijf, zes jaar geleden?'

'Als ik had geweten dat u met mij over mijn vader kwam praten...' Bullen keek Rebus nors aan.

'Dat is niet zo.'

'We zijn op zoek naar een meisje, meneer Bullen,' zei Siobhan. 'Ze is van huis weggelopen en ze heet Ishbel Jardine.' Ze reikte hem de foto aan. 'Hebt u haar misschien gezien?'

'En waarom zou ik haar gezien hebben?'

Siobhan haalde haar schouders op. 'Het kan zijn dat ze geld nodig had. We hebben gehoord dat u danseressen aangenomen heeft.'

'Alle clubs in de stad nemen danseressen aan.' Het was zijn beurt om zijn schouders op te halen. 'Ze komen en gaan... Al mijn danseressen zijn legaal, en verder dan dansen gaat het niet.'

'Ook niet in de vipbox?' vroeg Rebus.

'We hebben het over huisvrouwen en studenten... vrouwen die graag op een gemakkelijke manier wat bijverdienen.'

'Bekijkt u de foto even, alstublieft,' zei Siobhan. 'Ze is achttien en ze heet Ishbel.'

'Nooit eerder gezien.' Hij wilde de foto teruggeven. 'Wie heeft u trouwens verteld dat ik danseressen aangenomen heb?'

'We zijn getipt,' zei Rebus.

'Ik zag u naar mijn kleine verzameling kijken.' Bullen knikte in de richting van de foto's aan de muur. 'Dit is een eersteklas zaak, we hechten eraan wat hoger aangeschreven te staan dan de andere clubs in de omgeving. Dat betekent dat we kieskeurig zijn met de dames die wij in dienst nemen. We hebben liever geen junks.'

'Niemand heeft gezegd dat ze een junk was. En ik betwijfel ten zeerste of deze tent ooit zou kunnen worden beschreven als "eersteklas".'

Bullen ging achteroverzitten om hem beter te kunnen bestuderen. 'U bent waarschijnlijk niet meer zover van uw pensioen verwijderd, inspecteur. Ik kijk uit naar de dag dat ik te maken krijg met politiemensen als uw collega.' Hij glimlachte in de richting van Siobhan. 'Een veel aangenamer vooruitzicht.'

'Hoe lang hebt u deze zaak al?' vroeg Rebus. Hij had zijn sigaretten uit zijn zak gehaald.

'Wilt u niet roken hier,' zei Bullen. 'Het is hier vuurgevaarlijk.' Rebus aarzelde, maar stopte toen het pakje weg. Bullen knikte als dank. 'Om uw vraag te beantwoorden: vier jaar.'

'Waarom bent u uit Glasgow vertrokken?'

'Nou, de dood van mijn vader zou een aanwijzing voor u kunnen zijn.'

'Ze hebben de moordenaar nooit te pakken gekregen, hè?'

'Zou dat "ze" geen "we" moeten zijn?'

'De politie van Glasgow en Edinburgh: een verschil van dag en nacht.'

'Bedoelt u dat u meer geluk zou hebben gehad?'

'Geluk heeft er niets mee te maken.'

'Goed, inspecteur, als dat alles was waarvoor u bent gekomen... Ik neem aan dat u ook nog andere etablissementen moet bezoeken?'

'Zouden we met de meisjes mogen praten?' vroeg Siobhan plotseling.

'Waarom?'

'Om ze de foto te laten zien. Is er een kleedkamer die ze gebruiken?'

Hij knikte. 'Achter het zwarte gordijn. Maar daar gaan ze alleen maar heen als ze elkaar aflossen.'

'Dan praten we wel met ze waar we ze kunnen vinden.'

'Als u zo nodig moet,' grauwde Bullen.

Ze draaide zich om en wilde weggaan, maar bleef plotseling staan. Er hing een zwartleren jasje achter de deur. Ze nam de kraag tussen twee vingers en wreef erover. 'Wat voor auto hebt u?' vroeg ze.

'Wat gaat u dat aan?'

'Het is een heel eenvoudige vraag, maar als u moeilijk gaat doen...' Ze keek hem woedend aan.

Bullen zuchtte. 'Een BMW X5.'

'Dat klinkt sportief.'

Bullen snoof. 'Het is een terreinwagen, met vierwielaandrijving. Een beest van een wagen.'

Ze knikte begrijpend. 'Typisch auto's voor mannen die iets moeten compenseren...' En met deze woorden liep ze de deur uit. Rebus keek Bullen glimlachend aan.

'Is ze nog steeds een "veel aangenamer vooruitzicht", waar u het eerder over had?'

'Ik ken u,' antwoordde Bullen, terwijl hij een beschuldigende vinger opstak. 'U bent die politieman die Ger Cafferty in zijn zak heeft.'

'Is dat zo?'

'Dat zegt iedereen.'

'Daar kan ik dan weinig tegen inbrengen, nietwaar?' Rebus draaide zich om en ging achter Siobhan aan. Hij vond dat hij er goed aan had gedaan om niet tegen de insinuatie van die eikel in te gaan. Big Ger Cafferty was jarenlang de koning van de Edinburghse onderwereld geweest. Tegenwoordig deed hij het rustiger aan, in ieder geval naar buiten toe. Maar met Cafferty wist je het nooit. Het was waar dat Rebus hem kende. In feite had Bullen hem zojuist op een idee gebracht, want als er één man was die zou kunnen weten wat een onderwereldfiguur uit Glasgow als Stuart Bullen aan de andere kant van het land uitvrat, dan was dat wel Morris Gerald Cafferty.

Siobhan was op een kruk aan de bar gaan zitten. De zakenlieden waren naar een tafeltje verhuisd. Rebus voegde zich bij haar en stelde daarmee de barkeeper op zijn gemak. Die had waarschijnlijk nooit eerder een vrouw alleen bediend.

'Een flesje van je beste bier,' zei Rebus. 'En wat de dame wil drinken.'

'Cola light,' zei ze tegen de barkeeper.

'Zes pond,' zei hij toen hij de drankjes neerzette.

'De heer Bullen heeft gezegd dat ze voor rekening van het huis zijn,' informeerde Rebus hem met een knipoog. 'Hij wil ons zoet houden.'

'Heb je dit meisje wel eens hier gezien?' vroeg Siobhan, die hem de foto liet zien.

'Ziet er bekend uit... maar ja, heel veel meisjes zien er zo uit.'

'Hoe heet je, knul?' vroeg Rebus.

De barkeeper zette zijn stekels op bij het gebruik van dat 'knul'. Hij was voor in de twintig, klein en mager. Hij droeg een wit T-shirt, misschien in een poging de stijl van zijn baas te imiteren. Zijn haar was piekerig van de gel. Hij had net zo'n oortje in als de uitsmijters. In zijn andere oor zaten twee oorringetjes.

'Barney Grant.'

'Werk je hier al lang, Barney?'

'Een paar jaar.'

'In een tent als deze maakt dat je waarschijnlijk tot een oudgediende.'

'Niemand is hier langer dan ik,' gaf Grant toe.

'Ik neem aan dat je wel eens het een en ander hebt meegemaakt.'

Grant knikte. 'Maar één ding wat ik in al die tijd nog niet heb meegemaakt is dat Stuart een gratis rondje gaf.' Hij hield zijn hand op. 'Zes pond, alstublieft.'

'Ik bewonder je vasthoudendheid, knul.' Rebus betaalde. 'Waar komt dat accent van jou vandaan?'

'Australië. En ik zal u nog iets vertellen. Ik kan me heel goed gezichten herinneren en volgens mij heb ik u al eerder gezien.'

'Ik ben hier een paar maanden geleden geweest... een vrijgezellenfeestje. Ik ben niet lang gebleven.'

'Om terug te komen op Ishbel Jardine,' zei Siobhan op vleierige toon, 'denk je dat je haar hebt gezien?'

Grant bekeek de foto nog eens. 'Maar misschien niet hier. Er zijn een heleboel clubs en pubs... het kan overal geweest zijn.' Hij bracht het geld naar de kassa. Siobhan draaide zich naar de zaal toe, maar wenste bijna dat ze dat niet had gedaan. Een van de danseressen ging een keurig in het pak gestoken man voor naar de vipbox. Een andere, degene die ze al eerder had gezien toen ze zich op de muziek concentreerde, gleed nu omhoog en omlaag langs de zilverkleurige paal, zonder haar string.

'Jezus, wat goedkoop,' zei ze tegen Rebus. 'Wat heb je daar nou in godsnaam aan?'

'Daar krijg je een lichtere portefeuille van,' antwoordde hij.

Siobhan wendde zich weer tot Grant. 'Hoeveel vragen ze?'

'Tien pond per dans. Duurt een paar minuten, aanraken niet toegestaan.'

'En in de vipbox?'

'Dat zou ik u niet kunnen vertellen.'

'Waarom niet?'

'Ik ben er nooit binnen geweest. Wilt u nog iets drinken?' Hij gebaarde naar haar glas, waar nog een hele laag ijs in zat.

'Een horecatruc,' merkte Rebus op. 'Hoe meer ijs je erin doet, hoe minder ruimte er is voor de drank.'

'Nee, dank je,' zei ze tegen Grant. 'Denk je dat een van de meisjes met ons wil praten?'

'Waarom zouden ze?'

'Als ik de foto bij je achterlaat... wil je hem dan eens aan hen laten zien?'

'Dat zou ik kunnen doen.'

'En mijn kaartje.' Ze gaf het hem samen met de foto. 'Je kunt me bellen als je iets hoort.'

'Oké.' Hij legde het kaartje en de foto onder de bar. Daarna vroeg hij aan Rebus: 'En u? Wilt u nog iets drinken?'

'Niet voor die prijzen, Barney, maar in ieder geval bedankt.'

'Vergeet niet me te bellen,' zei Siobhan. Ze liet zich van de kruk glijden en wilde naar de uitgang lopen, maar Rebus was blijven staan om nog een rij ingelijste foto's te bekijken. Het waren kopieën van de krantenknipsels in Bullens kantoor. Hij tikte er op een. Siobhan keek wat aandachtiger: Lex Cater en zijn vader de filmster, met spookachtig witte gezichten vanwege het flitslicht van de fotograaf. Gordon Cater had zijn hand opgeheven om zijn gezicht te bedekken, maar te laat. Hij keek niet bepaald vrolijk, maar zijn zoon grijnsde, blij dat dit werd vastgelegd voor het nageslacht.

'Moet je die tekst bij de foto's zien,' zei Rebus. Bij elke foto hing een 'exclusief' verhaaltje, geschreven door steeds dezelfde persoon: Steve Holly.

'Grappig dat hij altijd op het juiste moment op de juiste plek is,' zei Siobhan.

'Ja, hè?'

Buiten bleef hij even staan om een sigaret op te steken. Siobhan liep door, opende het portier, stapte in en klemde het stuur tussen haar handen. Rebus liep langzaam, diep inhalerend. Er was nog een halve sigaret over toen hij bij de Peugeot kwam, maar hij schoot die weg op straat en stapte naast haar in.

'Ik weet wat je denkt,' zei hij.

'O ja?' Ze startte en reed weg. Hij keerde zich naar haar toe. 'Je hebt verschillende soorten vleesmarkten,' zei hij. 'Waarom vroeg je hem wat voor auto hij heeft?'

Siobhan dacht even na over haar antwoord. 'Omdat hij eruitzag als een pooier,' zei ze, terwijl de woorden van Rebus rondmaalden in haar hoofd: verschillende soorten vleesmarkten...

DAG VIER

DONDERDAG

11

De volgende ochtend was Rebus weer in Knoxland. Er lagen nog wat spandoeken en borden over de grond verspreid, de teksten vervaagd door voetafdrukken. Rebus zat in de portakabin een meegebrachte kop koffie te drinken en de krant te lezen. De naam Stef Yurgii was de vorige avond tijdens een persconferentie aan de media bekendgemaakt. Hij kreeg niet meer dan een korte vermelding in Steve Holly's krantje, terwijl aan Mo Dirwan een paar alinea's werd gewijd. Er stonden ook een aantal foto's van Rebus in, waarop hij de jongen tegen de grond drukte en tot held werd uitgeroepen door Dirwan, die zijn armen hemelwaarts hief, met op de achtergrond Dirwans volgelingen. De kop – ongetwijfeld het werk van Holly zelf – bestond uit het enkele woord: GESTENIGD!

Rebus gooide de krant in de afvalbak, zich ervan bewust dat iemand hem er naar alle waarschijnlijkheid gewoon weer uit zou vissen. Hij vond een halfvolle kop koude koffie en kiepte die over de krant, wat hem een beter gevoel gaf. Al kwart over negen. Eerder die ochtend had hij gevraagd een patrouillewagen naar Portobello te sturen, die er nu elk moment kon zijn. Het was stil in de portakabin. De leiding was zo verstandig geweest hier geen computer te zetten, dus alle verslagen van huis-aan-huisgesprekken werden op het bureau Torphichen verzameld. Rebus liep naar het raam en veegde met zijn voet wat glasscherven op een hoop. Ondanks het rooster ervoor was de ruit gebroken met een stok of een dunne ijzeren staaf. Er was iets kleverigs door het raam gespoten, dat op de vloer en op het dichtstbijzijnde bureau terecht was gekomen. Om het geheel af te ronden was er met verf op elke beschikbare plek aan de buitenkant het woord TUIG gespoten. Rebus wist dat tegen het eind van de dag het raam dichtgespijkerd zou zijn. Het zou zelfs kunnen zijn dat de portakabin afgeschreven zou worden. Ze hadden verzameld wat ze konden, elke beschikbare aanwijzing vastgelegd. De belangrijkste strategie van Shug Davidson was, zo wist hij, de buurt zo te schande maken dat de schuldige zou worden aangewezen. Misschien waren die verhalen van Holly nog niet zo erg.

Leuk bedacht, maar Rebus betwijfelde of veel mensen in Knoxland iets anders zouden voelen dan volledige rechtvaardiging van hun gevoelens als ze over racisme lazen. Davidson rekende er echter op dat iemand het licht zou zien: één getuige was alles wat hij nodig had.

Eén naam.

Er was bloed geweest; een wapen dat moest verdwijnen; kleren die verbrand of weggegooid moesten worden. Iemand wist iets. Ergens verborgen in die huizenblokken zat iemand die, hopelijk, schuldgevoelens had.

Iemand wist iets.

Rebus had meteen die ochtend Steve Holly gebeld en hem gevraagd hoe het kwam dat hij altijd voor de Nook stond als er een bekende persoon naar buiten kwam.

'Gewoon goed journalistiek speurwerk. Maar je hebt het over de verleden tijd.'

'Hoezo?'

'Toen die tent pas openging, was hij een paar maanden heel populair. Toen zijn die foto's gemaakt. Kom jij er vaak?'

Rebus had zonder te antwoorden het gesprek beëindigd.

Toen hoorde hij een auto naderen. Hij keek door het gebroken glas en zag hem inderdaad. Hij stond zichzelf een glimlachje toe terwijl hij zijn laatste slok koffie nam.

Snel liep hij naar buiten om Gareth Baird op te vangen. Met een hoofdknik begroette hij de twee agenten die hem hadden gebracht.

'Goeiemorgen, Gareth.'

'Wat is dit voor een geintje?' Gareth stopte zijn vuisten diep in zijn zakken. 'Pesterij of zo?'

'Helemaal niet. Het gaat erom dat jij een waardevolle getuige bent. Je weet wel, jíj weet hoe de vriendin van Stef Yurgii eruitziet.'

'Jezus, ik heb haar nauwelijks gezien!'

'Maar zij voerde het woord,' zei Rebus kalm. 'En ik heb het vage idee dat jij haar herkent als je haar weer ziet.'

'Ik moet zeker een fotocompositie voor u maken?'

'Dat komt later. Nu ga je met deze twee agenten op verkenning.'

'Op verkenning?'

'Deur-aan-deur. Dan krijg je een indruk van politiewerk.'

'Hoeveel deuren?' Gareths blik dwaalde langs de torenflats.

'Allemaal.'

Met grote ogen staarde hij Rebus aan, als een kind dat moet nablijven bij het onbenulligste vergrijp.

'Hoe eerder je begint...' Rebus gaf hem een schouderklopje en zei tegen de agenten: 'Neem hem mee, jongens.'

Terwijl hij Gareth nakeek, die tussen de twee agenten in met gebogen hoofd naar het eerste blok sjokte, voelde hij iets van voldoening. Het was fijn om te weten dat dit werk nog steeds van die onverwachte extra's had...

Er arriveerden nog twee auto's: Davidson en Wylie in de ene en Reynolds in de andere. Ze waren waarschijnlijk samen vanuit Torphichen vertrokken. Davidson had de ochtendkrant bij zich, opengeslagen bij GESTENIGD!

'Heb je dat gezien?' vroeg hij.

'Daartoe zou ik me niet verlagen, Shug.'

'Waarom niet?' zei Reynolds grijnzend. 'Jij bent de nieuwe held van die tulbanden.'

Davidson werd rood. 'Nog één zo'n opmerking, Charlie, en ik slinger je op rapport, is dat duidelijk?'

Reynolds verstarde. 'Een uitglijertje, inspecteur.'

'Jij glijdt vaker uit dan een kip op glad ijs. Laat het niet weer gebeuren.'

'Nee, inspecteur.'

Davidson liet de stilte even hangen en besloot toen dat hij duidelijk was geweest. 'Kun je ook nog iets nuttigs doen?'

Reynolds ontspande iets. 'Vertrouwelijke info. Een vrouw in een van de flats kan voor een pot thee en wat biscuits zorgen.'

'O ja?'

'Ik heb haar gisteren gesproken. Ze zei dat ze het niet erg zou vinden om voor ons af en toe een pot thee te zetten.'

Davidson knikte. 'Ga maar halen dan.' Reynolds maakte aanstalten om te vertrekken. 'O ja, Charlie: de klok tikt door, maak het je niet te gemakkelijk daar...'

'Ik hou het professioneel, inspecteur, maakt u zich maar geen zorgen.' In het voorbijgaan wierp hij Rebus een boosaardige grijns toe.

Davidson wendde zich tot Rebus. 'Wie was dat bij die agenten?'

Rebus stak een sigaret op. 'Gareth Baird. Hij gaat kijken of de vriendin van het slachtoffer zich achter een van die deuren verbergt.'

'Een speld in een hooiberg?'

Rebus haalde alleen maar zijn schouders op. Ellen Wylie was in de portakabin verdwenen. Nu pas zag Davidson de nieuwe beschildering. 'Tuig, hè? Ik heb toch altijd gedacht dat mensen die ons zo noemen zélf tuig zijn.' Hij streek zijn haar van zijn voorhoofd en krabbelde op zijn schedel. 'Verder nog nieuws vandaag?'

'De vrouw van het slachtoffer identificeert vandaag het lichaam. Ik dacht dat het goed zou zijn als ik erbij was.' Hij zweeg even. 'Tenzij jíj dat wil.'

'Ga je gang. Ligt er op Gayfield niets op je te wachten?'

'Zelfs geen fatsoenlijk bureau.'

'Verwachten ze dat je die hint ter harte neemt?'

Rebus knikte. 'Vind je dat ik het moet doen?'

Davidson keek sceptisch. 'Wat staat je te wachten als je met pensioen gaat?'

'Waarschijnlijk een leverkwaal. Ik heb al een voorschot genomen...'

Davidson lachte. 'Goed, wij komen nog altijd handen tekort, en dat betekent dat ik het fijn vind als je in de buurt blijft.' Rebus wilde iets gaan zeggen – dank je, misschien – maar Davidson stak een vinger op. 'Zolang je maar geen gekke dingen doet, begrepen?'

'Heel duidelijk, Shug.'

Beide mannen draaiden zich om bij een plotseling gebulder vanaf de tweede verdieping: 'Goedemorgen, inspecteur!' Het was Mo Dirwan, die vanaf de galerij naar Rebus zwaaide. Rebus zwaaide minder enthousiast terug, maar herinnerde zich toen dat hij een paar vragen voor de advocaat had.

'Blijf daar, ik kom naar boven!' riep hij.

'Ik ben in flat twee-nul-twee.'

'Dirwan werkt voor het gezin Yurgii,' verklaarde Rebus aan Davidson. 'Hij moet mij nog een paar dingen uitleggen.'

'Ik zal je niet tegenhouden. Maar geen fotosessies meer, hè?'

'Maak je geen zorgen, Shug, die komen er niet.'

Hij nam de lift naar de tweede verdieping en liep naar nummer 202. Toen hij naar beneden keek, zag hij dat Davidson de schade aan de buitenkant van de portakabin opnam. Geen enkel teken van Reynolds met de beloofde thee.

De deur stond op een kier, dus liep Rebus naar binnen. De vloerbedekking bestond zo te zien uit restanten. Er stond een bezem tegen de gangmuur. Een lekkage had een grote bruine vlek op het crèmekleurige plafond achtergelaten.

'Hierheen,' riep Dirwan. Hij zat op een bank in de huiskamer. De ramen waren nevelig van de condens en de elektrische kachel gloeide. Uit een cassetterecorder klonk zacht etnische muziek. Een ouder stel stond voor de bank.

'Kom zitten,' zei Dirwan. Hij klopte op het kussen naast zich met zijn ene hand en had een kop en schotel in de andere.

Rebus ging zitten; het stel maakte een lichte buiging op zijn als begroeting bedoelde glimlach. Pas toen besefte hij dat er geen andere stoelen waren. De twee oudere mensen konden niets anders dan blijven staan. Niet dat dat de advocaat iets kon schelen.

'Meneer en mevrouw Singh wonen hier elf jaar,' begon hij. 'Maar nu niet lang meer.'

'Dat spijt me voor hen,' reageerde Rebus.

Dirwan grinnikte. 'Ze worden niet uitgezet, inspecteur. Hun zoon heeft het goed gedaan in het zakenleven. Een groot huis in Barnton...'

'Cramond,' corrigeerde de heer Singh, waarmee hij een van de betere buurten van de stad noemde.

'Een groot huis in Cramond,' ging de advocaat verder. 'Ze gaan bij hem inwonen.'

'We gaan naar een bejaardentehuis,' zei mevrouw Singh, die genoegen leek te scheppen in haar woorden. 'Wilt u thee of koffie?'

'Nee, dank u,' zei Rebus. 'Maar ik moet meneer Dirwan even spreken.'

'Wilt u dat wij weggaan?'

'Nee, nee... we praten buiten wel.' Rebus wierp Dirwan een betekenisvolle blik toe. De advocaat overhandigde zijn kopje aan mevrouw Singh.

'Zeg tegen uw zoon dat ik hem alles toewens wat hij zelf zou kunnen wensen,' bulderde hij. Zijn stem leek veel luider dan noodzakelijk was. De kamer echode toen hij uitgesproken was.

De Singhs maakten weer een buiging en Rebus stond op. Er moesten handen worden geschud voordat Rebus Dirwan voor kon gaan naar de galerij.

'U moet toegeven dat het aardige mensen zijn,' zei Dirwan nadat de deur was gesloten. 'Immigranten kunnen een belangrijke bijdrage leveren aan de gemeenschap in zijn geheel, weet u.'

'Daar heb ik nooit aan getwijfeld. Weet u dat we de naam van het slachtoffer hebben? Stef Yurgii.'

Dirwan zuchtte. 'Dat heb ik pas vanochtend ontdekt.'

'Hebt u de foto's dan niet gezien die wij in de kranten hebben laten opnemen?'

'Ik lees die roddelbladen niet.'

'Maar u was van plan om naar ons toe te komen en ons te laten weten dat u hem kende?'

'Ik kende hem niet. Ik ken zijn vrouw en kinderen.'

'En u hebt geen enkel contact met hem gehad? Heeft hij niet geprobeerd een bericht aan zijn gezin over te laten brengen?'

Dirwan schudde zijn hoofd. 'Niet via mij. Ik zou geen moment aarzelen om u dat te vertellen.' Hij keek Rebus in de ogen. 'Daar kun je op vertrouwen, John.'

'Alleen mijn beste vrienden noemen mij John,' waarschuwde Rebus, 'en vertrouwen moet worden verdiend, meneer Dirwan.' Hij zweeg even om dit door te laten dringen. 'Wist u niet dat hij in Edinburgh was?'

'Nee.'

'Maar u werkt wel aan de zaak van zijn vrouw?'

De advocaat knikte. 'Het is niet rechtvaardig, weet u. Wij noemen ons beschaafd, maar we laten haar en haar kinderen gewoon wegrotten in Whitemire. Hebt u hen gezien?' Rebus knikte. 'Dan weet u het: geen bomen, geen vrijheid, een minimum aan onderwijs en voeding...'

'Maar dat heeft niets te maken met dit onderzoek.' Rebus vond het nodig dit op te merken.

'Mijn god, ik geloof niet dat ik dat goed heb gehoord! U hebt uit de eerste hand de problemen met racisme in dit land gezien.'

'De Singhs lijken er geen last van te hebben.'

'Dat ze glimlachen betekent niets.' Hij zweeg plotseling en wreef in zijn nek. 'Ik zou niet zoveel thee moeten drinken. Dat verhit het bloed, weet u.'

'Luister, ik waardeer wat u doet, praten met al die mensen...'

'Nu u het daar toch over hebt, wilt u weten wat ik aan de weet ben gekomen?'

'Natuurlijk.'

'Ik heb op deuren geklopt, gisteren de hele avond en vanaf vanochtend vroeg... Natuurlijk was niet iedereen van belang of bereid om met me te praten.'

'In ieder geval bedankt voor de moeite.'

Dirwan aanvaardde dit met een hoofdknik. 'Wist u dat Stef Yurgii in zijn eigen land journalist was?'

'Ja.'

'Goed, de mensen hier – degenen die hem kenden – wisten dat niet. Maar hij was goed in contact leggen met mensen, hij kon ze gemakkelijk aan de praat krijgen. Dat ligt in de aard van een journalist, nietwaar?'

Rebus knikte.

'Dus,' vervolgde de advocaat, 'sprak Stef met mensen over hun leven en stelde hij heel veel vragen zonder veel over zijn eigen verleden te onthullen.'

'Denkt u dat hij erover wilde schrijven?'

'Dat is een mogelijkheid.'

'Nog iets te weten gekomen over die vriendin?'

Dirwan schudde zijn hoofd. 'Niemand lijkt haar te kennen. Natuurlijk, met een gezin in Whitemire, is het heel goed mogelijk dat hij haar bestaan geheim wilde houden.'

Rebus knikte nogmaals. 'Verder nog iets?' vroeg hij.

'Tot nu toe niet. Wilt u dat ik verderga met op de deuren kloppen?'

'Ik weet dat het een vervelend karwei is...'

'Maar dat is het nu juist niet! Ik begin deze buurt aan te voelen, en ik kom mensen tegen die misschien hun eigen groep willen vormen.'

'Net zoals in Glasgow?'

'Precies. Mensen staan sterker als ze gezamenlijk optreden.'

Rebus dacht hier even over na. 'Goed, dan wens ik u geluk, en nogmaals bedankt.' Hij schudde de uitgestoken hand, niet zeker in hoeverre hij Dirwan kon vertrouwen. De man was tenslotte advocaat en had daarnaast zijn eigen agenda.

Er kwam iemand op hen af. Ze moesten opzij om hem te laten passeren. Rebus herkende de jongen van de dag tevoren, die met de steen. De jongen keek de twee mannen alleen maar aan, niet zeker wie van hen zijn minachting het meest verdiende. Hij bleef staan bij de liften en drukte op de knop.

'Ik heb gehoord dat je van tatoeages houdt,' riep Rebus. Hij knikte naar Dirwan om de advocaat te laten weten dat het gesprek was afgelopen. Toen liep hij naar de jongen, die achteruitdeinsde alsof hij bang was voor besmetting. Net als hij hield Rebus zijn blik gericht op de liftdeuren.

Dirwan kreeg intussen geen reactie op 203 en liep verder om 204 te proberen.

'Wat wil je?' mompelde de jongen.

'Gewoon, de dag doorkomen. Dat is wat mensen doen, weet je: communiceren met elkaar.'

'Interesseert me geen reet.'

'Nog iets wat wij doen: de mening van anderen aanvaarden. We zijn tenslotte allemaal verschillend.' Er klonk een doffe ping toen de deuren van de lift links van hen opengingen. Rebus wilde instappen, maar zag toen dat de jongen achter wilde blijven. Hij greep hem bij zijn jasje en trok hem de lift in, waar hij hem vasthield tot de deuren dicht waren. De jongen duwde hem weg en drukte op een knop om de deuren te openen, maar hij was te laat. De lift was al aan zijn trage afdaling begonnen.

'Hou je van de paramilitairen?' vervolgde Rebus. 'UVF en zo?'

De jongen klemde zijn kaken op elkaar, zijn lippen naar binnen gezogen achter zijn tanden.

'Dat geeft je iets waarachter je je kunt verschuilen, neem ik aan,' zei Rebus, alsof hij het tegen zichzelf had. 'Iedere lafaard heeft een soort bescherming nodig... Ze zullen er later ook prachtig uitzien, die tatoeages, als je getrouwd bent en kinderen hebt... Katholieke buren en een baas die moslim is...'

'Ja hoor, alsof ik dat zou laten gebeuren.'

'Er staan je een heleboel dingen te wachten waar je geen controle over hebt, knul. Neem dat aan van een veteraan.'

De lift stopte en de deuren gingen voor de jongen niet snel genoeg open. Hij probeerde ze open te trekken, wrong zich ertussendoor en ging er met grote stappen vandoor. Rebus zag hem het speelveld oversteken. Ook Shug Davidson keek toe vanuit de deuropening van de portakabin.

'Heb je je verbroederd met de buurtgenoten?' vroeg hij.

'Wat vaderlijk advies gegeven,' bekende Rebus. 'Hoe heet hij trouwens?'

Davidson moest even nadenken. 'Howard Slowther... hij noemt zichzelf Howie.'

'Hoe oud?'

'Bijna vijftien. De leerplichtambtenaar zit achter hem aan vanwege spijbelen. Die jongen is hard op weg naar de schroothoop.' Davidson haalde zijn schouders op. 'En wij kunnen daar geen ene reet aan doen zolang hij niet echt iets stoms uitvreet.'

'En dat zou nu elke dag kunnen gebeuren,' zei Rebus, met zijn blik nog steeds op de zich snel verwijderende gestalte gericht. Hij keek hem na tot hij de helling naar de voetgangerstunnel af ging.

'Elke dag,' beaamde Davidson. 'Hoe laat moet jij in het mortuarium zijn?'

'Tien uur.' Rebus keek op zijn horloge. 'Tijd om te gaan.'

'En vergeet niet iets te laten horen.'

'Ik stuur je een kaartje, Shug, met "Ik wou dat je bij me was".'

12

Siobhan had geen enkele reden om te denken dat Stuart Bullen de 'pooier' van Ishbel was: Bullen leek te jong. Hij had een leren jasje, maar geen sportwagen. Ze had een X5 op het internet bekeken, en dat was allesbehalve een sportwagen.

Maar daar stond tegenover dat ze hem een specifieke vraag had gesteld: in wat voor auto hij reed. Misschien had hij er meer dan een: de X5 voor dagelijks gebruik en iets anders in de garage voor de avonden en de weekends. Was het de moeite waard om dit na te gaan? Was het een tweede bezoek aan de Nook waard? Op dit moment dacht ze van niet.

Ze had zich door de drukte in Cockburn Street geworsteld en was op weg naar Fleshmarket Close. Twee toeristen van middelbare leeftijd stonden naar de kelderdeur te kijken. De man had een videocamera in zijn hand en de vrouw een reisgids.

'Mag ik u iets vragen?' zei de vrouw. Ze had een accent uit de Midlands, misschien Yorkshire. 'Weet u of dit de plek is waar de skeletten zijn gevonden?'

'Dat klopt,' antwoordde Siobhan.

'De gids heeft ons erover verteld,' verklaarde de vrouw. 'Gister-avond.'

'Bij een van de spookrondleidingen?' veronderstelde Siobhan.

'Inderdaad, schat. Ze heeft ons verteld dat het heksenwerk was.'

'O ja?'

De man was al begonnen met het filmen van de gestutte houten deur. Siobhan verontschuldigde zich toen ze zich langs hen heen drong. De pub was nog niet open, maar omdat ze dacht dat er al wel iemand zou zijn, rammelde ze aan de deur. De onderste helft was massief hout, maar de bovenste helft bestond uit glas met groene cirkels, zoals de bodems van wijnflessen. Ze zag een schaduw achter het glas en hoorde het klikken van een sleutel die werd omgedraaid.

'We gaan om elf uur open.'

'Meneer Mangold? Brigadier Clarke... kent u me nog?'

'Jezus, wat is er nou weer?'

'Mag ik even binnenkomen?'

'Ik zit in een bespreking.'

'Ik heb niet veel tijd nodig...'

Mangold aarzelde, maar trok toen de deur open.

'Dank u,' zei Siobhan en ze stapte naar binnen. 'O, wat is er met uw gezicht gebeurd?'

Hij raakte de blauwe plek op zijn linkerwang aan. Het oog erboven was opgezwollen. 'Een meningsverschil met een klant,' zei hij. 'Risico van het vak.'

Siobhan keek naar de barkeeper. Hij kiepte ijs van de ene koeler in een andere en knikte ter begroeting. Er hing een geur van ontsmettingsmiddelen en boenwas. Een sigaret smeulde in een asbak op de bar, met een kop koffie ernaast. Er lagen ook papieren, zo te zien de ochtendpost.

'Jij bent er goed vanaf gekomen,' zei ze tegen de barkeeper.

Hij haalde zijn schouders op. 'Ik had geen dienst.'

Aan een hoektafeltje zat een vrouw met een mok koffie in haar handen. Op het tafeltje stond nog een mok en er lag een stapeltje boeken voor haar. Siobhan kon twee titels lezen: *Edinburgh Haunts* en *The City Above and Below*.

'Niet al te lang, ja? Ik zit vandaag tot over mijn oren in het werk.' Mangold leek geen aanstalten te maken haar aan zijn andere bezoekster voor te stellen. Siobhan glimlachte naar haar, waarop de vrouw teruglachte. Ze was in de veertig, met springerig zwart haar dat naar achteren was gebonden met een zwartfluwelen strik. Ze had haar Afghaanse jas aangehouden. Siobhan zag blote enkels en leren sandalen eronder. Mangold stond met over elkaar geslagen armen en zijn benen iets uit elkaar in het midden van de ruimte.

'U zou de papieren opzoeken,' bracht Siobhan hem in herinnering.

'Papieren?'

'Voor het leggen van de vloer in de kelder.'

'Er zitten niet genoeg uren in een dag,' klaagde Mangold.

'Hoe dan ook...'

'Voor twee nepskeletten moet ik haast maken?' Hij hief zijn armen op in een smekend gebaar.

Siobhan zag dat de vrouw naar hen toe kwam. 'Bent u geïnteresseerd in de skeletten?' vroeg ze met een zachte, sissende stem.

'Dat klopt,' zei Siobhan. 'Ik ben brigadier Clarke van de recherche en u bent Judith Lennox.' De ogen van Lennox gingen wijd open. 'Ik herken u van uw foto in de krant,' verklaarde Siobhan.

Lennox pakte Siobhans hand, die ze niet schudde, maar vastgreep. 'U bent zo vol energie, mevrouw Clarke. Het lijkt wel elektriciteit.'

'En u geeft meneer Mangold les in geschiedenis?'

'Inderdaad.' De ogen van de vrouw gingen alweer wijd open.

'De titels van de boeken,' verklaarde Siobhan, naar de boeken knikkend. 'Dat was een inkoppertje.'

Lennox keek snel naar Mangold en vertelde: 'Ik help Ray bij de ontwikkeling van zijn nieuwe themabar... dat is heel spannend.'

'De kelder?' veronderstelde Siobhan.

'Hij wil wat meer weten over de historische context.'

Mangold kwam met een kuchje tussenbeide. 'Ik denk dat brigadier Clarke haar tijd beter kan gebruiken...' Waarmee hij aangaf dat hij ook nog het een en ander te doen had. Toen zei hij tegen Siobhan: 'Ik heb even snel gezocht naar iets wat met dat karwei te maken zou kunnen hebben, maar ik heb niets gevonden. Het kan zijn dat het onderhands is uitgevoerd. Er lopen genoeg beunhazen rond die een vloertje willen leggen, zonder vragen te stellen of iets op schrift vast te leggen...'

'Niets op schrift?' herhaalde Siobhan.

'Was u hier toen de skeletten werden gevonden?' vroeg Judith Lennox.

Siobhan probeerde haar te negeren en richtte haar aandacht op Mangold. 'Probeert u me te vertellen...'

'Het was Mag Lennox, hè? U hebt háár skelet gevonden!'

Siobhan staarde de vrouw aan. 'Hoe komt u op dat idee?'

Judith Lennox kneep haar ogen dicht. 'Ik had een voorgevoel. Ik heb geprobeerd rondleidingen te organiseren op de medische faculteit... maar dat stonden ze me niet toe. Ze wilden me zelfs het skelet niet laten zien...' Haar ogen vonkten van geestdrift. 'Ik ben een nazaat van haar, weet u.'

'O ja?'

'Ze heeft een vloek over ons land uitgesproken, en over iedereen die haar kwetst of kwaad doet.' Lennox knikte in zichzelf.

Meteen moest Siobhan aan Cater en McAteer denken. Het zag er niet bepaald naar uit dat die onder een vloek gebukt gingen. Bijna had ze dat gezegd, maar toen herinnerde ze zich haar belofte aan Curt.

'Het enige wat ik weet, is dat de skeletten nep waren,' zei Siobhan met nadruk.

'Ik denk er precies zo over,' kwam Mangold tussenbeide. 'Maar waarom bent u dan zo verdomd nieuwsgierig?'

'Het zou prettig zijn om een verklaring te hebben,' antwoordde Siobhan kalm. Ze moest weer denken aan de skeletten in de kelder, aan hoe haar hele lichaam verkrampte bij het zien van de baby... en hoe ze haar jas voorzichtig over de beenderen had gelegd.

'Ze hebben ook skeletten gevonden in de grond van Holyrood,' zei Lennox. 'Die waren echt, hoor. En een heksenkring in Gilmerton.'

Van die 'heksenkring' wist Siobhan: het ging om een paar verborgen kamers onder de zaak van een bookmaker. Maar ze had pas gehoord dat die zogenaamd verborgen kamers gewoon de werkplaats van een smid waren geweest. De historica zou er vast een heel andere visie op hebben.

'En dat is alles wat u mij erover kunt vertellen?' vroeg ze Mangold, in plaats van op de opmerking van Lennox in te gaan.

Hij hief zijn armen weer op, waarbij de gouden armbanden naar beneden gleden.

'In dat geval,' zei Siobhan, 'zal ik u niet verder van uw werk houden. Het was leuk u te ontmoeten, mevrouw Lennox.'

'Dat is wederzijds,' zei de historica. Ze bracht een handpalm naar voren. Siobhan deed een stap achteruit. Lennox had haar ogen gesloten, en de wimpers trilden. 'Maak gebruik van die energie. Hij wordt weer aangevuld.'

'Dat hoor ik graag.'

Lennox opende haar ogen en keek Siobhan strak aan. 'We geven iets van onze levenskracht aan onze kinderen. Zij zijn de ware aanvulling...'

In Mangolds blik zag Siobhan iets van verontschuldiging en zelfmedelijden: hij moest tenslotte nog even met Judith Lennox doorbrengen...

Rebus had nooit eerder kinderen in een mortuarium gezien. Het maakte hem woedend. Dit was een plek voor politiemensen, voor volwassenen, voor volwassen nabestaanden. Het was een plek waar het menselijk lichaam in al zijn naaktheid zichtbaar was. Het was níéts voor kinderen.

Maar ja, konden de kinderen van Yurgii wel echt kínderen zijn, met al die verwarring en wanhoop in hun leven?

Die gedachte weerhield Rebus er niet van een van de bewakers klem te zetten. Niet fysiek, tenminste niet met zijn handen, maar door intimiderend dicht voor hem te gaan staan en hem vervolgens stap voor stap naar achteren te dringen, totdat hij met zijn rug tegen de muur van de wachtkamer stond.

'Heb je kinderen hiernaartoe gebracht?' zei Rebus woedend.

De bewaker was jong; zijn slecht zittende uniform bood geen bescherming tegen iemand als Rebus. 'Ze wilden niet daar blijven,' stamelde hij. 'Ze schreeuwden en klemden zich aan haar vast...' Rebus had omgekeken naar de moeder die op een stoel zat, met haar kinderen in haar armen. Ze had geen interesse voor dit tafereel. Ze werd getroost door haar vriendin met de hoofddoek, de vrouw uit Whitemire. Maar de jongen keek aandachtig toe, zag hij. 'Meneer Traynor zei dat ze maar beter mee konden gaan.'

'Ze hadden in de auto kunnen blijven.' Hij had hem buiten zien staan: gevangenisblauw met tralies voor de ruiten en een stevig raster tussen de plaatsen voorin en de banken achterin.

'Niet zonder hun moeder...'

Er kwam nog een bewaker binnen, de oudste van de twee, met een clipboard in zijn hand. Achter hem kwam de beheerder van het mortuarium, Bill Ness, in een witte jas. Ness was in de vijftig en droeg een Buddy Hollybril. Zoals altijd kauwde hij op kauwgum. Hij liep naar het gezin en bood de kinderen de rest van het pakje aan. Ze reageerden door zich nog dichter tegen hun moeder aan te drukken. Links stond Ellen Wylie in de deuropening. Ze was hier om toe te zien op de identificatie. Ze had niet geweten dat Rebus ook zou komen, en hij had haar intussen gezegd dat ze welkom was bij deze klus.

'Is alles in orde hier?' vroeg de oudste bewaker nu aan Rebus.

'Het kon niet beter.' Hij deed een paar stappen achteruit.

'Mevrouw Yurgii,' zei Ness op vriendelijke toon, 'wij kunnen beginnen als u er klaar voor bent.'

Ze knikte en probeerde op te staan, maar ze moest worden geholpen door haar vriendin. Ze legde haar handen op de hoofdjes van de kinderen.

'Ik blijf hier wel bij hen, als u dat wilt,' zei Rebus. Ze keek hem aan en fluisterde vervolgens iets tegen de kinderen, die zich alleen maar steviger aan haar vastklemden.

'Jullie mama moet alleen maar even achter die deur zijn,' zei Ness tegen de kinderen, wijzend naar de deur. 'We zijn zo terug...'

Mevrouw Yurgii hurkte voor haar zoon en dochter neer en fluisterde nog wat. Haar ogen glansden van de tranen. Vervolgens tilde ze beide kinderen op een stoel, lachte naar hen en liep achteruit naar de deur. Ness hield die voor haar open. De bewakers volgden haar. De oudste wierp snel een waarschuwende blik op Rebus: Hou ze in het oog. Rebus negeerde zijn blik.

Zodra de deur dicht was, rende het meisje ernaartoe en legde haar handen erop. Ze zei niets en huilde evenmin. Haar broertje ging naar haar toe, legde zijn arm om haar schouder en leidde haar terug naar hun stoelen. Rebus hurkte neer met zijn rug tegen de muur tegenover hen. Het was een troosteloze plek: geen posters of mededelingen, geen tijdschriften. Niets om de tijd door te brengen, omdat niemand hier ooit tijd doorbracht. Meestal hoefde je niet langer dan een minuut te wachten, de tijd die nodig was om het lichaam van de vriesruimte naar de onderzoekskamer te brengen. En daarna vertrok je snel, omdat je hier geen minuut langer wilde blijven. Er was zelfs geen klok. Ness had daarover eens opgemerkt: 'Onze cliënten hebben geen tijd meer.' Een van de talloze grappen die hem en zijn collega's hielpen hun werk te doen.

'Ik heet John,' zei Rebus tegen de kinderen. Het meisje bleef naar de deur kijken, maar de jongen leek hem te begrijpen.

'Politie slecht,' stelde hij met hartstocht vast.

'Niet hier,' zei Rebus. 'Niet in dit land.'

'In Turkije, heel slecht.'

Rebus knikte. 'Maar niet hier,' herhaalde hij. 'Hier politie goed.' De jongen keek sceptisch, en Rebus kon hem dat niet kwalijk nemen. Trouwens, wat wist hij van de politie? Ze hadden de ambtenaren van de immigratiedienst begeleid en het gezin in verzekerde bewaring gesteld. De bewakers van Whitemire zagen er waarschijnlijk ook uit als politieagenten. Iedereen in een uniform was verdacht. Iedereen die het gezag vertegenwoordigde.

Zij waren de mensen die hun moeder aan het huilen hadden gemaakt en zijn vader hadden laten verdwijnen.

'Wil je hier blijven? In dit land?' vroeg Rebus. Dit ging het begrip van de jongen te boven. Hij knipperde een paar keer met zijn ogen, tot het duidelijk was dat hij geen antwoord gaf.

'Wat voor speelgoed vind je leuk?'

'Speelgoed?'

'Dingen om mee te spelen.'

'Ik speel met mijn zusje.'

'Speel je geen spelletjes, lees je geen boeken?'

Ook deze vraag leek niet te kunnen worden beantwoord. Het was alsof Rebus een quiz met hem deed over plaatselijke geschiedenis of de spelregels van rugby.

De deur ging open. Mevrouw Yurgii kwam zacht snikkend naar buiten, ondersteund door haar vriendin. De bewakers kwamen somber kijkend achter hen aan, zoals het betaamde bij zo'n gelegenheid. Ellen Wylie knikte naar Rebus om hem te laten weten dat de identiteit was bevestigd.

'Daar gaan we dan,' zei de oudste bewaker. De kinderen klemden zich weer aan hun moeder vast. De bewakers leidden het viertal naar de tegenoverliggende deur – de deur naar de buitenwereld, naar het land van de levenden.

De jongen draaide zich nog eenmaal om, alsof hij Rebus' reactie wilde peilen. Rebus probeerde een glimlach die niet werd beantwoord.

Ness verdween weer in de kamer, waardoor alleen Rebus en Wylie in de wachtkamer achterbleven.

'Moeten we met haar gaan praten?' vroeg ze.

'Waarom?'

'Om te vragen wanneer ze voor het laatst iets van haar man heeft gehoord...'

Rebus haalde zijn schouders op. 'Dat is aan jou, Ellen.'

Ze keek hem aan. 'Wat is er?'

Rebus schudde langzaam zijn hoofd.

'Het is hard voor die kinderen,' zei ze.

'Weet je, wanneer was het leven níét hard voor die kinderen?'

Ze haalde haar schouders op. 'Niemand heeft ze gevraagd hiernaartoe te komen.'

'Dat zal inderdaad wel zo zijn.'

Ze bleef hem nog steeds aankijken. 'Maar dat bedoel je niet, hè?'

'Ik vind alleen maar dat ze een jeugd verdienen,' antwoordde hij. 'Dat is alles.'

Hij ging naar buiten om een sigaret te roken en zag Wylie wegrijden in haar Volvo. Hij ijsbeerde over het kleine parkeerterrein, waar drie van de anonieme busjes van het mortuarium stonden, klaar voor de volgende oproep. Binnen zat het personeel waarschijnlijk te kaarten en thee te drinken. Aan de overkant van de straat was een peuteropvang. Even schoot het door hem heen hoe weinig tijd je had tussen die twee plekken, waarna hij de rest van zijn sigaret uittrapte en in zijn eigen auto stapte. Hij reed naar Gayfield Square, maar stopte niet bij het politiebureau. Er was een speelgoedwinkel in de buurt: Harburn Hobbies op Elm Row. Hij parkeerde voor de winkel en ging naar binnen. Zonder op de prijzen te letten, koos hij een paar dingen uit: een eenvoudig treintje, een paar modelbouwsetjes en een poppenhuis met een popje. De winkelbediende hielp hem de spullen naar zijn auto brengen. Achter het stuur kreeg hij nog een inval. Deze keer reed hij naar zijn flat in Arden Street. In de gangkast vond hij een doos vol oude tijdschriften voor kinderen en boeken uit de tijd dat zijn dochter twintig jaar jonger was. Waarom stond die doos er nog? Misschien te wachten op de kleinkinderen die er nog niet waren? Rebus zette hem op de achterbank naast het speelgoed en reed in westelijke richting de stad uit. Er was weinig verkeer; binnen een halfuur was hij bij de afslag naar Whitemire. Het kampvuur rookte nog, maar de vrouw was bezig haar tent af te breken en besteedde geen aandacht aan hem. Er hield nu een andere bewaker de wacht. Rebus moest zijn legitimatie laten zien en werd opgevangen door weer een andere bewaker, die met tegenzin hielp met het dragen van de vracht.

Traynor was nergens te zien, maar dat deed er niet toe. Ze brachten het speelgoed naar binnen.

'Het zal gecontroleerd moeten worden,' zei de bewaker.

'Gecontroleerd?'

'We kunnen mensen niet zomaar van alles naar binnen laten brengen...'

'Denk je dat er drugs in die pop zitten?'

'Het is een standaardprocedure, inspecteur.' De bewaker voegde er fluisterend aan toe: 'We weten allebei dat het totaal onzinnig is, maar het moet nu eenmaal gedaan worden.'

De twee mannen keken elkaar aan. Rebus knikte ten slotte. 'Maar ze gaan toch wel naar die kinderen?' vroeg hij.

'Vandaag nog, als het aan mij ligt.'

'Bedankt.' Rebus schudde de bewaker de hand en keek toen om zich heen. 'Hoe hou je het hier uit?'

'Zou u liever hebben dat hier een ander soort bewaker rondloopt dan ik? Ze staan te springen...'

Het lukte Rebus te glimlachen. 'Daar heb je gelijk in.' Hij bedankte de man nogmaals.

De bewaker haalde alleen maar zijn schouders op.

Toen hij wegreed, zag hij dat de tent verdwenen was. De eigenares liep langs de weg met een rugzak om. Hij stopte en draaide zijn raampje omlaag. 'Kan ik u een lift aanbieden?' vroeg hij. 'Ik ga naar Edinburgh.'

'U bent hier gisteren ook geweest,' zei ze. Hij knikte. 'Wie bent u?'

'Ik ben van de politie.'

'De moord in Knoxland?' raadde ze. Rebus knikte weer. Ze keek achter in de auto.

'Ruimte genoeg voor uw rugzak,' zei hij.

'Daar keek ik niet naar.'

'O?'

'Ik vroeg me alleen af wat er met het poppenhuis is gebeurd. Ik zag een poppenhuis op de achterbank toen u naar binnen reed.'

'Dan hebben uw ogen u kennelijk bedrogen.'

'Kennelijk,' zei ze. 'Trouwens, waarom zou een politieman speelgoed naar een detentiecentrum brengen?'

'Ja, waarom?' beaamde Rebus, die uitstapte om haar te helpen bij het inladen van haar spullen.

Ze reden de eerste kilometer zonder te praten, waarna Rebus haar vroeg of ze rookte.

'Nee, maar ga gerust uw gang.'

'Ik kan wel zonder,' loog Rebus. 'Hoe vaak doet u dat, die wake houden?'

'Zo vaak ik kan.'

'Helemaal alleen?'

'We waren in het begin met meer.'

'Ik herinner me dat ik het op tv heb gezien.'

'Anderen doen mee wanneer ze kunnen, meestal in het weekend.'

'Ze moeten ook nog werken?' veronderstelde Rebus.

'Ik werk ook, hoor,' beet ze hem toe. 'Ik kan alleen wat meer met mijn tijd jongleren.'

'Bent u acrobaat?'

Ze lachte. 'Ik ben kunstenaar.' Ze zweeg even, wachtend op een reactie. 'En bedankt dat u daar niet om moet lachen.'

'Waarom zou ik daar om moeten lachen?'

'De meeste mensen zoals u doen dat.'

'Mensen zoals ik?'

'Mensen die iedereen die anders is dan zij als een bedreiging zien.'

Rebus deed alsof hij dit even moest verwerken. 'Dus zo iemand lijk ik. Ik heb me altijd afgevraagd...'

Ze lachte weer. 'Goed, ik trek te snel conclusies, maar niet zonder reden. Dat mag u van me aannemen.' Ze boog zich naar voren om iets aan de zitting te verstellen, wat haar de ruimte gaf om haar voeten op het dashboard voor zich te leggen. Rebus schatte haar midden veertig. Ze droeg haar lange muiskleurige haar in vlechtjes. Drie gouden oorringen in beide oorlellen. Haar gezicht was bleek en sproetig, en haar twee voortanden overlapten elkaar gedeeltelijk, wat haar het uiterlijk van een ondeugend schoolmeisje gaf.

'Ik neem het aan,' zei hij. 'Ik neem ook aan dat u geen fan bent van onze asielwetten?'

'Omdat daar een luchtje aan zit.'

'En waar ruikt dat dan naar?'

Ze wendde haar blik van de voorruit af en keek hem aan. 'Hypocrisie, om te beginnen,' zei ze. 'Dit is een land waar je een paspoort kunt aanschaffen als je de juiste politicus kent. Als je die niet kent, en als we niet van je huidskleur of je politieke voorkeur houden, dan kun je het schudden.'

'Dus u vindt niet dat wij te gemakkelijk zijn?'

'Hou toch op,' zei ze smalend, weer naar de weg voor zich starend.

'Ik vraag het alleen maar.'

'Een vraag waarop u het antwoord al denkt te weten?'

'Ik weet dat bij ons de bijstand beter is dan in sommige andere landen.'

'Ja hoor. En daarom betalen mensen al hun spaargeld aan bendes om zich over de grens te laten smokkelen? Daarom stikken ze achter in vrachtwagens of op elkaar gepakt in containers?'

'Vergeet de Eurostar niet; hangen ze niet aan de onderstellen daarvan?'

'U moet me verdomme niet neerbuigend behandelen!'

'Ik probeer alleen maar het gesprek gaande te houden.' Rebus concentreerde zich even op de weg. 'Wat voor kunst maakt u?'

Het duurde even voor ze antwoordde. 'Voornamelijk portretten... af en toe een landschap...'

'Zou ik uw naam moeten kennen?'

'U ziet er niet uit als een verzamelaar.'

'Ik heb ooit een H.R. Giger aan mijn muur gehad.'

'Een originele?'

Rebus schudde zijn hoofd. 'Een lp-hoes: *Brain Salad Surgery*.'

'U hebt in ieder geval de naam van de kunstenaar onthouden.' Ze snoof en veegde met een hand langs haar neus. 'Mijn naam is Caro Quinn.'

'Is Caro een afkorting van Caroline?' Ze knikte. Rebus stak haar een beetje onhandig zijn rechterhand toe. 'Mijn naam is John Rebus.'

Quinn trok een grijze wollen handschoen uit en ze schudden elkaar de hand, waarbij de auto even over de middenstreep van de rijbaan ging. Rebus stuurde snel bij.

'Breng ons alsjeblieft zonder ongelukken naar Edinburgh'

'Waar moet je zijn?'

'Kom je in de buurt van Leith Walk?'

'Mijn bureau is op Gayfield.'

'Perfect... Ik woon vlak bij Pilrig Street, als dat niet te veel moeite is.'

'Geen probleem.' Ze zwegen een paar minuten voordat Quinn de stilte verbrak.

'Je zou nog geen schapen vervoeren op de manier waarop die gezinnen soms zijn vervoerd... er zitten er bijna tweeduizend vast in Engeland.'

'Maar een flink aantal daarvan mag toch blijven?'

'Lang niet genoeg. Nederland staat op het punt er zesentwintig-duizend uit te zetten.'

'Dat lijkt me een heleboel. Hoeveel zijn er in Schotland?'

'Elfduizend alleen al in Glasgow.'

Rebus floot.

'Een paar jaar geleden namen wij meer asielzoekers op dan welk ander land ook.'

'Ik dacht dat we dat nog steeds deden.'

'De aantallen nemen snel af.'

'Omdat de wereld veiliger is geworden?'

Ze keek hem aan en besloot toen dat zijn opmerking ironisch bedoeld was. 'De controle wordt steeds strenger.'

'Er is maar een bepaald aantal banen te vergeven,' zei Rebus schouderophalend.

'En daarom zouden we minder compassie moeten hebben?'

'Ik heb nooit veel ruimte voor compassie in mijn werk gevonden.'

'En daarom ben je met een auto vol speelgoed naar Whitemire gereden?'

'Mijn vrienden noemen me de kerstman...' Rebus parkeerde dubbel, volgens haar aanwijzingen, voor het flatgebouw waar ze woonde.

'Kom even mee naar boven,' zei ze.

'Waarom?'

'Ik wil je iets laten zien.'

Hij sloot zijn auto af en hoopte dat de eigenaar van de ingesloten Mini daar niet mee zou zitten. Quinn woonde op de bovenste verdieping, voor zover Rebus wist meestal de plek die door studenten werd gehuurd.

Quinn had een andere verklaring. 'Ik heb twee verdiepingen,' zei ze. 'Er gaat een trap naar de zolder.' Ze opende haar voordeur al terwijl Rebus nog halverwege de trap was. Hij dacht dat hij haar iets hoorde roepen – een naam of zo –, maar toen hij op de overloop kwam, was er niemand. Quinn had haar rugzak tegen de muur gezet en gebaarde dat hij de steile, smalle trap naar de zolder van het gebouw moest beklimmen. Hij haalde een paar keer diep adem en begon weer te klimmen.

Er was maar één kamer, met vier grote ramen. Er stonden doeken tegen de muren en er hingen zwart-witfoto's op elk beschikbaar plekje van de dakwand.

'Ik werk veel van foto's,' zei Quinn. 'Die wilde ik je laten zien.'
Het waren close-ups van gezichten, waarbij de camera specifiek op
de ogen gefocust leek te zijn. Rebus zag wantrouwen, angst, nieuwsgierigheid, verdraagzaamheid en goedgehumeurdheid. Omgeven
door al die blikken voelde hij zichzelf tentoongesteld, wat hij ook
tegen de kunstenares zei, die daar tevreden over leek.

'Op mijn volgende tentoonstelling wil ik dat er niets van de muren te zien is, alleen maar rijen geschilderde gezichten die eisen dat
we aandacht aan ze besteden.'

'Ze kijken op ons neer.' Hij knikte langzaam. Quinn knikte ook.
'En waar heb je die foto's genomen?'

'Overal: Dundee, Glasgow, Knoxland.'

'Zijn het allemaal immigranten?'

Ze knikte, terwijl ze haar werk bekeek.

'Wanneer ben je in Knoxland geweest?'

'Een maand of drie, vier geleden. Ik werd na een paar dagen weggejaagd...'

'Weggejaagd?'

Ze keerde zich naar hem toe. 'Goed, laten we zeggen dat me het
gevoel werd gegeven dat ik niet welkom was.'

'Door wie?'

'Buurtbewoners... fanaten... rancuneuze mensen.'

Rebus bekeek de foto's van wat dichterbij. Hij zag niemand die
hij herkende.

'Sommigen willen natuurlijk niet gefotografeerd worden, en dat
moet ik respecteren.'

'Vraag je naar hun naam?' Ze knikte. 'Ken je iemand die Stef Yurgii heet?'

Ze begon haar hoofd te schudden, maar verstarde toen en keek
hem met grote ogen aan. 'Je ondervraagt me!'

'Ik stel alleen maar een vraag,' reageerde hij.

'Lijkt zo aardig, geeft me een lift...' Ze schudde haar hoofd over
haar eigen dwaasheid. 'Jezus, en dan nog te bedenken dat ik je binnen heb gelaten.'

'Ik probeer een zaak op te lossen, Caro. En of je het gelooft of
niet, ik heb je een lift aangeboden, gewoon vanuit nieuwsgierigheid...
ik heb geen verborgen agenda.'

Ze staarde hem aan. 'Gewoon vanuit nieuwsgierigheid naar wat?'
Ze kruiste haar armen defensief voor haar borst.

'Dat weet ik niet... Misschien omdat je die wake daar hield. Je
leek me daar niet het type voor.'

Haar ogen vernauwden zich. 'Het type?'

Hij haalde zijn schouders op. 'Geen klitterige haren of leren jack, geen haveloze hond aan een stuk touw... en ook geen piercings, zo te zien.' Hij probeerde de stemming wat te verbeteren en was opgelucht toen hij zag dat haar schouders zich ontspanden. Ze vertrok haar mond tot iets wat in de richting van een glimlach ging, nam haar armen voor haar borst weg en liet haar handen in haar zakken glijden.

Er kwam geluid van beneden: een huilende baby. 'Van jou?' vroeg Rebus.

'Ik ben zelfs niet getrouwd op dit moment...' Ze draaide zich om en daalde de smalle trap weer af. Rebus aarzelde even alvorens haar te volgen. Hij voelde zich nagestaard door al die ogen.

Een van de deuren in de gang stond open. Hij gaf toegang tot een kleine slaapkamer. Er stond een eenpersoonsbed waarop een donkere vrouw met slaperige ogen zat, met een baby die aan haar borst sabbelde.

'Is alles goed met haar?' vroeg Quinn aan de jonge vrouw.

'Goed,' kwam het antwoord.

'Dan laat ik je met rust.' Quinn deed de deur dicht.

'Rust,' klonk de zachte stem uit de kamer.

'Raad eens waar ik haar heb gevonden?' vroeg de kunstenares aan Rebus.

'Op straat?'

Ze schudde haar hoofd. 'In Whitemire. Ze is gediplomeerd verpleegster, maar ze mag hier niet werken. Anderen in Whitemire zijn dokters, leraren...' Ze lachte toen ze zijn gelaatsuitdrukking zag. 'Maak je geen zorgen, ik heb haar daar niet uit gesmokkeld of zo. Als je een adres opgeeft plus een borgsom betaalt, kun je er net zoveel vrij krijgen als je wilt.'

'Echt? Dat wist ik niet. Hoeveel kost dat?'

Haar glimlach verbreedde zich. 'Is er iemand daar die je zou willen helpen, inspecteur?'

'Nee... ik vroeg het me alleen maar af.'

'Er zijn er al heel wat op borgtocht vrijgekomen door mensen zoals ik... Af en toe zelfs door een parlementslid.' Ze zweeg even. 'Het gaat om mevrouw Yurgii, hè? Ik zag dat ze teruggebracht werd met haar kinderen. En even later kwam jij met dat poppenhuis aanzetten.' Weer zweeg ze even. 'Ze laten haar niet op borgtocht gaan.'

'Waarom niet?'

'Ze zijn bang dat ze verdwijnt, waarschijnlijk omdat haar man dat ook heeft gedaan.'

'Maar die is nu dood.'

'Ik denk niet dat ze daardoor van mening veranderen.' Ze keek hem van opzij aan, alsof ze wilde zien of ze misschien een portret van hem zou kunnen maken. 'Weet je? Misschien heb ik je inderdaad te snel beoordeeld. Heb je tijd voor een kop koffie?'

Rebus keek nadrukkelijk op zijn horloge. 'Er ligt werk op me te wachten,' zei hij. Hij hoorde getoeter beneden. 'En ik moet ook nog de eigenaar van een Mini tot bedaren brengen.'

'Een andere keer misschien.'

'Graag.' Hij gaf haar zijn kaartje. 'Mijn mobiele telefoonnummer staat op de achterkant.'

Ze hield het kaartje in haar hand alsof ze het woog. 'Bedankt voor de lift,' zei ze.

'Laat me weten wanneer je tentoonstelling is.'

'Je hoeft maar twee dingen mee te brengen. Om te beginnen je chequeboek...'

'En?'

'Je geweten,' zei ze, terwijl ze de deur voor hem opende.

13

Siobhan was het wachten zat. Ze had eerst naar het ziekenhuis gebeld, waar ze geprobeerd hadden dokter Cater op te roepen, maar zonder resultaat. Daarom was ze er maar naartoe gereden en had ze naar hem gevraagd bij de receptie. Weer werd hij opgeroepen, en weer geen resultaat.

'Ik weet zeker dat hij er is,' had een passerende verpleegster gezegd. 'Ik heb hem een halfuur geleden gezien.'

'Waar?' had Siobhan gevraagd.

Maar de verpleegster wist dat niet meer precies en noemde een stuk of vijf mogelijkheden, zodat Siobhan nu overal rondneusde. Ze luisterde aan deuren, gluurde door de openingen in scheidingswanden en wachtte bij kamers tot de consultaties waren afgelopen en de dokter niet Alexis Cater bleek te zijn.

'Kan ik u helpen?' Die vraag was haar al zo'n stuk of tien keer gesteld. Steeds weer vroeg ze waar Cater uithing, maar kreeg ze weer een ander antwoord.

'Je kunt weglopen, maar je kunt je niet verbergen,' mompelde ze toen ze een gang in liep die ze herkende van nog geen tien minuten geleden. Ze bleef staan bij een frisdrankautomaat, trok een blikje Irn-Bru en nipte eraan terwijl ze haar zoektocht voortzette. Toen haar mobieltje ging, herkende ze het nummer op het schermpje niet. Het was ook een mobiel nummer.

'Hallo?' zei ze, terwijl ze weer een hoek om liep.

'Shiv? Ben jij dat?'

Ze bleef abrupt staan. 'Natuurlijk ben ik het, je belt toch mijn nummer?'

'Tja, als je zo begint...'

'Wacht, wacht.' Ze zuchtte luidruchtig. 'Ik heb geprobeerd je te pakken te krijgen.'

Alexis Cater grinnikte. 'Dat heb ik gehoord. Leuk om te weten dat ik zo populair ben...'

'Maar je daalt snel in mijn hitparade. Ik dacht dat je me terug zou bellen.'

'O?'

'Met de gegevens van je vriendin Pippa,' antwoordde Siobhan, die haar ergernis niet verborg. Ze bracht het blikje naar haar lippen.

'Daar krijg je rotte tanden van,' waarschuwde Cater haar.

'Waarvan?' Siobhan zweeg abrupt en draaide zich honderdtachtig graden om. Vanachter het glas van een draaideur halverwege de gang keek hij haar aan. Ze liep naar hem toe.

'Mooi figuurtje,' zei zijn stem.

'Hoe lang volg je me al?' vroeg ze in haar eigen telefoon.

'Niet lang.' Hij duwde de deur open en klapte zijn mobieltje dicht, net zoals zij deed. Zijn witte jas hing open, over een grijs overhemd en een groene das.

'Misschien heb jij tijd voor spelletjes, maar ik niet.'

'Waarom rij je dan helemaal hiernaartoe? Even bellen was genoeg geweest.'

'Je nam niet op.'

Hij tuitte zijn lippen. 'Weet je zeker dat je niet brandde van verlangen om mij te zien?'

Ze kneep haar ogen tot spleetjes. 'Je vriendin Pippa,' bracht ze hem in herinnering.

Hij knikte. 'Wat dacht je van een borrel na het werk? Dan vertel ik het je.'

'Je vertelt het me nú.'

'Goed idee, dan kunnen we na het werk wat gaan drinken zonder door zakelijke aangelegenheden te worden gestoord.' Hij stak zijn handen in zijn zakken. 'Pippa werkt voor Bill Lindquist. Ken je hem?'

'Nee.'

'Een vooraanstaande pr-man. Was oorspronkelijk in Londen gevestigd, maar toen hij golffanaat werd, werd hij verliefd op Edinburgh. Hij heeft een paar keer met mijn vader gespeeld...' Hij zag dat Siobhan niet onder de indruk was.

'Wat is het adres van haar werk?'

'Dat staat in het telefoonboek onder "Lindquist pr". Ergens in New Town... misschien India Street. Ik zou van tevoren even bellen als ik jou was: pr is geen pr als je op je achterwerk in je kantoor zit...'

'Bedankt voor het advies.'

'Goed, maar... die borrel?'

Siobhan knikte. 'Opal Lounge, negen uur?'

'Lijkt me een goed idee.'

'Mooi.' Siobhan lachte naar hem en liep weg. Hij riep haar, en ze bleef staan. 'Je bent niet van plan om te komen, hè?'

'Je moet er om negen uur zijn om daarachter te komen,' zei ze. Ze zwaaide en liep de gang uit. Meteen rinkelde haar mobieltje.

De stem van Cater. 'Je hebt nog steeds een mooi figuur, Shiv. Het zou zonde zijn als je het niet wat frisse lucht en oefening zou gunnen...'

Ze reed rechtstreeks naar India Street en belde van tevoren om zich ervan te verzekeren dat Pippa Greenlaw er was. Ze was er niet. Ze had een bespreking met cliënten op Lothian Road, maar werd over een uur terug verwacht. Siobhan wist dat ze er vanwege de verkeersdrukte ook bijna een uur over zou doen om bij Lindquist pr te komen.

Het kantoor zat in het souterrain van een achttiende-eeuws gebouw en was bereikbaar via een stenen wenteltrapje. Siobhan wist dat heel wat panden in New Town die ooit tot kantoor waren verbouwd, nu weer privéwoningen werden, net zoals ze oorspronkelijk waren geweest. Er stond veel te koop in deze buurt; de statige huizen bleken niet te voldoen aan de behoeften van de nieuwe eeuw. De meeste hadden interieurs die op de monumentenlijst stonden. Je kon niet zomaar muren wegbreken om nieuwe kabels te leggen of de beschikbare ruimte anders in te delen. Aanbouw was ook niet toegestaan. Het gemeentebestuur zorgde ervoor dat de buurt in ere werd hersteld, en waar dit tekortschoot, waren er altijd nog meer dan genoeg pressiegroepen in de wijk waar slag mee geleverd moest worden...

Een en ander vormde het onderwerp van het gesprek dat Siobhan met de receptioniste voerde, die zich verontschuldigde omdat Pippa verlaat was. Ze schonk koffie uit de automaat voor Siobhan, bood haar een van haar eigen biscuitjes uit haar bureaula aan en babbelde tussen het aannemen van telefoongesprekken door.

'Het plafond is grandioos...' zei ze. Siobhan beaamde dat en keek omhoog naar de overdadige plafonddecoratie. 'U zou de open haard in het kantoor van meneer Lindquist eens moeten zien.' De receptioniste sloot haar ogen in vervoering. 'Die is absoluut...'

'Grandioos?' opperde Siobhan. De receptioniste knikte.

'Wilt u nog koffie?'

Siobhan bedankte, want ze moest nog aan het eerste kopje beginnen. Er werd een deur geopend en een man stak zijn hoofd naar buiten. 'Is Pippa er al?'

'Ze moet zijn opgehouden, Bill,' zei de receptioniste verontschuldigend. Lindquist keek naar Siobhan, maar zei niets en verdween weer in zijn kamer.

De receptioniste lachte naar Siobhan en trok haar wenkbrauwen lichtjes op, waarmee ze Siobhan duidelijk maakte dat ze ook meneer Lindquist grandioos vond. Misschien was iedereen in de pr grandioos, besloot Siobhan, iedereen en alles.

De buitendeur werd met enig geweld geopend. 'Stomme zakken... stelletje herseloze stomme zakken.' Een jonge vrouw stapte naar binnen. Ze was slank en droeg een rok en een jasje die haar figuur goed deden uitkomen. Lang rood haar en glossy rode lipstick. Zwarte pumps en zwarte kousen; iets zei Siobhan dat het inderdaad kousen waren en dat het geen panty was. 'Hoe kunnen we ze verdomme helpen als ze een gouden medaille voor stompzinnigheid hebben. Geef daar maar eens antwoord op, Sherlock!' Ze legde haar koffertje met een klap op de balie. 'Als Bill me daar nog een keer naartoe stuurt, Zara, neem ik een uzi mee en net zoveel munitie als in dit koffertje past.' Ze gaf een klap op haar koffertje en zag toen pas dat Zara's blik gericht was op de rij stoelen bij het raam.

'Pippa,' zei Zara met trillende stem, 'deze dame zit op je te wachten...'

'Mijn naam is Siobhan Clarke,' zei Siobhan, terwijl ze een stap naar voren deed. 'Ik ben misschien een nieuwe klant...' Bij het zien van de ontzetting op het gezicht van Greenlaw, stak ze een hand op. 'Grapje.'

Greenlaw rolde opgelucht met haar ogen. 'Daar dank ik het lieve kindje Jezus voor.'

'Ik ben van de politie.'

'Ik meende het niet echt van die uzi...'

'Heel verstandig. Ik geloof dat ze berucht zijn om het haperen. Je kunt veel beter een Heckler & Koch nemen...'

Pippa Greenlaw lachte. 'Kom mee naar mijn kamer, dan kan ik dat opschrijven.'

Haar kamer was in het oorspronkelijke huis waarschijnlijk die van het dienstmeisje geweest. Hij was smal en niet echt lang; een getralied raam zag uit op een kleine parkeerplaats waar Siobhan een Maserati en een Porsche herkende.

'Ik neem aan dat die Porsche van jou is,' zei ze.

'Natuurlijk is die van mij, daar kwam je toch voor?'

'Waarom denk je dat?'

'Omdat die rottige flitspaal bij de dierentuin me vorige week weer te grazen heeft genomen.'

'Daar heb ik niets mee te maken. Mag ik gaan zitten?'

Greenlaw fronste haar wenkbrauwen en knikte tegelijkertijd. Siobhan schoof wat papieren van een stoel. 'Ik wil je een paar vragen stellen over een van de feestjes van Lex Cater,' zei ze.

'Welk?'

'Dat van ongeveer een jaar geleden. Het was dat feestje met die skeletten.'

'Goh... ik wilde net gaan zeggen dat niemand zich ooit iets herinnert van die feestjes bij Lex, vanwege de hoeveelheden drank die we erdoorheen jagen, maar dát feestje herinner ik me wel. Ik herinner me in ieder geval het skelet.' Ze kreunde. 'Die rotzak vertelde me pas dat het echt was nadat ik het gekust had.'

'Je hebt het gekust?'

'Ik wilde me niet laten kennen.' Ze zweeg even. 'Na een glas champagne of tien... Er was ook een baby.' Ze kreunde nogmaals. 'Dat schiet me nu pas te binnen.'

'Kun je je herinneren wie er verder nog waren?'

'De mensen die er altijd zijn waarschijnlijk. Waar gaat dit over?'

'De skeletten werden na het feestje vermist.'

'Echt waar?'

'Heeft Lex dat nooit verteld?'

Pippa schudde haar hoofd. Van dichtbij was haar gezicht overdekt met sproeten, die maar ten dele schuilgingen onder haar bruine kleur. 'Ik dacht dat hij ze gewoon had weggedaan.'

'Je had een partner bij je die avond.'

'Ik heb nooit gebrek aan partners, schat.'

De deur ging open en Lindquist keek naar binnen. 'Pippa?' zei hij. 'Kun je over vijf minuten in mijn kamer zijn?'

'Geen probleem, Bill.'

'En de bespreking van vanmiddag?'

Greenlaw haalde haar schouders op. 'Helemaal geweldig, Bill, precies zoals je gezegd had.'

Hij glimlachte en trok zich weer terug. Siobhan vroeg zich af of er wel een lichaam aan het hoofd en de nek vastzat. Misschien bestond de rest van hem wel uit ijzer en bedrading. Ze wachtte even voordat ze verder sprak. 'Hij moet je hebben gehoord toen je binnenkwam, of is zijn kamer geluiddicht?'

'Bill hoort alleen maar goed nieuws, dat is zijn gulden regel... Waarom vraag je me naar dat feestje bij Lex?'

'De skeletten zijn weer opgedoken, in een kelder in Fleshmarket Close.'

Greenlaw zette grote ogen op. 'Daar heb ik op de radio over gehoord.'

177

'Wat dacht je toen?'

'Dat het een publiciteitsstunt was. Dat was mijn eerste reactie.'

'Ze lagen verborgen onder een betonnen vloer.'

'Maar ze zijn nu dus opgegraven.'

'Ze hebben daar bijna een jaar gelegen...'

'Dat lijkt met voorbedachten rade...' Maar Greenlaw klonk nu minder zelfverzekerd. 'Ik begrijp nog steeds niet wat dit met mij te maken heeft.' Ze boog zich naar voren, met haar ellebogen op haar bureau. Daarop stond niets behalve een dunne zilverkleurige laptop: geen printer of kabels te zien.

'Je had iemand bij je. Lex denkt dat hij de skeletten misschien heeft meegenomen.'

Het gezicht van Greenlaw werd een en al rimpel. 'Wie had ik bij me?'

'Ik hoopte dat jij me dat zou vertellen. Lex herinnert zich dat het een voetballer was.'

'Een voetballer?'

'Zo heb je hem ontmoet...'

Greenlaw dacht na. 'Ik geloof niet dat ik ooit... nee, wacht even, er was een vent...' Ze keek met haar hoofd achterover naar de hemel, waardoor ze een slanke hals onthulde. 'Het was geen échte voetballer... hij speelde bij een amateurclub. Jezus, hoe heette hij ook weer?' Triomfantelijk keek ze Siobhan aan. 'Barry.'

'Barry?'

'Of Gary... iets dergelijks.'

'Je kent vast heel wat mannen.'

'Niet echt. Maar wel een heleboel van die figuren die je maar beter kunt vergeten, zoals Barry-of-Gary.'

'Heeft hij ook een achternaam?'

'Die heb ik nooit geweten, denk ik.'

'Waar heb je hem ontmoet?'

Greenlaw probeerde terug te denken. 'Bijna zeker in een bar... Misschien op een feestje of bij de een of andere lancering van een nieuw product voor een klant.' Ze glimlachte verontschuldigend. 'Het was een vriendje voor één nacht. Hij was knap genoeg om met hem uit te gaan. Ik geloof dat ik me hem toch herinner. Ik dacht dat Lex misschien wel van hem zou schrikken.'

'Hoezo schrikken?'

'Je weet wel... een beetje ruig.'

'En hoe ruig was hij?'

'Jezus, ik bedoel niet dat hij een biker was of zo. Hij was gewoon wat meer...' Ze zocht naar het juiste woord. 'Meer proleet dan de meeste anderen met wie ik het aanlegde.'

Ze trok haar schouders verontschuldigend op en leunde achterover op haar stoel, lichtjes schommelend.

'Heb je enig idee waar hij vandaan kwam? Waar hij woonde? Wat hij in het dagelijks leven deed?'

'Voor zover ik het me kan herinneren had hij een flat in Corstorphine... niet dat ik die heb gezien. Hij was...' Ze kneep heel even haar ogen dicht. 'Nee, ik kan me niet herinneren wat hij deed. Maar hij smeet met geld.'

'Hoe zag hij eruit?'

'Gebleekt haar met donkere plukjes. Pezig; hij pronkte graag met zijn spieren... Een heleboel energie in bed, maar geen finesse. Ook niet al te zwaar geschapen trouwens.'

'Dat is waarschijnlijk genoeg om mee aan de slag te gaan.'

De twee vrouwen glimlachten.

'Het lijkt een heel leven geleden,' merkte Greenlaw op.

'Heb je hem sindsdien niet meer gezien?'

'Nee.'

'En je hebt toevallig ook niet zijn telefoonnummer bewaard?'

'Elke nieuwjaarsdag maak ik een brandstapeltje van al die papiertjes... je kent ze wel, met nummers en namen, van mensen die je nooit meer belt. Van sommigen herinner je je niet eens meer wat. Al die afstotelijke, stomme hypocrieten die je bij je kont pakken op de dansvloer of een hand om je tiet laten glijden op een feestje, en die ervan uitgaan dat pr 'prettig ritselen' betekent...' Greenlaw kreunde.

'Die bespreking waar je zojuist vandaan kwam, Pippa... heb je daar iets gedronken?'

'Alleen champagne.'

'En je bent hierheen teruggereden in de Porsche?'

'O jee, ga je me een ademtest afnemen, agentje?'

'Eigenlijk ben ik nogal onder de indruk. Ik heb het nu pas door.'

'Het vervelende met champagne is dat ik er altijd zo'n dorst van krijg.' Ze keek op haar horloge. 'Heb je zin om wat met me te gaan drinken?'

'Zara heeft nog wel wat koffie over,' antwoordde Siobhan.

Greenlaw trok een gezicht. 'Ik moet nog even met Bill gaan praten, maar dan ben ik klaar voor vandaag.'

'Jij boft maar.'

'Greenlaw stak haar onderlip naar voren. 'Wat dacht je van later vanavond?'

'Ik zal je een geheim verklappen: Lex is om negen uur in de Opal Lounge.'

'Echt?'

'Ik weet zeker dat hij je wel een drankje aanbiedt.'

'Maar dat duurt nog uren,' protesteerde Greenlaw.

'Even doorzetten,' adviseerde Siobhan, terwijl ze opstond. 'En bedankt voor het gesprek.'

Ze wilde weggaan, maar Greenlaw gebaarde haar dat ze weer moest gaan zitten. Ze rommelde in de la's van haar bureau en bracht uiteindelijk een blocnote en een pen boven tafel.

'Dat wapen waar je het over had,' zei ze, 'hoe heette dat ook weer?'

In Knoxland werd de portakabin met een kraan op een vrachtwagen gehesen. Achter sommige ramen van de flats verschenen gezichten van buurtbewoners die de actie met belangstelling gadesloegen. Er was graffiti aan de portakabin toegevoegd sinds de vorige keer dat Rebus er was. Het raam was ondertussen helemaal ingeslagen en iemand had geprobeerd de deur in brand te steken.

'En het dak,' voegde Shug Davidson er ter lering en vermaak voor Rebus aan toe. 'Aanstekervloeistof, kranten en een oude autoband.'

'Dat verbaast me.'

'Wat?'

'Kranten. Wou je zeggen dat er iemand in Knoxland is die léést?'

Davidsons glimlach was heel kort. Hij vouwde zijn armen over elkaar. 'Soms vraag ik me wel eens af waar wij ons druk over maken.'

Terwijl hij dat zei, kwam Gareth Baird uit het dichtstbijzijnde woonblok, begeleid door dezelfde twee agenten. Ze maakten alle drie een uitgeputte indruk.

'Niets?' vroeg Davidson. Een van de agenten schudde zijn hoofd.

'Bij een stuk of veertig, vijftig flats werd niet opengedaan.'

'Ik kom hier nooit meer terug!' klaagde Gareth.

'Dat bepalen wij wel,' zei Rebus.

'Moeten we hem naar huis brengen?' vroeg de agent.

Rebus schudde zijn hoofd, met zijn blik op Gareth. 'Er is niets mis met de bus. Elk halfuur gaat er een.'

Gareth keek hem vol ongeloof aan. 'Na alles wat ik heb gedaan?'

'Nee, knul,' corrigeerde Rebus hem. 'Vanwege alles wat je hebt gedaan. Je begint daar nog maar net voor te boeten. De bushalte is aan de overkant van die weg volgens mij.' Rebus wees naar de tweebaansweg. 'Via de voetgangerstunnel.'

Gareth keek om zich heen, maar zag geen enkel meelevend gezicht. 'Jullie worden bedankt,' mopperde hij, terwijl hij wegliep.

'Terug naar het bureau, jongens,' zei Davidson tegen de agenten. 'Sorry dat jullie vandaag aan het kortste eind trokken...'

De agenten knikten alleen maar en gingen naar hun patrouillewagen.

'Nog een leuke verrassing voor hen,' vertelde Davidson aan Rebus. 'Iemand heeft een hele doos eieren tegen hun voorruit gesmeten.'

Rebus schudde zijn hoofd in gespeeld ongeloof. 'Ga je me nou zeggen dat er iemand in Knoxland is die vers voedsel koopt?'

Deze keer glimlachte Davidson niet. Hij pakte zijn mobieltje. Rebus herkende de melodie: 'Scots Wha Hae'.* Davidson haalde zijn schouders op. 'Een van mijn zoons heeft er gisteravond aan zitten rommelen... Ik ben vergeten het te veranderen.' Hij nam het gesprek aan en Rebus luisterde.

'Daar spreekt u mee... O ja, meneer Allan.' Davidson rolde met zijn ogen. 'Ja, dat klopt... Is dat zo?' Hij keek Rebus aan. 'Dat is interessant. Zou ik u persoonlijk kunnen spreken?' Hij wierp een blik op zijn horloge. 'Vandaag zou ideaal zijn... Ik ben op dit moment vrij als u tijd hebt... Nee, het zal echt niet lang duren... We kunnen binnen twintig minuten bij u zijn... Ja, dat weet ik zeker. Dank u. Tot straks.' Davidson beëindigde het gesprek en staarde naar zijn mobieltje.

'Allan?' drong Rebus aan.

'Rory Allan,' zei Davidson, nog steeds afwezig.

'De hoofdredacteur van de *Scotsman*?'

'Hij heeft zojuist van een van zijn nieuwsploegen gehoord dat ze een week of zo geleden een telefoontje hebben gekregen van een buitenlands klinkende man die zichzelf Stef noemde.'

'Stef Yurgii?'

'Dat lijkt zo... Hij zei dat hij verslaggever was en dat hij een verhaal wilde schrijven.'

'Waarover?'

Davidson haalde zijn schouders op. 'Daarover heb ik die afspraak met Rory Allan.'

'Heb je gezelschap nodig, beste kerel?' Rebus produceerde zijn meest innemende glimlach.

Davidson dacht even na. 'Eigenlijk zou Ellen mee moeten...'

'Maar zij is niet hier.'

'Maar ik zou haar kunnen bellen.'

* Op muziek gezet gedicht van Robert Burns, een lied van Schotse nationale trots en trouw.

181

Rebus probeerde beledigd te kijken. 'Wijs je mij af, Shug?'

Davidson aarzelde nog even en stopte toen het mobieltje in zijn zak. 'Als je je maar netjes gedraagt,' zei hij.

'Erewoord.' Rebus salueerde.

'God sta me bij,' zei Davidson, alsof hij zijn moment van zwakheid nu al betreurde.

Het dagblad van Edinburgh was gehuisvest in een nieuw gebouw tegenover de BBC op Holyrood Road. Je had er goed zicht op de kranen die nog altijd de hemel boven het bouwterrein van het Schotse Parlement domineerden.

'Ik vraag me af of er ooit een eind aan komt voordat de kosten een eind aan ons maken,' mijmerde Davidson, terwijl hij het gebouw van de *Scotsman* binnenging. De beveiligingsman liet hen binnen via een tourniquet en zei hun de lift te nemen naar de eerste verdieping. Vandaar konden ze de journalisten beneden in de kantoortuin zien. Achteraan was een glazen wand die uitzicht bood op de Salisbury Crags. Rokers stonden aan hun sigaret te zuigen op een balkon buiten, waaruit Rebus begreep dat hij zich binnen niet aan roken kon overgeven. Rory Allan kwam hen tegemoet.

'Inspecteur Davidson,' zei hij, zich instinctief tot Rebus wendend.

'Sorry, ik ben inspecteur Rebus. Dat ik eruitzie als zijn vader wil nog niet zeggen dat hij niet de baas is.'

'Schuldig bevonden aan leeftijdsdiscriminatie,' zei Allan, terwijl hij eerst Rebus de hand schudde en daarna Davidson. 'Er is een spreekkamer vrij... volg mij.'

Ze betraden een smalle kamer met een lange ovale tafel in het midden.

'Het ruikt hier splinternieuw,' merkte Rebus op.

'Deze kamer wordt niet vaak gebruikt,' verklaarde de redacteur. Rory Allan was in de dertig, met dunner wordend haar, zilvergrijs al, en met een John Lennon-achtig brilletje op. Hij had zijn jasje in zijn eigen kamer achtergelaten en droeg een lichtblauw overhemd met een rode zijden das. Zijn mouwen waren opgerold. 'Gaat u zitten. Kan ik koffie voor u halen?'

'Nee, dank u, meneer Allan.'

Allan knikte tevreden. 'Ter zake dan... U begrijpt toch wel dat we dit in de krant hadden kunnen opnemen zonder u te informeren, zodat u het zelf had moeten uitzoeken?'

Davidson boog lichtjes zijn hoofd om zijn erkentelijkheid duidelijk te maken. Er werd geklopt.

'Binnen!' blafte Allan.

Er leek een kleinere versie van de hoofdredacteur te verschijnen: dezelfde haarstijl, dezelfde bril, opgerolde mouwen.

'Dit is Danny Watling. Danny is iemand van onze nieuwsploeg. Ik heb hem erbij gevraagd zodat hij zelf zijn verhaal kan vertellen.' Allan gebaarde naar de journalist dat hij kon gaan zitten.

'Er valt niet veel te vertellen,' zei Danny Watling, zo zacht dat Rebus, die tegenover hem aan tafel zat, naar voren moest buigen om hem te verstaan. 'Ik zat te werken... nam een telefoontje aan... iemand die zei dat hij verslaggever was en dat hij een verhaal wilde schrijven.'

Shug Davidson had zijn vingers tegen elkaar gedrukt op de tafel. 'Heeft hij gezegd waar het over ging?'

Watling schudde zijn hoofd. 'Hij was achterdochtig... en zijn Engels was niet zo best. Het was alsof hij de woorden in een woordenboek had opgezocht.'

'Of dat hij ze oplas?' onderbrak Rebus hem.

Watling overwoog dit. 'Dat zou kunnen, ja.'

Davidson vroeg om uitleg. 'Zijn vriendin zou ze opgeschreven kunnen hebben,' antwoordde Rebus. 'Haar Engels zou beter zijn dan dat van Stef.'

'Heeft hij zijn naam genoemd?' vroeg Davidson aan de journalist.

'Stef, ja.'

'Geen achternaam?'

'Ik geloof niet dat hij die wilde noemen.' Watling keek zijn baas aan. 'Weet u, we krijgen tientallen zonderlinge telefoontjes...'

'Danny heeft hem misschien niet zo serieus genomen als hij wellicht had moeten doen,' merkte Allan op, terwijl hij een onzichtbaar pluisje van zijn broek wreef.

'Nee, nou ja...' Watling werd rood bij zijn hals. 'Ik heb gezegd dat we meestal geen gebruik maken van freelancers, maar dat wij misschien zijn naam bij het artikel zouden kunnen plaatsen als hij met iemand wilde praten.'

'Wat zei hij daarop?' vroeg Rebus.

'Hij leek het niet te begrijpen. Dat maakte me nog wat argwanender.'

'Hij wist niet wat "freelance" betekende?' veronderstelde Davidson.

'Of misschien had hij daar gewoon geen equivalent voor in zijn eigen taal,' stelde Rebus.

Watling knipperde een paar keer met zijn ogen. 'Achteraf gezien,' zei hij tegen Rebus, 'zou dat best wel eens kunnen...'

'En hij gaf u geen enkel idee waar dat verhaal van hem over ging?'

'Nee. Ik denk dat hij me eerst onder vier ogen wilde spreken.'

'En dat hebt u afgewezen?'

Watling ging rechtop zitten. 'O nee, ik regelde een afspraak met hem. Tien uur die avond, voor de ingang van Jenner's.'

'Jenner's warenhuis?' vroeg Davidson.

Watling knikte. 'Dat was zo'n beetje de enige zaak die hij kende... Ik probeerde een paar pubs, zelfs de echt bekende waar alleen toeristen komen. Maar hij leek de binnenstad nauwelijks te kennen.'

'Hebt u hém gevraagd een ontmoetingsplaats te noemen?'

'Ik heb gezegd dat elke plek die hij zou noemen voor mij oké was, maar hij wist niets te bedenken. Toen heb ik Princes Street genoemd, en die kende hij, dus heb ik besloten om de duidelijkste plek daar te kiezen.'

'Maar hij kwam niet opdagen?'

De journalist schudde langzaam zijn hoofd. 'Dat was waarschijnlijk de avond voordat hij stierf.'

Het was even stil in de kamer. 'Dat kan van alles of niets betekenen.' Davidson voelde zich verplicht dit te zeggen.

'Maar het zou u een motief kunnen geven,' voegde Allan hieraan toe.

'Nóg een motief, bedoelt u,' corrigeerde Davidson. 'De kranten – met inbegrip van de uwe volgens mij, meneer Allan – hebben het tot nu toe vooral benaderd als een racistische moord.'

De redacteur haalde zijn schouders op. 'Ik denk alleen maar hardop...'

Rebus keek de journalist aan. 'Hebt u misschien aantekeningen?' vroeg hij. Watling knikte en keek vervolgens zijn baas aan, die met een knikje permissie gaf. Watling overhandigde Davidson een opgevouwen velletje van een notitieblok. Davidson had maar een paar seconden nodig voordat hij het velletje over de tafel naar Rebus schoof.

STEPH... OOST-EUROPEAAN???

JOURN. VERHAAL

10 VANAVOND JENNER'S

'Dat voegt er volgens mij niet iets wat ik een nieuwe dimensie zou noemen aan toe,' merkte Rebus nuchter op. 'Heeft hij niet meer gebeld?'

'Nee.'

'Ook niet met een van de andere mensen hier?' Een ontkennend hoofdschudden. 'En toen hij met u sprak, was dat de eerste keer dat hij belde?' Een knik. 'Ik neem aan dat u er niet aan gedacht hebt een telefoonnummer aan hem te vragen of na te gaan waar hij vandaan belde?'

'Het klonk als een telefooncel. Er was verkeer dichtbij.'

Rebus dacht aan de bushalte aan de rand van Knoxland... Er was een telefooncel op een meter of vijftien van die halte, naast de rijweg. 'Weten wij waar het alarmtelefoontje vandaan kwam?' vroeg hij aan Davidson.

'Vanuit de telefooncel bij de voetgangerstunnel,' antwoordde Davidson.

'Is dat misschien dezelfde?' opperde Watling.

'Dit wordt bijna een nieuwsitem op zich,' grapte zijn hoofdredacteur. 'Een werkende telefooncel gevonden in Knoxland.'

Shug Davidson keek naar Rebus die met een trekje van een van zijn schouders aangaf dat hij geen vragen meer had. Beide mannen stonden op.

'Goed, bedankt dat u contact met ons hebt opgenomen, meneer Allan, dat stellen we zeer op prijs.'

'Ik weet dat het niet veel is...'

'Het is in ieder geval weer een stukje van de legpuzzel.'

'En hoe staat het met het aan elkaar passen van die stukjes, inspecteur?'

'Ik zou zeggen dat we de randen van de puzzel hebben en dat we alleen het midden nog moeten leggen.'

'Het moeilijkste deel,' merkte Allan meelevend op. Alle handen werden geschud. Watling ging weer terug naar zijn bureau. Allan zwaaide de twee rechercheurs na terwijl de liftdeuren zich sloten. Buiten op straat wees Davidson op een café aan de overkant van de weg.

'Ik trakteer,' zei hij.

Rebus stak een sigaret op. 'Mooi, maar geef me één minuutje om mijn sigaret op te roken...' Hij zoog zijn longen vol en liet de rook door zijn neusgaten ontsnappen, waarna hij een draadje tabak van zijn tong plukte. 'Dus het is een legpuzzel, hè?'

'Een man als Allan werkt met clichés... Ik dacht, ik zal hem er een geven waar hij over na kan denken.'

'De ellende met legpuzzels,' zei Rebus, 'is dat het oplossen ervan afhangt van het aantal stukjes.'

'Dat is waar, John.'

'En hoeveel stukjes hebben we?'

'Om eerlijk te zijn, zeker de helft ligt op de vloer, misschien nog een paar onder de bank en onder de rand van het vloerkleed. En wil je nou opschieten met het oproken van dat stinkding? Ik ben hard aan een espresso toe.'

'Het is toch wel erg gesteld met iemand die zo verslaafd aan een oppepper is,' zei Rebus, alvorens nog een diepere haal van zijn sigaret te nemen.

Vijf minuten later zaten ze in hun koffie te roeren. Davidson kauwde op kleverige brokjes cake.

'Tussen haakjes,' zei hij tussen twee happen door, 'ik heb iets voor je.' Hij zocht de zakken van zijn jasje af en haalde een cassettebandje tevoorschijn. 'Het is de opname van dat alarmtelefoontje.'

'Bedankt.'

'Ik heb het Gareth Baird laten horen.'

'En, was het de vriendin van Yurgii?'

'Hij wist het niet zeker. Zoals hij zei, de opname is niet bepaald ruisvrij.'

'In ieder geval bedankt.' Rebus stak het bandje weg.

14

Hij speelde het af in zijn auto, op weg naar huis. Hij klooide wat met de knoppen voor bas en hoge tonen, maar hij kon niet veel verbeteren aan de geluidskwaliteit. De stem van een uitzinnige vrouw, contrasterend met de beroepsmatige kalmte van de man van de alarmcentrale.

Dood... hij gaat dood... o, mijn god...
Kunt u ons een adres geven, mevrouw?
Knoxland... tussen de gebouwen... de hoge gebouwen... hij is voetpad...
Hebt u een ambulance nodig?
Dood... dood... (Breekt uit in kreten en snikken.)
De politie is gewaarschuwd. Kunt u daar blijven tot zij komen, alstublieft? Mevrouw? Hallo, mevrouw?
Wat? Wat?
Mag ik uw naam, alstublieft?
Ze hebben hem vermoord... hij zei... o, mijn god...
We sturen een ambulance. Is dat het enige adres dat u kunt geven? Mevrouw? Hallo, bent u daar nog?

Maar ze was er niet meer. De lijn was dood. Rebus vroeg zich nogmaals af of ze dezelfde telefoon had gebruikt als Stef toen hij Danny Watling belde. En wat voor verhaal was het geweest, het verhaal waarvoor een gesprek onder vier ogen nodig was... Stef Yurgii met zijn journalistieke intuïtie, die sprak met de immigranten in Knoxland... die niet graag wilde dat zijn verhaal door anderen werd gestolen. Rebus spoelde het bandje terug.

Ze hebben hem vermoord... hij zei...

Zei wat? Had hij haar gewaarschuwd dat dit zou gebeuren? Had hij haar gezegd dat zijn leven gevaar liep?

Vanwege een verhaal?

Rebus gaf richting aan en stopte langs de weg. Hij draaide het bandje nog een keer, tot het einde en met het geluid op zijn hardst. Het achtergrondgesis leek nog steeds door te gaan toen het bandje was gestopt. Hij had het gevoel dat hij op grote hoogte zat en dat zijn oren dichtzaten.

Het was een racistische daad. Afschuwelijk, maar simpel; de moordenaar was verbitterd en verknipt, zijn daad een uiting van al die woede.

Toch?

Kinderen zonder een vader... bewakers gehersenspoeld waardoor ze bang waren voor speelgoed... brandende banden op een dak...

'Wat gebeurt hier in godsnaam?' hoorde hij zichzelf vragen. De wereld trok aan iedereen voorbij, aan iedereen die vastbesloten was niet te kijken. Auto's die huiswaarts keerden; voetgangers die alleen oogcontact maakten met het trottoir voor zich... want wat je niet zag, kon jou niet raken. Een prachtige, moedige wereld, wachtend op het nieuwe parlementsgebouw. Een vergrijzend land dat zijn talentvolle mensen naar alle uithoeken van de wereld stuurt, maar dat niemand binnen wil laten... geen toerist en geen migrant.

'Wat in godsnaam?' fluisterde hij, het stuur tussen zijn handen klemmend. Hij zag dat er een paar meter verderop een pub was. Hij zou een parkeerbon kunnen krijgen, maar hij kon het altijd riskeren.

Maar nee... als hij iets had willen drinken, dan was hij wel naar de Ox gegaan. In plaats daarvan ging hij naar huis, net als andere werkende mensen. Een lang heet bad en misschien een of twee nipjes van een fles malt. Er was een nieuwe lading cd's die hij nog niet had beluisterd, vorig weekend gekocht: Jackie Leven, Lou Reed, John Mayall's Bluesbreakers... Plus de cd's die Siobhan hem had geleend: Snow Patrol en Grant-Lee Phillips... hij had beloofd ze al de vorige week terug te geven.

Misschien kon hij haar bellen, kijken of ze het druk had. Ze hoefden niet ergens iets te gaan drinken; curry en bier bij hem of bij haar thuis, wat muziek en een praatje maken. Het was allemaal een beetje lastig geworden sinds die keer dat hij haar in zijn armen had genomen en haar had gekust. Niet dat ze erover hadden gepraat; hij nam aan dat zij het gewoon wilde vergeten. Maar dat betekende niet dat ze niet samen in één kamer konden zitten om samen curry te eten.

Was dat zo?

Maar misschien had ze wel andere plannen. Ze had tenslotte vrienden en vriendinnen. En wat had hij? Al die jaren in deze stad, het werk doen dat hij deed, en wat wachtte hem thuis?

Spoken.

Nachtbraken aan zijn raam, starend langs zijn weerspiegeling in de ruit.

Hij dacht aan Caro Quinn, omgeven door ogen... haar eigen spoken. Ze interesseerde hem in zoverre dat ze een uitdaging was: hij had zijn eigen vooroordelen en zij de hare. Hij vroeg zich af hoeveel ze uiteindelijk gemeen zouden hebben. Ze had zijn nummer, maar hij betwijfelde of ze zou bellen. En als hij wél iets zou gaan drinken, dan zou hij dat in zijn eentje doen en veranderen in wat zijn vader vroeger een 'zuipschuit' noemde: zoals de verzuurde stoere kerels die het goedkoopste merk whisky dronken aan de bar, in het niets starend. Ze spraken met niemand omdat ze zich hadden losgemaakt van de samenleving, van gesprekken en gelach. Hun wereld had zich beperkt tot een eenpersoonswereld.

Uiteindelijk haalde hij de cassette eruit. Shug kon hem terugkrijgen. De cassette zou geen onverwachte geheimen onthullen. Het enige wat hij er wijzer van werd, was dat een vrouw zich zorgen had gemaakt om Stef Yurgii.

Een vrouw die misschien wist waarom hij gestorven was.

Een vrouw die ondergedoken was.

Dus waar zou je je druk om maken? Laat het werk het werk, John. Dat is alles wat het voor je zou moeten zijn: gewoon werk. De rotzakken die hem een bescheiden hoekje op Gayfield Square hadden gegeven verdienden niet beter. Hij schudde zijn hoofd en wreef met zijn vuisten over zijn schedel, in een poging alle gedachten te verdringen. Het volgende moment gaf hij richting aan en voegde hij zich weer tussen het verkeer.

Hij was op weg naar huis, en de wereld kon zijn rug op.

'John Rebus?'

De man was zwart. En lang, een en al spieren. Toen hij vanuit de schemering naar voren stapte, was het wit van zijn ogen het eerste wat Rebus zag.

De man had gewacht in het trappenhuis van het flatgebouw waar Rebus woonde, bij de achterdeur die toegang gaf tot het overwoekerde veld waar mensen hun wasgoed konden ophangen. Het was een plek om beroofd te worden, vandaar dat Rebus zich schrap zette, ook al werd zijn naam genoemd.

'Bent u inspecteur John Rebus?'

De zwarte man had dicht kroeshaar en hij droeg een keurig pak en een paars overhemd met openstaande kraag. Zijn oren waren kleine driehoekjes met bijna geen oorlellen. Hij stond voor Rebus, en ze keken elkaar gespannen aan.

Rebus had een boodschappentas in zijn rechterhand, met een fles malt van twintig pond erin, en hij had geen zin om daarmee uit te halen als het niet absoluut noodzakelijk was. Om de een of andere reden gingen zijn gedachten naar een sketch van Chic Murray: een man die valt met een half flesje in zijn zak, een natte plek voelt en die betast: Goddank... het is alleen maar bloed.

'Wie bent u?'

'Sorry als ik u aan het schrikken heb gemaakt...'

'Wie zegt dat dat zo is?'

'Zeg, u wilt me toch niet met die tas...'

'Even wou ik dat wel... Maar wie bent u en wat wilt u?'

'Mag ik u mijn legitimatie laten zien?' De man bewoog zijn hand aarzelend naar de binnenzak van zijn jasje.

'Ga je gang.'

Er kwam een portefeuille tevoorschijn. De man klapte die open. Zijn naam was Felix Storey. Hij was ambtenaar bij de immigratiedienst.

'Felix?' zei Rebus, terwijl hij een wenkbrauw optrok.

'Dat betekent "gelukkig", hebben ze me verteld.'

'En het is een kat uit een stripverhaal.'

'Ook dat, natuurlijk.' Storey stopte de portefeuille weer weg. 'Zit er iets te drinken in die tas?'

'Dat zou zomaar kunnen.'

'Ik zie dat hij van een slijterij is.'

'U bent zeer opmerkzaam.'

Storey moest bijna glimlachen. 'Daarom ben ik hier.'

'Hoezo?'

'Omdat u gisteren werd opgemerkt toen u een zaak verliet die de Nook heet, inspecteur.'

'Is dat zo?'

'Ik heb een leuk setje opnamen om het te bewijzen.'

'En wat heeft dat in godsnaam te maken met de immigratiedienst?'

'Voor een drankje zal ik het u misschien vertellen...'

Rebus worstelde met een heleboel vragen, maar de boodschappentas werd steeds zwaarder. Hij gaf een nauwelijks merkbaar knikje en liep de trap op. Storey volgde hem. Hij deed zijn deur van het slot, duwde die open en veegde met zijn voet de post van die dag opzij, zodat deze boven op de post van de vorige dagen kwam te liggen.

'Leuk,' zei Storey met een knik terwijl hij de kamer rondkeek. 'Hoge plafonds, erker. Zijn alle flats hier zo groot?'

'Sommige zijn groter.' Rebus had de fles malt uit de doos gehaald en worstelde met de dop. 'Ga zitten.'

'Ik hou wel van een scheutje scotch.'

'Wij Schotten noemen het niet zo.'

'Hoe noemt u het dan?'

'Whisky, of malt.'

'Waarom niet scotch?'

'Ik denk dat dat stamt uit de tijd dat "scotch" kleinerend werd gebruikt.'

'Een pejoratieve uitdrukking?'

'Als dat het dure woord ervoor is...'

Storey grijnsde en toonde daarbij een glanzend gebit. 'In mijn werk moet je het jargon kennen.' Hij stond half op van de bank om een glas van Rebus aan te pakken. 'Proost dan.'

'*Slainte.*'

'Dat is Keltisch, hè?' Rebus knikte. 'Spreekt u ook Keltisch?'

'Nee.'

Storey leek hier even over na te denken terwijl hij genoot van een mondvol Lagavulin. Ten slotte knikte hij waarderend. 'Godallemachtig, het is wel sterk.'

'Wilt u wat water?'

De Engelsman schudde zijn hoofd.

'Uw accent,' zei Rebus, 'Londen?'

'Klopt. Tottenham.'

'Ik ben een keer in Tottenham geweest.'

'Voetbalwedstrijd?'

'Een moordzaak... Een lichaam dat bij het kanaal was gevonden...'

'Ik geloof dat ik me zoiets herinner. Ik zat toen nog op school.'

'U wordt bedankt.' Rebus schonk nog wat bij in zijn glas en stak vervolgens Storey de fles toe, die hem aannam en zijn eigen glas weer vulde. 'Dus u komt uit Londen en u werkt bij de immigratiedienst. En u houdt om de een of andere reden de Nook in het oog.'

'Dat klopt.'

'En dat verklaart waarom u mij in de smiezen kreeg, maar niet hoe u wist hoe ik heet.'

'We hebben assistentie van de plaatselijke recherche. Ik kan geen namen noemen, maar de betreffende rechercheur herkende u en brigadier Clarke onmiddellijk.'

'Dat is interessant.'

'Zoals ik al zei, ik kan geen namen noemen...'

'Maar wat voor belang heeft u bij de Nook?'

'Wat is het uwe?'

'Ik vroeg het eerst... Maar laat me raden: sommige meisjes in de club komen van overzee?'

'Daar ben ik van overtuigd.'

Rebus kneep zijn ogen half dicht boven de rand van zijn glas. 'Maar daarom bent u niet hier?'

'Voordat ik daarover kan praten, moet ik echt weten wat u daar deed.'

'Ik begeleidde brigadier Clarke, dat is alles. Zij wilde een paar vragen aan de eigenaar stellen.'

'Wat voor vragen?'

'Er wordt een tiener vermist. Haar ouders zijn bang dat ze in een tent als de Nook terechtkomt.' Rebus haalde zijn schouders op. 'Dat is alles. Brigadier Clarke kent het gezin, daarom doet ze wat extra moeite.'

'Ze had geen zin om in haar eentje naar de Nook te gaan?'

'Nee.'

Storey dacht even na en bestudeerde met veel vertoon zijn glas terwijl hij de inhoud liet ronddraaien. 'Hebt u er iets tegen als ik dat bij haar verifieer?'

'Denkt u dat ik lieg?'

'Niet per se.'

Rebus keek hem woedend aan, pakte zijn mobieltje en belde haar. 'Siobhan? Ben je met iets bezig?' Hij luisterde naar haar reactie, met zijn blik nog steeds op Storey gericht. 'Luister, ik heb hier iemand. Hij is van de immigratiedienst en hij wil weten wat wij in de Nook deden. Ik geef hem aan jou...'

Storey pakte het mobieltje aan. 'Brigadier Clarke? Mijn naam is Felix Storey. Ik ben ervan overtuigd dat inspecteur Rebus u later wel op de hoogte brengt, maar voor dit moment wil ik alleen maar van u weten of u kunt bevestigen waarom u in de Nook was.' Hij zweeg en luisterde. Toen: 'Ja, dat is wel zo ongeveer hetzelfde wat inspecteur Rebus heeft gezegd. Ik dank u voor uw medewerking. Sorry dat ik u heb lastiggevallen...' Hij gaf de telefoon weer aan Rebus.

'Tot kijk, Shiv... we praten later wel. Nu is meneer Storey aan de beurt.' Rebus klapte de telefoon dicht.

'U had dat niet hoeven doen,' zei de man van de immigratiedienst.

'Het is maar beter om de dingen meteen duidelijk te maken...'

'Wat ik bedoelde, was dat u uw mobiele telefoon niet had hoeven gebruiken. Uw vaste telefoon staat daar.' Hij knikte naar de eettafel. 'Dat was een stuk goedkoper geweest.'

Rebus bracht eindelijk een glimlach op. Felix Storey zette zijn glas op het vloerkleed en richtte zich op, met samengevouwen handen.

'Bij de zaak waaraan ik werk mag ik geen risico's lopen.'

'Waarom niet?'

'Omdat een of twee omkoopbare politiemensen in beeld komen...' Storey liet dit even inwerken. 'Niet dat ik enig bewijs heb om dat hard te maken. Het is gewoon iets wat zou kunnen gebeuren. De mensen met wie ik te maken heb, zouden zich geen twee keer bedenken om een heel bureau om te kopen.'

'Misschien zijn er meer omkoopbare politiemensen in Londen.'

'Misschien wel.'

'Als de danseressen niet illegaal zijn, dan moet het om Stuart Bullen gaan,' merkte Rebus op. De man van de immigratiedienst knikte langzaam. 'En als iemand helemaal uit Londen komt... en dan ook nog zover gaat om een surveillance op te zetten...'

Storey knikte nog steeds. 'Het is iets groots,' zei hij. 'Het zou iets heel groots kunnen zijn.' Hij ging verzitten op de bank. 'Mijn eigen ouders kwamen hier in de jaren vijftig, van Jamaica naar Brixton, gewoon twee van de velen. Dat was een vlekkeloze migratie, maar die wordt tenietgedaan door de huidige situatie. Tienduizenden per jaar, die illegaal het land binnenkomen... en die vaak aardig wat betalen voor dat voorrecht. Illegalen zijn big business geworden, inspecteur. Het vervelende is dat je ze nooit ziet totdat er iets verkeerd gaat.' Hij zweeg even om Rebus de ruimte te geven een vraag te stellen.

'Hoe is Bullen daarbij betrokken?'

'We vermoeden dat hij de hele Schotse operatie leidt.'

Rebus snoof. 'Is hij daar niet een beetje te stom voor?'

'Hij is de zoon van zijn vader, inspecteur.'

'Chicory Tip,' mompelde Rebus. Vervolgens, om antwoord te geven op de vragende blik van Storey: 'Die hadden een grote hit met "Son of My Father"... maar dat was voor uw tijd. Hoe lang houdt u de Nook al in het oog?'

'Pas sinds vorige week.'

'Vanuit die gesloten tijdschriftenwinkel?' veronderstelde Rebus. Hij herinnerde zich de winkel in de straat tegenover de club, met zijn witgekalkte ramen. Storey knikte. 'Nou, ik ben dus in de Nook geweest, en ik kan u vertellen dat het er niet naar uitziet dat er kamers vol illegale immigranten te vinden zijn.'

'Ik beweer ook niet dat hij ze daar verbergt...'

'En ik heb geen voorraadje valse paspoorten gezien.'

'Bent u in zijn kantoor geweest?'

'Hij zag er niet uit alsof hij iets verborg. De safe stond wijd open.'

'Om u te misleiden?' veronderstelde Storey. 'Toen hij erachter kwam waarom u daar was, hebt u toen een verandering in hem gezien? Misschien dat hij wat ontspande?'

'Er was niets wat mij deed denken dat hij andere zorgen zou hebben. Maar wat doet hij volgens u nou precies?'

'Hij is een schakel in een keten. Dat is een van de problemen. We weten niet hoeveel schakels er zijn, of welke rol ieder van hen speelt.'

'Het lijkt wel of u geen ene sodemieter weet.'

Storey besloot hier niet tegenin te gaan. 'Hebt u Bullen al eerder ontmoet?'

'Ik wist niet eens dat hij in Edinburgh was.'

'Dus u wist wie hij was?'

'Ik ken de familie, ja. Maar dat betekent niet dat ik ze 's avonds instop.'

'Ik beschuldig u nergens van, inspecteur.'

'U zit me uit te horen, wat zo'n beetje op hetzelfde neerkomt, en niet al te fijnzinnig, als ik dat eraan toe mag voegen.'

'Sorry als het zo lijkt...'

'Het ís zo. En hier zit ik nu, samen met u aan mijn whisky...' Rebus schudde zijn hoofd.

'Ik ken uw reputatie, inspecteur. Niets van wat ik heb gehoord is voor mij aanleiding om aan te nemen dat u het aanlegt met Stuart Bullen.'

'Misschien hebt u gewoon niet met de juiste mensen gepraat.' Rebus schonk zich nog wat whisky in, maar bood Storey niets aan. 'Maar wat hoopt u nu te vinden door de Nook te bespioneren? Afgezien uiteraard van omgekochte politiemensen...'

'Partners... tips en een paar nieuwe aanwijzingen.'

'Betekent dat dat de oude op niets zijn uitgelopen? Hoeveel hard bewijsmateriaal hebt u?'

'Zijn naam is genoemd...'

Rebus wachtte of er nog meer zou komen, maar er kwam niets meer. Hij snoof. 'Een anonieme tip? Die zou van een van zijn concurrenten in de Schaamstreek kunnen zijn, die hem graag zou willen dumpen.'

'De club zou een goede dekmantel kunnen zijn.'

'Bent u wel eens binnen geweest?'

'Nog niet.'

'Omdat u bang bent dat u opvalt?'

'U bedoelt vanwege mijn huidskleur?' Storey haalde zijn schouders op. 'Misschien heeft dat er iets mee te maken. Er zijn niet veel zwarte gezichten in de straten hier, maar dat verandert nog wel. Of u ze wíl zien of niet is een ander verhaal.' Hij keek de kamer nog eens rond. 'Leuk huis...'

'Dat zei u al eerder.'

'Woont u hier al lang?'

'Meer dan twintig jaar.'

'Dat is lang... Ben ik de eerste zwarte die u binnen hebt gelaten?'

Rebus dacht hier even over na. 'Waarschijnlijk wel, ja,' bekende hij.

'En Chinezen, of Aziaten?' Rebus verkoos niet te antwoorden. 'Wat ik bedoel, is...'

'Luister,' onderbrak Rebus hem, 'ik ben dit zat. Drink uw glas leeg en verdwijn... en dat zeg ik niet omdat ik racist ben, maar omdat u me behoorlijk de keel uit begint te hangen.' Hij stond op.

Storey deed hetzelfde en gaf hem het glas terug. 'Het was goede whisky,' zei hij. 'Ziet u? U hebt mij geleerd geen "scotch" te zeggen.' Hij stak zijn hand in zijn borstzak en haalde er zijn visitekaartje uit. 'Voor het geval u de behoefte voelt contact met me op te nemen.'

Rebus pakte het kaartje aan zonder er een blik op te werpen. 'In welk hotel zit u?'

'Dat bij Haymarket, in Grosvenor Street.'

'Ik ken het.'

'Kom eens een avondje langs, dan trakteer ik u op een borrel.'

Rebus zei hier niets op, alleen: 'Ik laat u uit.'

Dat deed hij, waarna hij de lichten uitknipte op weg terug naar de huiskamer. Hij ging bij het gordijnloze raam staan en keek naar beneden. Uiteraard kwam Storey tevoorschijn. Op dat moment stopte er een auto. Hij stapte achterin. Rebus kon de chauffeur en het nummerbord niet zien. Het was een grote auto, misschien een Vauxhall. Aan het eind van de straat sloeg hij links af. Snel liep Rebus naar de tafel, pakte de telefoon en belde een taxi. Daarna ging hij naar beneden om buiten op de taxi te wachten. Net toen die aankwam, ging zijn mobieltje: Siobhan.

'Ben je klaar met je geheimzinnige gast?' vroeg ze.

'Voorlopig wel.'

'Waar ging het eigenlijk om?'

Hij legde het zo goed mogelijk uit.

'En die arrogante lul denkt dat Bullen ons in zijn zak heeft?' was haar eerste vraag. Rebus vermoedde dat die retorisch was.

'Het kan zijn dat hij je wil spreken.'

'Maak je geen zorgen, ik kan hem wel aan.' Uit een zijstraat kwam een ambulance aan rijden, met sirene. 'Je zit in de auto,' merkte ze op.

'Een taxi,' corrigeerde hij haar. 'Het laatste waar ik op dit moment behoefte aan heb is een bekeuring wegens rijden onder invloed.'

'Waar ga je naartoe?'

'Gewoon de stad in.' De taxi had het kruispunt Tollcross gepasseerd. 'Ik spreek je morgen wel.'

'Veel plezier.'

'Ik doe mijn best.'

Hij beëindigde het gesprek. De taxi reed om Earl Grey Street heen. Bij Morrison Street zouden ze Lothian Road kruisen... volgende halte: Bread Street. Rebus gaf een fooi en besloot een bonnetje te vragen. Hij kon proberen het op te voeren als onkosten voor de zaak-Yurgii.

'Ik weet niet of strippen aftrekbaar is van de belasting, maat,' waarschuwde de taxichauffeur hem.

'Zie ik er echt uit als iemand die daarop uit is?'

'Wil je een eerlijk antwoord?' riep de man, terwijl hij gas gaf en met piepende banden wegreed.

'Dit is de laatste keer dat je een fooi krijgt,' mompelde Rebus, en hij stopte het bonnetje in zijn zak. Het was nog geen tien uur. Hordes mannen hingen rond op straat, op zoek naar hun volgende pleisterplaats. Er stonden uitsmijters voor de felverlichte toegangsdeuren. Sommigen droegen driekwart lange jassen, anderen bomberjacks. Rebus zag ze als klonen. Niet zozeer omdat ze op elkaar leken, maar meer vanwege de manier waarop zij de wereld zagen: verdeeld in twee groepen, dreiger en bedreigde.

Rebus wist dat hij niet moest blijven hangen voor de gesloten winkel. Als een van de portiers van de Nook achterdochtig zou worden, zou dat het einde van de operatie van Storey betekenen. In plaats daarvan stak hij de weg over, nu naar dezelfde kant als de Nook, maar op een meter of tien van de ingang. Hij bleef staan, bracht zijn mobieltje naar zijn oor en begon een dronkenmansgesprek.

'Ja, ik ben 't... waar zit je? Je zou naar de Shakespeare komen... nee, ik sta in Bread Street.'

Het deed er niet toe wat hij zei. Voor iedereen die hem zag of hoorde was hij gewoon een van de vele uitgaanders die sprak met de lobbige keelklanken van de Edinburghse dronkenlap. Maar tegelijkertijd bekeek hij de winkel. Er was geen licht binnen, geen beweging of schaduw. Als het een vierentwintiguurssurveillance was, zeven dagen per week, dan deden ze het verdomd goed. Hij nam aan dat ze gefilmd hadden, maar hij kwam er niet achter hoe. Als ze een klein plekje wit van de winkelruit hadden weggehaald, dan zou iedereen van buiten naar binnen kunnen kijken en misschien de reflectie van de lens zien. Maar er was geen enkel open plekje in het raam te zien. De deur was afgedekt met een draadstalen rooster en een rolluik blokkeerde alle inkijk. Maar wacht eens... boven de deur was een ander, kleiner raam, misschien zo'n tachtig bij vijftig centimeter, witgekalkt op een klein vierkantje in een hoek na. Het was ingenieus; geen voorbijganger zou daarop een blik werpen. Het betekende natuurlijk wel dat iemand van de surveillanceploeg boven op een ladder of iets dergelijks moest gaan staan, gewapend met de camera. Onhandig en ongemakkelijk, maar desondanks perfect.

Rebus beëindigde zijn fictieve gesprek, keerde de Nook zijn rug toe en liep terug in de richting van Lothian Road. Op de zaterdagavonden kon je deze omgeving het best mijden. Zelfs nu, op een doordeweekse avond, klonken er liederen en spreekkoren, schopten mensen flessen over het trottoir en staken ze hollend de drukke rijweg over. Hij hoorde het schelle gelach van een groepje meiden in korte rokken, met haarbanden waarin lichtjes flikkerden. Een man verkocht die haarbanden, plus pulserende toverstokjes. Hij droeg een flinke hoeveelheid van die artikelen mee, terwijl hij de straat op en neer liep. Rebus keek naar hem en herinnerde zich de woorden van Storey: 'Of u ze wilt zien of niet...' De man was pezig, jong en had een donkere huidskleur. Rebus bleef staan en sprak hem aan.

'Wat kosten ze?'

'Twee pond.'

Met veel vertoon zocht hij in zijn zakken naar geld. 'Waar kom je vandaan?' De man reageerde niet en keek overal heen, behalve naar Rebus. 'Hoe lang ben je al in Schotland?' De man liep weg. 'Wil je me er dan geen verkopen?' Blijkbaar niet, want hij liep verder. Rebus liep in de tegenovergestelde richting, naar het westelijke deel van Princes Street. Een bloemenverkoper kwam uit de Shakespeare-pub, met in zijn arm een grote bos rozen.

'Wat kosten ze?' vroeg Rebus.

'Vijf pond.' De verkoper was jong, nog maar net een tiener. Zijn gezicht was bruin, wellicht oosters. Weer zocht Rebus naar geld in zijn zakken. 'Waar kom je vandaan?'

De jongen deed alsof hij hem niet verstond. 'Vijf,' herhaalde hij.

'Is je baas ergens in de buurt?' drong Rebus aan.

De blik van de jongen flitste van links naar rechts, alsof hij hulp zocht.

'Hoe oud ben je, jongen? Waar zit je op school?'

'Niet verstaan.'

'Daar moet je bij mij niet mee aankomen...'

'U wilt rozen?'

'Ik zoek alleen naar mijn geld... Een beetje laat voor je om nog te werken, vind je niet? Weten je vader en moeder wat je aan het doen bent?'

De rozenverkoper had genoeg gehoord: hij ging ervandoor. Toen hij een paar rozen verloor, keek hij niet om, maar rende hij door. Rebus raapte ze op en gaf ze aan een groepje passerende meiden.

'Daarvoor kom je niet in mijn broekje,' zei een van hen, 'maar je krijgt er wel dit voor.' Ze kuste hem op zijn wang. Terwijl ze weg wankelden op hun hoge hakken, gierend van het lachen, riep een ander uit het groepje dat hij oud genoeg was om hun opa te zijn.

Dat is zo, dacht Rebus, en zo voel ik me ook...

Aandachtig bekeek hij de gezichten van de mensen die hij op Princes Street tegenkwam. Meer Chinezen dan hij had verwacht. De bedelaars hadden allemaal een Schots of een Engels accent. Rebus liep een hotel binnen. De chef-barkeeper daar kende hem al vijftien jaar. Het deed er niet toe of Rebus een baard van een paar dagen had of niet zijn beste pak en zijn schoonste overhemd aanhad.

'Wat zal het zijn, meneer Rebus?' Hij legde een bierviltje voor hem neer. 'Misschien een whisky?'

'Lagavulin,' zei Rebus, in de wetenschap dat een enkel glas hem hier de prijs van een kwart fles zou kosten... Het glas werd voor hem neergezet. De barkeeper kende hem te goed om te vragen of hij er ijs of water in wilde.

'Ted,' zei Rebus, 'nemen ze hier wel eens buitenlanders aan?'

Geen enkele vraag leek Ted ooit van zijn stuk te brengen: het bewijs dat hij een goede barkeeper was. Hij bewoog zijn kaken terwijl hij een antwoord overwoog. Rebus bediende zichzelf intussen van het schaaltje noten dat naast zijn drankje was neergezet.

'We hebben een paar Australiërs achter de bar gehad,' zei Ted, terwijl hij glazen begon te poetsen met een doek. 'Die reisden de wereld rond... zijn een paar weken hier gebleven. We nemen nooit mensen aan zonder ervaring.'

'En verder? In het restaurant misschien?'

'O ja, er is bedienend personeel in alle soorten. En nog meer in de huishouding.'

'Huishouding?'

'Kamermeisjes.'

Rebus knikte bij deze toelichting. 'Luister, dit moet absoluut onder ons blijven...' Ted boog zich wat dichter naar hem toe bij deze woorden. 'Is het mogelijk dat hier illegalen werken?'

Ted keek wantrouwend bij deze suggestie. 'Alles gaat hier volgens de regels, meneer Rebus. De directie zou niet... kan niet...'

'Ik begrijp het, Ted. Het was ook niet mijn bedoeling iets anders te suggereren.'

Ted leek hierdoor gerustgesteld. 'Maar weet u,' zei hij, 'ik zeg niet dat andere etablissementen ook zo kieskeurig zijn... Ik zal u iets vertellen. Ik ga meestal op de vrijdagavond iets drinken in mijn buurtkroeg. Daar is een groep gekomen, ik weet niet waar vandaan. Twee knapen die gitaar spelen... "Save All Your Kisses For Me" en dat soort songs. En een oudere kerel met een tamboerijn, die hij gebruikt om geld aan de tafeltjes op te halen.' Hij schudde langzaam zijn hoofd. 'Tien tegen een dat het vluchtelingen zijn.'

Rebus hief zijn glas op. 'Het is een heel andere wereld,' zei hij. 'Ik heb er eerder nooit echt over nagedacht.'

'Het ziet ernaar uit dat u nog wel een glaasje kunt gebruiken.' Ted gaf hem een knipoog die zijn hele gezicht in de kreuk trok. 'Van het huis, als u mij toestaat...'

De koude lucht sloeg Rebus in het gezicht toen hij de bar verliet. Als hij naar rechts ging zou hij in de richting van zijn huis gaan, maar in plaats daarvan stak hij de weg over, liep naar Leith Street en kwam uit op Leith Walk. Daar liep hij langs Aziatische supermarkten, tatoeageshops, afhaalrestaurants. Hij wist niet echt waar hij naartoe ging. Aan het begin van de Walk was Cheyanne misschien op zoek naar klandizie. John en Alice Jardine reden er misschien rond in hun auto, op zoek naar hun dochter. Allerlei verlangens daar in het duister... Hij hield zijn handen in zijn zakken en had zijn jas dichtgeknoopt tegen de kou. Er kwamen een stuk of vijf motors langs gedaverd, die moesten stoppen voor een rood licht. Rebus besloot de weg over te steken, maar de stoplichten sprongen weer op groen. Hij deed een stap terug toen de voorste motor weg bulderde.

'Minitaxi, meneer?'

Hij draaide zich om naar de stem. Er stond een man in de deuropening van een winkel. Die winkel was verlicht; kennelijk een kantoor voor minitaxi's. De man zag er Aziatisch uit. Rebus schudde zijn hoofd, maar veranderde toen van gedachten. De chauffeur ging hem voor naar een geparkeerde Ford Escort, die ruimschoots zijn uiterste houdbaarheidsdatum voorbij was. Rebus gaf hem het adres. Toen hij zag dat de man een plattegrond van de stad wilde pakken, zei hij: 'Ik zeg wel waar je heen moet.' De chauffeur knikte en startte de motor.

'Hebt u wat gedronken, meneer?' Het accent was Edinburghs.

'Niet veel.'

'Morgen een vrije dag?'

'Niet als het aan mij ligt.'

De man moest hierom lachen, maar Rebus kon niet bedenken waarom. Ze reden terug via Princes Street en Lothian Road, in de richting van Morningside. Rebus vroeg de chauffeur te stoppen en zei dat hij niet langer dan een minuut weg zou blijven. Hij ging een avondwinkel binnen en kwam even later naar buiten met een liter- fles water. Hij nam er, toen hij weer naast de chauffeur zat, een paar flinke slokken uit om een stuk of vier aspirines weg te spoelen.

'Goed idee, meneer,' zei de chauffeur. 'Eerst ervoor zorgen dat je tegengif inneemt, hè? Geen kater morgenochtend, geen excuus om in de ziektewet te gaan.'

Een halve kilometer verder zei Rebus tegen de chauffeur dat ze eerst nog een tussenstop moesten maken. Ze zetten koers naar Marchmont en stopten bij de flat van Rebus. Hij ging naar binnen en opende zijn voordeur. Uit een la in de huiskamer pakte hij een uitpuilende map. Hij sloeg hem open en besloot een paar van de knipsels mee te nemen. Weer naar beneden en de taxi in.

Toen ze in Bruntsfield kwamen, zei Rebus dat de chauffeur rechts af moest slaan, en daarna nog een keer. Ze kwamen in een sche- merig verlichte straat aan de rand van de stad, met grote vrijstaan- de huizen, waarvan de meeste schuilgingen achter struikgewas en schuttingen. De ramen waren donker of geblindeerd, en de bewo- ners lagen veilig te slapen. Maar in een van de huizen brandde licht, en dat was het huis waar Rebus zich door de chauffeur liet afzet- ten.

Het hek ging luidruchtig open. Rebus vond de deurbel en belde aan. Er werd niet gereageerd. Hij deed een paar stappen achteruit en keek naar de ramen op de eerste verdieping. Ze waren verlicht, maar er hingen gordijnen voor. De begane grond had grotere ramen, aan weerszijden van de veranda, maar van beide ramen waren de luiken gesloten. Hij dacht dat er ergens muziek vandaan kwam. Hij keek door de brievenbus, maar zag geen beweging. Toen pas drong het tot hem door dat de muziek van achter het huis kwam. Er liep een oprit met kiezelstenen langs het huis en hij volgde die. De lich- ten van het beveiligingssysteem flitsten aan toen hij langs het huis liep. De muziek bleek uit de tuin te komen. Het was donker, op een vreemde roodachtige gloed na. Rebus zag een constructie in het mid- den van het gazon en een houten plankier dat ernaartoe leidde van- af de glazen serre. Er steeg stoom op van de constructie. En ook mu- ziek, iets klassieks. Rebus liep ernaartoe.

Dat was het: een jacuzzi, open voor de Schotse elementen. En er- in zat Morris Gerald Cafferty, bekend als 'Big Ger'. Hij zat in een van de hoeken met zijn armen over de rand van de gemodelleerde badkuip. Aan weerszijden van hem spoot water. Rebus keek om zich heen: Cafferty was alleen. Er scheen licht vanuit het water, dat een rode gloed over alles wierp. Cafferty lag met zijn hoofd achterover en zijn ogen gesloten. Zijn gezicht vertoonde eerder iets van concentratie dan van ontspanning.

En toen opende hij zijn ogen en keek Rebus recht in het gezicht aan. De pupillen waren klein en donker en hij had een dikke kop. Cafferty's korte grijze haar plakte vochtig op zijn schedel. De bovenste helft van zijn borst, zichtbaar boven het water, was bedekt met een wirwar van donkerder, gekruld haar. Hij leek niet verrast door het feit dat hij iemand voor zich zag staan, zelfs op dit tijdstip van de avond.

'Heb je je zwembroek bij je?' vroeg hij. 'Niet dat ik er een aanheb...' Hij keek neer op zichzelf.

'Ik heb gehoord dat je verhuisd bent,' zei Rebus.

Cafferty draaide zich naar een bedieningspaneel bij zijn linkerhand en drukte op een knop. De muziek stierf weg. 'Een cd-speler,' verklaarde hij. 'De luidsprekers zitten aan de binnenkant.' Hij klopte met zijn knokkels op de rand van de badkuip. Hij drukte een andere knop in, de motor stopte en het water kwam tot stilstand.

'Nog een lichtshow ook,' merkte Rebus op.

'Elke kleur die je maar wilt.' Cafferty drukte op weer een andere knop en het water veranderde van rood in groen, van groen in blauw, vervolgens in ijswit en weer terug in rood.

'Rood past bij je,' zei Rebus.

'De stijl van Mefistofeles?' Cafferty grinnikte. 'Ik vind het heerlijk hierbuiten om deze tijd van de nacht. Hoor je de wind in de bomen, Rebus? Ze zijn hier langer dan wij, die bomen. Samen met deze huizen. En ze zullen er nog staan als wij zijn heengegaan.'

'Volgens mij heb je te lang in dat ding gezeten, Cafferty. Je hersenen verweken.'

'Ik word oud, Rebus, dat is alles... En jij ook.'

'Te oud om nog een bodyguard te hebben? Heb je al je vijanden begraven?'

'Joe stopt om negen uur, maar hij is nooit ver weg.' Een stilte van enkele seconden. 'Nietwaar, Joe?'

'Nooit ver, meneer Cafferty.'

Rebus draaide zich om naar de bodyguard. Hij was blootsvoets en had haastig een onderbroek en een t-shirt aangeschoten.

'Joe slaapt in de kamer boven de garage,' verklaarde Cafferty. 'Ga maar weer, Joe. Ik ben veilig bij de inspecteur.'

Na een dreigende blik op Rebus liep Joe terug over het gras.

'Leuke omgeving hier,' zei Cafferty op gemoedelijke toon. 'Niet veel te doen op het gebied van de misdaad...'

'Ik ben ervan overtuigd dat je je best doet.'

'Ik doe niet meer mee, Rebus, en jij binnenkort ook niet meer.'

'O nee?' Rebus hield de knipsels omhoog die hij had meegebracht. Foto's van Cafferty uit de sensatiebladen. Ze waren allemaal het afgelopen jaar gemaakt. Op al die foto's was hij afgebeeld met bekende misdadigers uit steden ver weg, zoals Manchester, Birmingham en Londen.

'Achtervolg je mij of zo?' vroeg Cafferty.

'Misschien wel.'

'Ik weet niet of ik me gevleid moet voelen...' Cafferty stond op. 'Wil je mij even die badjas aangeven?'

Dat deed Rebus graag. Cafferty klom over de rand van het bad op een houten afstapje, hulde zich in de witte katoenen badjas en liet zijn voeten in een paar slippers glijden. 'Help me even om het bad af te dekken,' zei Cafferty. 'Daarna gaan we naar binnen en ga jij me vertellen wat je van me wilt.'

Ook nu gehoorzaamde Rebus.

Ooit had Cafferty bij praktisch alle criminele activiteiten van Edinburgh de leiding gehad, van drugs en sauna's tot en met zwendel. Maar sinds hij zijn laatste gevangenisstraf had uitgezeten, had hij zich gedeisd gehouden. Niet dat Rebus het geleuter over zijn pensionering geloofde. Mensen als Cafferty hielden nooit op. Cafferty was met de jaren alleen maar sluwer geworden en beter op de hoogte van de manier waarop de politie een onderzoek naar hem zou aanpakken.

Hij was nu rond de zestig en kende de meeste beruchte criminelen, al jarenlang. Er gingen verhalen dat hij had samengewerkt met de gebroeders Kray en met Richardson in Londen, evenals de bekendste figuren in Glasgow. Onderzoeken in het verleden hadden hem in verband gebracht met drugsbendes in Nederland en handelaren in seksslavinnen uit Oost-Europa. Maar er viel maar heel weinig hard te maken. Soms was dat te wijten aan gebrek aan bronnen of aan bewijsmateriaal dat overtuigend genoeg was om de officier van justitie zover te krijgen dat hij tot vervolging overging. Soms kwam het doordat getuigen van de aardbodem verdwenen.

Terwijl hij Cafferty volgde naar de serre, en vandaar naar de keuken met een vloer van kalksteen, keek hij naar de brede rug en schouders. Hij vroeg zich niet voor de eerste keer af hoeveel mensen die man had laten ombrengen, hoeveel levens hij geruïneerd had.

'Thee of iets sterkers?' vroeg Cafferty, over de vloer schuifelend op zijn slippers.

'Thee is prima.'

'Jezus, dan moet het wel serieus zijn...' Cafferty glimlachte in zichzelf terwijl hij de waterkoker aanzette en drie theezakjes in de pot hing. 'Ik denk dat ik maar beter wat kleren aan kan trekken,' zei hij. 'Kom mee, dan laat ik je de salon zien.'

Het was een van de kamers aan de voorzijde, met een grote erker en een in het oog springende marmeren open haard. Er hingen nogal wat schilderijen. Rebus wist niet veel van kunst, maar alleen de lijsten al zagen er duur uit. Cafferty was naar boven gegaan, waarmee hij Rebus de gelegenheid gaf om rond te snuffelen, maar er was niet erg veel dat zijn aandacht trok: geen boeken of stereo, geen bureau... zelfs geen snuisterijen op de schoorsteenmantel. Alleen een bank en stoelen, een groot oosters tapijt en de geëxposeerde stukken. Het was geen kamer om in te leven. Misschien hield Cafferty hier besprekingen, en wilde hij zijn gasten met zijn collectie imponeren. Rebus legde zijn vingers op het marmer, tegen beter weten in hopend dat het nep zou blijken.

'Alsjeblieft,' zei Cafferty, die met twee mokken de kamer binnenkwam. Rebus pakte er een van hem aan.

'Melk, geen suiker,' zei Cafferty. Rebus knikte. 'Waar sta je naar te lachen?'

Rebus knikte naar het plafond boven de deur, waar op een kleine witte doos een rood licht knipperde. 'Je hebt een inbrekersalarm,' verklaarde hij.

'En?'

'En dat is grappig.'

'Dacht je dat niemand hier zou inbreken? Er hangt geen groot bord aan de muur waarop staat wie ik ben...'

'Dat neem ik niet aan,' zei Rebus meegaand.

Cafferty droeg nu een grijze joggingbroek en een sweater met v-hals. Hij zag er gebruind en ontspannen uit. Zou er ergens in het pand een zonnebank staan?

'Ga zitten,' zei Cafferty.

Rebus ging zitten. 'Er is iemand over wie ik meer wil weten,' begon hij. 'En ik denk dat jij hem wel kent. Stuart Bullen.'

Cafferty's bovenlip krulde omhoog. 'De kleine Stu,' zei hij. 'Zijn ouweheer kende ik beter.'

'Daar twijfel ik geen moment aan. Maar wat weet je over de recente activiteiten van zijn zoon?'

'Is hij dan stout geweest?'

'Weet ik niet.' Rebus nipte van zijn thee. 'Weet je dat hij in Edinburgh is?'

Cafferty knikte langzaam. 'Hij heeft een striptent, toch?'

'Klopt.'

'En alsof dat niet al hard genoeg werken is, zit jij hem ook nog achter zijn kont.'

Rebus schudde zijn hoofd. 'Het enige waar het mij om gaat, is dat er een meisje van huis is weggelopen en dat haar ouders vermoeden dat ze voor Bullen werkt.'

'En is dat zo?'

'Niet voor zover ik weet.'

'Maar jij bent bij de kleine Stu geweest en hij werkt je op je zenuwen?'

'Ik ben alleen maar met een paar vragen blijven zitten...'

'Zoals?'

'Zoals wat hij in Edinburgh doet.'

Cafferty lachte. 'Ga je me nou vertellen dat je geen enkele zware jongen van de westkust kent die naar het oosten getrokken is?'

'Ik ken er een paar.'

'Ze komen hierheen omdat ze in Glasgow geen tien meter kunnen lopen zonder dat iemand probeert ze te grazen te nemen. Het is de cultuur, Rebus.' Cafferty haalde theatraal zijn schouders op.

'Wou je zeggen dat hij met een schone lei wil beginnen?'

'Hij is nog steeds de zoon van Rab Bullen, en dat zal hij altijd blijven.'

'En dat betekent dat iemand ergens een prijs op zijn hoofd heeft gezet?'

'Hij is niet bang uitgevallen, als je dat mocht denken.'

'Hoe weet je dat?'

'Omdat Stu daar het type niet voor is. Hij wil zich bewijzen... uit de schaduw van zijn vader komen... Je weet hoe dat is.'

'En dat doet hij door een striptent te runnen?'

'Misschien.' Cafferty bestudeerde zijn thee. 'Maar het kan ook zijn dat hij andere plannen heeft.'

'Zoals?'

'Ik ken hem niet goed genoeg om daar antwoord op te geven. Ik ben een oude man, Rebus. Mensen vertellen me niet meer zoveel als vroeger. En ook al zou ik iets weten... waarom zou ik jou dat dan aan je neus hangen?'

'Omdat je wrok koestert.' Rebus zette zijn halflege mok op de geverniste houten vloer. 'Heeft Rab Bullen jou niet een keer bestolen?'

'Dat is zo lang geleden, Rebus.'

'En voor zover jij weet is de zoon schoon?'

'Doe niet zo stom, niemand is schoon. Heb je de laatste tijd om je heen gekeken? Niet dat er veel te zien valt vanaf Gayfield Square. Kun je nog steeds die rioollucht in de gangen ruiken?' Cafferty lachte toen Rebus zweeg. 'Sommige mensen vertellen nog wel eens wat.'

'Welke mensen?'

Cafferty's glimlach verbreedde zich. ' "Ken uw vijand", zo zeggen ze dat toch? Volgens mij is dat de reden waarom jij al die krantenknipsels over mij bewaart.'

'Het is in ieder geval niet omdat je eruitziet als een popster.'

Cafferty geeuwde luidruchtig. 'Dat heb ik altijd met die jacuzzi,' zei hij bij wijze van verontschuldiging, terwijl hij Rebus strak aankeek. 'Ik heb ook gehoord dat jij aan die steekpartij in Knoxland werkt. Die arme donder had... wat? Twaalf? Vijftien wonden? Wat vinden de heren Curt en Gates daarvan?'

'Hoe bedoel je?'

'Het lijkt mij een vlaag van waanzin... iemand die over de rooie ging.'

'Of die gewoon heel erg boos werd,' reageerde Rebus.

'Dat komt uiteindelijk op hetzelfde neer. Ik bedoel alleen maar dat dat hun misschien iets zou kunnen zeggen.'

Rebus' ogen vernauwden zich. 'Jij weet iets, hè?'

'Ik niet, Rebus... Ik zit hier tevreden oud te worden.'

'Of je gaat naar het zuiden om die smeerlappen van vrienden van je op te zoeken.'

'Schelden doet geen zeer, Rebus.'

'Dat slachtoffer in Knoxland, Cafferty... Wat hou je voor me achter?'

'Denk jij dat ik hier jouw werk ga zitten doen?' Cafferty schudde langzaam zijn hoofd, pakte toen de armleuningen van zijn stoel beet en stond op. 'Maar nu is het tijd om naar bed te gaan. Als je de volgende keer komt, breng dan die leuke brigadier Clarke mee en vertel haar dat ze haar bikini mee moet nemen. En als je haar stuurt, mag jij eigenlijk wel thuisblijven.' Cafferty lachte langer en harder dan deze opmerking verdiende, terwijl hij Rebus naar de voordeur begeleidde.

'Knoxland,' zei Rebus.

'Wat is daarmee?'

'Nou, omdat je er zelf over begon... Weet je nog dat die Ieren een paar maanden geleden hebben geprobeerd de drugsscene daar in handen te krijgen?' Cafferty maakte een wegwerpgebaar. 'Het ziet ernaar uit dat ze terug zijn... Weet jij daar misschien iets van?'

'Drugs is voor losers, Rebus.'

'Dat is een originele opmerking.'

'Misschien vind ik wel dat je mijn betere opmerkingen niet verdient.' Cafferty hield de voordeur open. 'Vertel me eens, Rebus... al die verhalen over mij, bewaar je die in een plakboek met op de kaft getekende hartjes?'

'Geen hartjes, maar dolken.'

'En als ze je met pensioen sturen, is dat wat je te wachten staat... Een paar laatste jaren alleen met je plakboek. Geen geweldige nalatenschap, toch?'

'En wat laat jíj helemaal achter, Cafferty? Zijn er ergens ziekenhuizen naar jou vernoemd?'

'Als je kijkt naar wat ik aan goede doelen geef, zou dat best zo mogen zijn.'

'Je schuld koop je er toch niet mee af.'

'Hoeft ook niet. Ik ben tevreden met mijn lot.' Hij zweeg even. 'Anders dan sommige anderen die ik ken.'

Cafferty grinnikte zacht terwijl hij de deur achter Rebus sloot.

DAG VIJF

VRIJDAG

15

Siobhan hoorde er voor het eerst over op het ochtendnieuws.

Muesli met magere melk, koffie, multivitaminesap. Ze at altijd aan de keukentafel, in haar ochtendjas. Op die manier hoefde ze nergens over in te zitten als ze morste. Daarna douchen en aankleden. Het drogen van haar haar duurde maar enkele minuten, daarom hield ze haar haar zo kort. Radio Schotland was meestal niet meer dan achtergrondgeluid, gebabbel om de stilte te vullen. Maar toen ze het woord 'Banehall' opving, zette ze het geluid harder. Ze had de essentie gemist, maar er volgde een reportage ter plekke:

'Ja, Catriona, de politie van Livingston is op de plaats delict terwijl ik spreek. We worden op afstand gehouden door een kordon, uiteraard, maar een forensisch team, gekleed in de voorgeschreven witte overalls met capuchons en mondmaskers, gaat nu het rijtjeshuis binnen. Het is een gemeentewoning, waarschijnlijk met twee of drie slaapkamers, met grijze gepleisterde muren en met gordijnen voor alle ramen. De voortuin is overwoekerd. Er heeft zich een kleine groep toeschouwers verzameld. Het is mij gelukt om met een paar buurtbewoners te praten en het blijkt dat het slachtoffer bekend stond bij de politie, maar of dat iets met de zaak te maken heeft, moet nog worden bezien...'

'Colin, hebben ze zijn identiteit al bekendgemaakt?'

'Nog niet officieel, Catriona. Ik kan je vertellen dat het een inwoner van Banehall was, van tweeëntwintig jaar, en dat hij op tamelijk meedogenloze wijze is gedood. Maar ook nu moeten we op de persconferentie wachten voor een gedetailleerder verslag. Politiefunctionarissen hier zeggen dat die over een uur of twee, drie zal plaatsvinden.'

'Dank je, Colin... Meer over deze zaak hoort u in ons lunchprogramma. Intussen pleit een parlementslid van de lijst

Centraal Schotland voor de sluiting van het detentiecentrum van Whitemire, dat dicht bij Banehall gesitueerd is...'

Siobhan pakte de telefoon van de oplader, maar kon zich toen het nummer van het politiebureau van Livingston niet meer herinneren. Maar wie kende ze daar nu helemaal? Alleen rechercheur Davie Hynds, en die zat daar nog geen veertien dagen: ook een van de slachtoffers van de veranderingen op St Leonard's. Ze liep naar de badkamer en bekeek haar gezicht en haar haar in de spiegel. Een plens water en een natte kam moesten voor een keer volstaan. Ze had geen tijd voor iets anders. Vastberaden stapte ze naar de slaapkamer en rukte de deur van de klerenkast open.

Minder dan een uur later was ze in Banehall. Ze reed langs het oude huis van de familie Jardine. Ze waren verhuisd omdat ze niet zo dicht bij de verkrachter van Tracy wilden wonen. Donny Cruikshank, die zo'n tweeëntwintig jaar was...

Er stonden twee politiebusjes in de volgende straat. De menigte was toegenomen. Een man met een microfoon interviewde wat buurtbewoners. Siobhan nam aan dat het de radioreporter was naar wie ze eerder had geluisterd. Het huis dat het middelpunt van de aandacht vormde, stond tussen twee andere huizen, waarvan de voordeuren openstonden. Ze zag Steve Holly door de rechterdeur verdwijnen. Ongetwijfeld had Holly geld geschoven en daarmee toegang gekregen tot de achtertuin, waar hij beter zicht had op de situatie. Siobhan parkeerde dubbel en liep naar de agent die de wacht hield bij het blauw-witte lint. Zodra ze hem haar legitimatie liet zien, hield hij het lint voor haar omhoog zodat ze eronderdoor kon.

'Is het lichaam geïdentificeerd?' vroeg ze.

'Waarschijnlijk de man die hier woonde,' zei hij.

'Is de patholoog al geweest?'

'Nog niet.'

Ze knikte en liep verder, duwde het hek open en liep het pad op. Ze ademde een paar keer diep in en uit. Een beetje nonchalance... Ze moest professioneel overkomen. De gang was smal. Op de begane grond bleken alleen een kleine huiskamer en een al even kleine keuken te zijn. De keukendeur gaf toegang tot de achtertuin. Een steile trap leidde naar de enige verdieping. Hier waren vier deuren, die alle vier openstonden. Een ervan was van de gangkast, gevuld met kartonnen dozen, dekbedden en lakens. Door een andere deuropening zag ze een deel van een lichtroze bad. Vervolgens twee slaapkamers. Een ervan was een ongebruikte eenpersoonsslaapkamer. Restte nog de grotere slaapkamer, aan de voorzijde van het huis. Hier vond alle activiteit plaats: onderzoekers van de plaats delict, fotografen en een plaatselijke arts die overleg pleegde met een rechercheur.

De rechercheur zag haar.

'Kan ik u helpen?'

'Brigadier Clarke,' zei ze, en ze liet hem haar legitimatie zien. Tot nu toe had ze nog geen blik op het lichaam geworpen, maar het was er wel, daar was geen misverstand over mogelijk. Het bloed had het zandkleurige tapijt doordrenkt. Het gezicht was verdraaid, en de mond hing open als in een poging om voor de laatste keer levenslucht in de longen te zuigen. Het gladgeschoren hoofd zat vol met korsten bloed. De onderzoekers gingen met detectors langs de muren, op zoek naar spatjes die hun een patroon zouden kunnen geven, een patroon dat op zijn beurt aanwijzingen zou geven over de heftigheid en de aard van de aanval.

De rechercheur gaf haar legitimatie terug. 'U bent ver van huis, brigadier Clarke. Ik ben inspecteur Young, en ik heb de leiding over dit onderzoek... en ik kan me niet herinneren dat we om assistentie uit de grote stad hebben gevraagd.'

Ze probeerde innemend te glimlachen. Inspecteur Young was jong, jonger dan zij in ieder geval, en al hoger in rang. Een krachtig gezicht boven een nog krachtiger lichaam. Speelde waarschijnlijk rugby en was misschien van boerenafkomst. Hij had rood haar en lichte wimpers, een paar opgezwollen aderen aan weerszijden van zijn neus. Als iemand haar had verteld dat hij net van school was, had ze dat waarschijnlijk geloofd.

'Ik dacht alleen maar...' Ze aarzelde en probeerde de juiste woorden te vinden. Ze keek om zich heen en zag de posters aan de muur: softporno, blondjes met hun monden open en benen gespreid.

'Wat dacht u, brigadier Clarke?'

'Dat ik misschien zou kunnen helpen.'

'Dat is heel vriendelijk van u gedacht, maar ik denk dat we het wel aankunnen, als u dat goedvindt.'

'Maar waar het om gaat, is...' En nu keek ze naar het lijk. Meteen voelde haar maag aan alsof hij was vervangen door een boksbal, maar haar gezicht vertoonde alleen maar beroepsmatige belangstelling. 'Ik weet wie hij is. Ik weet aardig wat over hem.'

'Goed, wij weten ook wie hij is, dus nogmaals bedankt...'

Natuurlijk kenden ze hem. Met zijn reputatie en zijn gezicht met littekens. Donny Cruikshank, levenloos op de vloer van zijn slaapkamer.

'Maar ik weet dingen die u niet weet,' drong ze aan.

Youngs ogen vernauwden zich, en ze wist dat ze mee mocht doen.

'Hier is nog veel meer porno,' zei een van de mensen van het onderzoeksteam. Hij doelde op de huiskamer. Op de vloer naast de tv stonden stapels dvd's en video's. Er was ook een computer, die door een van de andere rechercheurs werd bekeken. Hij was druk doende met de muis. Hij moest zich door een hele stapel diskettes en cd-roms heen werken.

'Vergeet niet dat dit werk is.' Young waarschuwde hen vooral alert te blijven. Omdat hij vond dat het in de kamer nog te druk was, nam hij Siobhan mee naar de keuken.

'Tussen haakjes, ik heet Les,' zei hij, vriendelijker nu ze hem iets te bieden had.

'Siobhan,' antwoordde ze.

'Zo...' Hij leunde tegen de aanrecht, met zijn armen voor zijn borst gekruist. 'Hoe heb je Donald Cruikshank leren kennen?'

'Hij was veroordeeld wegens verkrachting. Ik heb aan die zaak gewerkt. Zijn slachtoffer heeft zelfmoord gepleegd. Ze woonde hier in Banehall... Haar ouders wonen hier nog steeds. Ze zijn een paar dagen geleden bij me gekomen omdat hun andere dochter ervandoor is.'

'O?'

'Ze zeiden dat ze er met iemand uit Livingston over hadden gepraat...' Siobhan probeerde in geen geval afkeurend te klinken.

'Heb je een reden om te denken...'

'Wat?'

Young haalde zijn schouders op. 'Dat dit iets te maken heeft met... ik bedoel, ermee verband houdt op de een of andere manier?'

'Dat vraag ik me af. Daarom besloot ik hiernaartoe te komen.'

'Zou je hierover een rapport willen schrijven?'

Siobhan knikte. 'Dat doe ik vandaag nog.'

'Bedankt.' Young maakte zich los van de aanrecht en wilde weer naar boven gaan, maar in de deuropening bleef hij staan. 'Heb je het druk in Edinburgh?'

'Niet echt.'

'Wie is je baas?'

'Hoofdinspecteur Macrae.'

'Misschien kan ik even met hem praten... kijken of hij je een paar dagen kan missen.' Hij zweeg even. 'Als je daar tenminste mee instemt.'

'Ik ben geheel tot je dienst,' zei Siobhan. Ze zou durven zweren dat hij bloosde toen hij de keuken verliet.

Ze liep terug naar de huiskamer, waar ze bijna tegen een nieuwkomer opbotste: Dr. Curt.

'Ik kom jou ook overal tegen, brigadier Clarke,' zei hij. Hij keek naar links en rechts om er zeker van te zijn dat niemand luisterde. 'Al iets opgeschoten met Fleshmarket Close?'

'Een beetje. Ik heb Judith Lennox ontmoet.'

Curt kreunde bij het horen van de naam. 'Je hebt haar toch niets verteld?'

'Natuurlijk niet... uw geheim is veilig bij mij. Zijn er nog plannen om Mag Lennox weer tentoon te stellen?'

'Ik denk van wel.' Hij deed een stap opzij om iemand van het onderzoeksteam door te laten. 'Goed, ik denk dat ik nu maar beter...' Hij gebaarde naar de trap.

'Maak u geen zorgen, hij loopt niet weg.'

Curt staarde haar aan. 'Neem me niet kwalijk dat ik het zeg, Siobhan,' zei hij lijzig, 'maar die opmerking zegt veel over jou.'

'Wat dan zoal?'

'Dat je al veel te lang in het gezelschap van John Rebus... verkeert.' De patholoog liep de trap op, met zijn zwartleren dokterstas bij zich. Siobhan hoorde zijn knieën kraken bij elke stap.

'Wat voert u hierheen, brigadier Clarke?' riep iemand buiten. Ze keek in de richting van de afzetting en zag daar Steve Holly staan, zwaaiend met zijn notitieblok. 'U bent buiten uw vertrouwde gebied, toch?'

Ze mompelde binnensmonds en liep het pad af. Ze opende het hek en dook onder de afzetting door. Holly kwam naast haar lopen toen ze naar haar auto liep.

'U hebt aan die zaak gewerkt, hè?' zei hij. 'Die verkrachtingszaak, bedoel ik. Ik weet nog dat ik geprobeerd heb u te vragen...'

'Lazer op, Holly.'

'Luister, ik zal u niet citeren of zo...' Hij liep nu voor haar, achteruit zodat hij oogcontact kon maken. 'Maar u moet toch hetzelfde denken als ik... als een heleboel mensen...'

'En wat mag dat zijn?' vroeg ze onwillekeurig.

'Opgeruimd staat netjes. Ik bedoel, degene die dit gedaan heeft, verdient een medaille.'

'Ik ken limbodansers die niet zo diep kunnen zakken als jij.'

'Uw vriend Rebus zei zo ongeveer hetzelfde.'

'Grote geesten hebben dezelfde gedachten.'

'Maar kom nou, u moet...' Hij zweeg omdat hij tegen haar auto botste, zijn evenwicht verloor en op straat viel. Siobhan stapte in en startte de motor voordat hij weer overeind kon komen. Hij sloeg het stof van zich af terwijl zij in de straat keerde. Toen hij zijn pen wilde oprapen, moest hij vaststellen dat ze die onder haar wielen verpletterd had.

Ze reed niet ver, tot aan de kruising met Main Street. Ze vond het huis van de familie Jardine gemakkelijk. Ze waren allebei thuis en nodigden haar uit binnen te komen.

'Hebben jullie het gehoord?' vroeg ze.

Ze knikten en keken verheugd noch teleurgesteld.

'Wie zou dat gedaan kunnen hebben?' vroeg mevrouw Jardine.

'Iedereen zo'n beetje,' antwoordde haar man. Zijn blik was gericht op Siobhan. 'Niemand in Banehall wilde hem terug, zelfs zijn eigen familie niet.'

Dat verklaarde waarom Cruikshank alleen had gewoond.

'Is er nog nieuws?' vroeg Alice Jardine, terwijl ze Siobhans hand tussen de hare klemde. Het leek of ze de moord al uit haar hoofd had gezet.

'We zijn naar die club geweest,' zei Siobhan. 'Niemand daar leek Ishbel te kennen. Nog niets van haar gehoord?'

'Jij zou de eerste zijn die we dat zouden vertellen,' verzekerde John Jardine haar. 'Maar we vergeten onze manieren; wil je een kopje thee?'

'Daar heb ik echt geen tijd voor.' Siobhan zweeg even. 'Maar er is wel iets wat ik wilde...'

'Ja?'

'Een voorbeeld van het handschrift van Ishbel.'

Alice Jardine sperde haar ogen wijd open. 'Waarvoor?'

'Zomaar eigenlijk... misschien komt het later nog van pas.'

'Ik zal zien wat ik kan vinden,' zei John Jardine. Hij ging naar boven en liet de twee vrouwen alleen. Siobhan had haar handen in haar zakken gestopt, veilig uit de buurt van Alice.

'Je gelooft niet dat we haar zullen vinden, hè?'

'Ze laat zichzelf wel vinden... als ze daar klaar voor is,' zei Siobhan.

'Je denkt niet dat haar iets is overkomen?'

'Denkt u dat?'

'Ik moet zeggen dat ik het ergste denk,' zei Alice Jardine, terwijl ze in haar handen wreef alsof ze ze waste.

'U begrijpt dat we u zullen willen spreken?' vroeg Siobhan zacht. 'Er zullen vragen zijn over Cruikshank... over hoe hij gestorven is.'

'Dat zal wel.'

'Er zullen ook vragen worden gesteld over Ishbel.'

'Goeie genade, ze denken toch niet...' Ze sprak met stemverheffing.

'Dat moet nu eenmaal.'

'En ben jij degene die de vragen stelt, Siobhan?'

Siobhan schudde haar hoofd. 'Ik ben er te zeer bij betrokken. Het is waarschijnlijk een man die Young heet. Hij lijkt mij oké.'

'Als jij dat zegt...'

Haar man kwam terug. 'Er is niet veel, om eerlijk te zijn,' zei hij, en hij reikte haar een adressenboekje aan. Dat bevatte namen en telefoonnummers, de meeste geschreven met een groene viltstift. Aan de binnenkant van het omslag had Ishbel haar eigen naam en adres geschreven.

'Dat zal wel voldoende zijn,' zei Siobhan. 'Ik breng het terug zodra ik ermee klaar ben.'

Alice had haar man bij zijn elleboog gepakt. 'Siobhan zegt dat de politie met ons zal willen praten over...' Ze kon zich er niet toe brengen zijn naam te gebruiken. 'Over hém.'

'Is dat zo?' Meneer Jardine wendde zich tot Siobhan.

'Dat is routine,' zei ze. 'Het leven van het slachtoffer in een kader plaatsen...'

'Ik snap het.' Maar hij klonk onzeker. 'Maar ze kunnen niet... ze zullen toch niet denken dat Ishbel er iets mee te maken heeft?'

'Doe niet zo stom, John!' siste zijn vrouw. 'Ishbel zou zoiets nooit doen!'

Misschien niet, dacht Siobhan, maar Ishbel was in geen geval de enige van het gezin die verdachte was...

Weer werd haar thee aangeboden en weigerde ze vriendelijk. Ze slaagde erin de deur uit te komen en naar haar auto te ontsnappen. Toen ze wegreed, keek ze in haar achteruitkijkspiegel en zag Steve Holly over het trottoir lopen, op zoek naar het bewuste huisnummer. Heel even overwoog ze te stoppen en terug te gaan om hem tegen te houden. Maar zoiets zou zijn nieuwsgierigheid alleen maar doen toenemen. Wat hij ook zou doen en wat hij ook zou vragen, de Jardines moesten zich erdoorheen slaan zonder haar hulp.

Ze reed Main Street in en stopte voor de kapsalon. Binnen rook het naar permanent en haarspray. Twee klanten zaten onder de droogkap. Ze hadden opengeslagen tijdschriften op hun schoot, maar praatten druk met elkaar met een stemgeluid dat boven de apparaten uitkwam.

'... en ik wens ze veel succes.'

'Geen groot verlies, dat is zeker...'

'Dat is brigadier Clarke, toch?' Dit laatste was afkomstig van Angie. Ze sprak zelfs nog harder dan haar klanten, die haar waarschuwing ter harte namen en zwegen met hun blik op Siobhan gericht.

'Wat kunnen we voor je doen?' vroeg Angie.

'Ik kom voor Susie.' Siobhan glimlachte naar de jonge assistente.

'Waarom? Wat heb ik gedaan?' protesteerde Susie. Ze bracht een kopje instantcappuccino naar een van de vrouwen onder de droogkap.

'Niets,' zo verzekerde Siobhan haar. 'Tenzij je natuurlijk Donny Cruikshank hebt vermoord.'

De vier vrouwen keken ontzet. Siobhan hief verontschuldigend haar handen op. 'Foute grap,' zei ze.

'Aan verdachten is er geen tekort,' gaf Angie toe, terwijl ze een sigaret opstak. Haar nagels waren vandaag blauw, met kleine gele vlekjes als sterren aan de hemel.

'Zou je je favorieten willen noemen?' vroeg Siobhan, waarbij ze probeerde de vraag luchthartig te stellen.

'Kijk om je heen, lieverd.' Angie blies rook naar het plafond. Susie bracht nog iets te drinken naar de droogkappen, ditmaal een glas water.

'Erover denken iemand van kant te maken is één ding,' zei ze.

Angie knikte. 'Het is alsof een engel ons heeft gehoord en heeft besloten om voor één keer het juiste te doen.'

'Een engel der wrake?' speculeerde Siobhan.

'Lees de bijbel, lieverd. Engelen waren niet alleen maar lieverdjes.' De vrouwen onder de droogkappen lachten om deze opmerking. 'Verwacht je van ons dat we je helpen om de moordenaar achter de tralies te krijgen? Daar zul je het geduld van Job voor nodig hebben.'

'Dat klinkt alsof je de bijbel kent, en dat betekent ook dat je weet dat moord een zonde tegen God is.'

'Dat hangt van je God af, denk ik.' Angie deed een stap naar Siobhan toe. 'Jij bent bevriend met de Jardines. Dat weet ik, omdat ze me dat hebben verteld. Dus kom nou, vertel me nou eens recht op de man af...'

'Wat?'

'Vertel me niet dat je niet ook blij bent met de dood van die rotzak.'

'Dat ben ik niet.' Ze doorstond de blik van de kapster.

'Dan ben je geen engel, maar een heilige.' Angie ging kijken hoe het er met het haar van haar klanten voor stond. Siobhan greep deze kans aan om met Susie te praten.

'Ik heb alleen je gegevens maar nodig.'

'Mijn gegevens?'

'Je maten, Susie,' zei Angie, en de twee klanten lachten met haar mee.

Siobhan slaagde erin te glimlachen. 'Alleen maar je volledige naam en adres, en misschien je telefoonnummer. Voor het geval ik een rapport moet opmaken.'

'O, juist...' Susie leek van streek. Ze liep naar de kassa, vond een blocnote die ernaast lag en schreef haar gegevens op. Ze scheurde het velletje papier eraf en gaf dat aan Siobhan. Ze had alles in hoofdletters geschreven, maar dat deed er niet toe. Tenslotte waren de meeste opschriften in het damestoilet van de Bane met hoofdletters geschreven.

'Bedankt, Susie,' zei ze terwijl ze de notitie in haar zak liet glijden, naast het adressenboekje van Ishbel.

Er zaten meer klanten in de Bane dan bij haar vorige bezoek. Ze gingen opzij om haar wat ruimte aan de bar te geven. De barkeeper herkende haar en knikte iets wat een begroeting zou kunnen zijn of een verontschuldiging voor het gedrag van Cruikshank van de vorige keer.

Ze bestelde een frisdrankje.

'Van de zaak,' zei hij.

'Ja, ja,' zei een van de klanten. 'Malky probeert het voor de verandering eens met wat voorspel.'

Siobhan negeerde dit. 'Meestal krijg ik geen gratis drankjes voordat ik me heb geïdentificeerd als rechercheur.' Ze hield haar legitimatie omhoog als bewijs.

'Een goeie keus, Malky,' zei een andere klant. 'Ik neem aan dat het over Donny gaat?' Siobhan keerde zich naar de spreker. Hij was in de zestig en droeg een platte pet op een glimmend kaal hoofd. Hij had een pijp in een van zijn handen. Er lag een hond aan zijn voeten, vast in slaap.

'Dat klopt,' bekende ze.

'Die knaap was een stomme idioot, dat weten we allemaal... Maar hij had er niet voor dood gehoeven.'

'Nee?'

De man schudde zijn hoofd. 'Die meiden roepen tegenwoordig maar al te snel dat ze verkracht worden.' Hij hief zijn hand om het protest van de barkeeper in de kiem te smoren. 'Nee, Malky, ik wil alleen maar zeggen... gooi wat drank in een meisje en ze raakt in de problemen. Kijk naar de manier waarop ze zich kleden als ze over Main Street paraderen. Vijftig jaar geleden bedekten vrouwen zich nog een beetje... en toen las je niet elke dag in je krant over aanrandingen.'

'Daar gaat-ie weer,' riep iemand.

'De dingen zijn veranderd...' De man leek bijna te genieten van het afkeurende gegrom om zich heen. Siobhan besefte dat dit een vaste voorstelling was, ongeschreven maar vertrouwd. Ze keek Malky aan, maar die schudde zijn hoofd, waarmee hij aangaf dat het geen zin had om ertegen in te gaan. Dat zou de man nog meer genoegen doen. In plaats daarvan verontschuldigde ze zich en ging ze naar de wc. Toen ze zat, legde ze het adressenboekje van Ishbel en de notitie van Susie op haar schoot en vergeleek de handschriften met de teksten op de muur. Er was sinds haar vorige bezoek niets aan toegevoegd. Ze stelde vast dat DONNY SMEERPIJP van Susie was en BAK ZIJN BALLEN van Ishbel. Maar er waren ook anderen aan het werk geweest. Ze moest denken aan Angie, en zelfs aan de vrouwen onder de droogkap.

BLOEDIGE WRAAK...

DOOD VERKLAARD...

Deze teksten waren noch door Ishbel, noch door Susie geschreven, maar íémand had het gedaan.

De solidariteit van de kapsalon.

Een stadje vol verdachten...

Ze bladerde het adressenboek door en zag dat er onder de letter C een adres stond dat haar bekend voorkwam: Gevangenis Barlinnie. E-vleugel, dat was waar de zedendelinquenten opgesloten zaten. Opgeschreven in het handschrift van Ishbel, ingedeeld onder de C van Cruikshank. Siobhan nam de rest van het boekje door, maar vond niets anders wat van belang kon zijn.

Zou dit betekenen dat Ishbel Cruikshank had geschreven? Was er contact tussen hen geweest waar Siobhan niets vanaf wist? Ze betwijfelde of de ouders het zouden weten; die zouden alleen al bij de gedachte geschokt zijn. Ze liep terug naar de bar, pakte haar glas en keek Malky, de barkeeper, strak aan.

'Wonen de ouders van Donny Cruikshank nog in Banehall?'

'Zijn vader komt hier wel eens,' zei een van de klanten. 'Hij is een goeie vent, Eck Cruikshank. Hij ging er bijna aan onderdoor toen Donny werd opgepakt...'

'Maar Donny woonde niet thuis,' zei Siobhan.

'Zelfs niet toen hij uit de bajes kwam,' zei de klant.

'Zijn moeder wilde hem niet in huis,' voegde Malky hieraan toe. Algauw zat de hele bar te praten over de familie Cruikshank en vergaten ze dat er een rechercheur bij hen zat.

'Donny was een ramp...'

'Hij heeft een paar maanden iets met mijn dochter gehad. Hij was zo verlegen als de pest...'

'Zijn vader werkt in een machinefabriek in Falkirk...'

'Zo'n einde heeft hij niet verdiend...'

'Dat verdient niemand...'

Siobhan nipte af en toe van haar drankje en maakte af en toe een opmerking of stelde een vraag. Toen haar glas leeg was, boden twee klanten haar nog iets te drinken aan, maar ze schudde haar hoofd.

'Een rondje van mij,' zei ze, terwijl ze haar portemonnee uit haar tas pakte.

'Ik wil niet dat een vrouw mijn drankjes betaalt,' zo probeerde een van de mannen te protesteren. Maar hij liet het volle glas bier wel voor zich neerzetten. Siobhan stopte haar geld weer weg.

'Wat is er gebeurd sinds hij vrijgekomen is?' vroeg ze, zo terloops mogelijk. 'Heeft hij nog contact gehad met oude bekenden?'

De mannen zwegen, en ze besefte dat ze niet terloops genoeg was geweest. Ze glimlachte. 'Er komt nog iemand, weet u... iemand die dezelfde vragen zal stellen.'

'Dat betekent nog niet dat wij moeten antwoorden,' zei Malky op strakke toon. 'Ondoordachte praatjes en zo...'

De klanten knikten instemmend.

'Dit is een onderzoek in een moordzaak,' bracht Siobhan hem in herinnering. Er hing nu een kille sfeer in de pub, alle goodwill was weg.

'Mogelijk, maar wij zijn geen verklikkers.'

'Ik vraag dat ook niet van jullie.'

Een van de mannen schoof zijn glas bier terug naar Malky. 'Ik betaal mijn eigen bier wel,' zei hij. De man naast hem deed hetzelfde.

Op dat moment ging de deur open en kwamen er twee agenten binnen. Een van hen had een clipboard in zijn hand. 'Hebt u gehoord van het dodelijk ongeval?' vroeg hij. Dodelijk ongeval, een mooi eufemisme, maar ook correct. Het was geen moord voordat de patholoog zijn oordeel had gegeven. Siobhan besloot te vertrekken. De agent met het clipboard zei dat hij haar gegevens moest noteren. In plaats daarvan liet ze hem haar legitimatie zien.

Buiten klonk een claxon. Het was Les Young. Hij stopte en gebaarde dat ze bij hem moest komen. Hij draaide zijn raampje omlaag toen ze dichterbij kwam. 'En, heeft de speurhond uit de grote stad de zaak al opgelost?' vroeg hij.

Ze negeerde zijn opmerking en informeerde hem in plaats daarvan over haar ervaringen bij de Jardines, de kapsalon en de Bane.

'Dus je hebt geen drankprobleem?' vroeg hij, terwijl hij langs haar heen naar de deur van de bar keek. Toen ze niets antwoordde, leek het dat hij vond dat hij haar genoeg geplaagd had. 'Prima werk,' zei hij. 'Misschien moeten we iemand op het onderzoek van de handschriften zetten, om te zien of er nog meer personen waren die Donny Cruikshank als vijand zagen.'

'Er zijn er ook die hem verdedigen,' merkte Siobhan op. 'Mannen die vinden dat hij helemaal niet naar de gevangenis had gemoeten.'

'Misschien hebben ze wel gelijk...' Young zag de uitdrukking op haar gezicht. 'Ik wil niet zeggen dat hij onschuldig was. Het gaat er alleen maar om dat... als een verkrachter naar de gevangenis gaat, hij uiteindelijk apart wordt gezet voor zijn eigen veiligheid.'

'En de enige mensen met wie ze contact hebben zijn andere verkrachters?' veronderstelde Siobhan. 'Denk je dat een van hen Cruikshank kan hebben vermoord?'

Young haalde zijn schouders op. 'Je hebt de berg porno gezien die hij had. Illegale kopieën, cd-roms...'

'En?'

'En zijn computer kon die kopieën niet maken. Daar had hij niet de juiste software of processor voor. Hij moet ze van anderen hebben gekregen.'

'Van een postorderbedrijf? Seksshops?'

'Mogelijk...' Young beet op zijn onderlip.

Siobhan aarzelde voordat ze iets zei. 'Er is nog iets.'

'Wat?'

'Het adressenboekje van Ishbel Jardine. Ze had het adres van Cruikshank in de gevangenis. Misschien schreef ze hem toen hij in de gevangenis zat.'

'Weet ik.'

'Weet je dat?'

'Ik heb haar brieven gevonden in een la in de slaapkamer van Cruikshank.'

'Wat stond erin?'

Young reikte haar iets aan. 'Kijk maar, als je wilt.' Twee velletjes papier, elk met een envelop, verpakt in plastic bewijszakken. Ishbel had in boze hoofdletters geschreven.

TOEN JIJ MIJN ZUS VERKRACHTTE, HAD JE NET ZO GOED MIJ
OOK KUNNEN VERMOORDEN... MIJN LEVEN IS NAAR DE
KLOTEN, EN DAT IS JOUW SCHULD...

'Je begrijpt waarom we er nu zo op gebrand zijn haar te spreken,' zei Young.

Siobhan knikte alleen maar. Ze dacht te begrijpen waarom Ishbel de brieven had geschreven: om Cruikshank een schuldgevoel te bezorgen. Maar waarom had hij ze bewaard? Voor de kick? 'Waarom heeft de censor van de gevangenis die brieven aan hem doorgegeven?' vroeg ze.

'Dat heb ik me ook afgevraagd...'

Ze keek hem aan. 'Heb je met Barlinnie gebeld?'

'Ik heb de censor gesproken,' bevestigde Young. 'Hij liet ze door omdat hij dacht dat ze Cruikshank misschien zijn schuld onder ogen deden zien.'

'En was dat zo?'

Young haalde zijn schouders op.

'Heeft Cruikshank haar ooit teruggeschreven?'

'Volgens de censor niet.'

'Maar toch heeft hij haar brieven bewaard...'

'Misschien was hij van plan haar ermee te pesten.' Young zweeg even. 'Misschien heeft ze die pesterij ter harte genomen...'

'Ik zie haar niet als een moordenaar,' zei Siobhan.

'Het probleem is dat we haar helemaal niet zien. Haar vinden wordt jouw prioriteit, Siobhan.'

'Ja, inspecteur.'

'Eerst gaan we een moordkamer inrichten.'

'Waar?'

'Kennelijk kunnen we een ruimte in de bibliotheek gebruiken.' Hij knikte in de richting van de weg voor hen. 'Naast de basisschool. Je kunt ons daarbij helpen, als je wilt.'

'We moeten in de eerste plaats mijn baas laten weten waar ik uithang.'

'Stap in dan.' Young pakte zijn mobieltje. 'Ik zal hem vertellen dat je gekidnapt bent.'

16

Rebus en Ellen Wylie waren weer in Whitemire.

Er was een tolk gekomen van de Koerdische gemeenschap in Glasgow. Het was een kleine, bedrijvige vrouw die met een sterk westkustaccent sprak en die veel goud en meerdere lagen lichtgetinte kleren droeg. In de ogen van Rebus zag ze eruit alsof ze handlezeres was in een woonwagen op de kermis. Maar in plaats daarvan zat ze aan een tafel in de kantine met mevrouw Yurgii, de twee rechercheurs en Alan Traynor. Rebus had tegen Traynor gezegd dat ze zich best zonder hem konden redden, maar hij had erop gestaan erbij aanwezig te zijn. Hij zat nu iets ter zijde van de groep, met zijn armen over elkaar geslagen. Er was personeel in de kantine: schoonmakers en koks. Af en toe klonk er een hard geluid van een pan die op een metalen ondergrond werd gezet, waarvan mevrouw Yurgii elke keer opsprong. Haar kinderen werden beziggehouden in hun kamer. Ze had een zakdoek bij zich, die ze rond de vingers van haar rechterhand had gedraaid.

Ellen Wylie had de tolk gevonden, en zij stelde de vragen.

'Heeft ze nooit iets gehoord van haar man? Nooit geprobeerd contact met hem op te nemen?'

Hierop volgde de vertaalde vraag en vervolgens het antwoord, dat weer terugvertaald werd naar het Engels.

'Hoe zou ze dat gekund hebben? Ze wist niet waar hij was.'

'De mensen hier mogen naar buiten telefoneren,' verklaarde Traynor. 'Er is een telefoon met munten... die mogen ze gebruiken.'

'Als ze het geld ervoor hebben,' beet de tolk hem toe.

'Heeft hij nooit geprobeerd contact met haar op te nemen?' drong Wylie aan.

'Het is altijd mogelijk dat hij het een en ander heeft gehoord van mensen die niet hier vastzitten,' antwoordde de tolk zonder de vraag aan de weduwe voor te leggen.

'Hoe bedoelt u?'

'Ik neem aan dat er mensen zijn die hier werkelijk vertrekken?'
Weer wierp ze een boze blik op Traynor.

'De meesten worden naar hun land teruggestuurd,' antwoordde
hij.

'Om daar te verdwijnen,' beet ze terug.

'Ja,' kwam Rebus tussenbeide, 'het komt voor dat mensen hier tegen borgstelling worden vrijgelaten, toch, meneer Traynor?'

'Dat klopt. Als iemand borg wil staan...'

'En zo kan Stef Yurgii nieuws over zijn gezin hebben vernomen;
van mensen die hij heeft ontmoet, die hier hebben gezeten.'

Traynor keek sceptisch.

'Hebt u een lijst?' vroeg Rebus.

'Een lijst?'

'Van mensen die op borgtocht vrij zijn.'

'Natuurlijk hebben we die.'

'En de adressen waar ze verblijven?' Traynor knikte. 'Dus het moet
makkelijk op te zoeken zijn hoeveel er in Edinburgh zijn, misschien
zelfs in Knoxland?'

'Ik denk dat u het systeem niet begrijpt, inspecteur. Hoeveel mensen in Knoxland zouden volgens u onderdak geven aan een asielzoeker? Ik geef toe dat ik die buurt niet ken, maar van wat ik in de
kranten heb gezien...'

'Daar hebt u een punt,' gaf Rebus toe. 'Maar hoe dan ook, kunt
u die gegevens voor me opzoeken?'

'Ze zijn vertrouwelijk.'

'Ik hoef ze niet allemaal te zien. Alleen van de mensen die in
Edinburgh wonen.'

'En alleen de Koerden?' vulde Traynor aan.

'Dat neem ik aan, ja.'

'Goed, dat is te doen, denk ik.' Traynor klonk nog steeds niet erg
enthousiast.

'Misschien kunt u het nu doen, terwijl wij met mevrouw Yurgii
praten?'

'Ik doe het straks wel.'

'Of iemand van uw personeel?'

'Straks, inspecteur.' Traynor sprak met stemverheffing. Mevrouw
Yurgii zat te praten. De tolk knikte toen ze uitgesproken was.

'Stef kon niet terug naar zijn land. Ze zouden hem vermoorden.
Hij was journalist en schreef vaak over mensenrechten.' Ze fronste
haar voorhoofd. 'Volgens mij is dat correct.' Ze checkte dit nog even
bij de weduwe en knikte weer. 'Ja, hij schreef stukken over staats-
corruptie en over campagnes tegen het Koerdische volk. Ze zegt dat

hij een held was, en ik geloof haar...'

De tolk leunde achterover alsof ze hen uitdaagde aan haar woorden te twijfelen.

Ellen Wylie boog zich naar voren. 'Was er iemand buiten Whitemire... iemand die hij kende? Iemand naar wie hij toe kan zijn gegaan?'

De vraag werd gesteld en beantwoord.

'Hij kende niemand in Schotland. Het gezin wilde niet uit Sighthill weg. Ze begonnen zich daar gelukkig te voelen. De kinderen hadden vriendjes gemaakt... ze waren toegelaten op een school. En toen werden ze in een busje gesmeten – een politiebusje – en midden in de nacht hiernaartoe gebracht. Ze waren doodsbang.'

Wylie legde haar hand op de onderarm van de tolk. 'Ik weet niet hoe ik dit precies onder woorden moet brengen... misschien kunt u me helpen.' Ze zweeg even. 'We zijn er tamelijk zeker van dat Stef op zijn minst met één persoon hierbuiten "bevriend" was.'

Het duurde even voordat dit tot de tolk doordrong. 'U bedoelt een vrouw?'

Wylie knikte. 'We moeten haar vinden.'

'Hoe kan zijn weduwe daarbij helpen?'

'Ik weet niet...'

'Vraag haar,' zei Rebus, 'welke talen haar man sprak.'

De tolk keek hem aan terwijl ze deze vraag stelde. Vervolgens: 'Hij sprak een beetje Engels en een beetje Frans. Zijn Frans was beter dan zijn Engels.'

Wylie keek hem nu ook aan. 'Spreekt de vriendin Frans?'

'Het is een mogelijkheid. Hebt u hier mensen die Frans spreken, meneer Traynor?'

'Zo nu en dan.'

'Uit welke landen komen ze?'

'Meestal uit Afrika.'

'Denkt u dat sommigen van hen op borgtocht zijn vrijgelaten?'

'Mag ik aannemen dat u wilt dat ik dat uitzoek?'

'Als het niet te veel moeite is.' Er verscheen iets van een glimlach rond de lippen van Rebus. Traynor zuchtte alleen maar. De tolk sprak weer. Mevrouw Yurgii antwoordde door in tranen uit te barsten en haar gezicht in haar zakdoek te begraven.

'Wat hebt u tegen haar gezegd?' vroeg Wylie.

'Ik heb haar gevraagd of haar man trouw was.'

Mevrouw Yurgii bracht jammerend een paar woorden uit. De tolk sloeg een arm om haar heen.

'En nu hebben we haar antwoord,' zei ze.

'En dat is...?'

'"Tot in de dood",' citeerde de tolk.

De stilte werd verbroken door een geluidssignaal van de walkietalkie van Traynor. Hij hield hem tegen zijn oor. 'Zeg het maar,' zei hij. En na te hebben geluisterd: 'O, Jezus... ik kom eraan.'

Hij vertrok zonder een woord te zeggen. Rebus keek Wylie aan en stond op om achter hem aan te gaan.

Het was niet moeilijk om op een afstandje te blijven. Traynor had weliswaar haast, maar rende nog net niet. De ene gang in en de andere uit, tot hij aan het eind een deur opentrok. Die leidde naar een kleinere gang die doodliep op een nooduitgang. Er waren drie kleine kamers: isoleercellen. In een daarvan bonkte iemand op de gesloten deur. Bonkend, schoppend en gillend in een taal die Rebus niet verstond. Maar daarvoor bleek Traynor geen belangstelling te hebben. Hij ging een andere kamer binnen, waarvan de deur door een bewaker open werd gehouden. Er waren nog meer bewakers in die kamer, gehurkt rond de vooroverliggende gestalte van een broodmagere man, die alleen een onderbroek aanhad. De rest van zijn kleren had hij uitgetrokken om er een geïmproviseerde strop van te maken. Die zat nog steeds strak om zijn keel. Zijn hoofd was paars en opgezwollen en zijn tong stak uit zijn mond.

'Om de tien minuten,' zei Traynor woedend.

'We hébben elke tien minuten gecontroleerd,' benadrukte een bewaker.

'Dat zal wel...' Traynor keek op en zag Rebus in de deuropening staan. 'Weg met hem!' bulderde hij.

Meteen begon de dichtstbijzijnde bewaker Rebus terug de gang in te duwen.

Rebus hief zijn handen op. 'Rustig, maat, ik ga al.' Hij stapte achteruit; de bewaker volgde hem. 'Zelfmoordbewaking, hè? Te horen aan de herrie die hij maakt, is zijn buurman de volgende...'

De bewaker zei niets. Hij sloot alleen de deur voor Rebus en bleef erachter staan, hem via de ruit van de deur in de gaten houdend. Rebus hief zijn handen weer op, draaide zich om en liep weg. Iets vertelde hem dat zijn verzoeken aan Traynor ietsje gezakt waren op diens prioriteitenlijstje...

De zitting in de kantine liep op zijn eind. Wylie schudde de tolk de hand, die vervolgens de weduwe in de richting van de kamer van het gezin leidde.

'En,' vroeg Wylie aan Rebus, 'waar was de brand?'

'Geen brand, maar een arme sodemieter die zich van kant heeft gemaakt.'

'Godallemachtig...'

'Laten we hier weggaan.' Hij liep voor haar uit naar de uitgang. 'Hoe heeft hij het gedaan?'

'Van zijn kleren een soort wurgband gemaakt. Hij kon zich niet ophangen. Er was niets wat hoog genoeg voor hem was om aan te hangen...'

'Godallemachtig,' herhaalde ze. Toen ze buiten in de frisse lucht waren, stak Rebus een sigaret op. Wylie deed haar Volvo van het slot. 'We komen hier niet verder mee, hè?'

'We wisten dat het moeilijk was, Ellen. Die vriendin is de sleutel.'

'Tenzij zij het heeft gedaan,' opperde Wylie.

Rebus schudde zijn hoofd. 'Luister nog maar eens naar haar telefoontje... Ze wéét waarom het is gebeurd, en dat "waarom" leidt naar het "wie".'

'Dat klinkt een beetje metafysisch uit jouw mond.'

Schouderophalend schoot hij zijn peuk tegen de grond. 'Ik ben een *homo universalis*, Ellen.'

'O ja? Spel dat dan eens voor me, meneer Homo Universalis.'

Toen ze van het terrein wegreden, keek hij naar de plek van Caro Quinns kampement. Toen ze aankwamen was ze er niet geweest, maar nu wel. Ze stond aan de rand van de weg uit een thermosfles te drinken.

Rebus vroeg Wylie te stoppen. 'Ik ben zo terug,' zei hij, terwijl hij uitstapte.

'Wat ga je...' Hij sloot zijn deur voor haar vraag.

Quinn glimlachte toen ze hem herkende. 'Hallo.'

'Luister,' zei hij, 'ken jij goedgezinde mensen bij de media? Ik bedoel, goedgezind ten opzichte van wat jij hier probeert te bereiken?'

Ze kneep haar ogen tot spleetjes. 'Een stuk of twee.'

'Dan kun je hun een primeurtje geven. Een van de gevangenen heeft zojuist zelfmoord gepleegd.' Zodra hij het had gezegd, besefte hij dat hij iets verkeerd had gedaan. Je had dat anders moeten zeggen, John, zei hij tegen zichzelf toen er tranen in Caro Quinns ogen opwelden.

'Het spijt me,' zei hij. Hij zag dat Wylie hen gadesloeg in de buitenspiegel. 'Ik dacht alleen dat je er iets mee zou kunnen doen... Er zal een onderzoek komen... Hoe meer belangstelling van de pers, hoe slechter dat is voor Whitemire...'

Ze knikte. 'Ja, dat snap ik. Bedankt dat je het me hebt verteld.' De tranen stroomden over haar gezicht. Wylie claxonneerde. 'Je vriendin zit te wachten,' zei Quinn.

'Red je het wel?'

'Ja hoor.' Ze wreef met de rug van haar vrije hand over haar wangen. De andere hand hield nog steeds een kopje vast, hoewel het grootste deel van de thee ongemerkt op de grond druppelde.

'Zeker weten?'

Ze knikte. 'Het is alleen... zo... barbaars.'

'Dat weet ik,' zei hij zacht. 'Luister... heb je een mobieltje bij je?' Ze knikte. 'Je hebt mijn nummer, hè? Kan ik het jouwe krijgen?' Even later schreef hij het op in zijn notitieboekje.

'Ga nu maar,' zei ze.

Rebus knikte en liep achteruit terug naar de auto. Hij zwaaide voordat hij instapte.

'Ik claxonneerde per ongeluk,' loog Wylie. 'Dus jij kent haar?'

'Een beetje,' bekende hij. 'Ze is kunstenaar; ze schildert portretten.'

'Dus het is waar...' Wylie zette de auto in de eerste versnelling. 'Jij bent écht een homo universalis.'

'Met een enkele "n" en een "v", klopt dat?'

'Dat klopt,' zei ze. Rebus verplaatste de achteruitkijkspiegel zo dat hij Caro Quinn kon zien verdwijnen toen de auto op snelheid kwam.

'Waar ken je haar van?'

'Ik ken haar gewoon, mag dat?'

'Neem me niet kwalijk dat ik het vroeg. Barsten jouw vriendinnen altijd in tranen uit als je met ze praat?'

Hij keek haar alleen even aan terwijl ze zwijgend verder reden.

'Wil je nog stoppen in Banehall?' vroeg Wylie na een tijdje.

'Waarom?'

'Weet ik niet,' zei ze. 'Gewoon, om even een kijkje te nemen.' Ze hadden de moord op de heenreis besproken.

'Wat krijgen we te zien?'

'De F-troep aan het werk.'

Ze noemden dat de F-troep omdat Livingston de F-divisie was van de politie van Lothian en Borders, en omdat maar weinig politiemensen in Edinburgh een hoge pet van hen ophadden.

Rebus moest een glimlach onderdrukken. 'Waarom niet?'

'Dan doen we dat.'

Rebus' mobieltje ging. Zou het Caro Quinn zijn? Hij had haar misschien nog wat langer gezelschap moeten houden. Maar het was Siobhan.

'Ik heb net met Gayfield gebeld,' zei ze.

'O ja?'

'Hoofdinspecteur Macrae heeft ons beiden laten noteren als afwezig zonder verlof.'

'Wat is jouw excuus?'

'Ik ben in Banehall.'

'Grappig, daar zijn wij over twee minuten ook...'

'Wij?'

'Ellen en ik. We zijn naar Whitemire geweest. Ben je nog steeds op zoek naar dat meisje?'

'Er is iets bij gekomen... Heb je gehoord dat ze een lichaam hebben gevonden?'

'Een man volgens mij.'

'Het is die jongen die haar zus heeft verkracht.'

'Ik begrijp dat dat de zaak verandert. Dus jij helpt nu de F-troep bij hun onderzoek?'

'In zekere zin.'

Rebus lachte. 'Jim Macrae gaat nog denken dat we Gayfield niet leuk vinden.'

'Hij is er niet kapot van... En ik moest nog een boodschap van hem aan je overbrengen.'

'O ja?'

'Je bent bij nog iemand uit de gratie geraakt...'

Rebus moest even nadenken. 'Zit die stomme eikel nog steeds achter me aan over die zaklamp?'

'Hij heeft het over een officiële klacht.'

'In godsnaam... Ik koop wel een nieuwe voor hem.'

'Kennelijk is het een specialistisch apparaat, meer dan honderd pond waard.'

'Daar kun je een kroonluchter voor kopen!'

'Je moet niet boos op mij worden, John. Ik breng alleen de boodschap maar over.'

De auto passeerde het bord naar de stad: BANEHALL was veranderd in BANEHELL.

'Dat is inventief,' mompelde Wylie. Vervolgens: 'Vraag haar waar ze is.'

'Ellen wil weten waar je bent,' zei Rebus in de telefoon.

'In de bibliotheek... Daar hebben we een kamer als basis in gebruik genomen.'

'Goed idee. Dan kan de F-troep naslagwerken gebruiken om hen te helpen. Het grote moordboek, misschien...'

Wylie lachte erom, maar Siobhan klonk allesbehalve geamuseerd. 'John, kom nou niet met die houding hiernaartoe...'

'Ik maak maar een grapje, Shiv. Tot zo.'

Rebus wees Wylie de weg. De kleine parkeerplaats voor de bibliotheek stond al vol. Politiemensen in uniform droegen computers het een verdieping hoge prefabgebouw binnen. Rebus hield de deur voor een van hen open en volgde toen. Wylie wachtte buiten en checkte haar mobieltje op berichten. De kamer die voor het onderzoek was vrijgemaakt, was maar zo'n vierenhalf bij drieënhalve meter. Twee opklaptafels waren ergens vandaan gehaald, samen met twee stoelen.

'We hebben geen ruimte voor al die dingen,' zei Siobhan tegen een van de agenten, toen hij neerhurkte om een groot computerscherm voor haar voeten neer te zetten.

'Orders,' zei hij, luidruchtig ademhalend.

'Kan ik u helpen?' Een jongeman in burger stelde Rebus die vraag.

'Inspecteur Rebus.'

Siobhan deed een stap naar voren. 'John, dit is inspecteur Young. Hij heeft de leiding.'

De twee mannen schudden elkaar de hand. 'Zeg maar Les,' zei de jongeman. Hij verloor zijn aandacht voor zijn nieuwe bezoeker al weer; hij moest een moordkamer inrichten.

'Lester Young?' zei Rebus mijmerend. 'Zoals de jazzmusicus?'

'Nee, Leslie. Zoals de stad in Fife.'

'Goed, succes, Leslie,' zei Rebus. Hij liep terug de bibliotheek in, met Siobhan achter zich aan. Een paar gepensioneerden keken kranten en tijdschriften in, gezeten aan een grote ronde tafel. In de kinderhoek lag een moeder op een zitzak, kennelijk in slaap gesukkeld, terwijl haar peuter boeken van de planken trok en ze opstapelde op het vloerkleed.

'Les, hè?' vroeg Rebus fluisterend op de geschiedenisafdeling.

'Het is een goeie vent,' fluisterde Siobhan terug.

'Jij bent snel met je oordeel.' Rebus pakte een boek van de plank. Het leek te beweren dat de Schotten de moderne wereld hadden uitgevonden. Hij keek om zich heen om zich ervan te vergewissen dat ze niet op de afdeling fictie stonden. 'En wat gebeurt er met Ishbel Jardine?' vroeg hij.

'Weet ik niet. Dat is een van de redenen waarom ik in de buurt blijf.'

'Weten de ouders het van de moord?'

'Ja.'

'Dat betekent dus een feestje vanavond...'

'Ik ben bij hen geweest... Ze waren geen feest aan het vieren.'

'En zat een van beiden onder het bloed?'

'Nee.'

Rebus zette het boek terug op de plank. De peuter slaakte een kreet toen de toren van boeken omviel. 'En de skeletten?'

'Op dood spoor, zoals jij zou zeggen. Alexis Cater zegt dat de hoofdverdachte een kerel was die met een vriendin van hem meegekomen was naar een feestje. Alleen kende die vriendin hem nauwelijks, ze wist zelfs zijn naam niet meer. Barry of Gary zei ze volgens mij.'

'Dus dat is het dan? Kunnen de beenderen nu in vrede rusten?'

Siobhan haalde haar schouders op. 'En jij? Nog wat opgeschoten met die steekpartij?'

'Het onderzoek gaat door...'

'... zei heden een woordvoerder van de politie. Ik neem aan dat je een beetje vastgelopen bent?'

'Zover zou ik niet willen gaan. Maar een verzetje zou leuk zijn.'

'Ben je daarvoor hier, voor een verzetje?'

'Nee, dit is niet het soort dat ik op het oog had...' Hij keek om zich heen. 'Denk je dat de F-troep dit aankan?'

'Ze hebben geen gebrek aan verdachten.'

'Dat zal wel niet. Hoe is hij vermoord?'

'Geslagen met iets wat een hamer zou kunnen zijn.'

'Waar?'

'Op zijn hoofd.'

'Ik bedoel waar in het huis.'

'In zijn slaapkamer.'

'Dus het was waarschijnlijk iemand die hij kende?'

'Dat neem ik aan.'

'Denk je dat Ishbel hard genoeg met een hamer kan zwaaien om iemand dood te slaan?'

'Ik denk niet dat zij het heeft gedaan.'

'Misschien krijg je de gelegenheid om het haar te vragen.' Rebus gaf een klopje op haar arm. 'Maar met de F-troep op de zaak, zul je misschien een pietsje harder moeten werken...'

Buiten beëindigde Wylie een gesprek. 'Heb je binnen nog iets gezien wat de moeite waard was?' vroeg ze. Rebus schudde zijn hoofd. 'Terug naar de basis dan,' opperde ze.

'Met nog één tussenstop onderweg,' zei Rebus.

'Waar dan?'

'Bij de universiteit.'

17

Ze stopten op een parkeerplaats met parkeermeter op George Square en liepen door de tuinen aan de voorkant van de universiteitsbibliotheek. De meeste gebouwen hier waren opgetrokken in de jaren zestig, en Rebus haatte ze. Blokken zandkleurig beton die in de plaats waren gekomen van de oorspronkelijke achttiende-eeuwse stadshuizen. Rijen verraderlijke trappen en een berucht windtunneleffect dat de onvoorzichtige medemens op een verkeerde dag omver kon blazen. Studenten liepen tussen de gebouwen, met boeken en mappen in hun armen. Sommige stonden in groepjes te praten.

'Stomme studenten,' was de beknopte samenvatting die Wylie van de situatie gaf.

'Heb jij zelf niet ook op de universiteit gezeten, Ellen?' vroeg Rebus.

'Daarom heb ik het recht om dat te zeggen.'

Een verkoper van de daklozenkrant stond naast het George Square Theatre. Rebus liep naar hem toe. 'Hoe gaat-ie, Jimmy?'

'Niet slecht, meneer Rebus.'

'Denk je dat je nog een winter overleeft?'

'Het is dat of sterven terwijl ik het probeer.'

Rebus gaf hem een paar munten, maar weigerde een tijdschrift. 'Is er iets wat ik moet weten?' vroeg hij, wat zachter sprekend.

Jimmy keek nadenkend. Hij droeg een rafelige honkbalpet op lang en klitterig grijs haar. Een groene trui hing bijna tot op zijn knieën. Er lag een bordercollie – of een variant ervan – aan zijn voeten te slapen. 'Niet veel,' zei hij uiteindelijk, met een stem die rauw geworden was door de gebruikelijke slechte gewoonten.

'Zeker weten?'

'U weet dat ik mijn ogen en mijn oren openhou...' Jimmy zweeg even. 'De prijs van de wiet is gedaald, als u daar iets aan hebt.'

Rebus lachte. 'Helaas zit ik niet in die markt. De drugs waar ik de voorkeur aan geef, lijken alleen maar duurder te worden.'

Jimmy lachte hardop, waardoor de hond een oog opentrok. 'Ja, de saffies en de neut, meneer Rebus, de schadelijkste drugs die de mens kent!'

'Hou je taai, hè,' zei Rebus terwijl hij bij hem vandaan liep. Vervolgens, tegen Wylie: 'Dit is het gebouw waar we moeten zijn.' Hij trok de deur voor haar open.

'Ben jij hier dan al eens geweest?'

'Je hebt hier een taalkundige afdeling. Daar hebben we in het verleden gebruik van gemaakt voor stemtesten.' Een man in een grijs uniform zat in een glazen receptiehokje.

'Dr. Maybury?' vroeg Rebus.

'Kamer twee-twaalf.'

'Bedankt.'

Rebus ging Wylie voor naar de liften. 'Ken jij iedereen in Edinburgh?' vroeg ze.

Hij keek haar aan. 'Zo werd er vroeger gewerkt, Ellen.' Hij leidde haar de lift in en drukte op de knop voor de tweede etage. Toen hij op de deur van kamer 212 klopte, werd er niet gereageerd. Niemand. Een gematteerd raam naast de deur liet geen beweging binnen zien. Rebus probeerde de volgende kamer en kreeg te horen dat hij Maybury kon vinden in het taallaboratorium in het souterrain.

Het taallab bevond zich aan het einde van een gang, achter een stel dubbele deuren. Vier studenten zaten in een rij hokjes, zonder dat ze elkaar konden zien. Ze hadden koptelefoons op en spraken in microfoons. Ze herhaalden een reeks willekeurig lijkende woorden:

Brood

Moeder

Denken

Mogelijk

Meer

Allegorie

Gastvrijheid

Interessant

Indrukwekkend

Ze keken op toen Rebus en Wylie binnenkwamen. Er zat een vrouw tegenover hen aan een groot bureau met een soort schakelbord, met daaraan iets gekoppeld wat wel een grote cassetterecorder leek. Ze maakte een ongeduldig geluid en zette de recorder af. 'Wat is er?' snauwde ze.

'Dr. Maybury, we hebben elkaar al eens eerder ontmoet. Ik ben inspecteur Rebus.'

'Ja, ik geloof dat ik me dat herinner. Dreigtelefoontjes... U probeerde het accent te identificeren.'

Rebus knikte en stelde Wylie voor. 'Sorry dat ik u lastigval. Ik wilde vragen of u misschien een paar minuten voor ons hebt.'

'Ik ben hier aan het eind van dit uur klaar.' Maybury keek op haar horloge. 'Gaat u maar vast naar mijn kamer, dan kunt u daar op me wachten. Er staat een waterkoker en zo.'

'Een waterkoker en zo klinkt geweldig.'

Ze viste de sleutel uit haar zak. Tegen de tijd dat ze zich hadden omgedraaid om weg te gaan, was ze al weer bezig de studenten te vertellen dat ze zich moesten voorbereiden op de volgende reeks woorden.

'Waar was ze volgens jou mee bezig?' vroeg Wylie, toen de lift hen terugvoerde naar de tweede verdieping.

'God mag het weten.'

'Nou ja, het houdt ze in ieder geval van de straat...'

De kamer van dr. Maybury was een warboel van boeken en kranten, video's en audiocassettes. De computer op haar bureau werd uitstekend gecamoufleerd door nog meer papieren. Een tafel, bedoeld voor werkgroepen, was afgeladen met boeken die uit de bibliotheek waren geleend. Wylie vond de waterkoker en zette die aan. Rebus liep de deur uit en begaf zich naar de toiletten, waar hij zijn mobieltje pakte en Caro Quinn belde.

'Gaat het een beetje?' vroeg hij.

'Prima,' zo verzekerde ze hem. 'Ik heb een verslaggever van de *Evening News* gebeld. Het verhaal haalt waarschijnlijk nog de laatste editie van vanavond.'

'Wat is er gebeurd?'

'Een heleboel verkeer in en uit...' Ze zweeg abrupt. 'Is dit weer een verhoor?'

'Het spijt me als het daarop lijkt.'

Ze zweeg even. 'Wil je later op de dag nog even langskomen? In mijn flat, bedoel ik.'

'Waarvoor?'

'Dan kan mijn ploeg uitstekend getrainde anarchosyndicalisten beginnen met het indoctrinatieproces.'

'Dus ze houden wel van een moeilijke klus?'

Ze lachte kort. 'Ik vraag me nog steeds af wat jou drijft.'

'En niet wat me drijvende houdt? Wees maar voorzichtig, Caro. Ik ben tenslotte de vijand.'

'Zeggen ze niet dat je je vijand maar beter kunt kennen?'

'Grappig, dat heeft iemand me kort geleden ook al gezegd...' Hij zweeg even. 'Ik zou je op een etentje kunnen trakteren.'

'En zo de masculiene hegemonie overeind houden?'

'Ik heb geen idee wat dat betekent, maar ik ben waarschijnlijk schuldig.'

'Het betekent dat we de rekening delen,' zei ze. 'Kom naar mijn flat, om acht uur.'

'Tot dan.' Rebus beëindigde het gesprek en vroeg zich bijna tegelijkertijd af hoe ze thuis moest komen vanaf Whitemire. Hij was vergeten dat te vragen. Zou ze liften? Hij wilde haar al opnieuw bellen toen hij zich bedwong. Ze was geen kind. Ze hield die wake al maandenlang. Ze kon wel thuiskomen zonder zijn hulp. Trouwens, ze zou hem er alleen maar van beschuldigen dat hij de masculiene hegemonie overeind hield.

Rebus ging terug naar de kamer van Maybury en pakte een kop koffie van Wylie aan. Ze gingen tegenover elkaar aan de tafel zitten.

'Ben jij nooit student geweest, John?' vroeg ze.

'Daar heb ik nooit zin in gehad,' antwoordde hij. 'Bovendien was ik een luie donder op school.'

'Ik haatte het,' zei Wylie. 'Ik leek nooit te weten wat ik moest zeggen. Ik heb vaak in dit soort kamers gezeten, jaar in, jaar uit, en ik hield mijn mond dicht zodat niemand zou merken dat ik traag van begrip was.'

'Hoe traag was je eigenlijk?'

Wylie lachte. 'Uiteindelijk bleken de andere studenten te denken dat ik nooit iets zei omdat ik alles al wist.'

De deur ging open, dr. Maybury schuifelde naar binnen en wrong zich achter de stoel van Wylie langs. Ze mompelde een verontschuldiging terwijl ze de veiligheid van haar eigen bureau bereikte. Ze was lang en mager en maakte een verlegen indruk. Haar haar, dikke donkere golven, was naar achteren getrokken in een soort paardenstaart. Ze droeg een ouderwetse bril, alsof die de klassieke schoonheid van haar gezicht kon verbergen.

'Kan ik u een kop koffie inschenken, dr. Maybury?' vroeg Wylie.

'Ik loop over van dat spul,' zei Maybury kortaf. Toen verontschuldigde ze zich snel en bedankte Wylie voor het aanbod.

Rebus herinnerde zich dit van haar: ze was snel geïrriteerd en ze verontschuldigde zich vaker dan nodig was.

'Sorry,' zei ze nog eens, zonder duidelijke reden, terwijl ze wat van de papieren op elkaar stapelde.

'Wat gebeurde er beneden?' vroeg Wylie.

'U bedoelt het opsommen van die lijsten?' Maybury trok met haar mond. 'Ik doe wat onderzoek naar elisie...'

Wylie stak een hand op, als een leerling in de klas. 'U en ik weten wat dat betekent, doctor, maar zou u het willen uitleggen aan inspecteur Rebus?'

'Volgens mij was het woord waarin ik geïnteresseerd was toen jullie binnenkwamen "mogelijk". Mensen beginnen dat uit te spreken met weglating van de "e" in het midden; dat heet elisie.'

Rebus moest zich ervan weerhouden te vragen wat het nut van zo'n onderzoek was. In plaats daarvan tikte hij met zijn vingertoppen op het tafelblad. 'We hebben een bandje dat we u willen laten horen,' zei hij.

'Weer een anonieme beller?'

'In zekere zin wel... Het was een alarmtelefoontje. We moeten de nationaliteit vaststellen.'

Maybury duwde haar bril terug op haar neus en hield een hand op. Rebus stond op en gaf haar het bandje. Ze stopte het in een cassettedeck op de vloer naast haar bureau en startte het.

'Het kan zijn dat u schrikt,' zo waarschuwde Rebus haar. Ze knikte en luisterde de boodschap helemaal af.

'Regionale accenten zijn mijn terrein, inspecteur,' zei ze na enige ogenblikken stilte. 'Regio's van het Verenigd Koninkrijk. Deze vrouw komt niet hiervandaan.'

'Maar ze komt ergens vandaan.'

'Maar niet van hier.'

'Dus u kunt ons niet helpen? Hebt u ook geen idee?'

Maybury tikte met haar vinger tegen haar kin. 'Afrikaans, misschien Afro-Caraïbisch.'

'Ze spreekt vermoedelijk een beetje Frans,' voerde Rebus nog aan. 'Dat spreekt ze misschien zelfs beter dan Engels.'

'Een van mijn collega's op de Franse afdeling zou misschien met meer zekerheid iets kunnen zeggen... Wacht even.' Toen ze glimlachte, leek de hele kamer op te lichten. 'Er is een postdoctoraal student... Ze heeft wat werk gedaan over Franse invloeden in Afrika... Ik vraag me af...'

'We zijn blij met alles,' zei Rebus.

'Mag ik het bandje hier houden?'

Rebus knikte. 'Het is wel nogal dringend...'

'Ik weet niet zeker waar ze is.'

'Misschien kunt u haar thuis bellen?' vroeg Wylie.

Maybury staarde haar aan. 'Volgens mij zit ze ergens in het zuidwesten van Frankrijk.'

'Dat zou een probleem kunnen zijn,' opperde Rebus.

'Niet per se. Als ik haar telefonisch kan bereiken, kan ik het bandje via de telefoon aan haar laten horen.'

Nu was het Rebus' beurt om te glimlachen.

'Elisie,' zei Rebus, en hij liet het woord tussen hen in hangen. Ze waren terug op Torphichen Place. Het was stil op het politiebureau. De Knoxland-ploeg vroeg zich af wat er nu verder moest gebeuren. Als een zaak niet binnen de eerste tweeënzeventig uur was opgelost, begon dat een gevoel te geven alsof alles vertraagde. De aanvankelijke adrenalinegolf was allang weggeëbd. Het huis-aan-huisonderzoek en de ondervragingen waren gekomen en gegaan. Alles leek samen te zweren om zowel het enthousiasme als de ijver uit te putten. Rebus had zaken die twintig jaar later nog altijd niet waren afgesloten. Die knaagden aan hem, omdat hij al die uren die eraan waren besteed en die niets hadden opgeleverd niet zomaar van zich kon afschudden, terwijl je wist dat je maar één telefoontje, één naam, verwijderd was van een oplossing. De verdachten waren verhoord en vrijgelaten, of ze werden helemaal over het hoofd gezien. De een of andere aanwijzing lag ergens verscholen tussen de vergelende bladzijden van elk dossier... En je vond die aanwijzing nooit.

'Elisie,' bevestigde Wylie met een knik. 'Goed te weten dat daar onderzoek naar wordt gedaan.'

'En dat het "mooglijk" is.' Rebus lachte in zichzelf. 'Heb je ooit geografie gestudeerd, Ellen?'

'Op school. Denk jij dat het belangrijker is dan taalkunde?'

'Ik moest denken aan Whitemire... sommige van de landen waar die mensen vandaan komen – Angola, Namibië, Albanië –, ik zou ze niet kunnen aanwijzen op een landkaart.'

'Ik ook niet.'

'Maar waarschijnlijk is de helft van hen beter opgeleid dan de mensen die hen bewaken.'

'Wat wou je daarmee zeggen?'

Hij keek haar aan. 'Sinds wanneer moet een gesprek iets zeggen?'

Ze zuchtte diep en schudde haar hoofd.

'Hebben jullie dit gezien?' Shug Davidson stond opeens voor hen en hield een exemplaar van het avondblad omhoog. De kopregel op de voorpagina luidde: ZELFMOORD IN WHITEMIRE.

'Recht voor zijn raap,' zei Rebus, terwijl hij de krant van Davidson aanpakte en begon te lezen.

'Ik heb Rory Allan aan de telefoon gehad. Hij vroeg om een quote voor de *Scotsman* van morgen. Hij wil een uitgebreid artikel over het hele probleem: van Whitemire tot en met Knoxland en alles daartussenin.'

'Dat zou wel eens leven in de brouwerij kunnen brengen,' zei Rebus. Het verhaal dat hij nu las, was niet sterk. Caro Quinn werd geciteerd over de onmenselijkheid van het detentiecentrum. Er stond een stukje over Knoxland en er waren een paar oude foto's van de oorspronkelijke protestdemonstraties bij Whitemire. Caro's gezicht was omcirkeld. Ze was een van de velen die met spandoeken sjouwden en schreeuwden naar het personeel toen dat arriveerde voor de openingsdag van het centrum.

'Daar is je vriendin weer,' merkte Wylie op, die over zijn schouder meelas.

'Wat voor vriendin?' vroeg Davidson achterdochtig.

'Niets,' zei Wylie snel. 'Gewoon de vrouw die een wake houdt bij de poort.'

Rebus kwam bij het eind van het verhaal dat hem verwees naar een 'commentaar' elders in de krant. Hij sloeg de bladzijden om en las het hoofdartikel: onderzoek vereist... tijd dat politici hun ogen hiervoor openen... onduldbare situatie voor alle betrokkenen... achterstand... toekomst van Whitemire zelf ter discussie door deze laatste tragedie...

'Mag ik hem houden?' vroeg hij, in de wetenschap dat Caro hier moed uit zou putten.

'Vijfendertig penny,' zei Davidson, terwijl hij zijn hand ophield.

'Daar kan ik een nieuwe voor krijgen!'

'Maar deze is goed onderhouden, John, en van de eerste zorgzame eigenaar.' Hij bleef zijn hand ophouden. Rebus betaalde en bedacht dat het altijd nog goedkoper was dan een doos bonbons. Niet dat hij vond dat Caro veel van een zoetekauw weg had... O, alweer een vooroordeel over haar. Zijn werk had hem geleerd vooroordelen te hebben op het meest basale 'wij en zij'-niveau. Nu wilde hij zien wat er achter zijn oordelen schuilging.

Tot nu toe had het hem niet meer dan vijfendertig penny gekost.

Siobhan was weer in de Bane. Ditmaal had ze een politiefotograaf bij zich, plus Les Young.

'Ik kan wel iets te drinken gebruiken,' had hij gezucht, nadat hij had vastgesteld dat drie van de vier computers in de moordkamer softwareproblemen hadden en dat er geen een met succes kon worden aangesloten op het telefoonsysteem van de bibliotheek. Hij bestelde een halve pint Eighty-Shilling.

'Limoensap met water voor mevrouw?' veronderstelde Malky. Siobhan knikte. De fotograaf zat aan een tafeltje naast de toiletten en zette een lens op zijn camera. Een van de klanten liep naar hem toe en vroeg hem hoeveel hij ervoor wilde hebben.

'Kalm aan, Arthur,' riep Malky. 'Ze zijn van de politie.'

Siobhan nipte van haar drankje en Young rekende af. Ze keek Malky aan toen hij het wisselgeld voor Young op de bar legde. 'Dat is niet wat wij een typische reactie noemen,' zei ze.

'Wat?' vroeg Les Young, terwijl hij de dunne streep schuim van zijn bovenlip veegde.

'Nou, Malky weet dat wij van de recherche zijn. En een van onze mensen is daar bezig een camera in te stellen... En Malky heeft niet gevraagd waarom.'

De barkeeper haalde zijn schouders op. 'Maakt me niet uit wat u doet,' mompelde hij, en hij draaide zich naar een van de biertapkranen toe om deze schoon te maken.

De fotograaf leek bijna gereed. 'Brigadier Clarke,' zei hij, misschien wilt u eerst naar binnen gaan, om te kijken of er niemand zit.'

Siobhan lachte. 'Hoeveel vrouwen denk jij dat er hier komen?'

'Maar toch...'

Siobhan wendde zich tot Malky. 'Zit er iemand op het damestoilet?'

Malky haalde nogmaals zijn schouders op. Siobhan keerde zich naar Young. 'Zie je? Hij is niet eens verbaasd als we foto's op de wc nemen...' Toen liep ze naar de deur en duwde die open. 'Je kunt je gang gaan,' zei ze tegen de fotograaf. Maar toen ze de wc bekeek, zag ze dat er veranderingen waren aangebracht. Met een dikke zwarte merkstift was over de opschriften gegaan, waardoor die nagenoeg onleesbaar waren. Siobhan siste en zei tegen de fotograaf dat hij zijn best moest doen. Ze stapte terug naar de bar. 'Mooi werk, Malky,' zei ze op kille toon.

'Wat?' vroeg Les Young.

'Onze Malky is heel slim. Hij zag dat ik beide keren dat ik hier was gebruikmaakte van het toilet, en het drong tot hem door waarom ik daar zo in geïnteresseerd was. Dus besloot hij de boodschappen zo goed mogelijk te verbergen.'

Malky zei niets, maar hief zijn hoofd iets op, alsof hij wilde laten zien dat hij zich niet schuldig voelde.

'Jij wilt ons geen enkele aanwijzing geven, Malky? Jij denkt: Banehall is beter af zonder Donny Cruikshank, lang leve de dader. Heb ik gelijk?'

'Ik zeg niks.'

'Je hoeft niks te zeggen... de inkt zit nog aan je vingers.'

Malky keek naar de zwarte vlekken.

'Weet je,' ging Siobhan verder, 'toen ik de eerste keer hier kwam, hadden Cruikshank en jij een meningsverschil.'

'Ik nam het op voor u,' zei Malky.

Siobhan knikte. 'Maar toen ik weg was, heb je hem eruit gegooid. Was er ruzie tussen jullie?' Ze plantte haar ellebogen op de bar en boog zich op haar tenen staand naar hem toe. 'Misschien moeten we je meenemen voor een grondig verhoor... Wat vindt u daarvan, inspecteur Young?'

'Lijkt me een goed idee.' Hij zette zijn lege glas neer. 'Je kunt onze eerste officiële verdachte worden, Malky.'

'Krijg het lazarus.'

'Of...' Siobhan zweeg even, 'je gaat ons vertellen wie die teksten op de muur hebben geschreven. Ik weet dat er een paar van Ishbel en Susie zijn, maar van wie nog meer?'

'Sorry, maar ik zit nooit op de dames-wc.'

'Misschien niet, maar je was op de hoogte van die teksten.' Siobhan glimlachte weer. 'Dus je moet er af en toe wel naar binnen zijn gegaan... misschien na sluitingstijd?'

'Had je ook iets pervers, Malky?' jutte Young hem op. 'Kon je daarom niet zo goed opschieten met Cruikshank? Leken jullie te veel op elkaar?'

Malky hield een uitgestoken vinger voor Youngs gezicht. 'Je lult uit je nek!'

'Mij komt het voor,' zei Young, die de nabijheid van Malky's vinger bij zijn linkeroog negeerde, 'dat we heel duidelijk zijn. In een zaak als deze heb je soms maar één aanwijzing nodig...' Hij ging rechtop staan. 'Wil je nu met ons mee, of heb je even nodig om de bar te sluiten?'

'Laat me niet lachen.'

'Er valt niets te lachen, Malky,' zei Siobhan. 'Dat kun je aan onze gezichten zien, toch?'

Malky keek van de een naar de ander. De gezichten stonden strak, serieus.

'Ik neem aan dat je hier in dienst bent,' ging Young verder. 'Je kunt maar beter de eigenaar bellen om hem te zeggen dat je opgebracht wordt voor een verhoor.'

Malky had zijn vinger al weer in zijn vuist terug laten kruipen, en die vuist viel nu langs zijn zijde. 'Kom nou...' zei hij, in de hoop dat hij hen redelijk kon stemmen.

'Mag ik je even onder de aandacht brengen,' zei Siobhan, 'dat het hinderen van het onderzoek in een moordzaak een ernstig delict is... er zijn rechters die je daarop pakken.'

'Jezus, ik heb alleen maar...' Maar hij klemde zijn kaken op elkaar.

Young zuchtte, haalde zijn mobiele telefoon tevoorschijn en toetste een nummer in. 'Kan ik een paar agenten naar de Bane krijgen? Er moet een verdachte worden gearresteerd...'

'Oké, oké,' zei Malky, en hij stak zijn handen op in een kalmerend gebaar. 'Laten we gaan zitten en praten. Dat kan hier toch ook?'

Young klapte zijn mobieltje dicht.

'Dat hoor je wel als wij hebben gehoord wat jij te vertellen hebt,' zei Siobhan.

Malky keek in het rond om zich ervan te overtuigen dat geen van de vaste klanten nog eens bediend wilde worden en hielp vervolgens zichzelf aan een whisky. Hij opende het poortje van de bar en kwam naar hen toe, knikkend naar de tafel waar de cameratas op stond.

De fotograaf kwam juist weer uit de toiletten. 'Ik heb gedaan wat ik kon,' zei hij.

'Bedankt, Billy,' zei Les Young. 'Zorg dat ik ze tegen het eind van de dag heb.'

'Ik doe mijn best.'

'Digitale camera, Billy... Het kost je vijf minuten om me een paar afdrukken te bezorgen.'

'Dat hangt ervan af.' Billy had zijn tas ingepakt en hing hem aan zijn schouder. Hij knikte ten afscheid en liep naar de deur.

Young zat met zijn armen over elkaar.

Malky had zijn whisky in één teug achterovergeslagen.

'Tracy was graag gezien,' begon hij.

'Tracy Jardine,' zei Siobhan ten behoeve van Young. 'Het meisje dat door Cruikshank is verkracht.'

Malky knikte traag. 'Ze was daarna nooit meer dezelfde... Het verbaasde me niet toen ze er een eind aan maakte.'

'En toen kwam Cruikshank weer naar huis?' stelde Siobhan vast.

'Brutaal als de beul, alsof hij de baas was. Dacht zeker dat we allemaal bang van hem zouden zijn omdat hij gezeten had, de klootzak...' Malky keek naar zijn lege glas. 'Nog iets drinken?'

Ze schudden hun hoofd, waarna hij naar de bar liep om zichzelf nog eens bij te schenken. 'Dit is mijn laatste vandaag,' zei hij tegen zichzelf.

'Heb je een drankprobleem gehad?' vroeg Young op een invoelende toon.

'Ik heb heel wat verzet,' bekende Malky. 'Maar tegenwoordig gaat het goed.'

'Dat hoor ik graag.'

'Malky,' zei Siobhan. 'Ik weet dat Ishbel en Susie een paar van die teksten op de wc hebben geschreven, maar wie nog meer?'

Malky haalde diep adem. 'Volgens mij een vriendin van hen, Ja-nine Harrison. Ze was bevriend met Tracy, maar toen zij dood was, ging ze meer om met Ishbel en Susie.' Hij leunde achterover en keek naar het glas alsof hij het wilde bijvullen. 'Ze werkt in Whitemire.'

'Wat doet ze daar?'

'Ze is een van de bewakers.' Hij zweeg even. 'Hebt u gehoord wat er gebeurd is? Iemand heeft zich verhangen. Jezus, als ze die tent sluiten...'

'Wat dan?'

'Banehall is ooit gebouwd in een mijnstreek. Alleen zijn er geen kolen meer. Whitemire is de enige werkgever hier in de omgeving. De helft van de mensen die je ziet – de mensen met nieuwe auto's en schotelantennes – hebben iets te maken met Whitemire.'

'Goed, dat is dus Janine Harrison. Nog iemand?'

'Nog een vriendin van Susie. Ze is heel stil, totdat de drank haar op gang brengt...'

'Naam?'

'Janet Eylot.'

'En werkt zij ook in Whitemire?'

Hij knikte. 'Volgens mij is ze een van de secretaresses.'

'Wonen ze in Banehall, Janine en Janet?'

Hij knikte nogmaals.

'Goed,' zei Siobhan nadat ze de namen had genoteerd. 'Ik weet niet, inspecteur Young...' Ze keek Les Young aan. 'Wat vindt u? Moe-ten we Malky nog opbrengen voor verhoor?'

'Op dit moment niet, brigadier Clarke. Maar we moeten wel zijn achternaam en een contactadres hebben.'

Malky verschafte beide maar al te graag.

18

Ze gingen met Siobhans auto naar Whitemire. Young bewonderde het interieur. 'Een sportieve wagen.'

'Is dat goed of slecht?'

'Goed, waarschijnlijk...'

Er stond een tent naast de toegangsweg, en de eigenares ervan werd geïnterviewd door een tv-ploeg, terwijl andere verslaggevers meeluisterden, hopend op een paar nuttige citaten. De bewaker aan de poort vertelde hun dat het binnen 'nog een veel erger circus' was.

'Maak je geen zorgen,' verzekerde Siobhan hem, 'we hebben onze worstelpakjes meegebracht.'

Een tweede geüniformeerde bewaker wachtte hen op bij de parkeerplaats. Hij begroette hen afstandelijk.

'Ik weet dat dit niet de leukste dag voor u is,' zei Young troostend, 'maar wij werken aan een moordonderzoek, dus u begrijpt dat het niet kon wachten.'

'Wie wilt u spreken?'

'Twee personeelsleden: Janine Harrison en Janet Eylot.'

'Janet is naar huis,' zei de bewaker. 'Ze was een beetje van streek over het nieuws...' Hij zag Siobhan een wenkbrauw optrekken. 'Het nieuws van de zelfmoord,' verduidelijkte hij.

'En Janine Harrison?' vroeg ze.

'Janine werkt in de gezinsvleugel... Volgens mij heeft ze dienst tot zeven uur.'

'Dan praten we daarna wel met haar,' zei Siobhan. 'En als u ons het huisadres van Janet kunt geven...'

Binnen waren de gangen en de openbare ruimten leeg. Siobhan nam aan dat de gedetineerden waren opgesloten totdat de opwinding was weggeëbd. Ze ving af en toe een glimp op van besprekingen achter deuren die op een kiertje waren blijven staan. Ze zag mannen in pakken, met grimmige gezichten, en vrouwen met witte blouses en parels om hun hals.

De bureaucratie.

De bewaker bracht hen naar een kantoortuin en liet agent Harrison oproepen. Terwijl ze wachtten, liep er een man voorbij die op zijn schreden terugkwam om aan de bewaker te vragen wat er aan de hand was.

'Politie, meneer Traynor. Over een moord in Banehall.'

'Heb je hun verteld dat al onze cliënten binnen waren?' Hij klonk bijzonder geïrriteerd door dit laatste nieuws.

'Het gaat alleen om achtergrondinformatie,' legde Siobhan uit. 'We praten met iedereen die het slachtoffer heeft gekend.'

Dit leek hem tevreden te stellen. Hij maakte een grommend geluid en verdween.

'Een bobo?' veronderstelde Siobhan.

'De adjunct-directeur,' bevestigde de bewaker. 'Hij heeft zijn dag niet.'

De bewaker verliet de kamer toen Janine Harrison verscheen. Ze was midden twintig en had kort donker haar. Niet lang, maar wel met wat spieren onder het uniform. Siobhan vermoedde dat ze trainde en misschien een of andere vechtsport beoefende.

'Gaat u zitten,' zei Young, nadat hij Siobhan en zichzelf had voorgesteld.

Ze bleef staan, met haar handen op haar rug. 'Waar gaat het over?'

'Over de verdachte dood van Donny Cruikshank,' zei Siobhan.

'Iemand heeft hem te grazen genomen, wat is daar verdacht aan?'

'Je was geen fan van hem?'

'Een vent die een dronken tiener verkracht? Nee, u kunt me geen fan noemen.'

'De pub in Banehall,' merkte Siobhan op. 'Teksten op de muur op de dames-wc...'

'Wat is daarmee?'

'Daar heb je zelf ook een bijdrage aan geleverd.'

'Is dat zo?' Ze keek nadenkend. 'Het zou kunnen, denk ik... iets van vrouwelijke solidariteit.' Ze keek Siobhan aan. 'Hij heeft een jonge meid verkracht en haar geslagen. En nu spannen jullie je in om te proberen iemand te pakken te krijgen omdat hij hem te grazen heeft genomen.' Ze schudde langzaam haar hoofd.

'Niemand verdient het te worden vermoord, Janine.'

'Nee?' Harrison klonk alsof ze dit betwijfelde.

'Welke tekst heb jij geschreven? "Dood aan Cruikshank" misschien? Of wat dacht je van "Bloedige wraak"?'

'Ik kan het me echt niet herinneren.'

'We kunnen je om een voorbeeld van je handschrift vragen.' Les Young kwam tussenbeide.

Ze haalde haar schouders op. 'Ik heb niets te verbergen.'

'Wanneer heb je Cruikshank voor het laatst gezien?'

'Ongeveer een week geleden, in de Bane. Stond in zijn eentje te biljarten, omdat hij niemand zover kon krijgen met hem te spelen.'

'Het verbaast me dat hij daar wat ging drinken als hij zo'n gehate figuur was.'

'Hij hield ervan.'

'Van de pub?'

Harrison schudde haar hoofd. 'Van al die aandacht. Het leek hem niet te interesseren wat voor soort aandacht, als hij maar het middelpunt vormde...'

Het weinige wat Siobhan van Cruikshank had gezien, leek dit te bevestigen. 'Jij was bevriend met Tracy, toch?'

Harrison stak een vinger naar haar op. 'Nu weet ik wie u bent. U kwam bij de vader en moeder van Tracy, en u bent bij haar begrafenis geweest.'

'Ik heb haar niet echt gekend.'

'Maar u hebt gezien wat ze heeft doorgemaakt.' Weer was de toon beschuldigend.

'Ja, dat heb ik gezien,' zei Siobhan zacht.

'Wij zijn politiefunctionarissen, Janine,' kwam Young tussenbeide. 'Het is ons wérk.'

'Prima... ga je gang en doe je werk. Maar verwacht niet te veel hulp.' Ze bracht haar armen van achter haar rug naar voren en kruiste ze voor haar borst, waarmee ze onverzettelijkheid uitstraalde.

'Als er iets is wat je ons kunt vertellen,' drong Young aan, 'dan kunnen we dat maar het best van jou horen.'

'Luister dan naar wat ik zeg: ik heb hem niet vermoord, maar ik ben toch blij dat hij dood is.' Ze zweeg even. 'En als ik hem wél had vermoord, dan zou ik het van de daken schreeuwen.'

Er volgden enkele seconden stilte, waarna Siobhan vroeg: 'Hoe goed ken je Janet Eylot?'

'Ik ken Janet. Ze werkt hier... U zit op haar stoel.' Ze knikte naar Young.

'En gaan jullie ook met elkaar om?'

Harrison knikte.

'Gaan jullie wel eens wat drinken?' vroeg Siobhan.

'Af en toe.'

'Was ze bij jou in de Bane, de laatste keer dat je Cruikshank hebt gezien?'

'Mogelijk.'

'Weet je het niet meer?'

'Nee.'

'Ik heb gehoord dat ze een beetje gek doet als ze wat opheeft.'

'Hebt u haar gezien? Ze is anderhalve meter op hoge hakken.'

'Bedoel je daarmee dat zij Cruikshank niet zou hebben aangevallen?'

'Ik bedoel dat het haar niet zou zijn gelukt.'

'Daarentegen zie jij er stevig uit, Janine.'

Harrison vertoonde een ijzige glimlach. 'U bent mijn type niet.'

Siobhan zweeg even. 'Heb je enig idee wat er met Ishbel Jardine gebeurd is?'

Harrison was even van haar stuk gebracht door de plotselinge verandering van onderwerp. 'Nee,' zei ze ten slotte.

'Heeft ze het er nooit over gehad dat ze van huis wilde weglopen?'

'Nooit.'

'Maar ze zal het toch wel over Cruikshank hebben gehad?'

'Dat zal wel.'

'Zou je wat uitvoeriger kunnen zijn?'

Harrison schudde haar hoofd. 'Doen jullie dat als je het niet meer weet? De schuld leggen bij iemand die niet voor zichzelf kan opkomen? Dus bij iemand die er niet is?' Ze keek Siobhan strak aan. 'Fijne vriendin bent u.' Young wilde iets opmerken, maar ze sneed hem de pas af. 'Het is uw werk, ik weet het... Gewoon werk... zoals hier in dit centrum werken... Iemand die we onder onze hoede hebben sterft, en we voelen het allemaal.'

'Daar ben ik van overtuigd,' zei Young.

'Nu ik het daar toch over heb, ik moet nog wat controlewerk doen voordat ik uitklok... Zijn we klaar hier?'

Young keek naar Siobhan, die nog een vraag had. 'Wist je dat Ishbel aan Cruikshank heeft geschreven toen hij vastzat?'

'Nee.'

'Verbaast het je?'

'Ja, ik denk van wel.'

'Misschien kende je haar niet zo goed als je dacht.' Siobhan zweeg even. 'Bedankt dat je met ons hebt willen praten.'

'Ja, dank je wel,' voegde Young hieraan toe. Vervolgens, toen ze weg wilde gaan: 'We nemen nog wel contact op over dat voorbeeld van je handschrift...'

Toen ze weg was, leunde Young achterover op zijn stoel, met zijn handen ineengevlochten achter zijn hoofd. 'Als het niet politiek incorrect zou zijn, dan zou ik haar een keihard wijf willen noemen.'

'Dat hoort misschien bij haar baan.'

De bewaker die hen binnen had gebracht, verscheen plotseling in de deuropening, alsof hij binnen gehoorafstand had staan wachten. 'Ze valt best mee als je haar eenmaal kent,' zei hij. 'Hier is het adres van Janet Eylot.' Terwijl Siobhan de notitie van hem aanpakte, zag ze dat hij haar bestudeerde. 'En tussen haakjes... voor wat het waard is, u bent precies Janines type...'

Janet Eylot woonde in een nieuwe bungalow aan de rand van Banehall. Haar keukenraam keek uit op velden.

'Niet lang meer,' zei ze. 'Een projectontwikkelaar heeft er belangstelling voor.'

'Geniet ervan zolang je nog kan,' zei Young, terwijl hij de mok thee aanpakte. Ze zaten met zijn drieën rond de kleine vierkante tafel. Er waren twee kinderen in huis, met stomheid geslagen door een luidruchtige videogame.

'Ze mogen niet langer dan een uur,' verklaarde Eylot. 'En pas nadat hun huiswerk af is.' Iets aan de manier waarop ze dit zei, maakte Siobhan duidelijk dat Eylot een alleenstaande moeder was. Een kat sprong op de tafel. Eylot veegde hem er met haar arm van af. 'Dat heb ik je toch verdomme gezegd!' schreeuwde ze, terwijl de kat zich terugtrok in de gang. Toen bracht ze haar hand voor haar mond. 'Sorry, hoor.'

'We begrijpen dat je van streek bent, Janet,' zei Siobhan zacht. 'Kende je de man die zich heeft opgehangen?'

Eylot schudde haar hoofd. 'Maar hij deed het vijftig meter van de plek waar ik zat. Daardoor ga je denken aan al die afschuwelijke dingen die om je heen kunnen gebeuren zonder dat je er iets van weet.'

'Ik begrijp wat je bedoelt,' zei Young.

Ze keek hem aan. 'Ja, in uw werk... u ziet voortdurend van die dingen.'

'Zoals het lichaam van Donny Cruikshank,' zei Siobhan. Ze zag de hals van een lege wijnfles onder de deksel van de afvalbak uitsteken. Op de aanrecht stond een enkel wijnglas te drogen. Even vroeg ze zich af hoeveel Janet Eylot op een avond achteroversloeg.

'Hij is de reden waarom we hier zijn,' vertelde Young. 'We onderzoeken zijn manier van leven, de mensen die hem misschien hebben gekend, mensen die misschien een wrok tegen hem koesterden.'

'Wat heeft dat met mij te maken?'

'Kende je hem niet?'

'Wie zou hem willen kennen?'

'We dachten alleen... na wat je over hem op de muur van de Bane hebt geschreven...'

'Ik was niet de enige!' snauwde Eylot.

'Dat weten we.' Siobhans stem klonk nu zelfs nog zachter. 'We beschuldigen niemand, Janet. We proberen alleen wat meer achtergrondgegevens te verzamelen.'

'Dit is alle dank die ik krijg,' zei Eylot hoofdschuddend. 'Verdomd als het niet waar is...'

'Hoe bedoel je?'

'Die asielzoeker... die neergestoken is. Ik heb de politie gebeld. Anders hadden jullie nooit geweten wie hij was. En zo word ik nu dus beloond.'

'Heb jij ons de naam van Stef Yurgii gegeven?'

'Dat klopt. En als mijn baas dat ooit te weten komt, kan ik het schudden. Twee van jullie mensen zijn naar Whitemire gekomen: een grote stevige kerel en een jonge vrouw...'

'Inspecteur Rebus en brigadier Wylie?'

'Ik weet niet hoe ze heten. Ik hield mijn hoofd gebogen.' Ze zweeg even. 'Maar in plaats van de moord op die arme donder op te lossen, concentreren jullie je op zo'n galbak als Cruikshank.'

'Iedereen is gelijk voor de wet,' zei Young, waarop ze hem zo indringend aankeek dat hij begon te blozen, wat hij wilde verbergen door de mok naar zijn mond te brengen.

'Zie je wel?' zei ze beschuldigend. 'U zegt dat wel, maar u weet dat het gelul is.'

'Het enige wat inspecteur Young bedoelt,' zo kwam Siobhan tussenbeide, 'is dat wij objectief moeten zijn.'

'Maar dat is evenmin waar, toch?' Woest stond Eylot op; de poten van haar stoel schraapten over de vloer. Ze opende de deur van de koelkast, besefte toen wat ze deed en sloeg de deur dicht. Drie flessen wijn lagen te koelen op de middelste plank.

'Janet,' vroeg Siobhan, 'is Whitemire een probleem voor je? Werk je daar niet graag?'

'Ik haat het.'

'Ga dan weg.'

Eylot lachte schor. 'En waar krijg ik een andere baan? Ik heb twee kinderen om voor te zorgen...' Ze ging weer zitten en staarde naar buiten. 'Whitemire is mijn vastigheid.'

Whitemire, twee kinderen en een koelkast...

'Wat heb jij op de muur van de wc geschreven, Janet?' vroeg Siobhan op zachte toon.

247

Plotseling sprongen er tranen in Eylots ogen. Ze probeerde ze weg te knipperen. 'Iets over bloed,' zei ze met bevende stem.

'Bloedige wraak?' zo corrigeerde Siobhan haar.

De vrouw knikte, en de tranen druppelden over haar wangen.

Ze bleven niet veel langer. Beiden haalden opgelucht adem in de frisse lucht toen ze eenmaal buiten waren.

'Heb jij kinderen, Les?' vroeg Siobhan.

Hij schudde zijn hoofd. 'Ik ben wel getrouwd geweest. Duurde een jaar; elf maanden geleden zijn we gescheiden. En jij?'

'Zover ben ik nog niet gekomen.'

'Ze redt het wel, denk je niet?' Hij waagde een blik achter zich op het huis.

'Ik geloof niet dat we nu al de sociale dienst moeten bellen.' Ze zweeg even. 'Waar gaan we nu naartoe?'

'Terug naar de basis.' Hij keek op zijn horloge. 'Bijna tijd om te kappen. Ik trakteer, als je zin hebt.'

'Als het maar niet in de Bane is.'

Hij lachte. 'Ik ga naar Edinburgh.'

'Ik dacht dat je in Livingston woonde.'

'Daar woon ik ook, maar ik zit op een bridgeclub...'

'Bridge?' Ze kon een glimlach niet helemaal onderdrukken.

Hij haalde zijn schouders op. 'Ik ben er jaren geleden mee begonnen, op de universiteit.'

'Bridge,' herhaalde ze.

'Wat is daar mis mee?' Hij probeerde te lachen, maar hij klonk toch defensief.

'Er is niets mis mee. Ik probeer alleen me jou voor te stellen in smoking en met een vlinderstrikje...'

'Zo is dat helemaal niet.'

'Dan zien we elkaar in de stad voor een borrel... kun je me er alles over vertellen. De Dome in George Street... halfzeven?'

'Halfzeven,' zei hij.

Maybury was goud waard. Ze belde Rebus terug om vijf uur vijftien. Hij noteerde het tijdstip zodat het bij de aantekeningen over de zaak kon worden gevoegd... Een van de echt grote songs van The Who, schoot het door hem heen. 'Out of my brain on the five-fifteen...'

'Ik heb de band voor haar afgespeeld,' zei Maybury.

'U hebt er geen gras over laten groeien.'

'Ik heb haar mobiele nummer gevonden. Buitengewoon hoe die dingen tegenwoordig lijken te werken.'

'Dus ze is in Frankrijk?'

'In de Bergerac, ja.'

'En wat zei ze?'

'Tja, de geluidskwaliteit was niet briljant...'

'Dat begrijp ik.'

'En de verbinding werd steeds verbroken.'

'Ja?'

'Maar nadat ik het een paar minuten voor haar had afgespeeld, kwam ze op Senegal uit. Ze wist het niet honderd procent zeker, maar daar kwam het volgens haar het dichtst bij.'

'Senegal?'

'Dat is in Afrika, een Franssprekend land.'

'Oké, goed... dank u wel.'

'Succes, inspecteur.'

Rebus legde de telefoon neer en vond Wylie achter haar computer. Ze was bezig een rapport over de activiteiten van deze dag te maken, om dat aan het moordboek toe te voegen.

'Senegal,' zei hij tegen haar.

'Waar is dat?'

Rebus zuchtte. 'In Afrika, natuurlijk. Een Franssprekend land.'

Ze kneep haar ogen halfdicht. 'Dat heeft Maybury je zeker net verteld, hè?'

'Wat ben jij wantrouwig.'

'Wantrouwig, maar goed geïnformeerd.' Ze sloot het document waaraan ze werkte af en logde in op het web. Ze tikte Senegal in op een zoekmachine. Rebus trok een stoel bij naast haar.

'Daar ligt het,' zei ze, en ze wees naar een kaart van Afrika op het scherm. Senegal lag aan de noordoostkust van het continent, in het niet verzinkend bij Mauritanië in het noorden en Mali in het oosten.

'Het is klein,' merkte Rebus op.

Wylie klikte op een icoon en er werd een informatiepagina geopend. 'Precies honderdtweeëntwintigduizend tweehonderdvijftachtig vierkante kilometer,' zei ze. 'Dat is volgens mij driekwart van de omvang van Groot-Brittannië. Hoofdstad: Dakar.'

'Zoals bij de rally van Dakar?'

'Waarschijnlijk. Bevolking: zesenhalf miljoen.'

'Minus één...'

'Wist ze zeker dat de vrouw die belde uit Senegal kwam?'

'Ik denk dat we het over de meest waarschijnlijke mogelijkheid hebben.'

Wylie liep met een vinger de lijst gegevens af. 'Niets wijst erop dat het land in beroering is of zo.'

'Wat wou je daarmee zeggen?'

Wylie haalde haar schouders op. 'Ze is misschien geen asielzoeker... misschien zelfs niet illegaal.'

Rebus knikte, zei dat hij misschien iemand kende die dat zou weten. Hij belde Caro Quinn.

'Zeg je de afspraak af?' vroeg ze meteen.

'Helemaal niet. Ik heb zelfs een cadeautje voor je gekocht.' Om Wylie te laten zien wat hij bedoelde, klopte hij op de zak van zijn jasje waar de opgevouwen krant uitstak. 'Ik vroeg me af of jij enig licht kan werpen op Senegal.'

'Dat land in Afrika?'

'Dat bedoel ik.' Hij tuurde naar het scherm.

'Voornamelijk moslims; voornaamste exportproduct aardnoten.' Hij hoorde haar lachen. 'Wat is ermee?'

'Ken jij vluchtelingen daarvandaan? Misschien in Whitemire?'

'Ik niet... maar misschien kan Vluchtelingenhulp je helpen.'

'Dat is een idee.' Maar terwijl hij het zei, kwam hij op een heel ander idee. Als iemand het wist, was het de immigratiedienst wel.

'Tot straks,' zei hij en hij beëindigde het gesprek.

Wylie had haar armen over elkaar geslagen en keek hem glimlachend aan. 'Je vriendin bij de poort van Whitemire?' vroeg ze.

'Ze heet Caro Quinn.'

'En jij hebt straks een afspraak met haar.'

'En?' Rebus trok zijn schouders op.

'En wat kon ze je vertellen over Senegal?'

'Alleen dat ze niet gelooft dat er Senegalezen in Whitemire zitten. Ze zegt dat we met Vluchtelingenhulp moeten gaan praten.'

'Wat dacht je van Mo Dirwan? Hij lijkt me de aangewezen persoon die dat zou kunnen weten.'

Rebus knikte. 'Bel hem dan.'

Wylie wees op zichzelf. 'Ik? Jij bent degene die hij lijkt te vereren.'

Rebus kromp ineen. 'Doe me een lol, Ellen.'

'Maar ik vergat dat je een afspraakje hebt vanavond. Je wilt misschien nog naar huis om je even op te knappen.'

'Als ik merk dat je er met iemand over praat...'

Ze hief haar handen op in overgave. 'Je geheim is veilig bij mij, Don Juan. Smeer 'm nou maar... Ik zie je na het weekend.'

Toen Rebus aarzelde, wapperde ze met haar handen om hem weg te wuiven. Hij had drie stappen in de richting van de deur gezet, toen ze hem riep.

'Neem een tip aan van iemand die er verstand van heeft.' Ze gebaarde naar de krant in zijn zak. 'Iets van cadeauverpakking maakt het een stuk leuker...'

19

Die avond, opgefrist na een bad en een scheerbeurt, kwam Rebus bij de flat van Caro Quinn. Hij keek in het rond, maar zag geen teken van moeder en kind.

'Ayisha is bij vrienden op bezoek,' verklaarde Quinn.

'Vrienden?'

'Ze mag vrienden hebben, John.' Quinn boog voorover om een zwarte schoen met lage hak aan haar linkervoet te schuiven.

'Ik bedoelde er niets mee,' zei hij defensief.

Ze ging rechtop staan. 'Ja, dat deed je wel, maar zit er niet over in. Heb ik je verteld dat Ayisha in haar geboorteland verpleegster was?'

'Ja.'

'Ze wilde hier aan het werk, hetzelfde doen... maar asielzoekers mogen niet werken. Toch heeft ze vriendschap gesloten met een paar verpleegsters. Een van hen houdt een gezellig onderonsje.'

'Ik heb iets voor de baby meegebracht,' zei Rebus, en hij haalde een rammelaar uit zijn zak. Quinn kwam naar hem toe, pakte de rammelaar en probeerde hem. Ze keek hem aan en lachte.

'Ik zal hem in haar kamer leggen.'

Toen Rebus alleen was, besefte hij opeens dat hij zweette. Zijn overhemd kleefde aan zijn rug. Hij wilde zijn jasje uittrekken, maar was bang dat er een vlek zichtbaar zou zijn. Het kwam door dat jasje: honderd procent wol, te warm voor binnenshuis. Hij zag zich al aan het diner zitten terwijl er zweetdruppels in zijn soep vielen...

'Je hebt nog niet gezegd hoe mooi ik me opgetut heb,' merkte Quinn op, terwijl ze de kamer weer in kwam. Ze had nog steeds maar één schoen aan. Ze droeg een zwarte panty, onder een zwarte rok tot op haar knieën. Haar topje was mosterdkleurig, met een brede hals, bijna tot op haar schouders.

'Je ziet er geweldig uit,' zei hij.

'Dank je.' Ze trok de andere schoen aan.

'Ik heb voor jou ook een cadeautje meegebracht.' Hij gaf haar de krant.

'En ik dacht al dat je die had meegebracht voor het geval mijn gezelschap je ging vervelen.' Toen zag ze dat hij er een smal rood strikje om had gedaan. 'Leuk verpakt,' zei ze, terwijl ze het lostrok.

'Denk je dat die zelfmoord gevolgen zal hebben?'

Ze leek dit te overwegen, terwijl ze met de krant op de palm van haar rechterhand klopte. 'Waarschijnlijk niet,' bekende ze uiteindelijk. 'Wat de overheid betreft, moeten ze ergens vastgezet worden. Dat kan dus evengoed Whitemire zijn.'

'De krant heeft het over een "crisis".'

'Dat komt omdat het woord "crisis" naar nieuws ruikt.' Ze had de krant opengeslagen op de pagina met haar foto. 'Die cirkel rond mijn hoofd maakt dat ik eruitzie als een doelwit.'

Rebus keek haar indringend aan. 'Waarom zeg je dat?'

'John, ik ben mijn hele leven al radicaal. Blokkades van de atoomduikbootbasis Faslane, de atoomcentrale van Torness, Greenham Common... Noem maar op, ik ben overal bij geweest. Wordt mijn telefoon op dit moment afgetapt? Ik zou het je niet kunnen zeggen. Is hij in het verleden afgetapt? Vrijwel zeker.'

Rebus keek naar het telefoontoestel. 'Mag ik?' Zonder haar antwoord af te wachten, pakte hij de hoorn op, drukte een aantal toetsen in en luisterde. Daarna hing hij op, nam weer op en hing nog een keer op. Hij keek haar aan en schudde zijn hoofd, waarna hij de hoorn teruglegde.

'Kan jij dat dan horen?' vroeg ze.

Hij haalde zijn schouders op. 'Misschien.'

'Je denkt dat ik overdrijf, hè?'

'Misschien, maar ik denk wel dat je redenen hebt om achterdochtig te zijn.'

'Ik wed dat jij telefoons hebt afgetapt; misschien tijdens de staking van de mijnwerkers?'

'Wie is er nu bezig met een verhoor?'

'Dat komt doordat we vijanden zijn, weet je nog?'

'Zijn we dat?'

'De meesten van jullie zien mij zo, met of zonder mijn gevechtskleding.'

'Ik ben niet zoals de meesten van ons.'

'Ik neem aan dat dat klopt. Anders had ik je nooit bij mij thuis laten komen.'

'Waarom heb je dat gedaan? Dat was om mij die foto's te laten zien, hè?'

Ze knikte na enige aarzeling. 'Ik wilde dat je ze zou zien als mensen in plaats van als problemen.' Ze streek de voorkant van haar rok glad en haalde diep adem om een verandering van onderwerp aan te geven. 'En wie gaan we vanavond met onze klandizie vereren?'

'Er is een goede Italiaan op Leith Walk.' Hij zweeg even. 'Je bent vegetariër, neem ik aan?'

'God, jij zit ook vol aannames, hè? Maar toevallig heb je deze keer gelijk. Italiaans is wat dat betreft oké, pasta's en pizza's genoeg.'

'De Italiaan dus.'

Ze deed een stap naar hem toe. 'Weet je, je zou wat minder vaak stomme dingen zeggen als je je een beetje ontspande.'

'Dit is ongeveer zo ontspannen als ik kan zijn zonder de duivel van de alcohol.'

Ze gaf hem een arm. 'Laten we dan maar op zoek gaan naar je duivels, John...'

'... en toen had je die drie Koerden, dat had je moeten zien op het nieuws, ze hadden hun mond uit protest dichtgenaaid, en een andere asielzoeker had zijn ogen dichtgenaaid... zijn ógen, John... de meesten van die mensen zijn wanhopig, de meesten spreken geen Engels, en ze ontvluchten de gevaarlijkste landen van de wereld: Irak, Somalië, Afghanistan... Een paar jaar geleden hadden ze een redelijke kans dat ze mochten blijven, maar de beperkingen zijn tegenwoordig rampzalig... sommigen gaan over tot wanhoopsdaden, ze verscheuren hun identificatiepapieren omdat ze denken dat dat betekent dat ze niet teruggestuurd kunnen worden, maar in plaats daarvan worden ze in de gevangenis gestopt of belanden ze op straat... En nou beweren politici dat we al te veel vreemdelingen in ons land hebben... en ik... nou, ja, ik vind gewoon dat we er toch íéts aan moeten kunnen doen.'

Ten slotte zweeg ze om adem te halen en pakte ze het wijnglas op dat Rebus zojuist weer had bijgevuld. Vlees en gevogelte wilde ze niet, maar wijn... Ze had niet meer dan de helft van haar champignonpizza opgegeten. Rebus, die zijn eigen calzone al naar binnen had gewerkt, hield zich in om niet een van haar overgebleven pizzapunten te pakken.

'Ik had de indruk,' zei hij, 'dat Groot-Brittannië meer vluchtelingen toelaat dan de rest van de wereld.'

'Dat is zo,' erkende ze.

'Zelfs meer dan de Verenigde Staten?'

Ze knikte met het wijnglas aan haar lippen. 'Maar belangrijker is het aantal dat mag blijven. Het aantal vluchtelingen in de wereld verdubbelt iedere vijf jaar, John. Glasgow heeft meer asielzoekers dan alle andere gemeenten in Groot-Brittannië – meer dan Wales en Noord-Ierland bij elkaar – en weet je wat er gebeurd is?'

'Meer racisme?' opperde Rebus.

'Meer racisme. Racistische pesterijen nemen toe; racistische geweldddaden worden ieder halfjaar erger.' Ze schudde haar hoofd, waardoor haar lange, zilveren oorringen omhoogvlogen.

Rebus bekeek de fles. Die was voor driekwart leeg. Hun eerste fles was Valpolicella geweest, en dit was een Chianti.

'Praat ik te veel?' vroeg ze plotseling.

'Helemaal niet.'

Ze had haar ellebogen op tafel gezet en steunde haar hoofd in haar handen. 'Vertel me eens wat meer over jou, John. Waarom ben jij bij de politie gegaan?'

'Uit plichtsbesef,' zei hij. 'Ik wilde mijn medemensen helpen.' Ze keek hem aan en hij lachte. 'Grapje,' zei hij. 'Ik had gewoon een baan nodig. Ik had een paar jaar in het leger gezeten... misschien had ik nog iets met uniformen.'

Ze keek hem scherp aan. 'Ik kan me jou niet voorstellen als oom agent... Dus wat is het nu precies waardoor jij bevrediging in je werk vindt?'

Het beantwoorden van die vraag bleef Rebus bespaard doordat de ober aan hun tafel kwam. Omdat het vrijdag was, was het druk. Hun tafeltje was het kleinste in de zaak en het stond in een donkere hoek tussen de bar en de deur naar de keuken.

'Smaakt het?' vroeg de ober.

'Het was prima, Marco, maar ik denk dat we klaar zijn.'

'Een dessert voor mevrouw?' vroeg Marco. Hij was klein en rond, en hij was zijn Italiaanse accent niet kwijtgeraakt, hoewel hij al meer dan veertig jaar in Schotland woonde. Caro Quinn had een praatje met hem aangeknoopt over zijn herkomst toen ze het restaurant binnen waren gekomen, en ze besefte pas later dat Rebus hem al heel lang kende.

'Het spijt me als ik de indruk wekte dat ik hem ondervroeg,' had ze bij wijze van verontschuldiging gezegd.

Rebus had alleen maar zijn schouders opgehaald en gezegd dat ze een goede rechercheur zou kunnen zijn.

Ze schudde nu haar hoofd, terwijl Marco een lijst van desserts opsomde, die blijkbaar elk op zich een bijzondere specialiteit van het huis waren.

'Alleen maar koffie, graag,' zei ze. 'Een dubbele espresso.'

'Voor mij hetzelfde, Marco.'

'En een digestief, meneer Rebus?'

'Alleen koffie graag.'

'Ook voor mevrouw niet?'

Caro Quinn boog zich naar voren. 'Marco,' zei ze, 'hoe dronken ik ook word, ik ga in geen geval met meneer Rebus naar bed, dus put je niet uit in pogingen om me over te halen, oké?'

Marco haalde alleen maar zijn schouders op en stak zijn handen omhoog. Vervolgens draaide hij zich abrupt om naar de bar en gaf op luide toon de bestelling van de koffie door.

'Was ik een beetje te hard voor hem?' vroeg Quinn aan Rebus.

'Een beetje.'

Ze leunde weer achterover. 'Helpt hij je vaak bij je verleidingen?'

'Je zult het misschien moeilijk kunnen bevatten, Caro, maar verleiding is geen moment in me opgekomen.'

Ze keek hem aan. 'Waarom niet? Wat mankeert er aan me?'

Hij lachte. 'Er mankeert niets aan je. Ik probeerde alleen maar...' Hij zocht naar de juiste uitdrukking. '... een heer te zijn,' was het enige wat hij wist te bedenken.

Ze leek hier even over na te denken, haalde toen haar schouders op en duwde haar glas bij zich vandaan. 'Ik zou niet zoveel moeten drinken.'

'De fles is nog niet eens leeg.'

'Dank je, maar ik geloof dat ik genoeg heb gehad. Ik krijg het gevoel dat ik me schuldig maak aan eindeloze toespraken... Waarschijnlijk had je dat niet in gedachten voor een vrijdagavond.'

'Je hebt een paar hiaten voor me opgevuld... Ik vond het niet erg om te luisteren.'

'Echt?'

'Echt.' Hij had eraan kunnen toevoegen dat dat ook kwam doordat hij liever naar haar luisterde dan dat hij over zichzelf sprak.

'En, hoe gaat het met je werk?' vroeg hij.

'Prima... als ik er de tijd voor krijg.' Ze keek hem onderzoekend aan. 'Misschien moet ik een portret van jou schilderen.'

'Wil je kleine kinderen bang maken?'

'Nee... maar jij hebt iets.' Ze hield haar hoofd schuin. 'Het is moeilijk vast te stellen wat zich achter jouw ogen afspeelt. De meeste mensen proberen te verbergen dat ze berekenend en cynisch zijn... maar jij niet.'

'Maar ik heb een zachte, romantische kern?'

'Ik weet niet of ik zover zou gaan.'

Ze leunden achterover op hun stoel toen de koffie werd geserveerd. Rebus haalde zijn amarettobiscuitje uit de wikkel.

'Je mag het mijne ook hebben, als je wilt,' zei Quinn, terwijl ze opstond. 'Ik moet even een bezoekje gaan brengen...'

Rebus rees een paar centimeter op van zijn stoel, zoals hij het acteurs had zien doen in oude films. Ze leek te beseffen dat hij hiermee iets nieuws aan zijn repertoire toevoegde en ze lachte weer. 'Echt een heer...'

Zodra ze weg was, zocht hij in zijn zakken naar zijn mobieltje en keek of er nog boodschappen voor hem waren. Er waren er twee: allebei van Siobhan. Hij toetste haar nummer in en hoorde achtergrondgeluiden toen ze opnam.

'Met mij,' zei hij.

'Wacht even...' Haar stem viel weg. Hij hoorde een deur open- en dichtgaan, waarna de stemmen op de achtergrond verstomden.

'Zit je in de Ox?' raadde hij.

'Klopt. Ik zat in de Dome met Les Young, maar hij had nog een andere afspraak, dus toen ben ik naar hier afgezakt. En jij?'

'Uit eten.'

'Alleen?'

'Nee.'

'Iemand die ik ken?'

'Haar naam is Caro Quinn. Ze is kunstenaar.'

'De vrouw die in haar eentje een kruistocht voor Whitemire houdt?'

Rebus' blik vernauwde zich. 'Dat klopt.'

'Ik lees ook kranten, weet je. Wat is het voor iemand?'

'Ze is oké.' Hij keek op en zag dat Quinn terugkwam naar het tafeltje. 'Luister, ik bel later nog wel...'

'Wacht even. De reden waarom ik belde... eigenlijk twee redenen...' Haar stem werd overstemd door een voertuig dat langs haar heen ronkte. '... en ik vroeg me af of je dat al had gehoord.'

'Sorry, ik heb dat niet verstaan. Wat gehoord?'

'Mo Dirwan.'

'Wat is er met hem?'

'Hij is in elkaar geslagen. Een paar uur geleden.'

'In Knoxland?'

'Waar anders?'

'Hoe is het met hem?' Rebus keek naar Quinn. Ze speelde met haar theelepeltje en deed alsof ze niet luisterde.

'Oké, volgens mij. Een paar schrammen en blauwe plekken.'

'Is hij in het ziekenhuis?'

'Hij zit thuis bij te komen.'

'Weten we wie het heeft gedaan?'

'Ik vermoed racisten.'

'Ik bedoel iemand in het bijzonder.'

'Het is vrijdagavond, John.'

'En dat betekent?'

'Dat betekent dat het tot maandag kan wachten.'

'Je hebt gelijk.' Hij dacht even na. 'En wat was de volgende reden waarom je belde? Je zei dat er twee waren.'

'Janet Eylot.'

'Die naam ken ik.'

'Ze werkt in Whitemire. Ze zegt dat ze jou de naam van Stef Yurgii heeft gegeven.'

'Klopt. Wat is ermee?'

'Ik wilde even checken of ze de waarheid sprak.'

'Ik heb tegen haar gezegd dat ze er geen problemen mee zou krijgen.'

'Die krijgt ze niet.' Siobhan zweeg even. 'Nog niet, in ieder geval. Bestaat er een kans dat we je nog in de Ox zien verschijnen?'

'Ik kan proberen wat later nog te komen.'

Quinn trok hierbij haar wenkbrauwen op, zag hij. Hij beëindigde het gesprek en liet het mobieltje in zijn zak glijden.

'Een vriendinnetje?' vroeg ze plagend.

'Een collega.'

'En waar precies probeer je wat later nog te komen?'

'In een zaak waar we wel eens wat drinken.'

'Een bar zonder naam?'

'Hij heet de Oxford.' Hij nam zijn kopje op. 'Iemand heeft vanavond een aframmeling gekregen, een advocaat met de naam Mo Dirwan.'

'Ik ken hem.'

Rebus knikte. 'Dat dacht ik al.'

'Hij is vaak in Whitemire. Hij komt graag even bij me langs als hij er geweest is, om stoom af te blazen.' Ze leek even in gedachten verzonken. 'Gaat het een beetje met hem?'

'Het schijnt mee te vallen.'

'Hij noemt me zijn "Vrouwe van de Wake"...' Ze zweeg even. 'Wat is er mis?'

'Niets.' Rebus liet het kopje op de schotel zakken.

'Je kunt niet steeds weer zijn ridderlijke held zijn.'

'Dat is het niet...'

'Wat dan?'

'Hij is aangevallen in Knoxland.'

'En?'

'Ik heb hem gevraagd daar nog wat rond te kijken en hier en daar eens aan te kloppen.'

'En daarom is het jouw schuld? Als ik Mo Dirwan een beetje ken, komt hij sterker en opstandiger terug dan ooit.'

'Daar heb je waarschijnlijk gelijk in.'

Ze dronk haar kopje leeg. 'Je moet naar je pub. Dat is misschien de enige plek waar je je kunt ontspannen.'

Rebus gebaarde naar Marco om te betalen. 'Ik breng eerst jou naar huis,' zei hij tegen Quinn. 'Ik moet de schijn ophouden dat ik een heer ben.'

'Ik geloof niet dat je me hebt begrepen, John... Ik ga met je mee.' Hij staarde haar aan. 'Tenzij je dat niet wilt.'

'Daar gaat het niet om.'

'Waarom dan?'

'Ik weet niet of het wel een tent voor jou is.'

'Maar wel voor jou, en daar ben ik nieuwsgierig naar.'

'Denk je dat mijn kroegenkeus je iets meer over mij zal vertellen?'

'Misschien.' Ze kneep haar ogen tot spleetjes. 'Ben je daar bang voor?'

'Wie zegt dat ik bang ben?'

'Ik zie het in je ogen.'

'Misschien maak ik me alleen maar zorgen over Mo Dirwan.' Hij zweeg even. 'Weet je nog dat je gezegd hebt dat je uit Knoxland weggejaagd bent?' Haar hoofdknik was wat overdreven, misschien onder invloed van de wijn. 'Het zouden dezelfde figuren kunnen zijn.'

'Bedoel je dat ik geluk heb gehad omdat ik er met een waarschuwing van af ben gekomen?'

'Kun je je nog herinneren hoe ze eruitzagen?'

'Honkbalpetjes en mutsen.' Ze haalde haar schouders op. 'Veel meer heb ik niet van hen te zien gekregen.'

'En hun accent?'

Ze gaf een klap op het tafelblad. 'Hou op voor vanavond, ja? Alleen voor de rest van de avond.'

'Oké. Hoe zou ik dat kunnen weigeren?'

'Dat kun je niet,' zei ze, toen Marco met de rekening kwam.

Rebus probeerde zijn ergernis te verbergen. Niet alleen omdat Siobhan aan de bar stond, op de plek waar hij meestal stond. Maar vooral omdat het leek of ze die plek had overgenomen: er stond een groepje mannen om haar heen naar haar verhalen te luisteren. Toen Rebus de deur openduwde, hoorde hij uitbundig gelach.

Caro Quinn volgde aarzelend. Er stonden niet meer dan een stuk of tien personen aan de bar voorin, maar dat leek in de krappe ruimte een menigte. Ze wapperde haar hand voor haar gezicht, tegen de hitte of de sigarettenrook. Rebus realiseerde zich dat hij al bijna twee uur geen sigaret had opgestoken; hij zou het nog wel een halfuurtje volhouden...

Tel uit je winst.

'Ha, de verloren zoon keert terug!' merkte een van de vaste klanten luidruchtig op, Rebus een klap op zijn schouder gevend. 'Wat wil je drinken, John?'

'Nee dank je, Sandy,' zei Rebus. 'Dit rondje is voor mij.' Vervolgens tegen Quinn: 'Wat zal het zijn?'

'Gewoon een sapje.' Tijdens de korte taxirit was ze heel even weggedoezeld, met haar hoofd tegen Rebus' schouder. Hij had zich niet bewogen omdat hij haar niet wilde storen, maar een kuil in het wegdek had haar gewekt.

'Sinaasappelsap en een pint IPA,' bestelde Rebus. De kring van Siobhans aanbidders had zich net genoeg geopend om plaats te maken voor de nieuwkomers. Ze stelden zich voor en schudden elkaars handen. Rebus bestelde nogmaals hetzelfde voor hen en stelde vast dat Siobhan aan de gin-tonic was.

Harry stond te zappen met de afstandsbediening, van sportzender naar sportzender, en eindigde bij het Schotse nieuws. Er was een foto van Mo Dirwan achter de nieuwslezer te zien, waarop hij breed lachte. Even later kwam Dirwan voor zijn huis in beeld. Hij had een blauw oog en wat schrammen, en een roze pleister was wat onhandig op zijn kin geplakt. Hij stak een hand op om te laten zien dat die in het verband zat.

'Dat is dus Knoxland,' zei een van de klanten.

'Wou je zeggen dat het een no-goarea is?' vroeg Quinn op luchtige toon.

'Ik zeg dat je daar niet naartoe moet gaan als je kleur er niet bij past.'

Rebus zag dat Quinn begon te steigeren. Hij legde zijn hand op haar elleboog. 'Is het een beetje te drinken?'

'Prima.' Ze leek te begrijpen wat hij bedoelde. Ze knikte om hem te laten weten dat ze zich niet zou laten opfokken... nog niet.

Twintig minuten later had Rebus het opgegeven: hij stond te roken. Hij keek naar Siobhan en Quinn die in gesprek waren. Hij hoorde Caro vragen: 'En, hoe is hij om mee te werken?'

Hij excuseerde zich bij het gezelschap dat discussieerde over het parlement en drong zich tussen twee klanten door om bij de vrouwen te komen.

'Heeft er iemand aan gedacht oorbeschermers in de koelkast te leggen?' vroeg hij.

'Wat?' Quinn keek hem oprecht verbijsterd aan.

'Hij bedoelt dat zijn oren in brand staan,' verduidelijkte Siobhan.

Quinn lachte. 'Ik probeerde alleen maar wat meer over je te weten te komen.' Ze wendde zich tot Siobhan. 'Hij vertelt me niets.'

'Maak je geen zorgen, ik ken alle smerige kleine geheimpjes van John...'

Zoals altijd op een goede avond in de Ox werd er volop slap geouwehoerd; sommige mensen deden tegelijk aan twee gesprekken mee, daarmee groepjes samenbrengend die zich na een paar minuten al weer opsplitsten. Er waren schuine moppen en nog ergere woordspelingen. Caro Quinn was wat ontdaan omdat 'niemand iets nog serieus leek te nemen'. Iemand anders beaamde dat dit een weinig beschaafd gezelschap was, maar Rebus fluisterde haar in het oor: 'We zijn nooit serieuzer dan wanneer we grappen maken...'

En nog wat later vulde de achterkamer zich met luidruchtige groepjes klanten aan tafeltjes. Rebus stond in de rij voor de bar om nog iets te drinken te halen en merkte dat Siobhan en Caro waren verdwenen. Hij keek een van de vaste klanten vragend aan, die met zijn hoofd in de richting van het damestoilet gebaarde. Rebus rekende af en nam één scheutje whisky als afsluiter van de dag. Eén glas Laphroaig en een derde... nee, vierde sigaret... en dat was het dan wat hem betrof. Zodra Caro terugkwam, zou hij vragen of ze een taxi met hem wilde delen. Stemmen verhieven zich boven aan de trap die naar de toiletten leidde. Nog geen hooglopende ruzie, maar het ging aardig in die richting. Andere gasten staakten hun gesprek om de woordenwisseling beter te kunnen horen.

'Ik zeg alleen maar dat die mensen een baan nodig hebben, net als iedereen!'

'Denk je niet dat de bewakers in de concentratiekampen hetzelfde zeiden?'

'In godsnaam, dat kun je toch niet met elkaar vergelijken!'

'Waarom niet? Het is allebei ethisch gezien weerzinwekkend...'

Rebus liet de drankjes staan waar ze stonden en drong zich door de menigte. Want hij had de stemmen herkend: Caro en Siobhan.

'Ik probeer alleen maar duidelijk te maken dat er een economisch argument is,' zei Siobhan tegen de hele bar. 'Want of je het nu leuk vindt of niet, Whitemire is het enige bedrijf in de stad als je in Banehall woont!'

Caro Quinn hief haar blik hemelwaarts. 'Ik geloof mijn oren niet.'

'Je moest het eens een keer horen. Niet iedereen in de echte wereld kan zich hoogstaande ethische normen veroorloven. Er werken alleenstaande moeders in Whitemire. Hoe gemakkelijk wordt het voor hen als jij je zin krijgt?'

Rebus stond nu boven aan de trap. De twee vrouwen stonden een paar centimeter bij hem vandaan. Siobhan was iets langer, en Caro Quinn stond op haar tenen om haar opponent beter in de ogen te kunnen kijken.

'Ho, ho,' zei Rebus, en hij probeerde verzoenend te glimlachen. 'Volgens mij hoor ik de drank praten.'

'Doe niet zo bevoogdend!' gromde Quinn. Vervolgens, tegen Siobhan: 'En wat vind je van Guantanamo Bay? Ik neem aan dat je er niets verkeerds in ziet mensen zonder enige vorm van mensenrechten op te sluiten?'

'Moet je jezelf nou horen, Caro. Je springt van de hak op de tak! Ik had het alleen maar over Whitemire...'

Rebus keek naar Siobhan en zag de stress van een hele werkweek in haar; hij zag de behoefte om al die druk de ruimte te geven. Voor Caro zou wel hetzelfde gelden. Eigenlijk had er elk moment ruzie kunnen ontstaan, over welk onderwerp dan ook.

Stom dat hij dat niet eerder had gezien. Weer probeerde hij: 'Dames...'

Nu keken ze hem allebei woedend aan.

'Caro,' zei hij, 'je taxi staat voor.'

De woedende blik werd een frons. Ze probeerde zich te herinneren dat er een taxi was besteld. Toen hij Siobhan aankeek, wist hij meteen dat ze doorhad dat hij loog. Hij zag dat ze haar schouders ontspande.

'We kunnen hier een andere keer wel verder op ingaan,' vervolgde hij om Caro te bepraten. 'Maar we moeten er voor vanavond maar een eind aan maken...'

Op de een of andere manier slaagde hij erin Caro de trap af te krijgen en haar tussen de menigte door te manoeuvreren. Hij maakte naar Harry een gebaar alsof hij belde, en die knikte terug: er zou een taxi worden besteld.

'Tot ziens, Caro,' riep een van de vaste klanten.

'Pas op voor die kerel,' waarschuwde een ander, terwijl hij Rebus een por in zijn borst gaf.

'Bedankt, Gordon,' zei Rebus, de hand opzij slaand.

Buiten ging ze op de stoeprand zitten, met haar hoofd in haar handen.

'Gaat het?' vroeg Rebus.

'Ik geloof dat ik daarbinnen een beetje over mijn toeren raakte.' Ze nam haar handen weg van haar gezicht en ademde de avondlucht in. 'Niet dat ik dronken ben of zo. Ik kan gewoon niet geloven dat iemand voor dat kamp kan opkomen!' Ze keek achter zich naar de deur van de pub, alsof ze overwoog de strijd te hervatten. 'Ik bedoel... Zeg me alsjeblieft dat jij er niet zo over denkt.' Nu was haar blik op hem gericht.

Hij schudde zijn hoofd. 'Siobhan speelt graag advocaat van de duivel,' verklaarde hij, terwijl hij naast haar neerhurkte.

Het was Caro's beurt om haar hoofd te schudden. 'Dat is niet waar... Ze geloofde echt wat ze zei. Zij ziet goede kanten aan Whitemire!' Aandachtig keek ze hem aan om zijn reactie te peilen.

'Het komt gewoon doordat ze een tijdje in Banehall heeft doorgebracht,' zo vervolgde Rebus zijn verklaring. 'De banen liggen daar niet direct voor het oprapen...'

'En dat rechtvaardigt die hele gruwelijke onderneming?'

Rebus schudde zijn hoofd. 'Ik geloof niet dat iets Whitemire rechtvaardigt,' zei hij zacht.

In een opwelling pakte ze zijn handen in de hare en kneep erin. Hij meende tranen in haar ogen te zien. Zo bleven ze zwijgend nog een paar minuten zitten. Groepjes uitgaanders passeerden hen aan beide zijden van de straat, sommigen keken, maar zeiden niets. Rebus dacht terug aan de tijd dat ook hij idealen had gekoesterd. Die waren echter al vroeg de kop ingedrukt: hij was op zijn zestiende in het leger gegaan. Goed, niet precies de kop ingedrukt, maar vervangen door andere waarden, meestal minder concreet en minder gepassioneerd. Ondertussen was hij bijna gewend geraakt aan die gedachte. Als hij tegenover iemand als Mo Dirwan stond, was zijn eerste ingeving te zoeken naar de oplichter, de huichelaar, de egotrippende geldverdiener. En als hij tegenover iemand als Caro Quinn stond?

Aanvankelijk had hij haar gezien als het typische verwende geweten van de middenklasse. Al die vrijblijvende betrokkenheid was bevredigender dan de werkelijkheid. Maar van vrijblijvendheid was geen sprake meer als iemand dag in dag uit naar Whitemire ging, ondertussen werd weggehoond door het personeel en door niemand werd bedankt. Daar was veel moed en doorzettingsvermogen voor nodig.

Het eiste ook nogal wat van haar, zag hij. Ze leunde weer met haar hoofd tegen zijn schouder. Haar ogen waren nog open, gericht op het gebouw aan de overkant van de smalle straat. Het was een kapperszaak, compleet met rood-wit gestreept barbierteken. Rood en wit betekende bloed en verband, bedacht Rebus ineens, al begreep hij niet waarom dat bij hem opkwam. Toen klonk het geluid van een dieselmotor die in hun richting ronkte. De taxi zette hen in het volle licht van de koplampen.

'Hier is je taxi,' zei hij, terwijl hij Caro overeind hielp.

'Ik kan me nog steeds niet herinneren dat ik erom gevraagd heb.'

'Dat is omdat je dat niet hebt gedaan,' zei hij met een glimlach, en hij hield het portier voor haar open.

Ze vertelde hem dat 'koffie' niet meer dan dat betekende, geen eufemisme. Hij knikte, hij wilde alleen maar dat ze veilig binnenkwam. Vervolgens bedacht hij dat hij helemaal naar huis zou gaan lopen om iets van de alcohol uit zijn systeem te werken.

De slaapkamerdeur van Ayisha was dicht. Ze liepen er op hun tenen langs naar de huiskamer. De keuken lag achter een volgende deur. Terwijl Caro de waterkoker vulde, wierp hij een blik op haar platencollectie: allemaal vinyl, geen cd's. Er waren platen bij die hij in jaren niet meer had gezien: Steppenwolf, Santana, Mahavishnu Orchestra...

Caro kwam terug met een kaart in haar hand. 'Dit lag op de tafel,' zei ze, terwijl ze hem de kaart toestak. Het was een bedankje voor de rammelaar. 'Is decafé goed? Het is of dat, of muntthee...'

'Decafé is oké.'

Voor zichzelf maakte ze thee, waarvan het aroma de kleine vierkante kamer vulde. 'Ik hou van de nacht,' zei ze, uit het raam kijkend. 'Soms werk ik een paar uur...'

'Ik ook.'

Ze glimlachte slaperig en ging op de stoel tegenover hem zitten, terwijl ze in haar kopje blies. 'Ik weet het niet met jou, John. Van de meeste mensen heb ik binnen een halve minuut na de kennismaking door of ze op dezelfde golflengte zitten.'

'En ben ik FM of middengolf?'

'Ik weet het niet.' Ze praatten zacht om moeder en kind niet wakker te maken. Caro probeerde een geeuw te onderdrukken.

'Het wordt tijd dat je een dutje gaat doen,' zei Rebus zacht.

Ze knikte. 'Drink eerst je koffie op.'

Maar hij schudde zijn hoofd, zette zijn mok op de kale vloerplanken en stond op. 'Het is laat.'

'Het spijt me als ik...'

'Wat?'

Ze haalde haar schouders op. 'Siobhan is jouw vriendin... De Oxford is jouw pub...'

'Ze kunnen allebei wel tegen een stootje,' zo verzekerde hij haar.

'Ik had jou daar alleen naartoe moeten laten gaan, want eigenlijk was ik niet in de juiste stemming.'

'Ga je dit weekend nog naar Whitemire?'

Ze haalde haar schouders op. 'Ook dat hangt af van mijn stemming.'

'Hoe dan ook, als je je verveelt, bel me dan.'

Ze stond nu ook op. Ze liep naar hem toe en ging op haar tenen staan om hem een kus op zijn linkerwang te drukken. Toen ze achteruitstapte, zette ze plotseling grote ogen op en sloeg een hand voor haar mond.

'Wat is er?' vroeg Rebus verbaasd.

'Het schiet me net te binnen... Ik heb jou voor het etentje laten betalen!'

Lachend liep hij naar de deur.

Hij liep Leith Walk af en keek op zijn mobieltje of Siobhan een boodschap had achtergelaten. Dat had ze niet. Een kerkklok sloeg twaalf uur. Het zou hem ongeveer een halfuur kosten om thuis te komen. Er waren vast nog heel wat dronkenlappen op South Bridge en Clerk Street, die zich zouden volproppen bij de *fish and chips*-tenten en dan waarschijnlijk door Cowgate naar de twee ochtendkroegen gingen. Op sommige plekken op South Bridge waren tralies waardoorheen je naar de Cowgate beneden je kon kijken, alsof je dieren in een dierentuin bekeek. Hij zou best nog iets te drinken kunnen krijgen in de Royal Oak, maar die zou barstensvol zitten. Nee, hij ging rechtstreeks naar huis, zo stevig mogelijk doorstappend om de kater van morgen uit te zweten. Zou Siobhan al thuis zijn? Hij zou haar kunnen bellen om te proberen de lucht te zuiveren. Aan de andere kant, als ze dronken was... Hij kon beter tot morgen wachten.

Alles zou er dan beter uitzien: de straten waren dan schoongespoeld, de vuilnisbakken geleegd, de glasscherven weggeveegd. Alle rotzooi voor een paar uur opgeruimd. Bij het oversteken van Princes Street zag hij dat er op North Bridge werd gevochten. Taxi's minderden snelheid en weken uit voor de twee jonge mannen. Ze hielden elkaar vast bij de kraag van hun jassen, waardoor alleen de bovenkant van hun hoofd zichtbaar was. Ze zwaaiden met hun handen en haalden uit met hun voeten. Geen teken van wapens. Het was een soort dans, waarvan Rebus de passen kende. Hij liep door en passeerde het meisje om wie ze vochten.

'Marty!' gilde ze. 'Paul! Doe niet zo stom!'

Natuurlijk meende ze het niet echt. Haar ogen glommen bij het spektakel, en dat allemaal voor háár! Vriendinnen probeerden haar te troosten.

Verderop zong iemand een lied dat inhield dat hij te sexy was voor zijn shirt, wat ergens een verklaring voor vormde. Een patrouillewagen die langskwam werd begroet met gejouw en v-tekens. Iemand schopte een fles de weg op, wat gejuich opleverde toen hij uit elkaar knalde onder een wiel. De patrouillewagen reed gewoon door.

Plotseling doemde er een jonge vrouw voor Rebus op, met vuile lokken haar. Haar ogen keken hongerig toen ze hem eerst om geld vroeg, vervolgens om een sigaret en ten slotte of hij 'verwend wilde worden'. Die woorden klonken merkwaardig ouderwets. Zou ze dat uit een boek of film hebben?

'Opgerot naar huis voordat ik je arresteer,' zei hij bars.

'Naar huis?' mompelde ze, alsof dat een of ander nieuw en vreemd begrip was. Ze klonk Engels. Rebus schudde alleen maar zijn hoofd en liep verder. Hij ging binnendoor naar Buccleuch Street. Daar was het stiller, en het werd nog stiller toen hij de uitgestrekte Meadows overstak, waarvan de naam hem eraan herinnerde dat een groot deel hiervan ooit boerenland moest zijn geweest. Toen hij Arden Street in liep, keek hij omhoog naar de ramen van de flats. Er was geen teken van een studentenfeestje of zo, niets om hem wakker te houden. Hij hoorde een autoportier achter zich opengaan en draaide zich om in de verwachting dat Felix Storey tegenover hem zou staan. Maar deze twee mannen waren blank en in het zwart gekleed, van de hals van hun polotruien tot en met hun schoenen. Het kostte hem een seconde om ze te plaatsen.

'Dit meen je niet,' zei hij.

'We hebben nog een lantaarn van je tegoed,' zei de leider. Zijn collega was jonger en keek hem chagrijnig aan. Rebus herkende Alan, de man van wie hij destijds een lantaarn had geleend.

'Hij is gestolen,' bekende Rebus schouderophalend.

'Het was een heel duur stuk gereedschap. En je hebt beloofd hem terug te brengen.'

'Je gaat me toch niet vertellen dat je nooit eerder iets kwijtgeraakt bent?' Alans gezichtsuitdrukking maakte hem echter duidelijk dat het onwaarschijnlijk was dat hij door welk argument dan ook overtuigd zou worden. Evenmin door een beroep op kameraadschap. De drugsbrigade zag zichzelf als een natuurkracht, onafhankelijk van andere politiemensen opererend. Rebus gaf meteen toe. 'Ik kan een cheque voor je uitschrijven.'

'We willen geen cheque. We willen precies zo'n lantaarn als de lantaarn die we aan jou hebben geleend,' zei de leider, Rebus een stukje papier toestekend. 'Dat is het merk en het modelnummer.'

'Ik loop morgen wel even langs bij Argos...'

De leider schudde zijn hoofd. 'Vind jij jezelf een goeie rechercheur? Nou, met het opsporen van die lantaarn moet je dat dan maar eens bewijzen.'

'Argos of Dixon's. Jullie krijgen wat ik kan vinden.'

Meteen deed de leider een stap naar hem toe, met zijn kin opgeheven. 'Als je van ons af wilt, zul je díé lantaarn moeten vinden.' Hij wees op het stukje papier. Vervolgens, tevreden dat hij zijn bedoeling duidelijk had gemaakt, draaide hij zich om en liep naar de auto, gevolgd door zijn jonge collega.

'Zorg goed voor hem, Alan,' riep Rebus hem grappend na. Hij zwaaide de auto na, beklom de trap naar zijn flat en opende de deur. De planken kraakten onder zijn voeten, alsof ze klaagden. Hij zette de stereo aan. Een cd van Dick Gaughan, net hoorbaar. Toen plofte hij neer in zijn favoriete stoel en zocht in zijn zakken naar een sigaret. Met gesloten ogen inhaleerde hij. Opeens leek de wereld om te vallen en hem mee te sleuren. Met zijn vrije hand greep hij de armleuning van de stoel vast en op hetzelfde moment drukte hij zijn voeten stevig op de grond. Toen de telefoon ging, wist hij meteen dat het Siobhan was. Hij bukte om de hoorn op te nemen.

'Dus je bent thuis,' zei ze.

'Waar zou ik anders moeten zijn?'

'Moet ik daar antwoord op geven?'

'Jij hebt een dirty mind.' Vervolgens zei hij: 'En je hoeft je niet tegenover mij te verontschuldigen.'

'Verontschuldigen?' Haar stem klonk harder. 'Waarvoor zou ik me in godsnaam moeten verontschuldigen?'

'Je hebt een beetje te veel gedronken.'

'Dat heeft er niets mee te maken.' Ze klonk grimmig nuchter.

'Als jij het zegt.'

'Ik moet zeggen dat ik niet precies de aantrekkelijkheid zie...' begon ze, maar Rebus viel haar in de rede.

'Weet je zeker dat je dit gesprek met me wilt voeren?'

'Wordt het genoteerd en als bewijsmateriaal gebruikt?'

'Het is moeilijk om iets terug te nemen als je het eenmaal hardop hebt uitgesproken.'

'Ik ben anders dan jij, John. Ik ben nooit goed geweest in het oppotten van dingen.'

Rebus had een mok op het vloerkleed ontdekt. Koude koffie. Hij nam een grote slok en slikte. 'Dus je kunt de keuze van mijn gezelschap niet waarderen...'

'Het gaat mij niet aan met wie jij uitgaat.'

'Dat is heel vriendelijk van je.'

'Maar jullie lijken me zo... verschillend.'

'En is dat erg?'

Ze zuchtte luidruchtig, wat klonk als ruis op de lijn. 'Luister, ik wil alleen maar zeggen... We werken niet alleen maar samen, toch? Er is meer tussen ons dan dat. Wij zijn... makkers.'

Rebus glimlachte in zichzelf, glimlachte om die aarzeling voor dat 'makkers'. Had ze 'maatjes' overwogen, maar dat afgekeurd vanwege de wat intiemere betekenis? 'En als makker,' zei hij, 'wil je niet graag zien dat ik een foute beslissing neem?'

Siobhan zweeg even, lang genoeg om Rebus de tijd te geven zijn mok leeg te drinken. 'Waarom ben je trouwens zo in haar geïnteresseerd?' vroeg ze.

'Misschien wel omdat ze verschillend van me ís.'

'Je bedoelt omdat ze er een paar wollige idealen op na houdt?'

'Je kent haar niet goed genoeg om dat te kunnen zeggen.'

'Ik denk dat ik het type ken.'

Rebus sloot zijn ogen, wreef over de rug van zijn neus en dacht: dat lijkt heel veel op wat ik zei voordat deze zaak zich voordeed. 'We begeven ons weer op glad ijs, Shiv. Ga lekker een dutje doen. Ik bel je morgenochtend.'

'Je denkt dat ik wel van mening zal veranderen, hè?'

'Dat is aan jou.'

'Ik kan je verzekeren dat ik dat niet doe.'

'Dat is je goed recht. We praten morgen wel.'

Ze zweeg zo lang dat Rebus vreesde dat ze al in slaap was gevallen. Maar toen vroeg ze: 'Waar zit je eigenlijk naar te luisteren?'

'Dick Gaughan.'

'Hij klinkt alsof hij ergens boos over is.'

'Dat is gewoon zijn stijl.' Rebus had het stukje papier met de gegevens van de lantaarn uit zijn zak gehaald.

'Een Schots trekje misschien?'

'Misschien.'

'Welterusten dan, John.'

'Voordat je neerlegt... Als je niet belde om je excuses aan te bieden, waarom belde je dan wél?'

'Ik wilde geen ruzie met je.'

'En hebben we ruzie?'

'Ik hoop van niet.'

'Dus het ging je er niet om te controleren of ik veilig in mijn eigen bedje terecht was gekomen?'

'Dat heb ik niet gehoord.'

'Welterusten, Shiv. Slaap lekker.'

Hij legde de hoorn neer, legde zijn hoofd op de leuning van de stoel en sloot zijn ogen weer. Geen maatjes... gewoon makkers.

DAG ZES EN ZEVEN

ZATERDAG EN ZONDAG

20

Het eerste wat hij die zaterdagochtend deed, was Siobhan bellen. Toen hij haar antwoordapparaat kreeg, sprak hij een korte boodschap in: 'Met John. Ik hou me aan de belofte van gisteravond... Ik bel je nog wel.' Vervolgens probeerde hij haar mobiele nummer, maar ook daar moest hij een boodschap achterlaten.

Na het ontbijt spitte hij de gangkast en de dozen onder zijn bed door. Hij kwam vol stof en spinrag tevoorschijn, met pakken foto's tegen zijn borst geklemd. Veel familiekiekjes had hij niet; zijn exvrouw had de meeste meegenomen. Maar hij had een paar foto's gehouden waarop ze geen recht had kunnen doen gelden: leden van zijn familie, zijn moeder en vader, ooms en tantes. Maar ook daar waren er niet zoveel van. Hij vermoedde dat zijn broer de meeste had of dat ze in de loop van de tijd kwijt waren geraakt. Jaren geleden had zijn dochter Sammy er een poosje belangstelling voor gehad. Ze zat ze dan lang te bekijken, streek met haar vingers over de geribbelde randjes en betastte de sepiagezichten in studiohouding. Ze had dan gevraagd wie het waren. Haar vader had de foto's moeten omdraaien, in de hoop op de achterkant aanwijzingen in potlood te vinden. Meestal had hij zijn schouders moeten ophalen.

Zijn grootvader van vaders kant was van Polen naar Schotland gekomen. Waarom zijn opa geëmigreerd was, wist Rebus niet. Het was voor de opkomst van het fascisme, dus hij kon alleen maar economische redenen bedenken. Hij was toen een jongeman, vrijgezel, en na ongeveer een jaar trouwde hij met een vrouw uit Fife. Veel wist Rebus niet over die periode van zijn familie. Nooit had hij er zijn vader naar gevraagd. Zijn vader had vermoedelijk toch geen antwoord willen geven of wist het gewoon niet. Er zouden natuurlijk dingen kunnen zijn die zijn grootvader zich niet wilde herinneren en waar hij nog minder over wilde praten.

Hij bekeek een foto in zijn hand. Hij dacht dat het er een van zijn grootvader was: een man van middelbare leeftijd, met dun, glad achterovergekamd, zwart haar en een spottend lachje op zijn gezicht. Hij had zijn zondagse pak aan. Het was een studiofoto, met een geschilderde achtergrond van een hooiveld en een heldere lucht. Op de achterkant stond het adres van de fotograaf in Dunfermline gedrukt. Hij keerde de foto weer om. Zag hij iets van zichzelf in zijn grootvader? Iets in zijn gezicht of zijn houding? Nee, de man leek een vreemdeling. Eigenlijk was zijn hele familiegeschiedenis hem onbekend. Hij had foto's zonder namen erop, zonder jaartal of plaats. Onscherpe glimlachende monden, de gekwelde gezichten van arbeiders en hun gezinnen. Wat had hij nog aan familie: zijn dochter Sammy en zijn broer Michael. Hij belde ze zo nu en dan eens, meestal nadat hij iets te veel had gedronken. Misschien zou hij ze later op de dag nog eens bellen, zónder dat hij eerst had gedronken.

'Ik weet helemaal niets van je,' zei hij tegen de man op de foto. 'Ik weet zelfs niet honderd procent zeker of je bent wie ik denk dat je bent...' Zou hij nog verwanten in Polen hebben? Er konden hele dorpen vol familie zijn, een clan van neven en nichten die geen Engels zouden spreken, maar die het toch leuk zouden vinden om hem te ontmoeten. Misschien was zijn grootvader niet de enige die was vertrokken. De familie zou zich evengoed verspreid kunnen hebben over Amerika en Canada, of in oostelijke richting naar Australië. Sommigen konden aan hun einde zijn gekomen doordat ze door de nazi's waren vermoord... of ze hadden juist aan hun kant gestaan. Nooit vertelde verhalen, die kriskras door Rebus' eigen leven liepen...

Hij moest weer denken aan de vluchtelingen en asielzoekers, de economische migranten. Het wantrouwen en het ressentiment dat ze teweegbrachten, de manier waarop de bevolking alles wat nieuw was vreesde, alles wat van buiten hun angstig bewaakte grenzen kwam. Misschien verklaarde dat de reactie van Siobhan op Caro Quinn, omdat Caro geen deel van de groep uitmaakte. Vermenigvuldig dat wantrouwen en je kreeg een situatie als Knoxland.

Rebus legde de schuld niet bij Knoxland zelf. De buurt was eerder een symptoom dan iets anders. Hij besefte dat hij niets wijzer werd van die oude foto's, die zijn eigen gebrek aan roots vertegenwoordigden. Trouwens, hij moest op reis.

Glasgow was nooit zijn favoriete stad geweest. De stad leek vol te staan met beton en hoogbouw. Hij verdwaalde er altijd omdat er te weinig herkenningspunten voor hem waren. Er waren plekken in de stad die je het gevoel gaven dat ze Edinburgh in zijn geheel konden verzwelgen. De mensen waren ook anders, hoewel hij niet kon zeggen wat het precies was: het accent of het gedrag. De stad gaf hem een onbehaaglijk gevoel.

Zelfs met een duidelijke stratengids slaagde hij erin bijna onmiddellijk nadat hij de snelweg had verlaten een verkeerde afslag te nemen. Hij was te vroeg afgeslagen en was niet ver van de Barlinniegevangenis. Langzaam moest hij zich een weg banen naar het centrum van de stad, door een klont zaterdags verkeer. Dat de fijne mist zich had ontwikkeld tot regen, waardoor straatnamen en verkeersborden nog maar vaag zichtbaar waren, droeg ook niet echt bij aan een vrolijke blik op de stad. Mo Dirwan had beweerd dat Glasgow de moordhoofdstad van Europa was. Zouden de omgeving en de verkeerssituatie daar iets mee te maken hebben?

Dirwan woonde in Calton, tussen de Necropolis en Glasgow Green. Het was een aantrekkelijk stadsdeel, met veel ruimte en volwassen bomen. Rebus vond het huis, maar hij kon nergens in de buurt ervan parkeren. Hij reed een rondje en eindigde ten slotte een heel stuk verderop. Het was een degelijk gebouwd roodstenen, half vrijstaand huis, met een kleine voortuin. De deur was nieuw: gematteerd glas in lood in de vorm van diamanten. Rebus belde aan en wachtte, om tot de ontdekking te komen dat Mo niet thuis was. Maar zijn vrouw wist kennelijk wie hij was en probeerde hem naar binnen te trekken.

'Ik wilde alleen maar even weten of hij niets mankeert.' Rebus verzette zich.

'U moet op hem wachten. Als hij erachter komt dat ik u heb weggeduwd...'

Met gefronst voorhoofd keek Rebus naar de hand op zijn arm.

Ze lachte verlegen. Ze was waarschijnlijk een jaar of tien, vijftien jonger dan haar man, met weelderig golvend zwart haar dat haar gezicht en hals omlijstte. Haar make-up was overvloedig maar met veel zorg aangebracht en maakte haar ogen donker en haar mond vuurrood. 'Het spijt me,' zei ze.

'Dat hoeft niet, het is prettig je gewenst te voelen. Komt Mo al snel thuis?'

'Dat weet ik niet. Hij moest naar Rutherglen. Daar zijn pas problemen geweest.'

'O?'

'Niets ernstigs, hopen we, alleen wat bendes van jongeren die elkaar bestrijden.' Ze haalde haar schouders op. 'Ik ben ervan overtuigd dat de Aziaten net zoveel schuld hebben als de anderen.'

'En wat doe Mo daar?'

'Hij is naar een vergadering van de bewoners.'

'Weet u waar die wordt gehouden?'

'Ik heb het adres.' Ze gebaarde naar binnen. Rebus maakte met een knik duidelijk dat hij dat graag van haar kreeg. Ze liet geen spoor van parfum achter toen ze wegliep. Hij stond net binnen om te schuilen: er viel nog steeds een fijne, hardnekkige motregen. De Schotten hadden daar een woord voor: *smirr*. Zouden andere volkeren overeenkomstige woorden gebruiken? Toen ze terugkwam en hem het papiertje overhandigde, raakten hun vingers elkaar. Heel even voelde Rebus een vonkje.

'Statisch,' verklaarde ze, en ze knikte naar het tapijt in de gang. 'Ik zeg steeds weer tegen Mo dat we het moeten vervangen door een van honderd procent wol.'

Rebus knikte, bedankte haar en holde terug naar zijn auto. Hij zocht in zijn stratengids naar het adres dat ze hem had gegeven. Zo te zien was het een kwartiertje rijden, voor het grootste deel in zuidelijke richting over Dalmarnock Road. Parkhead was niet ver daarvandaan, maar Celtic speelde vandaag niet thuis, wat betekende dat hij minder kans liep dat zijn route zou zijn afgesloten of omgeleid. Maar het was druk op de weg; de regen had de winkelende mensen en reizigers in hun auto's gejaagd. Toen hij zijn gids even niet raadpleegde, ontdekte hij dat hij erin geslaagd was weer een verkeerde afslag te nemen en nu in de richting van Cambuslang reed. Hij stopte langs de kant van de weg en wachtte tot hij kon keren. Tot zijn schrik werden op dat moment zijn achterdeuren opengerukt en vielen er twee mannen naar binnen.

'Goed zo,' zei een van hen. Hij rook naar bier en sigaretten. Zijn haar was helemaal doorweekt. Hij schudde er de regendruppels uit zoals een hond dat deed.

'Wat moet dit verdomme betekenen?' vroeg Rebus met stemverheffing. Hij draaide zich om zodat de twee mannen de uitdrukking op zijn gezicht konden zien.

'Bent u niet onze minitaxi?' vroeg de andere man. Zijn neus leek op een aardbei, zijn adem rook zuur en zijn tanden waren zwart van de bruine rum.

'Om de sodemieter niet!' beet Rebus hem toe.

'Sorry, maat, sorry... een misverstandje.'

'Ja, neem ons niet kwalijk,' voegde zijn metgezel eraan toe. Toen Rebus door zijn zijraampje keek, zag hij de pub waar ze zojuist uit waren komen rennen. Beton en een zware deur; geen ramen. Ze wilden al uitstappen.

'Moeten jullie toevallig niet in de richting van Wardlawhill, heren?' vroeg Rebus, veel kalmer.

'Meestal lopen we dat stuk gewoon, maar met die regen en zo...'

Rebus knikte. 'Dan wil ik jullie een voorstel doen... Wat dachten jullie ervan als ik jullie bij het wijkcentrum daar afzet?'

De mannen keken elkaar en vervolgens hem aan. 'En hoeveel moeten we daarvoor betalen?'

Rebus wuifde het wantrouwen weg. 'Ik speel gewoon de barmhartige Samaritaan.'

'Probeert u ons te bekeren of zo?' De ogen van de eerste man waren tot spleetjes geknepen.

Rebus lachte. 'Maak je geen zorgen, ik ben niet van plan jullie "de weg te wijzen" of zoiets.' Hij zweeg even. 'In feite wil ik precies het tegenovergestelde.'

'Hè?'

'Ik wil dat júllie míj de weg wijzen.'

Tegen het eind van de korte kronkelende rit door de woonwijk spraken de drie op vertrouwelijke toon met elkaar. Rebus vroeg of zijn passagiers de vergadering van de bewoners niet wilde bijwonen.

'Je kunt je maar beter gedeisd houden, dat is altijd mijn filosofie geweest,' kreeg hij te horen.

Het regende niet zo hard meer tegen de tijd dat ze bij het gebouwtje aankwamen. Net als de pub leek het op het eerste gezicht geen ramen te hebben. Maar die bleken hoog aan de voorgevel verstopt te zijn, bijna bij de dakrand. Rebus schudde zijn gidsen de hand.

'Je hiernaartoe brengen is één ding... maar terug moet je het toch echt zelf zien te vinden,' merkten ze lachend op. Rebus knikte en glimlachte. Ook hij had zich afgevraagd of hij ooit de snelweg naar Edinburgh terug zou vinden. Geen van de passagiers had gevraagd waarom een bezoeker uit de stad geïnteresseerd was in de bewonersvergadering van deze buurt. Rebus schreef ook dat toe aan die filosofie: hou je gedeisd. Als je geen vragen stelde, kon niemand je ervan beschuldigen dat je je neus in zaken stak die je niet aangingen. In sommige gevallen was dat een gezond advies, maar hij had daar nooit naar geleefd en dat zou hij ook nooit doen.

Er stonden een paar figuren bij de deuren. Nadat hij zijn passagiers had nagewuifd, parkeerde Rebus zo dicht mogelijk bij die ingang. Hij vreesde dat de vergadering al was afgelopen, wat zou betekenen dat hij Mo Dirwan misliep. Maar toen hij dichterbij kwam, zag hij dat hij het mis had. Een blanke man van middelbare leeftijd, met een pak, een das en een zwarte jas aan, stak hem een folder toe. Het hoofd van de man was kaalgeschoren en glom van de druppels regenwater. Zijn gezicht was bleek en pafferig, en zijn nek bestond uit rollen vet.

'BNP,' zei hij in wat volgens Rebus een Londens accent was. 'Laten we de straten van Groot-Brittannië weer veilig maken.' De voorzijde van de folder toonde een foto van een oudere vrouw die vol ontzetting naar een groep gekleurde jongeren keek die op haar af kwamen.

'Voor de plaatjes hebben zeker modellen geposeerd?' merkte Rebus droog op, terwijl hij de vochtige folder in zijn vuist verfrommelde. De mannen die zich op de achtergrond hielden maar de man in het pak flankeerden, waren aanzienlijk jonger en sjofeler. Ze droegen wat zowat de modelkleding van het plebs was geworden: sportschoenen, joggingbroeken en windjacks, en een honkbalpet laag op hun voorhoofd. Hun jacks waren tot bovenaan dichtgeritst, waardoor de onderste helft van hun gezicht in de kraag verdween. Dat maakte dat ze moeilijker te identificeren waren aan de hand van foto's.

'Wij willen alleen maar eerlijke rechten voor Britse burgers.' Het woord 'Brits' kwam er bijna blaffend uit. 'Groot-Brittannië voor de Britten. Vertel me maar wat daar verkeerd aan is.'

Rebus liet de folder vallen en schopte hem opzij. 'Ik krijg het gevoel dat jullie definitie van Britten wat bekrompen is.'

'Dat zul je nooit weten als je ons geen kans geeft.' De man stak zijn onderkaak naar voren. Jezus, dacht Rebus, dat is dus zijn poging om vriendelijk te kijken... Het was alsof je stond te kijken naar een gorilla die voor de eerste keer een poging tot bloemschikken deed.

Vanuit het gebouw hoorde hij een mengeling van applaus en boegeroep. 'Dat klinkt levendig,' zei Rebus, de deuren opentrekkend.

Er was een foyer, met dubbele deuren die toegang gaven tot de grote zaal. Een podium was er niet, maar iemand had voor een geluidsinstallatie gezorgd, wat betekende dat degene die de microfoon vasthad het woord mocht voeren. Maar sommigen onder het publiek dachten daar anders over. Mannen stonden op en probeerden tegenstanders weg te schreeuwen; er werden middelvingers opgestoken. Ook vrouwen stonden te schreeuwen, even fanatiek. De meeste stoelen waren bezet, zag Rebus. Ertegenover stond een tafelblad op schragen, waarachter vijf personen zaten die een mistroostige indruk maakten. Mo Dirwan zat niet bij hen, maar Rebus zag hem toch. Hij stond op de eerste rij en zwaaide met zijn armen alsof hij probeerde te vliegen, maar in werkelijkheid wilde hij daarmee aangeven dat de mensen moesten gaan zitten. Zijn hand zat nog in het verband en de roze pleister bedekte zijn kin nog steeds.

Een van de notabelen had er genoeg van. Hij smeet wat papieren in een schoudertas, hing die over zijn schouder en marcheerde naar de uitgang. Nog meer boegeroep barstte los. Rebus wist niet of dat was omdat hij ertussenuit kneep, of omdat hij gedwongen was zich terug te trekken.

'Je bent een klootzak, McCluskey,' riep iemand. Dat verklaarde voor Rebus nog steeds niets. Maar nu volgden anderen. Een kleine gezette vrouw achter de tafel had de microfoon in haar hand genomen, maar haar goede manieren en de redelijke toon van haar stem waren niet voldoende om de orde te herstellen. Rebus stelde vast dat het een gemengd publiek was. Het was tot zijn opluchting niet zo dat de blanken aan de ene kant en de gekleurden aan de andere kant van de zaal zaten. Ook de leeftijd was gemengd. Een vrouw had haar kinderwagen meegebracht. Een andere vrouw zwaaide wild met haar wandelstok in de lucht, waardoor de mensen om haar heen moesten wegduiken. Een stuk of vijf politieagenten in uniform hadden geprobeerd onopvallend op de achtergrond te blijven, maar nu sprak een van hen in zijn walkietalkie, hoogstwaarschijnlijk om versterking te vragen. Ze werden het mikpunt van het publiek, zag Rebus bezorgd. De twee groepen stonden nu vlak bij elkaar.

Mo Dirwan wist duidelijk niet wat hij nu moest aanvangen. Hij keek verbijsterd, alsof hij besefte dat hij een mens was in plaats van een superman. Deze situatie ging zelfs zijn vermogens te boven, omdat zijn kracht berustte op de bereidheid van anderen om naar zijn argumenten te luisteren, en niemand hier was bereid om ook maar naar iets te luisteren. Zelfs Martin Luther King had hier kunnen staan, met een megafoon, zonder dat er iemand acht op hem zou slaan. Een jongeman leek verbijsterd door alles wat er gebeurde; zijn blik kruiste even die van Rebus. Het was een Aziaat, maar hij droeg dezelfde kleren als de blanke jongens. Hij droeg een oorringetje. Zijn onderlip was dik en bedekt met een korst oud bloed. Rebus zag dat hij moeilijk stond, alsof hij niet op zijn linkerbeen wilde leunen. Dat been deed pijn. Was dat de reden van zijn verbijstering? Was hij het nieuwste slachtoffer, was hij de aanleiding voor deze vergadering? Als er iets aan hem te zien was, dan was het angst... angst dat het weer zou escaleren.

Rebus zou hem gerustgesteld hebben als hij had geweten hoe, maar op dat moment vlogen de deuren open en stormde er nog meer politie binnen. En was een oudere agent bij, met meer zilver op zijn revers en pet dan de anderen. Ook zijn haar was zilver. 'Kalmte, mensen kalmte!' riep hij, en hij stapte vol zelfvertrouwen naar de voorzijde van de zaal en de microfoon, die hij zonder plichtplegingen uit de handen van de nu mompelende vrouw trok.

'Laten we het rustig houden, mensen, alsjeblieft!' De stem dreunde door de luidsprekers. 'Laten we proberen kalm te blijven.' Hij keek naar een van de personen die achter de tafel zat. 'Ik denk dat deze bijeenkomst voor dit moment beter kan worden beëindigd.' De man die hij had aangekeken, knikte meteen. Misschien was hij de gemeentelijke voorlichter, dacht Rebus, in ieder geval was hij iemand tegenover wie de politieman beleefd moest zijn. Er was nu één man die de leiding had.

Toen Rebus een klap op zijn schouder kreeg, kromp hij ineen, maar het bleek een grijnzende Mo Dirwan, die hem ontdekt had en hem ongezien had benaderd. 'Mijn goede vriend, wat brengt jou in godsnaam hier, op dit tijdstip?'

Van dichtbij zag Rebus dat Dirwan niet ernstiger gewond was dan een dronkenlap na een vechtpartijtje: wat schrammen en krassen. Hij twijfelde plotseling aan de pleister en het verband. Zou het sterk overdreven zijn?

'Ik wilde zien hoe het met jou ging.'

'Ha!' Dirwan gaf hem weer een klap op zijn schouder. Het feit dat hij zijn verbonden hand gebruikte, versterkte Rebus' verdenking. 'Voelde je je misschien een beetje schuldig?'

'Ik wil ook weten hoe het is gebeurd.'

'Goede hemel, dat is gauw verteld. Ik werd besprongen. Heb je de krant van vanmorgen niet gelezen? Welke je ook leest, doet er niet toe: ik stond in alle kranten!'

Rebus twijfelde er niet aan dat die kranten uitgespreid over de vloer van Dirwans huiskamer lagen...

Dirwans aandacht voor Rebus verslapte toen hij zag dat iedereen uit de zaal werd geleid. Hij drong zich door de menigte, tot hij de politieman die de leiding had bereikte. Terwijl hij hem de hand schudde, wisselde hij een paar woorden met hem. Vervolgens ging het naar de voorlichter, wiens gezicht boekdelen sprak: na nóg zo'n verspilde zaterdagavond zou hij zijn ontslagbrief schrijven. Dirwan sprak hem bemoedigend toe, maar toen hij hem bij de arm wilde pakken, schudde de man boos zijn hand van zich af. Dirwan stak verwijtend een vinger op, gaf de man een klopje op zijn schouder en liep terug naar Rebus.

'Grote hemel, dit loopt uit op een veldslag!'

'Ik heb erger gezien.'

Dirwan keek hem aan. 'Waarom zeg je dat steeds, wat er ook gebeurt?'

'Tja... En... mag ik het nu even van je horen?'

'Wat?'

Hij antwoordde niet. Nu was het zijn beurt om de ander op de schouder te slaan. Hij liet zijn hand op Dirwans schouder rusten terwijl hij hem het gebouw uit leidde. Ondertussen was er een knokpartij aan de gang: een van de volgelingen van de BNP-man was slaags geraakt met een jonge Aziaat. Toen Dirwan aanstalten leek te maken in te grijpen, hield Rebus hem tegen en kwamen de agenten tussenbeide. De BNP'er stond op een grasperk aan de overkant van de straat, de nazigroet brengend. Hij zag er lachwekkend uit, wat echter niet betekende dat hij niet gevaarlijk was.

'Zullen we naar mijn huis gaan?' stelde Dirwan voor.

'Naar mijn auto,' zei Rebus, hem verder leidend. Ze stapten in, maar er gebeurde nog steeds te veel, overal om hen heen. Rebus startte de motor met het plan een van de zijstraten in te rijden waar ze niet afgeleid zouden worden. Toen ze langs de BNP'er reden, trapte hij het gaspedaal wat in en stuurde de auto door een plas regenwater, waardoor er water opspoot. Precies raak.

Rebus draaide een kleine parkeerplek op, zette de motor af en keerde zich naar de advocaat.

'Wat is er gebeurd?'

Dirwan haalde zijn schouders op. 'Dat is snel verteld... Ik deed wat jij me had gevraagd en sprak met alle nieuwkomers in Knoxland die met me wilden praten...'

'Waren er die weigerden?'

'Niet iedereen vertrouwt een vreemdeling, John, zelfs niet wanneer hij dezelfde huidskleur heeft.'

Rebus maakte met een knik duidelijk dat hij dit begreep. 'En waar was je toen ze je besprongen?'

'Ik stond op de liften te wachten in Stevenson House. Ze vielen me van achteren aan, misschien een stuk of vier, vijf, met bedekte gezichten.'

'Zeiden ze iets?'

'Een van hen... toen het afgelopen was.' Dirwan voelde zich duidelijk niet op zijn gemak. Dat was niet vreemd voor iemand die het slachtoffer van geweldpleging was geworden. Hoe minimaal de verwondingen ook, het was altijd ingrijpend om met agressie te maken te hebben.

'Luister,' zei Rebus, 'dat had ik gelijk al moeten zeggen: het spijt me dat dit gebeurd is.'

'Het was niet jouw fout, John. Ik had me beter moeten voorbereiden.'

'Ik neem aan dat het de bedoeling was dat jij gepakt werd?'

Dirwan knikte traag. 'Die ene die sprak, zei dat ik uit Knoxland moest verdwijnen. Anders zou ik doodgaan. Hij hield een mes tegen mijn wang toen hij dat zei.'

'Wat voor soort mes?'

'Dat weet ik niet... Denk je aan het moordwapen?'

'Dat zou kunnen.' En hij dacht aan het mes dat op Howie Slowther was gevonden. 'Heb je iemand herkend?'

'Ik lag bijna de hele tijd op de grond. Vuisten en schoenen waren zo'n beetje het enige wat ik zag.'

'En die jongen die het woord voerde. Klonk hij alsof hij hier vandaan kwam?'

'In vergelijking waarmee?'

'Ik weet niet... Iers misschien.'

'Ik kan Iers en Schots moeilijk uit elkaar houden.' Dirwan haalde verontschuldigend zijn schouders op. 'Vreselijk, ik weet het, voor iemand die hier al een paar jaar is...'

Het mobieltje van Rebus klonk van ergens diep in een van zijn zakken. Hij viste het op en keek op het scherm: Caro Quinn. 'Ik moet even opnemen,' zei hij en hij opende het portier. Met het mobieltje tegen zijn oor gedrukt, deed hij een paar passen bij de auto vandaan.

'Hallo?'

'Hoe kon je me dat aandoen?'

'Wat?'

'Me zoveel laten drinken,' kreunde ze.

'Heb je pijn in je hoofd?'

'Ik raak nooit meer alcohol aan.'

'Een uitstekend voornemen... Misschien kunnen we daar bij een dineetje over praten?'

'Ik kan vanavond niet, John. Ik ga naar het filmhuis met een maatje.'

'Morgen dan?'

Ze leek dit te overwegen. 'Ik zou dit weekend nog wat moeten werken... en dankzij gisteravond ben ik vandaag al kwijt.'

'Kun je niet werken met een kater?'

'Jij wel dan?'

'Ik heb dat tot een kunstvorm verheven, Caro.'

'Luister, laten we zien hoe het er morgen voor staat... Ik zal proberen je te bellen.'

'Is dat het beste waarop ik mag hopen?'

'Het is dat of niets, makker.'

'Nou, dát dan maar.' Rebus had zich omgedraaid en liep terug naar de auto. 'Tot kijk, Caro.'

'Tot kijk, John.'

Naar het filmhuis met een maatje... Een maatje, geen 'makker'. Met een zucht ging hij achter het stuur zitten. 'Sorry voor de onderbreking.'

'Zakelijk of aangenaam?' vroeg Mo Dirwan.

Rebus antwoordde niet; hij had zelf een vraag. 'Jij kent Caro Quinn, hè?'

Dirwan fronste zijn voorhoofd en probeerde de naam te plaatsen. 'Onze Vrouwe van de Wake?' opperde hij. Rebus knikte. 'Ja, dat is een type.'

'Een vrouw met principes.'

'Grote goden, ja. Ze heeft een kamer in haar huis afgestaan aan een asielzoeker. Wist je dat?'

'Dat wist ik inderdaad.'

De ogen van de advocaat gingen wijd open. 'Heb je net met haar gesproken?'

'Ja.'

'Weet je dat zij ook uit Knoxland is weggejaagd?'

'Dat heeft ze me verteld.'

'Wij bewandelen dezelfde weg, zij en ik...' Dirwan keek hem onderzoekend aan. 'Misschien jij ook wel, John.'

'Ik?' Rebus startte de motor. 'Het ligt meer voor de hand dat ik een van die knelpunten ben die je van tijd tot tijd op je weg tegenkomt.'

Dirwan grinnikte. 'Ik ben ervan overtuigd dat jij jezelf zo ziet.'

'Kan ik je een lift naar huis geven?'

'Als het niet te veel moeite is.'

Rebus schudde zijn hoofd. 'Het zou me ook nog kunnen helpen om weer op de snelweg te komen.'

'Dus een aanbod met een verborgen motief?'

'Ik denk dat je het zo wel kunt stellen.'

'En als ik je aanbod aanvaard, sta je me dan toe je wat gastvrijheid te bieden?'

'Ik moet echt terug...'

'Ik voel me onheus bejegend.'

'Dat is niet zo...'

'Maar daar ziet het wel naar uit.'

'Godallemachtig, Mo...' Rebus slaakte een luidruchtige zucht. 'Goed dan, even vlug een kop koffie.'

'Mijn vrouw zal erop staan dat je iets eet.'

'Een biscuitje dan.'

'En wat gebak misschien.'

'Een biscuitje is genoeg.'

'Ze zal wat meer klaarmaken... dat zul je wel zien.'

'Goed dan, gebak. Koffie met gebak.'

Een glimlach brak door op het gezicht van de advocaat. 'Jij bent een nieuweling op het gebied van marchanderen, John. Als ik tapijten had verkocht, dan zou je nu rood staan.'

'Wat geeft jou het idee dat dat al niet zo is?' Hij had er ook nog aan kunnen toevoegen dat hij écht honger had...

21

Op een heldere, winderige zondagmorgen, liep Rebus Marchmont Road af en stak hij de Meadows over. Teams verzamelden zich daar al voor een partijtje voetbal. Sommige teams droegen uniforme clubkleuren in navolging van professionele elftallen. Andere zagen er wat minder goed verzorgd uit, met spijkerbroeken en sportschoenen in plaats van sportbroeken en voetbalschoenen. Verkeerspylonen vormden de doelen, en de grenslijnen van elk veld waren voor iedereen onzichtbaar, behalve voor de spelers.

Verderop werd een frisbee overgegooid, met een hijgende hond in het midden die het ding probeerde te pakken. Op een van de banken moest een stel hard werken om hun zondagskrant bij elkaar te houden, omdat de vele supplementen bij iedere windvlaag in de lucht dreigden te vliegen.

Rebus had een rustige avond thuis doorgebracht, pas nadat een wandeling over Lothian Road had bevestigd dat de films die in het filmhuis werden gedraaid niet zijn smaak waren. Hij wist bijna zeker naar welke film Caro was gegaan. Stel je voor dat ze hem toevallig in de foyer tegen het lijf was gelopen, wat voor uitvlucht had hij dan moeten gebruiken... Zoiets als: 'Niets gaat voor mij boven een goede Hongaarse familiesaga...'?

Thuis had hij met smaak een Indiase afhaalmaaltijd gegeten (zijn vingers roken er nog steeds naar, zelfs na een douche) en twee video's bekeken die hij al kende: *Rock'n'Roll Circus* en *Midnight Run*. De hele film van De Niro lang had hij geglimlacht, maar het optreden van Yoko Ono in de eerste film had hem werkelijk lachbuien bezorgd.

Met vier flesjes IPA had hij alles weggespoeld, wat betekende dat hij vroeg en met een helder hoofd wakker was geworden. Zijn ontbijt had bestaan uit een overgebleven stuk naanbrood en een mok thee. Nu was het bijna lunchtijd. Om het oude ziekenhuis stonden schuttingen, daarachter werd gebouwd. Het laatste wat hij ervan had gehoord, was dat het een combinatie van winkels en huizen zou worden. Wie zou ervoor willen betalen te verhuizen naar een verbouwde kankerafdeling? Zou het ongeluk brengen daar te gaan wonen? Misschien zouden er spookrondleidingen gegeven kunnen worden, zoals ze op plekken als Mary King's Close deden, waar de geesten van pestslachtoffers zich zouden verzamelen, of Greyfriars Kirkyard, waar velen waren omgekomen.

Hij had vaak overwogen weg te gaan uit Marchmont. Hij was zelfs al zover gegaan dat hij een makelaar een taxatie van zijn huis had laten maken. Tweehonderdduizend, had hij te horen gekregen... Waarschijnlijk niet genoeg om ook maar een halve kankerafdeling te kopen, maar met zoveel geld in zijn zak zou hij zijn baan vaarwel kunnen zeggen, met volledig pensioen gaan en wat gaan reizen.

Het probleem was dat niets hem aantrok. De kans was groot dat hij het allemaal over de balk zou gooien. Was die angst de drijfveer om door te gaan met werken? Deze baan was zijn hele leven. In de loop der jaren had hij daarvoor alles overboord gezet: familie, vrienden, hobby's.

En daarom werkte hij nu.

Hij liep Chalmers Street in, langs de nieuwe school, en hij stak de straat over bij de kunstacademie, in de richting van Lady Lawson Street. Hij had geen idee wie Lady Lawson was geweest, maar hij betwijfelde of ze onder de indruk zou zijn van de straat die naar haar vernoemd was, of van de vele pubs en clubs die er stonden. Rebus was weer in de Schaamstreek. Niet dat er veel gebeurde. Zo'n zeven, acht uur geleden waren de bars en clubs gesloten. De klanten en het personeel zouden nu slapen om de uitspattingen van de zaterdagnacht te boven te komen: de danseressen met de beste betaling van de week; de eigenaars zoals Stuart Bullen, dromend over hun volgende dure auto; zakenlieden die zich afvroegen hoe ze de komende hoge afschrijving op hun creditcardrekening aan hun vrouw moesten uitleggen...

De straat was pas gereinigd en de neonlichten waren uit. Kerkklokken in de verte. Gewoon een zondag als vele.

Een metalen staaf hield de deur van de Nook gesloten, vastgezet met een zwaar hangslot. Rebus bleef staan, met zijn handen in zijn zakken, en keek naar de leegstaande winkel aan de overkant. Als er niet werd gereageerd, was hij bereid om nog eens anderhalve kilometer naar Haymarket te lopen en Felix Storey in zijn hotel op te zoeken. Hij betwijfelde of ze zo vroeg aan het werk zouden zijn. Waar Stuart Bullen ook uithing, hij zat niet in de Nook. Toch stak Rebus de straat over en trommelde met zijn knokkels op de winkelruit. Hij wachtte en keek naar links en naar rechts. Er was niemand in de buurt, geen verkeer, geen nieuwsgierige mensen achter de ramen. Hij klopte nog eens en zag toen een donkergroene bestelwagen staan. Hij stond vijftien meter verder langs het trottoir geparkeerd. Rebus liep ernaartoe. De naam van de oorspronkelijke eigenaar was overgeschilderd, de vormen van de letters waren nog net te onderscheiden onder de verflaag. Er was niemand te zien in de auto. Ook de achterruiten waren beschilderd. Het deed Rebus denken aan de surveillanceauto in Knoxland waarin Shug Davidson zich schuilhield. Hij keek nog eens links en rechts de straat door en bonkte toen met zijn vuisten op de achterdeuren van de auto. Hij keek nog eens door een van de ramen voordat hij wegliep. Hij keek niet achterom, maar bleef even staan alsof hij de annonces in de etalage van een tijdschriftenwinkel bekeek.

'Probeer je onze operatie in gevaar te brengen?' hoorde hij Felix Storey vragen. Toen Rebus zich omdraaide, stond Storey daar met zijn handen in zijn zakken. Hij had een groene gevechtsbroek aan en een olijfkleurig T-shirt.

'Leuke vermomming,' merkte Rebus op. 'Jij bent echt slim.'

'Wat bedoel je?'

'Werken op zondag, terwijl de Nook niet voor twee uur opengaat.'

'Dat betekent nog niet dat er niemand binnen is.'

'Nee, maar de sloten op de deur vormen een tamelijk duidelijke aanwijzing...'

Storey haalde zijn handen uit zijn zakken en sloeg zijn armen over elkaar. 'Wat wil je?'

'Ik wilde je om een gunst vragen.'

'En je kon geen boodschap achterlaten in mijn hotel?'

Rebus haalde zijn schouders op. 'Dat is mijn stijl niet, Felix.' Hij bekeek nogmaals de kleding van de man van de immigratiedienst. 'En wat moet je eigenlijk voorstellen? Stadsguerrilla of zo?'

'Een clubeigenaar in ruste,' bekende Storey.

Rebus lachte. 'Maar... die bestelwagen is geen slecht idee. De winkel lijkt mij overdag te riskant. Mensen zouden iemand boven op een trapleer kunnen zien zitten.' Rebus keek om zich heen. 'Jammer dat het zo stil is in de straat. Je valt op als een lichtboei.'

Nijdig keek Storey hem aan. 'En dat gebonk van jou op de auto... dat moest zeker heel gewoon lijken?'

Rebus haalde zijn schouders weer op. 'Het trok je aandacht.'

'Inderdaad, ja. Dus steek van wal en vraag je gunst.'

'Laten we het bij een kop koffie bespreken.' Hij gebaarde met zijn

hoofd. 'Er is een zaak op nog geen twee minuten lopen hiervandaan.'
Storey dacht even na en keek toen naar de bestelwagen. 'Ik neem
aan dat je iemand hebt die je vervangt?' vroeg Rebus.

'Ik moet alleen even zeggen...'

'Vooruit dan.'

Storey wees de straat in. 'Loop jij maar vooruit. Ik haal je wel in.'

Rebus knikte. Hij draaide zich om en maakte aanstalten om weg
te lopen. Hij keek nog even om en zag dat Storey hem over zijn
schouder gadesloeg terwijl hij naar de bestelwagen liep.

'Wat moet ik voor je bestellen?' riep Rebus.

'Americano,' riep de man van de immigratiedienst terug. Hij opende snel de achterdeuren van het busje, sprong erin en sloot de deuren achter zich.

'Hij vraag me om een gunst,' zei hij tegen de persoon die in de
bestelwagen zat.

'Ik vraag me af wat dat zal zijn.'

'Ik ga met hem mee om daarachter te komen. Red je het wel hier
in je eentje?'

'Ik verveel me dood, maar het zal me wel lukken.'

'Ik ben hoogstens tien minuten...' Storey zweeg abrupt toen de
deur van buiten af open werd getrokken. Het hoofd van Rebus verscheen.

'Ha, die Phyl,' zei hij met een glimlach. 'Moeten we iets voor je
meebrengen?'

Nu Rebus het wist, voelde hij zich beter. Sinds die keer dat hij was
gezien in de Nook, had hij zich afgevraagd wie Storey die informatie had gegeven. Het moest iemand zijn die hem, en ook Siobhan,
kende.

'Dus Phyllida Hawes werkt met jou samen,' zei hij toen ze eenmaal achter hun koffie zaten. Het café was op de hoek van Lothian
Road. Ze kregen het tafeltje dankzij het feit dat er net een stel vertrok toen zij binnenkwamen. Andere klanten waren verdiept in leesmateriaal: kranten en boeken. Een vrouw knuffelde een baby terwijl
ze af en toe van haar koffie nipte. Storey hield zich bezig met het
openvouwen van de sandwich die hij had gekocht.

'Dat gaat jou niets aan,' gromde hij, zijn best doend om zacht te
spreken omdat hij niet afgeluisterd wilde worden. Rebus probeerde
de achtergrondmuziek te plaatsen: jaren zestig, Californiëstijl. Hij
betwijfelde ten zeerste of het origineel was; een heleboel bands van
tegenwoordig probeerden zoals die uit het verleden te klinken.

'Het gaat mij niets aan,' beaamde Rebus.

Storey slurpte van zijn koffie en kreunde omdat die gloeiend heet was. Hij hapte in de gekoelde sandwich om de schok te verzachten.

'Ben je al iets opgeschoten?' vroeg Rebus.

'Iets,' zei Storey met een mond vol sla.

'Maar niets waarover je wilt praten?' Rebus blies op zijn eigen koffie. Hij was hier vaker geweest en wist dat de inhoud van zijn mok kokendheet was.

'Wat dacht je?'

'Ik denk dat die hele operatie van je een fortuin kost. Als ik zoveel geld aan een surveillance zou wegsmijten, zou ik hoe dan ook met resultaat komen.'

'Zie ik er dan niet naar uit dat ik zweet?'

'Iemand is wanhopig op een veroordeling uit of heeft nauwelijks enig vertrouwen die te zullen vinden.' Storey zat al klaar met een reactie, maar Rebus stak een hand op. 'Ik weet het, ik weet het... het gaat mij niets aan.'

'En zo blijft het ook.'

'Op mijn erewoord als scout.' Rebus stak drie vingers op in een schijnsaluut. 'En dat brengt me bij de gunst die ik je wilde vragen...'

'Een gunst die ik niet geneigd ben te verlenen.'

'Ook niet wanneer het om een grensoverschrijdende samenwerking gaat?'

Storey deed alsof hij uitsluitend belangstelling had voor zijn sandwich, waarvan hij kruimels van zijn broek veegde.

'Die gevechtskleding staat je, tussen haakjes,' vleide Rebus hem. Eindelijk leverde dit een vage glimlach op.

'Kom op met die gunst.'

'Die moordzaak waar ik aan werk... die in Knoxland.'

'Wat is daarmee?'

'Het ziet ernaar uit dat er een vriendin was, en ik heb me laten vertellen dat ze uit Senegal komt.'

'En?'

'En ik wil haar vinden.'

'Heb je een naam?'

Rebus schudde zijn hoofd. 'Ik weet niet eens of ze hier legaal verblijft.' Hij zweeg even. 'Daarom dacht ik dat jij me zou kunnen helpen.'

'Hoe helpen?'

'De immigratiedienst moet weten hoeveel Senegalezen er in het Verenigd Koninkrijk zijn. Als ze hier legaal zijn, weten jullie hoeveel er in Schotland wonen...'

'Inspecteur, ik denk dat je ons voor een fascistische organisatie aanziet.'

'Ga je me vertellen dat jullie geen archief bijhouden?'

'Natuurlijk is er een archief, maar alleen van geregistreerde migranten. Je vindt er geen illegalen in, zelfs geen vluchtelingen.'

'Waar het om gaat, is dat zij, als ze hier illegaal is, waarschijnlijk probeert contact te leggen met andere mensen uit haar land van herkomst. Dat zijn de mensen die het meest in aanmerking komen om haar te helpen, en dat zijn degenen waarvan jullie wel gegevens hebben.'

'Ja, dat begrijp ik, maar toch...'

'Heb je betere dingen om je tijd mee door te brengen?'

Aarzelend nam Storey een slok van zijn koffie, waarna hij het schuim met de rug van zijn hand van zijn bovenlip veegde. 'Ik weet zelfs niet zeker of die informatie bestaat, niet in een vorm waar jij wat aan hebt.'

'Op dit moment ben ik blij met alles.'

'Denk je dat die vriendin betrokken is bij de moord?'

'Ik denk dat ze doodsbang is.'

'Omdat ze iets weet?'

'Dat weet ik pas als ik het haar gevraagd heb.'

Storey zweeg en maakte kringen op het tafelblad met de bodem van zijn mok. Rebus wachtte af en keek door het raam naar buiten. Er liep een stroom mensen naar Princes Street, misschien om te gaan winkelen. Er stond nu een rij wachtenden aan de toonbank, om zich heen speurend of er een tafeltje vrijkwam. Er stond een onbezette stoel tussen Rebus en Storey; hij hoopte dat niemand zou vragen er te mogen zitten. Een weigering kon mensen kwaad maken...

'Ik kan opdracht geven voor een eerste onderzoek van de database,' zei Storey ten slotte.

'Dat zou geweldig zijn.'

'Maar ik beloof niets.'

Rebus knikte begrijpend.

'Heb je al studenten geprobeerd?' vervolgde Storey.

'Studenten?'

'Studenten van overzee. Misschien zijn er een paar in de stad die uit Senegal komen.'

'Dat is een idee,' zei Rebus.

'Graag gedaan.' De twee mannen bleven zwijgend zitten tot ze hun koffie ophadden.

Daarna zei Rebus dat hij met Storey mee terug zou lopen naar de bestelwagen. Hij vroeg hoe Stuart Bullen voor het eerst op de radar van de immigratiedienst was verschenen.

'Ik dacht dat ik je dat al had verteld.'

'Mijn geheugen is niet meer wat het geweest is,' merkte Rebus verontschuldigend op.

'Het was een anonieme tip. Zo begint het vaak. Ze willen anoniem blijven tot wij resultaat hebben bereikt. Daarna willen ze betaald worden.'

'En wat hield die tip in?'

'Dat Bullen stinkt. Mensensmokkel.'

'En je zet deze hele zaak in beweging na één telefoontje?'

'Dezelfde tipgever heeft het al eerder bij het rechte eind gehad: een lading illegalen die achter in een vrachtwagen naar Dover zijn gekomen.'

'Ik dacht dat jullie tegenwoordig allemaal van die supertechnische toestanden in de havens hadden.'

Storey knikte. 'Die hebben we ook. Sensoren die lichaamswarmte kunnen vaststellen... elektronische speurhonden...'

'Dus je zou die illegalen sowieso hebben opgepakt?'

'Misschien wel, misschien niet.' Storey zweeg en keek Rebus aan. 'Wat suggereer je nu precies, inspecteur?'

'Helemaal niets. Wat dénk je dat ik suggereer?'

'Helemaal niets,' echode Storey. Maar in zijn ogen was wantrouwen te zien.

Die avond zat Rebus bij zijn raam met de telefoon al in zijn hand, toen hij bedacht dat hij nog tijd genoeg had om Caro te bellen. Hij had zijn platenverzameling doorgelopen en er platen tussenuit gehaald die hij in jaren niet had gedraaid: Montrose, Blue Oyster Cult, Rush, Alex Harvey... Geen ervan liet hij langer dan een of twee nummers op staan, totdat hij bij *Goat's Head Soup* kwam. Het was een hutspot van geluiden, ideeën die in de pot werden geroerd met slechts de helft van de ingrediënten om de smaak te verbeteren. Toch was hij beter – melancholischer – dan hij zich herinnerde. Ian Stewart speelde op een paar nummers mee. Arme Stu, die niet ver van Rebus was opgegroeid in Fife en die lid van de Stones was totdat de manager besloot dat hij niet het juiste image had. De band hield hem aan voor sessies en als ze op tour gingen.

Stu, die het niet opgaf, ook al voldeed zijn gezicht niet.

Rebus kon met hem meevoelen.

DAG ACHT

MAANDAG

22

Maandagmorgen, de bibliotheek van Banehall. Bekers oploskoffie, geglaceerde donuts van een bakkerij. Les Young was gekleed in een grijs pak, een wit overhemd en een donkerblauwe das. Er hing een vaag aroma van schoenpoets. Zijn team zat aan en op bureaus, sommigen krabden aan vermoeide gezichten en anderen lurkten aan de bittere koffie alsof het een elixer was. Er hingen posters aan de muren met auteurs van kinderboeken: Michael Morpurgo, Francesca Simon en Eoin Colfer. Op een andere poster was de held van een stripverhaal afgebeeld die Kapitein Onderbroek heette, en om de een of andere reden was dit de bijnaam van Young geworden, zo had Siobhan opgevangen. Ze dacht niet dat hij zich daardoor gevleid zou voelen.

Omdat ze op de een of andere manier door haar redelijke broeken heen was geraakt, droeg Siobhan vandaag een rok en een panty, voor haar een zeldzame uitrusting. De rok kwam tot haar knieën, maar ze bleef eraan trekken in de hoop dat hij op magische wijze zou veranderen in iets wat een paar centimeter langer was. Ze had er geen idee van of haar benen 'mooi' of 'lelijk' waren. Ze hield gewoon niet van het idee dat mensen ze bekeken en haar misschien zelfs op haar benen zouden beoordelen. Bovendien wist ze dat voor het eind van de dag de panty het voor elkaar had gekregen om te gaan ladderen. Uit voorzorg had ze een tweede in haar tasje.

Voor de wasserij had ze dit weekend geen tijd gehad. Ze was op zaterdag naar Dundee gereden, waar ze de dag had doorgebracht met Liz Hetherington. Ze hadden in een wijnbar verhalen over hun werk uitgewisseld, waarna ze naar een restaurant waren gegaan. Na een bezoek aan een bioscoop en een paar clubs had Siobhan geslapen op de bank van Liz, en ze was in de namiddag weer naar huis gereden, nog steeds groggy.

Ze zat nu achter haar derde beker koffie.

Een van de redenen waarom ze naar Dundee was gegaan, was

ontsnappen aan Edinburgh en aan de mogelijkheid Rebus tegen het lijf te lopen. Ze was die vrijdagavond helemaal niet zo dronken geweest en ze had geen spijt van het standpunt dat ze had ingenomen of van de daaruit voortvloeiende luidruchtige woordenstrijd. Het was kroegpolitiek, meer niet. Maar toch betwijfelde ze of Rebus het zou zijn vergeten, en ze wist voor wie hij partij koos. Ze was zich er ook van bewust dat Whitemire minder dan drie kilometer verderop was, en dat Caro Quinn daar waarschijnlijk weer de wacht hield en zich inspande om het geweten van het centrum te worden.

Die zondagavond was ze naar het centrum van de stad gegaan en was ze Cockburn Street opgeklommen via Fleshmarket Close. Op High Street had een groepje toeristen zich verzameld rondom hun gids. Siobhan had haar herkend aan haar haar en aan haar stem: Judith Lennox.

'... in de tijd van Knox waren de voorschriften uiteraard veel strenger. Je kon worden gestraft voor het plukken van een kip op de sabbat. Geen dancing, geen theater, geen goktent. Op overspel stond de doodstraf, op minder zware vergrijpen straffen met martelwerktuigen als de *branks*. Dat was een afgesloten helm die een metalen staaf in de mond van leugenaars en godslasteraars drukte... Aan het eind van de rondgang kunt u van een drankje genieten in de Warlock, een traditionele herberg die het verschrikkelijke einde van majoor Weir viert...'

Siobhan had zich afgevraagd of ze werd betaald voor die aanbeveling.

'... en tot slot,' zei Les Young nu, 'zien we nu met een stomp voorwerp toegebrachte verwondingen. Een paar flinke slagen die de schedel hebben verbrijzeld en een bloeding in de hersenpan hebben veroorzaakt. De dood moet bijna onmiddellijk zijn ingetreden...' Hij las voor uit het autopsierapport. 'En volgens de patholoog geven cirkelvormige indeukingen aan dat iets als een gewone hamer is gebruikt... zo'n ding dat je vindt in doe-het-zelfzaken, met een diameter van twee komma negen centimeter.'

'Hoe zit het met de kracht van de klappen, inspecteur?' vroeg een van de leden van het team.

Young vertoonde een wrange glimlach. 'Het rapport is daar enigszins terughoudend over, maar als ik tussen de regels door lees, denk ik dat we veilig kunnen aannemen dat we te maken hebben met een mannelijke dader... en iemand die eerder rechts- dan linkshandig was. Het patroon van de slagen wekt de indruk dat het slachtoffer van achteren werd geraakt.' Young liep naar een scheidingswand die was veranderd in een geïmproviseerd prikbord, waarop foto's van de plaats delict waren geprikt. 'Later op de dag krijgen we close-ups van de autopsie.' Hij wees op een foto van Cruikshank in zijn slaapkamer, met zijn hoofd bedekt met bloed. 'De achterkant van de schedel liep de meeste schade op... vandaar dat hij vermoedelijk van achteren is aangevallen.'

'Staat het vast dat het in de slaapkamer is gebeurd?' vroeg een ander. 'Kan hij niet achteraf verplaatst zijn?'

'Voor zover we kunnen vaststellen, is hij gestorven waar hij viel.' Young keek de kamer rond. 'Verder nog vragen?' Die waren er niet. 'Goed dan...' Hij keerde zich naar een rooster van de werkzaamheden voor deze dag en begon de taken te verdelen. De nadruk leek te liggen op de pornocollectie van Cruikshank, de herkomst ervan en wie er eventueel in had geparticipeerd. Er werden agenten naar Barlinnie gestuurd om de cipiers te ondervragen over eventuele vrienden die Cruikshank had gemaakt in de tijd dat hij zijn straf uitzat. Siobhan wist dat bedrijvers van seksuele misdaden in een aparte vleugel werden opgesloten, afgezonderd van andere gevangenen. Dat voorkwam dat ze dagelijks werden aangevallen, maar het betekende ook dat ze geneigd waren vriendschap met elkaar te sluiten, wat de zaak alleen maar erger maakte als ze werden vrijgelaten. Een dader zou op die manier in contact kunnen komen met een heel netwerk van gelijkgestemde geesten, wat tot nog meer vergrijpen zou kunnen leiden.

'Siobhan?' Ze richtte haar blik op Young en besefte dat hij haar toegesproken had.

'Ja?' Ze keek naar haar koffiebeker, zag dat die alweer leeg was en verlangde naar meer.

'Heb je al iets gedaan om de vriend van Ishbel Jardine te ondervragen?'

'Je bedoelt haar ex?' Siobhan schraapte haar keel. 'Nee, nog niet.'

'Denk je niet dat hij iets zou kunnen weten?'

'Ze zijn vriendschappelijk uit elkaar gegaan.'

'Ja, maar toch...'

Siobhan voelde dat ze een kleur kreeg. Ja, ze had het te druk gehad met iets anders; ze had zich geconcentreerd op Donny Cruikshank.

'Hij stond op mijn lijst,' was alles wat ze wist aan te voeren.

'Goed, zou je hem dan nu willen zien?' Young keek op zijn horloge. 'Ik heb een gesprek met hem zodra we hier klaar zijn.'

Siobhan knikte instemmend. Ze voelde blikken op haar gericht en wist dat er hier en daar nauwelijks verhuld gegrijnsd werd. In het collectieve denken van het team waren Young en zij al aan elkaar gekoppeld: de hoofdinspecteur met die indringer.

Kapitein Onderbroek had nu een handlanger.

'Zijn naam is Roy Brinkley,' vertelde Young haar. 'Ik weet alleen dat hij een maand of zeven, acht verkering met Ishbel heeft gehad en dat ze daar twee maanden geleden een eind aan hebben gemaakt.' Ze zaten alleen in de moordkamer; de anderen waren op pad om hun taken uit te voeren.

'Zie je hem als een mogelijke verdachte?'

'Er is een link waarover we hem moeten ondervragen. Cruikshank zit zijn straf uit voor de verkrachting van Tracy Jardine... Tracy maakt zich van kant en haar zus gaat ervandoor...' Young haalde zijn schouders op, met over elkaar geslagen armen.

'Maar hij was de vriend van Ishbel, niet van Tracy... Als iemand Cruikshank te grazen wilde nemen, zou dat eerder een van Tracy's vrienden zijn dan een vriend van Ishbel...' Siobhan zweeg abrupt en fixeerde haar blik op Young. 'Maar Roy Brinkley is niet de verdachte, hè? Jij vraagt je af wat hij weet over de verdwijning van Ishbel... Jij denkt dat zíj het heeft gedaan!'

'Ik kan me niet herinneren dat ik dat heb gezegd.'

'Maar je denkt het. Heb ik je daarnet niet horen zeggen dat de klappen door een man zijn toegebracht?'

'En dat zul je van me blijven horen.'

Siobhan knikte traag. 'Omdat je niet wilt dat zij het weet. Je bent bang dat ze dan nog onzichtbaarder wordt.' Siobhan zweeg even. 'Jij denkt dat ze in de buurt is, hè?'

'Daar heb ik geen bewijs van.'

'Heb je daar het hele weekend over zitten nadenken?'

'In feite kwam het vrijdagavond bij me op.' Hij liet zijn armen zakken en liep naar de deur, met Siobhan achter zich aan.

'Terwijl je zat te bridgen?'

Young knikte. 'Niet eerlijk tegenover mijn partner; we hebben nauwelijks een hand gewonnen.'

Ze verlieten nu de moordkamer en kwamen in de bibliotheek. Siobhan herinnerde hem eraan dat hij de deur niet had afgesloten.

'Niet nodig,' zei hij met een glimlachje.

'Ik dacht dat we met Roy Brinkley gingen praten.'

Young knikte alleen maar, liep langs de receptiebalie waar de eerste teruggebrachte boeken langs een scanner werden gehaald door een bibliothecaris. Siobhan deed nog een paar stappen voordat ze doorhad dat Young was blijven staan. Hij stond recht tegenover de bibliothecaris.

'Roy Brinkley?' vroeg hij.

De jonge man keek op. 'Dat ben ik.'

'Kunnen we je even spreken?' Young gebaarde naar de moord-kamer.

'Waarom? Wat is er aan de hand?'

'Niets om je zorgen over te maken, Roy. We hebben alleen wat achtergrondinformatie nodig...'

Terwijl Brinkley achter de balie vandaan stapte, ging Siobhan naast Les Young staan en gaf hem met haar vinger een por in zijn zij.

'Sorry,' verontschuldigde Young zich tegenover de bibliothecaris, 'we hebben geen andere plek waar we dit kunnen doen...'

Hij had een stoel bijgetrokken voor Brinkley. Op die plek zat hij recht tegenover de foto's die van de plaats delict waren genomen. Siobhan wist dat hij loog. Ze wist dat het verhoor juist vanwege die foto's hier plaatsvond. De verhoorde kon nog zo goed zijn best doen om de foto's te negeren, maar zijn blik werd er hoe dan ook naar-toe getrokken. De uitdrukking van ontzetting op zijn gezicht zou voor de meeste jury's als verdediging hebben volstaan.

Roy Brinkley was voor in de twintig. Hij had een spijkeroverhemd aan met openstaande hals. Zijn golvende bruine haardos hing tot op de kraag. Hij had smalle kettinkjes rond zijn polsen, maar geen hor-loge. Siobhan zou hem eerder aardig dan knap willen noemen. Hij zou voor een zeventien- of achttienjarige kunnen doorgaan. Ze kon begrijpen dat Ishbel hem aantrekkelijk zou vinden, maar ze vroeg zich af hoe hij zich had weten te redden tegenover haar luidruchti-ge wilde vriendinnen...

'Heb je hem gekend?' vroeg Young. Geen van beide rechercheurs was gaan zitten. Young leunde tegen een tafel, met zijn enkels over elkaar. Siobhan stond op enige afstand links van Brinkley, zodat hij haar vanuit zijn ooghoeken kon zien.

'Ik wist meer óver hem dan dat ik hem persoonlijk kende.'

'Hebben jullie samen op school gezeten?'

'Ja, maar in verschillende klassen. Hij was niet echt een pestkop... meer de clown van de klas. Ik had het gevoel dat hij nooit een ma-nier heeft gevonden om erbij te horen.'

Siobhan moest heel even denken aan Alf McAteer, die de hofnar van Alexis Cater speelde.

'Maar dit is een klein stadje, Roy,' bracht Young ertegen in. 'Je moet toch op zijn minst wel eens met hem hebben gesproken?'

'Als we elkaar tegenkwamen, zeiden we volgens mij niet veel meer dan hallo.'

'Misschien zat je altijd met je hoofd in een boek?'

'Ik hou van boeken...'

'Hoe ging dat dan met jou en Ishbel Jardine? Hoe is dat begonnen?'

'De eerste keer dat we elkaar ontmoetten, was in een club...'

'Kende je haar niet van school?'

Brinkley haalde zijn schouders op. 'Ze zat drie klassen lager dan ik.'

'Dus jullie ontmoetten elkaar in die club en je begon toen samen uit te gaan?'

'Niet direct... we hebben een paar keer met elkaar gedanst, maar ik heb ook met haar vriendinnen gedanst.'

'En wie waren haar vriendinnen, Roy?' vroeg Siobhan. Brinkley keek van Young naar Siobhan en weer terug.

'Ik dacht dat dit over Danny Cruikshank ging?'

Young maakte een neutraal gebaar. 'Achtergrondinformatie, Roy,' was het enige wat hij zei.

Brinkley wendde zich tot Siobhan. 'Het waren er twee: Janet en Susie.'

'Janet van Whitemire en Susie van de kapsalon?' verduidelijkte Siobhan. De jongeman knikte alleen maar. 'En welke club was dat?'

'Ergens in Falkirk... Volgens mij is die nu gesloten...' Hij fronste zijn voorhoofd om zich te concentreren.

'De Albatross?' vroeg Siobhan.

'Ja, dat is hem.' Brinkley knikte enthousiast.

'Ken jij die zaak?' vroeg Les Young aan Siobhan.

'Hij kwam ter sprake in verband met een recente zaak,' zei ze.

'O?'

'Straks,' zei ze waarschuwend met een knik in de richting van Brinkley, om Young duidelijk te maken dat dit er niet het moment voor was. Hij knikte instemmend.

'Ishbel had een sterke band met haar vriendinnen, toch?' vroeg Siobhan.

'Inderdaad.'

'Waarom zou ze er dan vandoor gaan zonder ook maar iets tegen hen te zeggen?'

Hij haalde zijn schouders op. 'Hebt u dat aan hen gevraagd?'

'Ik vraag het aan jou.'

'Ik heb daar geen antwoord op.'

'Goed, dan de volgende vraag: waarom hebben jullie het uitgemaakt?'

'Gewoon van elkaar vervreemd, denk ik.'

'Maar er moet toch een reden voor zijn geweest,' ging Les Young verder, terwijl hij een stap naar Brinkley zette. 'Ik bedoel, heeft zij jou gedumpt of was het andersom?'

'Het kwam van allebei de kanten.'

'Zijn jullie daarom bevriend gebleven?' vroeg Siobhan. 'Wat was jouw eerste gedachte toen je hoorde dat ze vertrokken was?'

Hij zat te draaien op zijn stoel, waardoor die kraakte. 'Haar vader en moeder zijn bij mij thuis geweest. Ze wilden weten of ik haar had gezien. Om eerlijk te zijn...'

'Ja?'

'Ik dacht dat het hún schuld was. Ze zijn de zelfmoord van Tracy nooit echt te boven gekomen. Ze hadden het altijd over haar en vertelden steeds verhalen over vroeger.'

'En Ishbel? Wou je zeggen dat zij er wél overheen was?'

'Daar leek het op.'

'En waarom verfde ze haar haar en liet ze het zo kappen dat ze meer op Tracy leek?'

'Luister, ik zeg niet dat het slechte mensen zijn...' Hij klemde zijn handen ineen.

'Wie? John en Alice?'

Hij knikte. 'Ik zeg het alleen maar omdat ik weet dat Ishbel het idee kreeg... het gevoel dat ze eigenlijk Tracy terug wilden hebben. Ik bedoel: Tracy in plaats van haar.'

'En probeerde ze daarom op Tracy te lijken?'

Hij knikte nogmaals. 'Ik bedoel, het is heel wat om dat op je te nemen, toch? Misschien is dat de reden waarom ze is weggegaan...' Hij boog triest zijn hoofd en zweeg. Siobhan keek Les Young aan, die deze woorden overdacht.

De stilte duurde bijna een volle minuut, tot die werd verbroken door Siobhan. 'Weet je waar Ishbel is, Roy?'

'Nee.'

'Heb jij Donny Cruikshank vermoord?'

'Ergens zou ik willen dat ik het had gedaan.'

'Wie heeft het volgens jou gedaan? Is de gedachte aan Ishbels vader nooit bij je opgekomen?'

Brinkley hief zijn hoofd op. 'Daar heb ik wel aan gedacht... ja. Maar niet langer dan een seconde.'

Ze knikte alsof ze met hem instemde.

Les Young had zelf nog een vraag. 'Heb je Cruikshank gezien na zijn vrijlating, Roy?'

'Ik heb hem gezien.'

'En met hem gepraat?'

Hij schudde zijn hoofd. 'Maar ik heb hem een paar keer met een kerel gezien.'

'Wat voor kerel?'

'Het zal wel een vriend van hem zijn geweest.'

'Maar je kende hem niet?'

'Nee.'

'Misschien niet van hier dus.'

'Zou kunnen... Ik ken niet iedereen in Banehall persoonlijk. Zoals u zelf al zei, ik zit te vaak met mijn hoofd in een boek.'

'Kun je die man beschrijven?'

'Je kent hem zodra je hem ziet,' zei Brinkley, en de helft van zijn mond vormde het begin van een glimlach.

'Hoezo?'

'Een tatoeage over zijn hele hals.' Hij raakte zijn eigen keel aan om de plek aan te duiden. 'Een spinnenweb...'

Omdat ze niet wilden worden afgeluisterd door Roy Brinkley, gingen ze in de auto van Siobhan zitten.

'Tatoeage van een spinnenweb,' merkte ze op.

'Niet de eerste keer dat ik dat hoor,' zei Les Young. 'Een van de klanten in de Bane had het erover. De barkeeper heeft toegegeven dat hij die knaap één keer had bediend. Hij mocht hem niet.'

'Geen naam?'

Young schudde zijn hoofd. 'Nog niet, maar die krijgen we wel.'

'Iemand die hij in de gevangenis heeft leren kennen?'

Young antwoordde niet. Hij had een vraag voor haar. 'Hoe zat dat nou met de Albatross?'

'Wou je zeggen dat jij die tent ook kent?'

'Vroeger, toen ik tiener was, had je als man in Livingston twee mogelijkheden voor je pleziertjes: Lothian Road of de Albatross.'

'Had het een slechte naam?'

'Een slechte geluidsinstallatie, waterig bier en een smerige dansvloer.'

'Maar mensen gingen er toch naartoe?'

'Een tijdlang was het de enige gelegenheid in de stad... op sommige avonden waren er meer vrouwen dan mannen; vrouwen die oud genoeg waren om beter te weten.'

'Dus het was een hoerenkast?'

Hij haalde zijn schouders op. 'Ik ben nooit in de gelegenheid geweest om daarachter te komen.'

'Je had het te druk met bridgen,' plaagde ze.

Hij negeerde dat. 'Maar het intrigeert me dat jij die tent kent.'

'Heb je in de krant over die skeletten gelezen?'

Hij lachte. 'Dat hoefde niet. Er werd op het bureau veel over gekletst. Het gebeurt niet vaak dat dokter Curt een blunder maakt.'

'Hij heeft geen blunder gemaakt.' Ze zweeg even. 'En als hij dat al heeft gedaan, dan hebben ze ook mij voor gek gezet.'

'Hoezo?'

'Ik heb die baby bedekt met mijn jasje.'

'Die plastic baby?'

'Half bedekt door aarde en cement...'

Hij stak zijn handen op ter overgave. 'Ik zie nog altijd het verband niet.'

'Dat is ook niet zo sterk,' gaf ze toe. 'De man die de pub runt waar die neplijken zijn gevonden, was de vroegere eigenaar van de Albatross.'

'Toeval?'

'Dat denk ik.'

'Maar je gaat nog eens met hem praten, voor het geval dat hij Ishbel kende?'

'Dat zou ik kunnen doen.'

Young zuchtte. 'Rest ons de getatoeëerde man, en niet veel meer.'

'Het is meer dan we een uur geleden hadden.'

'Dat zal wel.' Hij staarde over het parkeerterrein. 'Hoe komt het dat Banehall geen fatsoenlijk café heeft?'

'We kunnen afslaan op de M8 naar Harthill.'

'Waarom? Wat is er in Harthill?'

'Een tankstation met cafetaria.'

'Ik zei toch fatsoenlijk, of niet?'

'Het was maar een idee...' Ook Siobhan staarde voor zich uit over de parkeerplaats.

'Goed dan.' Young gaf ten slotte toe. 'Jij rijdt en ik betaal de drankjes.'

'Afgesproken,' zei ze en ze startte de motor.

23

Rebus was terug op George Square, voor de deur van de kamer van dr. Maybury. Hij hoorde stemmen, wat hem er niet van weerhield aan te kloppen.

'Binnen!'

Hij opende de deur en keek naar binnen. Er was een college aan de gang: acht slaperige gezichten rondom de tafel. Hij lachte naar Maybury. 'Mag ik u heel even spreken?'

Ze liet haar bril van haar neus glijden, die aan een koordje om haar hals hing. Zonder iets te zeggen stond ze op, en ze slaagde erin zich door de kleine ruimte tussen de stoelen en de tafel te persen. Ze sloot de deur achter zich en zuchtte luidruchtig.

'Het spijt me echt dat ik u weer lastigval,' begon Rebus zich te verontschuldigen.

'Nee, dat is het niet.' Ze kneep in de rug van haar neus.

'Een beetje moeilijke groep?'

'Ik zal wel nooit begrijpen waarom we zo vroeg op de maandag colleges moeten geven.' Ze rekte haar hals naar links en naar rechts. 'Sorry, dat is uw probleem niet. Is het gelukt om die vrouw uit Senegal op te sporen?'

'Daarom ben ik hier juist...'

'Ja?'

'Onze nieuwste theorie is dat ze misschien een van de studenten kent.' Rebus zweeg even. 'Sterker nog, ze zou een van de studenten kunnen zijn.'

'O?'

'Wat ik me afvroeg was... hoe kan ik dat met zekerheid vaststellen? Ik weet dat het niet uw terrein is, maar als u me zou kunnen vertellen hoe ik dat het beste kan aanpakken...'

Maybury dacht even na. 'De meeste kans hebt u bij het registratiekantoor.'

'En waar is dat?'

'Bij de Old College.'

'Tegenover Thin's boekhandel?'

Ze lachte. 'Het is zeker een tijdje geleden dat u een boek hebt gekocht, inspecteur? Thin's is failliet. De zaak is nu van Blackwell's.'

'Maar is dat waar de Old College is?'

Ze knikte. 'Sorry voor mijn schoolmeesterachtige opmerking.'

'Zouden ze met me willen praten, denkt u?'

'De enige mensen die ze daar ooit te zien krijgen, zijn studenten die hun inschrijvingskaart hebben verloren. U zult voor hen als een exotische nieuwe soort zijn. Steek Bristo Square over en neem de onderdoorgang. U kunt vanuit West College Street in de Old College komen.'

'Ik denk dat ik dat al wist, maar in ieder geval bedankt.'

'Weet u... Ik leuter maar wat om het onvermijdelijke uit te stellen.' Ze keek op haar horloge. 'Ik moet nog veertig minuten...'

Rebus luisterde met veel vertoon aan de deur. 'Zo te horen zijn ze toch al in slaap gevallen. Het zou zonde zijn om ze wakker te maken.'

'Taalkunde wacht op niemand, inspecteur,' zei Maybury, en ze rechtte haar rug. 'Op naar het strijdperk maar weer.' Ze haalde diep adem en opende de deur.

En ze verdween naar binnen.

Onder het lopen belde Rebus naar Whitemire en vroeg te worden doorverbonden met Traynor.

'Het spijt me, maar meneer Traynor is bezet.'

'Ben jij het, Janet?'

Er volgde een korte stilte. 'Inderdaad,' zei Janet Eylot.

'Janet, je spreekt met inspecteur Rebus. Luister, het spijt me dat mijn collega's je lastiggevallen hebben. Als ik ergens mee kan helpen, laat me dat dan weten.'

'Dank u, inspecteur.'

'En wat is er met je baas? Ga me niet vertellen dat hij met stress thuis zit.'

'Hij wil alleen vanmorgen niet gestoord worden.'

'Mooi, maar kun je hem voor mij te pakken proberen te krijgen? Zeg maar dat ik me niet laat afschepen.'

Ze nam de tijd om te antwoorden. 'Goed dan,' zei ze uiteindelijk.

Enkele ogenblikken later nam Traynor op. 'Luister, ik zit tot over mijn oren...'

'Zitten we dat niet allemaal?' vroeg Rebus. 'Ik wilde alleen maar weten of u die gegevens al voor me hebt laten opzoeken.'

'Welke gegevens?'

'Over Koerden en Franssprekende Afrikanen die op borgtocht zijn vrijgelaten uit Whitemire.'

Traynor zuchtte. 'Die zijn er niet.'

'Weet u dat zeker?'

'Heel zeker. Was dat alles wat u wilde?'

'Voorlopig wel,' antwoordde Rebus. Het gesprek was al verbroken voordat hij was uitgesproken. Hij staarde naar zijn mobieltje en besloot dat het niet de moeite waard was om zich te ergeren. Tenslotte had hij antwoord gekregen.

Hij wist alleen niet of hij het geloofde.

'Hoogst ongebruikelijk,' zei de vrouw van de registratie, niet voor de eerste keer. Ze had Rebus over het plein naar een paar andere kantoren in de Old College geleid. Rebus meende zich te herinneren dat dit eens de medische faculteit was geweest, een plek waar grafschenners hun waren naartoe brachten om die te verkopen aan weetgierige chirurgen. En was de seriemoordenaar William Burke hier niet in stukken gesneden na zijn ophanging? Hij maakte de fout om dit aan zijn gids te vragen. Ze keek hem aan over haar halvemaanbrilletje. Als ze hem exotisch vond, dan wist ze dat goed te verbergen.

'Daar weet ik niets van,' zei ze nadrukkelijk. Haar tred was energiek, met haar voeten dicht bij elkaar. Rebus vermoedde dat ze ongeveer van dezelfde leeftijd was als hij, maar het was moeilijk voor te stellen dat ze ooit jonger was geweest.

'Hoogst ongewoon,' zei ze nu, waarmee ze haar woordenschat uitbreidde.

'Iedere hulp die u kunt bieden wordt op prijs gesteld.' Het was de zin die hij had gebruikt tijdens hun eerste gesprek. Ze had aandachtig geluisterd en vervolgens gebeld naar iemand die hoger op de administratieve ladder stond. Er werd toestemming gegeven, maar met een waarschuwing: persoonlijke gegevens waren vertrouwelijk. Er moest een schriftelijk verzoek zijn, een gesprek en een goede reden voor het geven van welke informatie dan ook.

Rebus had met alles ingestemd en hij had eraan toegevoegd dat het irrelevant zou zijn als zou blijken dat er geen Senegalese studenten bij de universiteit waren ingeschreven.

Als gevolg waarvan mevrouw Scrimgour nu de database ging bekijken.

'U had in het kantoor kunnen wachten, weet u,' zei ze nu. Rebus knikte alleen maar, terwijl ze naar binnen gingen. Een jongere vrouw zat achter een computer te werken. 'Ik moet je even aflossen, Nan-cy,' zei mevrouw Scrimgour, waarbij ze erin slaagde haar woorden eerder te laten klinken als een bevel dan als een verzoek. Nancy strui-kelde bijna over de stoel in haar haast om te gehoorzamen. Mevrouw Scrimgour knikte naar de andere kant van het bureau, om Rebus duidelijk te maken dat hij daar moest gaan staan, waar hij het scherm niet kon zien. Hij gehoorzaamde tot op zekere hoogte en boog zich naar voren zodat zijn ellebogen op de rand van het bureau rustten en zijn ogen zich op dezelfde hoogte bevonden als die van mevrouw Scrimgour. Ze fronste haar wenkbrauwen hierover, maar Rebus glim-lachte alleen maar.

'Hebt u al iets?' vroeg hij.

Ze bediende de toetsen. 'Afrika is verdeeld in vijf zones,' deelde ze hem mee.

'Senegal ligt in het noordwesten.'

Ze keek hem met een scherpe blik aan. 'Noord of west?'

'Het een of het ander,' zei hij schouderophalend. Ze snoof even en bleef typen, en ten slotte stopte ze met haar hand op de muis.

'Goed,' zei ze, 'we hebben één student uit Senegal... dat is het dan.'

'Maar ik kan niet haar naam en adres krijgen?'

'Niet zonder de procedures die we hebben besproken.'

'Wat alleen maar nog meer tijd kost.'

'De juiste procedures,' zei ze met nadruk, 'zoals vastgesteld bij wet, als ik u daaraan mag herinneren.'

Rebus knikte langzaam. Hij keek haar aan. Zijn gezicht was een paar centimeter dichter bij het hare gekomen. Ze schoof naar ach-teren op haar stoel.

'Dus,' zei ze, 'ik denk dat we vandaag verder niets kunnen doen.'

'En het is niet waarschijnlijk dat u per ongeluk de informatie op het scherm laat staan als u weggaat?'

'Ik denk dat we daar beiden het antwoord op weten, inspecteur.' Terwijl ze dit zei, klikte ze twee keer met de muis. Rebus wist dat de informatie was verdwenen, maar dat was niet erg. Hij had pre-cies genoeg gezien in de weerspiegeling van haar brillenglazen. Een foto van een glimlachende jonge vrouw met donker krulhaar. Hij wist bijna zeker dat haar naam Kawake was, met een adres in de studentenflats aan Dalkeith Road.

'U hebt me geweldig geholpen,' zei hij tegen mevrouw Scrimgour.

Ze probeerde niet al te teleurgesteld te kijken bij deze mededeling.

Pollock Halls was gesitueerd aan de voet van Arthur's Seat, aan de rand van Holyrood Park. Een zich in alle richtingen verbreidend labyrint-achtig complex, dat oude architectuur met nieuwe combineerde; trapgevels en torentjes met vierkante moderniteit. Rebus stopte voor het wachthuisje en stapte uit om de geüniformeerde bewaker te begroeten.

'Hallo, John,' zei de man.

'Je ziet er goed uit, Andy,' zei Rebus, en hij schudde de uitgestoken hand.

Andy Edmunds was vanaf zijn achttiende politieagent geweest, wat betekende dat hij met volledig pensioen kon toen hij nog geen vijftig was. De baan als bewaker was parttime, een manier om een paar uur van de dag op te vullen. De twee mannen waren elkaar in het verleden van nut geweest. Andy had Rebus ooit informatie verschaft over dealers die aan de studenten op Pollock probeerden te verkopen. Andy had daardoor het gevoel dat hij nog steeds bij de politie hoorde.

'Wat voert je hierheen?' vroeg hij nu.

'Ik kom met een verzoek. Ik heb een naam – die kan zowel haar voornaam als haar achternaam zijn – en ik weet dat dit haar meest recente adres is.'

'Wat heeft ze gedaan?'

Rebus keek om zich heen als om de belangrijkheid van wat hij ging zeggen te onderstrepen. Edmunds hapte toe en deed een stap dichterbij.

'Die moord in Knoxland,' fluisterde Rebus. 'Er kan een verband bestaan.' Hij legde zijn vinger op zijn mond.

Edmunds knikte begrijpend. 'Wat je tegen mij zegt, blijft onder ons, John, dat weet je.'

'Dat weet ik, Andy. Dus... is er een kans dat wij haar kunnen opsporen?'

Dat 'wij' leek Edmunds op te laden. Hij liep zijn glazen hokje in, pleegde een telefoontje en keerde daarna weer terug naar Rebus. 'We gaan met Maureen praten,' zei hij. Hij knipoogde. 'Ik heb iets met haar, maar ze is getrouwd...' Het was zijn beurt om een vinger op zijn mond te leggen.

Rebus knikte alleen maar. Hij had Edmunds iets in vertrouwen verteld, dus daar moest iets vertrouwelijks tegenover worden gesteld. Gezamenlijk liepen ze de ongeveer tien meter naar het hoofdgebouw van de administratie. Dit was het oudste pand van het complex, gebouwd in de Schotse statige stijl. Het interieur werd gedomineerd door een grote houten trap, en de muren waren bekleed met donker gevlekt hout. Het kantoor van Maureen lag op de begane grond en had een sierlijke open haard van groen marmer en een gelambriseerd plafond. Ze was heel anders dan Rebus verwacht had: klein en mollig, bijna muisgrijs. Het was moeilijk je voor te stellen dat ze een buitenechtelijke verhouding had met een man in uniform. Edmunds keek Rebus aan, alsof hij iets van een beoordeling verwachtte. Rebus trok een wenkbrauw op en gaf een knikje, en dat leek de voormalig politieman tevreden te stellen.

Nadat Rebus haar de hand had geschud, spelde hij de naam voor haar. 'Het kan zijn dat ik de letters iets door elkaar haal,' waarschuwde hij.

'Kawame Mana,' vertelde Maureen hem. 'Hier heb ik haar.' Haar scherm liet dezelfde informatie als die van mevrouw Scrimgour zien. 'Ze heeft een kamer in de Fergusson Hall... studeert psychologie.'

Rebus had zijn notitieboekje opengeslagen. 'Wat is haar geboortedatum?'

Maureen tikte op het scherm en Rebus noteerde wat daarop te zien was. Kawame was tweedejaars, twintig jaar oud.

'Ze noemt zichzelf Kate,' vulde Maureen aan. 'Kamer twee-tien.'

Rebus wendde zich tot Andy Edmunds, die al knikte. 'Ik wijs je de weg,' zei hij.

Het was stiller in de smalle crèmekleurige gang dan Rebus had verwacht.

'Zet hier niemand zijn stereo met hiphop op volle kracht?' vroeg hij verbaasd.

Edmunds lachte. 'Ze hebben tegenwoordig allemaal koptelefoons, John, dat sluit ze helemaal van de buitenwereld af.'

'Dus als we aankloppen hoort ze ons niet?'

'Daar kun je nu achter komen.' Ze bleven staan voor de deur met het nummer 210. Er waren stickers met bloemen en lachende gezichten op geplakt, plus de naam Kate in kleine zilveren sterretjes. Rebus balde zijn vuist en bonkte driemaal hard op de deur.

Meteen ging de deur aan de overkant van de gang open op een kier. Iemand gluurde naar hen: een jongen, zagen ze. De deur werd snel gesloten.

Edmunds snoof nadrukkelijk de lucht op.

'Honderd procent plantaardig,' zei hij.

Rebus trok een mondhoek op.

Toen er ook na de tweede poging niet gereageerd werd, schopte hij tegen de andere deur waardoor deze rammelde in zijn sponningen. Tegen de tijd dat de deur openging, had hij zijn legitimatie al in zijn hand. Hij deed een greep en plukte de kleine koptelefoon van het hoofd. De student was een jaar of achttien, negentien, gekleed in een ruimzittende groene gevechtsbroek en een gekrompen grijs T-shirt. De wind kwam binnen door een zojuist geopend raam.

'Is er iets?' vroeg de jongen met een lijzige stem.

'Jij, zo te zien.' Rebus liep naar het raam en keek naar beneden. Een sliertje rook kwam uit de struiken recht onder hem. 'Ik hoop dat er niet te veel van over is.'

'Te veel van wat?' Hij klonk beschaafd, vermoedelijk afkomstig uit de dure omgeving van Londen.

'Hoe je het maar noemen wilt: wiet, shit, blow, marihuana...' Rebus glimlachte. 'Maar het laatste wat ik wil, is naar beneden gaan om die peuk op te halen, het speeksel op het vloeitje onderzoeken op DNA en weer helemaal hiernaartoe terugkomen om jou te arresteren.'

'Wist u het dan nog niet? Wiet is gelegaliseerd.'

Rebus schudde zijn hoofd. 'Gedoogd, dat is iets anders. Maar een telefoongesprek met je ouders is nog steeds toegestaan, dat is een van die wetten waar ze wat aan moeten doen.' Hij keek de kamer rond. Een eenpersoonsbed, met een verfomfaaid dekbed ernaast op de vloer, planken vol boeken en een laptop op een bureau. Posters met aankondigingen van toneelstukken.

'Hou je van toneel?' vroeg Rebus.

'Ik heb wel eens geacteerd, in studentenproducties.'

Rebus knikte. 'Ken je Kate?'

'Ja.' De student zette het apparaat af waarop de koptelefoon was aangesloten. Rebus dacht dat Siobhan wel zou weten wat het was. Het enige wat hij ervan kon zeggen, was dat het te klein was om cd's op te spelen.

'Weet je waar we haar kunnen vinden?'

'Wat heeft ze gedaan?'

'Ze heeft niets gedaan; we willen haar alleen spreken.'

'Ze is hier niet vaak... misschien in de bibliotheek.'

'John...' Dit kwam van Edmunds, die de deur openhield om in de gang te kunnen kijken. Een jonge vrouw met een donkere huidskleur, met haar dichte bos krulhaar strak naar achteren in een band, opende de deur aan de overkant van de gang en keek daarbij over haar schouder, nieuwsgierig naar wat er in de kamer van haar overbuurman gebeurde.

'Kate?' vroeg Rebus.

'Ja. Wat is er?' Haar accent gaf elk woord dezelfde nadruk.

'Ik ben van de politie, Kate.' Rebus was de gang in gestapt. Edmunds sloot de deur van de kamer van de student en liet hem alleen. 'Kunnen we je even spreken?'

310

'Mijn god, gaat het over mijn familie?' Haar toch al grote ogen verwijdden zich. 'Is er iets met hen gebeurd?' De schoudertas gleed van haar schouder op de vloer.

'Het heeft niets met je familie te maken,' verzekerde Rebus haar snel.

'Wat dan? Ik begrijp het niet.'

Rebus stak zijn hand in zijn zak en haalde het cassettebandje tevoorschijn. 'Heb je een cassettedeck?' vroeg hij.

Toen het bandje afgespeeld was, keek ze hem aan.

'Waarom hebt u me hiernaar laten luisteren?' vroeg ze met trillende stem.

Rebus stond tegen de klerenkast geleund, met zijn handen op zijn rug. Hij had Andy Edmunds gevraagd buiten te wachten, waar de veiligheidsman niet blij mee was. Op de eerste plaats wilde Rebus niet dat hij dit hoorde. Tenslotte was dit een politieonderzoek en Edmunds was geen agent meer, hoe hij daar zelf ook over mocht denken. Maar op de tweede plaats – en dat was het argument dat Rebus tegen Edmunds zou aanvoeren – was er gewoon geen ruimte voor hen drieën. Rebus wilde de zaak niet nog ongemakkelijker maken voor Kate. Het cassettedeck stond op haar bureau. Rebus boog zich ernaartoe, drukte op 'stop' en daarna op 'rewind'.

'Wil je het nog een keer horen?'

'Ik begrijp niet wat u van me wilt.'

'Wij denken dat zij uit Senegal komt, de vrouw op het bandje.'

'Uit Senegal?' Kate tuitte haar lippen. 'Dat zou kunnen... Wie heeft u dat verteld?'

'Iemand van de afdeling Taalkunde.' Rebus nam het bandje uit het apparaat. 'Zijn er veel Senegalezen in Edinburgh?'

'Ik ken er geen.' Kate staarde naar de cassette. 'Wat heeft die vrouw gedaan?'

Rebus deed alsof hij geïnteresseerd was in haar verzameling cd's. Er stond een vol rek en er lagen ook nog wankele stapels op de vensterbank. 'Je houdt blijkbaar nogal van muziek, Kate.'

'Ik dans graag.'

Rebus knikte. 'Dat zie ik.' Maar wat hij in feite zag, waren de namen van bands en muzikanten die hem totaal onbekend waren. Hij ging rechtop staan. 'Ken je niemand anders uit Senegal?'

'Ik weet dat er een paar in Glasgow zijn... Wat heeft zij gedaan?'

'Precies wat je op dat bandje hebt gehoord, de alarmcentrale gebeld. Iemand die zij kende was vermoord en nu moeten we met haar praten.'

'Omdat u denkt dat zij het heeft gedaan?'

'Jij bent hier de psycholoog, wat denk jíj?'

'Als zij hem heeft vermoord, waarom zou ze dan de politie bellen?'

Rebus knikte. 'Zo denken wij er ook min of meer over. Maar toch kan ze over informatie beschikken.' Rebus had alles aandachtig bekeken, van Kates verzameling sieraden tot en met de nieuw ruikende leren schoudertas. Hij keek om zich heen of hij foto's zag van de ouders die naar hij aannam voor dit alles betaalden. 'Woont je familie in Senegal, Kate?'

'Ja, in Dakar.'

'Dat is toch waar de rally eindigt?'

'Dat klopt.'

'En je familie... heb je daar nog contact mee?'

'Nee.'

'O? Dus je voorziet in je eigen onderhoud?'

Boos keek ze hem aan.

'Sorry... nieuwsgierigheid hoort bij dit vak. Wat vind je van Schotland?'

'Het is een stuk killer dan Senegal.'

'Dat kan ik me voorstellen.'

'Ik heb het niet alleen over het klimaat.'

Rebus knikte begrijpend. 'Dus je kunt mij niet helpen, Kate?'

'Het spijt me werkelijk.'

'Jij kunt er niets aan doen.' Hij legde een visitekaartje op het bureau. 'Maar als er plotseling een vrouw uit Senegal je pad mocht kruisen...'

'Dan zal ik het u zeker laten weten.' Ze was opgestaan van het bed. Blijkbaar zag ze hem graag vertrekken.

'Goed, nogmaals bedankt.' Rebus stak haar zijn hand toe. Toen ze die aannam, voelde haar hand koud en klam aan. En toen de deur achter hem gesloten werd, moest Rebus denken aan de blik in haar ogen – een blik vol opluchting.

Hij vond Edmunds gezeten op de bovenste tree van de trap, met zijn armen om zijn knieën geslagen. Rebus verontschuldigde zich en gaf zijn uitleg. De man zei niets tot ze weer buiten waren en in de richting van het hek en Rebus' auto liepen. Toen wendde hij zich tot Rebus. 'Klopt dat, van die DNA van vloeitjes?'

'Hoe zou ik dat moeten weten, Andy? Maar het bracht vrees voor Gods toorn in die kleine schooier, en daar gaat het maar om.'

De porno was naar het hoofdbureau in Livingston gebracht. Bij het gezelschap dat de video's bekeek, waren ook drie vrouwelijke agenten. Siobhan zag dat de aanwezige mannen, een stuk of tien, zich daar niet zo gemakkelijk bij voelden. De enige beschikbare tv had een achttien-inch scherm, wat betekende dat ze er met zijn allen dichtbij moesten zitten. De mannen hielden hun lippen stijf op elkaar of kauwden op hun pennen, en ze beperkten de grappen tot het minimum. Les Young liep het grootste deel van de tijd achter hen heen en weer en tuurde daarbij neer op zijn schoenen alsof hij zich van de hele onderneming wilde distantiëren.

Sommige van de films waren commercieel gemaakt, in Amerika en op het vasteland van Europa. Een ervan was Duits, een andere Japans, met meisjes in schooluniform, die er niet ouder dan een jaar of vijftien uitzagen.

'Kinderporno,' was het commentaar van een van de agenten. Hij vroeg af en toe de film stop te zetten en gebruikte dan een digitale camera om een foto van een gezicht te nemen.

Een van de dvd's was van slechte kwaliteit: slecht gefilmd en gemonteerd. Er was een woonkamer op te zien. Een stel op de groenlederen bank en een ander op een hoogpolig tapijt. Een andere vrouw, met een donkerder huidskleur, zat topless gehurkt bij de elektrische kachel en leek te masturberen terwijl ze toekeek. De camera ging rond. Op een gegeven moment kwam de hand van de cameraman in beeld omdat hij de borst van een van de vrouwen betastte. Tot dan toe had het geluid uit wat gemompel, gegrom en gekreun bestaan, maar nu klonk er een vraag.

'Ga je lekker, kerel?'

'Dat accent komt van hier uit de buurt,' merkte een van de agenten op.

'Een digitale camera en wat computersoftware is alles wat er nodig is,' vulde een ander aan. 'Iedereen kan tegenwoordig zijn eigen pornofilm maken.'

'Gelukkig wil niet iedereen dat,' merkte een van de vrouwelijke agenten op.

'Wacht even.' Siobhan kwam tussenbeide. 'Ga een stukje terug, wil je?'

De agent met de afstandsbediening gehoorzaamde, zette het beeld stil en ging stap voor stap terug.

'Op zoek naar nieuwe standjes, Siobhan?' vroeg een van de mannen, wat enig onderdrukt gelach tot gevolg had.

'Zo kan-ie wel weer,' zei Les Young op bestraffende toon.

Een agent die dicht bij Siobhan zat boog zich naar zijn buurman. 'Dat is precies wat die vrouw op het tapijt net zei,' fluisterde hij.

Dit veroorzaakte weer geproest, maar Siobhan bleef met haar aandacht bij het tv-scherm. 'Stop daar,' zei ze. 'Wat is dat op de hand van de cameraman?'

'Een moedervlek?' opperde iemand, en ze bogen zich naar het scherm toe om het beter te kunnen zien.

'Een tatoeage,' zei een van de vrouwen. Siobhan knikte instemmend. Ze liet zich van haar stoel glijden om nog dichter bij het scherm te kunnen zijn. 'Als ik het goed zie, is het een spin.' Ze keek Les Young aan.

'Een tatoeage van een spin,' zei hij zacht.

'Met misschien het web in zijn hals?'

'Wat betekent dat de vriend van het slachtoffer pornofilms maakt.'

'We moeten weten wie hij is.'

Les Young keek de kamer rond. 'Wie is belast met het onderzoek naar de namen van bekenden van Cruikshank?'

Het team keek schouderophalend rond, tot een van de vrouwen haar keel schraapte en met een antwoord kwam.

'Rechercheur Maxton, inspecteur.'

'En waar is hij?'

'Volgens mij heeft hij gezegd dat hij weer naar Barlinnie ging.' Hij was dus op zoek naar medegevangenen met wie Cruikshank was omgegaan.

'Bel hem en vertel hem over die tatoeages,' beval Young. De agent liep naar een telefoon. Siobhan was bij de tv weggelopen en stond bij het raam waarvoor het gordijn was dichtgetrokken. Ze belde met haar mobieltje.

'Mag ik Roy Brinkley?' Ze keek naar Young, die knikte omdat hij begreep wat ze aan het doen was. 'Roy? Met brigadier Clarke... Luister, die vriend van Donny Cruikshank, die met dat spinnenweb... Heb je ergens anders bij hem nog tatoeages gezien?' Ze luisterde en grijnsde toen. 'Op de rug van zijn hand? Oké, bedankt. Ik laat je weer over aan je boeken.'

Ze beëindigde het gesprek. 'Tatoeage van een spin op de rug van zijn hand.'

'Goed werk, Siobhan.'

Hierop volgden wat rancuneuze blikken. Siobhan negeerde die. 'Dat brengt ons nog niet veel verder zolang we niet weten wie hij is.'

Young leek daarmee in te stemmen. De agent met de afstandsbediening liet de film verder lopen.

'Misschien hebben we geluk,' zei hij. 'Als die kerel zo graag meedoet als het lijkt, dan geeft hij de camera misschien nog aan iemand anders.'

Ze gingen weer zitten kijken. Er zat Siobhan iets dwars, maar ze wist niet precies wat. De camera ging van de bank naar de gehurkte vrouw, die ondertussen was opgestaan. Er klonk muziek op de achtergrond. Het was geen soundtrack, maar muziek die in de huiskamer werd gedraaid terwijl de film werd opgenomen. De vrouw danste op die muziek en leek erin op te gaan, zonder te letten op wat er verder om haar heen gebeurde.

'Ik heb haar eerder gezien,' zei Siobhan zacht. Vanuit haar ooghoeken zag ze dat iemand van het team ongelovig met zijn ogen rolde.

Daar had je haar weer: de handlanger van Kapitein Onderbroek, die hen allemaal te kakken zette.

Bekijk het, wilde ze tegen hen zeggen. Maar in plaats daarvan wendde ze zich tot Young, die keek alsof hij het zelf ook niet echt geloofde. 'Ik geloof dat ik haar een keer heb zien dansen.'

'Waar?'

Siobhan keek naar het team en vervolgens weer naar Young. 'In een tent die de Nook heet.'

'Die seksbar?' vroeg een van de mannen, wat hem gelach en opgeheven vingers opleverde. 'Ik was er met een vrijgezellenfeestje,' probeerde hij uit te leggen.

'En kwam je door de auditie?' vroeg een van de anderen aan Siobhan, wat tot nog meer gelach leidde.

'Jullie gedragen je als een stelletje schoolkinderen,' snauwde Young. 'Word volwassen of rot op.' Hij gebaarde met een duim naar de deur. Vervolgens, tegen Siobhan: 'Wanneer was dat?'

'Een paar dagen geleden. In verband met Ishbel Jardine.' Ze had nu de volledige aandacht van de kamer. 'We hadden een tip gekregen dat ze daar misschien zou werken.'

'En?'

Siobhan schudde haar hoofd. 'Geen spoortje van haar gezien. Maar...' wijzend op de tv, 'ik weet haast zeker dat zíj daar was, en ze voerde ongeveer dezelfde dans uit als nu.' Op het scherm benaderde een van de mannen de danseres, naakt, op zijn sokken na. Hij drukte met zijn handen op haar schouders in een poging haar op haar knieën te duwen, maar ze wrong zich los en bleef dansen, met haar ogen gesloten. De man keek naar de camera en haalde zijn schouders op. Toen werd de camera opeens naar beneden gerukt en werd het beeld wazig. Toen de camera weer omhoog kwam, was er iemand anders in beeld.

Met kaalgeschoren hoofd en littekens in zijn gezicht, die op de film opvallender waren dan in werkelijkheid.

Donny Cruikshank.

Hij was aangekleed, grijnsde breed en had een blikje bier in zijn hand.

'Geef mij die camera eens,' zei hij, zijn vrije hand uitstekend.

'Weet je hoe je hem moet gebruiken?'

'Kom nou, Mark. Als jij het kan, dan kan ik het ook.'

'Bedankt, Donny,' zei een van de rechercheurs en hij schreef de naam 'Mark' in zijn notitieboekje.

Het gesprek ging verder en uiteindelijk ging de camera in andere handen over. En meteen zwaaide Donny Cruikshank de camera omhoog en filmde zijn vriend. Die stak zijn hand voor zijn gezicht om niet herkenbaar gefilmd te worden maar was te laat.

De agent met de afstandsbediening spoelde beeldje voor beeldje terug en zette de film stil. Zijn collega met de digitale camera kwam in actie.

Op het scherm: een groot, kaalgeschoren hoofd, de schedel glimmend van het zweet. Knopjes in beide oren en door de neus, een ringetje in een van de dikke zwarte wenkbrauwen. In de protesterende mond ontbrak een tand.

En de tatoeage van het spinnenweb natuurlijk, die de hele hals bedekte...

24

Vanaf Pollock Halls was het een klein eindje rijden naar Gayfield Square. Er was slechts één andere persoon in de recherchekamer, en dat was Phyllida Hawes, wier gezicht rood aanliep op het moment dat Rebus binnenkwam.

'En, heb je de laatste tijd nog goeie collega's aangegeven, rechercheur Hawes?'

'Moet je horen, John...'

Rebus lachte. 'Zit er niet over in, Phyl. Je deed wat volgens jou het juiste was.' Rebus leunde tegen de rand van haar bureau. 'Toen Storey mij op kwam zoeken, zei hij dat hij dacht dat ik te vertrouwen was omdat hij mijn reputatie kende. Volgens mij moet ik jou daarvoor bedanken.'

'Ja, maar toch had ik je moeten inlichten.' Ze klonk zo opgelucht, dat Rebus besefte dat ze erg had opgezien tegen deze confrontatie.

'Ik neem het je niet kwalijk,' zei hij, terwijl hij naar de waterkoker liep en vriendelijk vroeg: 'Kan ik voor jou ook een kop koffie maken?'

'Graag... dank je.'

Rebus schepte koffie in de enige twee schone mokken die er nog waren. 'En,' vroeg hij terloops, 'wie heeft jou met Storey in contact gebracht?'

'Dat gebeurde via de telefoon, van hoofdbureau Fettes naar hoofdinspecteur Macrae.'

'En Macrae besloot dat jij de vrouw voor die klus was?' Rebus knikte, alsof hij het eens was met die keus.

'Ik mocht het tegen niemand zeggen,' voegde Hawes aan haar woorden toe.

Rebus zwaaide met het theelepeltje naar haar. 'Ik weet het niet meer... Wil jij melk en suiker?'

Ze glimlachte met tegenzin. 'Het klopt niet dat je het vergeten bent.'

'Hoezo?'

'Dit is de eerste keer dat je me koffie aanbiedt.'

Rebus trok een wenkbrauw op. 'Je hebt gelijk. Er is een eerste keer voor alles, toch?'

Ze was van haar stoel opgestaan en kwam hem tegemoet. 'Alleen melk, trouwens.'

'Waarvan akte.' Rebus rook aan de inhoud van een halfliterpak. 'Ik zou er ook wel een voor Colin willen maken, maar ik neem aan dat hij op Waverley zit, op de uitkijk naar reizende insluipers.'

'Nou, toevallig is hij opgeroepen.' Hawes knikte naar het raam.

Toen Rebus naar de parkeerplaats keek, stapten er agenten in de beschikbare patrouillewagens, vier of vijf in elk van de voertuigen. 'Wat is er aan de hand?' vroeg hij.

'Er is versterking nodig in Cramond.'

'Cramond?' Rebus' ogen gingen wijder open. Die wijk lag ingeklemd tussen een golfcourse en de rivier de Almond en was een van de rustigere buurten, met een aantal van de duurste woningen. 'Komen de boeren in opstand?'

Hawes was naast hem bij het raam komen staan. 'Het heeft iets met illegale immigranten te maken,' vertelde ze.

Ongelovig staarde Rebus haar aan. 'Wat precies?'

Ze haalde haar schouders op.

Rebus pakte haar bij de arm en leidde haar terug naar haar bureau, pakte de telefoon en stopte die in haar hand. 'Bel je vriend Felix,' zei hij, en het klonk als een bevel.

'Waarom?'

Rebus schudde zijn hoofd alleen maar en keek ongeduldig toe terwijl ze de nummers indrukte. 'Zijn mobieltje?' vroeg hij.

Ze knikte en hij nam de hoorn van haar over. Nadat de telefoon zeven keer was overgegaan, werd er eindelijk opgenomen.

'Ja?' De stem klonk ongeduldig.

'Felix?' zei Rebus, met zijn blik op Phyllida Hawes gericht. 'Met Rebus.'

'Ik heb het nogal druk op dit moment.' Hij klonk alsof hij in een auto zat die met hoge snelheid reed.

'Ik vroeg me af hoever je met mijn onderzoek bent?'

'Jouw onderzoek?'

'Een in Schotland wonende Senegalese. Je gaat me toch niet vertellen dat je dat vergeten bent?' vroeg hij zogenaamd te klinken.

'Ik had andere dingen aan mijn hoofd, John. Ik doe het zodra ik tijd heb.'

'Waar ben je dan zo druk mee bezig? Ben je op weg naar Cramond, Felix?'

Het bleef even stil. Rebus grijnsde.

'Oké,' zei Storey langzaam. 'Voor zover ik weet heb ik jou dit nummer nooit gegeven... en dat betekent dat je het van rechercheur Hawes hebt gekregen, wat weer betekent dat je vanuit Gayfield Square belt...'

'En de cavalerie zie uitrukken terwijl wij met elkaar praten. Wat is er aan de hand in Cramond, Felix?'

Weer was het stil, en toen kwamen de woorden waarop Rebus had gewacht. 'Misschien kun je maar beter meegaan, dan kom je er wel achter...'

Het parkeerterrein was niet in Cramond zelf, maar wat verder, aan de kust. Strandgangers parkeerden daar en gingen via een kronkelpad tussen gras en netels door naar de zee. Het was een kale, winderige plek, en waarschijnlijk was het er nooit eerder zo druk geweest als nu. Er stonden twaalf patrouillewagens en vier overvalwagens, plus een paar sedans die de douane en de immigratiedienst veelvuldig gebruikte. Felix Storey stond te gebaren terwijl hij orders gaf aan de troepen.

'Het is maar een meter of vijftig naar de kust, maar wees op je hoede. Zodra ze ons zien, slaan ze op de vlucht. Het mooie is dat ze nergens naartoe kunnen vluchten, tenzij ze van plan zijn naar Fife te zwemmen.' Hier werd om gelachen, maar Storey stak een hand op. 'Ik meen het serieus. Het is al eerder gebeurd. Daarom is de kustwacht stand-by.' Een walkietalkie kwam krakend tot leven. Hij hield hem aan zijn oor. 'Zeg het maar.' Hij luisterde naar wat Rebus een golf ruis leek. 'Over en sluiten.' Hij liet het apparaat weer zakken. 'De twee flankerende ploegen zijn in positie. Ze gaan er over ongeveer dertig seconden op af, dus laten wij ook gaan.'

Hij zette zich in beweging en liep langs Rebus, die zojuist zijn pogingen om een sigaret op te steken had gestaakt.

'Weer een tip?' vroeg Rebus.

'Dezelfde bron.' Storey liep door, met zijn mannen – onder wie rechercheur Colin Tibbet – achter zich aan. Rebus liep mee.

'Wat gebeurt er? Worden er illegalen aan land gebracht?'

Storey keek hem aan. 'Nee, er worden kokkels gestoken.'

'Zeg dat nog eens?'

'Kokkels zoeken. De bendes die daarachter zitten gebruiken immigranten en asielzoekers, die ze een schijntje betalen. Die twee terreinwagens daar...' Rebus keek achter zich en zag de wagens die hij bedoelde op het parkeerterrein staan. Eerder had hij ze niet gezien, omdat er politiewagens voor stonden. Aan beide auto's waren aanhangers gekoppeld. Twee geüniformeerde agenten hielden er de wacht bij. 'Zo vervoeren ze ze. Ze verkopen de kokkels aan restaurants; een deel ervan gaat waarschijnlijk naar overzee...' Op dat moment passeerden ze een bord met de waarschuwing dat op het strand gevonden schaaldieren mogelijk waren bedorven en niet geschikt waren voor menselijke consumptie. Storey keek Rebus nogmaals veelbetekenend aan. 'De restaurants weten niet wat ze kopen.'

'Ik zal nooit meer op dezelfde manier naar paella kijken.' Rebus wilde een vraag stellen over de aanhangwagens, maar hij hoorde nu het hoge jankgeluid van kleine motoren, en toen ze de top van het duin bereikten, zag hij twee *quad bikes*, beladen met uitpuilende zakken. Verspreid over het strand stonden over schoppen gebogen figuren, weerspiegeld in de glinstering van het natte zand.

'Nu!' riep Storey, en hij begon te rennen. De anderen volgden zo goed ze konden de helling af, door het mulle zand. Rebus bleef staan om toe te kijken. Hij zag de kokkelgravers opkijken, en hij zag zakken en schoppen vallen. Sommigen bleven staan waar ze stonden, anderen zetten het op een lopen. Van beide kanten naderde politie in uniform. Doordat de manschappen van Storey vanaf de duinen naar hen toe kwamen, was de enige mogelijkheid om te ontsnappen door de Firth of Forth. Een stuk of twee gravers liepen verder het water in, maar ze leken bij zinnen te komen toen de koude hun benen en voeten begon te verdoven. Een aantal agenten schreeuwde en juichte; andere verloren hun evenwicht en kwamen op handen en voeten terecht in het natte zand.

Rebus had eindelijk voldoende beschutting gevonden om zijn aansteker aan de praat te krijgen. Hij inhaleerde diep en hield de rook binnen terwijl hij van het spektakel genoot. De quad bikes cirkelden rond, de twee berijders schreeuwden naar elkaar. Een van hen nam het initiatief en reed de helling op, misschien vanuit de gedachte dat hij als hij de parkeerplaats kon bereiken zou kunnen ontsnappen. Maar hij ging te snel voor de lading die nog achter op de quad was gebonden. De voorwielen van de machine vlogen omhoog, de quad sloeg over de kop en de man viel op de grond, waar vier agenten zich op hem stortten. De andere man zag geen reden om hem na te doen. In plaats daarvan stak hij zijn handen omhoog, terwijl de motor van de quad stationair bleef draaien tot hij werd afgezet door een ambtenaar in burger van de immigratiedienst. Het deed Rebus ergens aan denken... ja, dat was het: het einde van de Beatlesfilm *Help*. Al wat ze nu nog nodig hadden, was Eleanor Bron.

Toen hij naar het strand liep, zag hij dat sommigen van de werkers jonge vrouwen waren. Een paar van hen snikten. Het leken allemaal Chinezen, ook de twee mannen op de quads. Een van Storeys mannen bleek hun taal te spreken: hij had zijn handen aan zijn mond gezet en ratelde instructies af. Niets wat hij zei, leek de vrouwen tot bedaren te brengen; ze begonnen des te harder te jammeren.

'Wat zeggen ze?' vroeg Rebus hem.

'Ze willen niet naar hun land teruggestuurd worden.'

Rebus keek om zich heen. 'Het kan toch niet veel erger zijn dan dit?'

De mondhoek van de agent vertrok. 'Zakken van veertig kilo... Ze krijgen misschien drie pond per zak betaald, en het ziet er niet naar uit dat ze naar de arbeidsinspectie kunnen gaan, hè?'

'Dat zal wel niet.'

'Het is gewoon slavernij... mensen die je kunt kopen en verkopen. In het noordoosten is het vis schoonmaken. Ergens anders is het fruit en groenten plukken. De ploegbazen hebben het voor het kiezen: aanbod genoeg.' Hij riep nog meer naar de werkers, van wie de meesten een uitgeputte indruk maakten en blij leken met een excuus om hun gereedschap neer te leggen.

De twee groepen agenten die vanuit de flanken waren genaderd, waren er nu ook. Ze hadden een paar weglopers opgepakt.

'Eén telefoongesprek!' piepte een van de quadberijders. 'We hebben recht op één telefoongesprek!'

'Zodra we op het bureau zijn,' corrigeerde een agent hem. 'Als we een goeie bui hebben.'

Storey ging voor de berijder staan. 'Wie wil je bellen? Heb je een mobiele telefoon bij je?' De berijder wilde iets uit zijn broekzak pakken, maar werd daarin gehinderd door de handboeien. Storey haalde het mobieltje voor hem uit zijn zak en hield het voor zijn gezicht. 'Geef me het nummer, dan toets ik het wel in.'

De man keek hem aan, grijnsde toen en schudde zijn hoofd, om Storey duidelijk te maken dat hij daar niet in trapte.

'Wil je in dit land blijven?' drong Storey aan. 'Dan kun je maar beter meewerken.'

'Ik ben hier legaal... werkvergunning en alles.'

'Fijn voor jou... We zullen nagaan of het geen vervalsing is of dat je vergunning is verlopen.'

De grijns smolt weg als een zandkasteel bij opkomend tij.

'Ik sta altijd open voor onderhandeling,' zei Storey. 'Zodra je zin hebt om te praten, kun je me dat laten weten.' Hij knikte, aangevend dat deze arrestant met de anderen naar boven kon worden gebracht. 'Het vervelende is,' merkte hij op, 'dat hij ons als zijn papieren in orde zijn niets hoeft te vertellen. Het is niet verboden om kokkels te steken.'

'En hoe zit het met hen?' Rebus gebaarde in de richting van de achterblijvers. Dat waren de oudsten van de werkers, die krom van het werk leken.

'Als ze illegaal zijn, worden ze opgesloten tot we ze naar hun land kunnen terugsturen.' Storey richtte zich op en liet zijn handen in de zakken van zijn kameelharen jas glijden. 'Er zijn er meer dan genoeg die hun plaats innemen,' voegde hij eraan toe, somber naar de grijze deining starend.

'Zoals het getij dat je niet tegen kunt houden?' opperde hij bij wijze van vergelijking.

Storey haalde een grote witte zakdoek tevoorschijn en snoot luidruchtig zijn neus, waarna hij het duin beklom en Rebus achterliet om zijn sigaret op te roken.

Tegen de tijd dat Storey het parkeerterrein had bereikt, waren de overvalwagens vertrokken. Maar er bleek nog een figuur in de boeien geslagen te zijn. Een van de agenten vertelde Storey wat er was gebeurd. 'Hij reed langs... zag de patrouillewagens en keerde. We slaagden erin hem te pakken te krijgen...'

'Ik heb je al gezegd,' beet de man hem toe, 'dat het niks met jullie te maken had!' Hij klonk Iers. Hij had een baard van een paar dagen op zijn vierkante kin en stak zijn onderkaak uitdagend naar voren. Zijn auto was naar het parkeerterrein gebracht. Het was een oud model uit de BMW 7-serie, waarvan de rode verf vaal was geworden en de bumpers roestig waren. Rebus had die wagen al eerder gezien. Hij liep eromheen. Er lag een notitieboekje op de passagiersstoel, opengevouwen bij een lijst met namen – Chinese namen?

Storey ving Rebus' blik op en knikte; hij was er al van op de hoogte. 'Hoe heet je?' vroeg hij de man.

'Laat eerst je legitimatie maar eens zien,' snauwde die terug. Hij had een olijfgroene parka aan, misschien de jas die hij had gedragen toen Rebus hem de week ervoor voor het eerst had gezien. 'Wat sta jij nou te kijken?' vroeg hij aan Rebus, terwijl die hem van top tot teen bekeek. Rebus lachte, pakte zijn mobieltje en belde.

'Shug?' zei hij toen er werd opgenomen. 'Met Rebus... Herinner je je die demonstratie nog? Jij zou nog met de naam komen van die Ier...' Rebus luisterde, met zijn blik gericht op de man tegenover zich. 'Peter Hill?' Hij knikte in zichzelf. 'Goed, raad eens: als ik me niet vergis, staat hij hier vlak voor me...'

De man vloekte en deed geen poging het te ontkennen.

Op voorstel van Rebus werd Peter Hill naar bureau Torphichen gebracht, waar Shug Davidson al zat te wachten in de moordkamer. Rebus stelde Davidson voor aan Felix Storey, waarop de twee mannen elkaar de hand schudden. Een paar rechercheurs konden het niet laten Storey aan te staren. Het was niet de eerste keer dat ze een zwarte man zagen, maar het was wel de eerste keer dat ze er een verwelkomd hadden op deze specifieke plek van de stad.

Rebus luisterde, terwijl Davidson het verband tussen Peter Hill en Knoxland duidelijk maakte.

'Heb je bewijzen dat hij in drugs handelde?' vroeg Storey toen hij uitgesproken was.

'Niet genoeg om hem te veroordelen... maar we hebben vier van zijn vrienden opgeborgen.'

'Dat betekende dat hij óf een te kleine vis was, óf...'

'Dat hij te slim was om gepakt te worden,' vulde Davidson met een knik aan.

'En de connectie met de paramilitairen?'

'Ook alweer moeilijk hard te maken, maar de drugs moesten ergens vandaan komen, en de inlichtingendienst in Noord-Ierland heeft in die richting gewezen. Terroristen moeten op alle mogelijke manieren aan geld komen...'

'Zelfs door ploegbaas te spelen voor illegale immigranten?'

Davidson haalde zijn schouders op. 'Er is een eerste keer voor alles,' veronderstelde hij.

Storey streek bedachtzaam over zijn kin. 'Die auto waarin hij reed...'

'Een BMW uit de 7-serie,' merkte Rebus op.

Storey knikte. 'Het waren geen Ierse nummerborden, toch? Daar hebben ze meestal drie letters en vier nummers.'

Rebus keek hem aan. 'Je bent goed op de hoogte.'

'Ik heb een tijdje bij de douane gewerkt. Als je veerboten controleert, leer je de nummerborden kennen...'

'Ik zie niet precies waar je heen wilt,' moest Shug Davidson bekennen.

Storey wendde zich tot hem. 'Ik vroeg me alleen af hoe hij aan die auto kwam, dat is alles. Hij moet hem hier hebben gekocht of...'

'Of hij is van iemand anders.' Davidson knikte langzaam.

'Het is onwaarschijnlijk dat hij in zijn eentje werkt, niet in een operatie van deze omvang.'

'Nog iets wat we hem kunnen vragen,' zei Davidson. Storey glimlachte en keek Rebus aan, alsof hij nog meer bijval wilde. Maar Rebus had zijn ogen tot spleetjes geknepen. Hij moest nog steeds aan die auto denken...

De Ier zat in verhoorkamer 2. Hij nam geen notitie van de drie mannen toen ze binnenkwamen en de agent in uniform die de wacht had gehouden wegstuurden. Storey en Davidson gingen tegenover hem aan de tafel zitten, Rebus vond een plek tegen de muur. Het geluid van pneumatisch drillen klonk luid van buiten, waar ze de weg openbraken. Het zou het verhoor steeds onderbreken. Davidson pakte cassettes uit en stopte er een in de recorder. Toen deed hij hetzelfde met een lege videotape. De camera hing boven de deur, recht op de tafel gericht. Als een verdachte zich wilde beroepen op intimidatie zouden de banden die beschuldiging weerspreken.

De drie functionarissen identificeerden zich ten behoeve van de bandopname, waarna Davidson de Ier vroeg zijn volledige naam te noemen.

Die zweeg nogal lang, draadjes van zijn broek plukkend, waarna hij zijn handen ineensloeg en ze voor zich op de tafel legde. Hij bleef naar een plek op de muur staren, tussen Davidson en Storey in. Ten slotte sprak hij. 'Ik zou wel een kop thee lusten. Melk, drie klontjes.'

Hij miste een paar kiezen achter in zijn mond, zag Rebus, waardoor zijn wangen ingevallen waren, wat de schedel onder de vaalgele huid benadrukte. Zijn haar was kortgeknipt en zilvergrijs, hij had lichtblauwe ogen en een broodmagere nek. Waarschijnlijk was hij niet veel meer dan een meter zestig lang en zestig kilo.

Voornamelijk pose.

'Te gelegener tijd,' zei Davidson zacht.

'En een advocaat... een telefoontje...'

'Daar geldt hetzelfde voor. Intussen...' Davidson opende een map van manillapapier en nam er een grote zwart-witfoto uit. 'Dit bent u, nietwaar?'

Slechts de helft van het gezicht was te zien, de rest ging schuil onder de kap van de parka. Hij was genomen tijdens de demonstratie in Knoxland, op de dag dat Howie Slowther met een steen op Mo Dirwan af was gegaan.

'Ik dacht van niet.'

'En deze dan?' De fotograaf had ditmaal een foto van recht van voren geschoten. 'Een paar maanden geleden gemaakt, eveneens in Knoxland.'

'En wat wou je daarmee zeggen?'

'Ik wou daarmee zeggen dat ik al aardig lang wacht om jou voor íéts te pakken te krijgen.' Davidson glimlachte en keek Felix Storey aan.

'Meneer Hill,' begon Storey, terwijl hij zijn ene been over het andere sloeg. 'Ik ben een ambtenaar van de immigratiedienst. Wij zullen de legitimatiebewijzen van al die werknemers controleren om vast te stellen hoeveel van hen illegaal hier zijn.'

'Ik heb geen idee waar je het over hebt. Ik was een ritje langs de kust aan het maken. Dat is toch niet tegen de wet?'

'Nee, maar een jury zou zich vragen kunnen stellen over de toevallige aanwezigheid van de lijst met namen in uw auto als blijkt dat ze overeenkomen met de namen van de mensen die we hebben aangehouden.'

'Welke lijst?' Eindelijk keek Hill zijn ondervrager aan. 'Als er al een lijst is gevonden, dan hebben jullie die in mijn auto gelegd.'

'Dus dan zullen we er geen vingerafdrukken van u op kunnen vinden?'

'En geen van de werknemers zal u kunnen identificeren?' voegde Davidson hieraan toe, om de duimschroeven verder aan te draaien.

'Dat is toch niet tegen de wet?'

'Weet u,' vertrouwde Storey hem toe, 'volgens mij is slavernij al een paar eeuwen geleden afgeschaft.'

'Laten ze daarom een nikker als jij in een pak rondlopen?' beet de Ier hem toe.

Storey lachte ironisch, alsof hij tevreden was dat het al zo snel hierop was uitgedraaid. 'Ik heb gehoord dat Ieren de zwarten van Europa worden genoemd. Maakt dat ons tot broeders?'

'Lik mijn reet.'

Storey wierp het hoofd achterover en bulderde van het lachen. Davidson had de map weer gesloten, maar de foto's eruit gelaten, naar Peter Hill toegekeerd. Hij tikte met een vinger op het dossier, alsof hij Hills aandacht wilde vestigen op de dikte ervan, op de grote hoeveelheid informatie erin.

'Hoe lang zit je al in de slavenhandel?' vroeg Rebus de Ier.

'Ik zeg niks voordat ik een kop thee krijg.' Hill leunde achterover en sloeg zijn armen over elkaar. 'En ik wil dat die door mijn advocaat wordt binnengebracht.'

'Heb je dan een advocaat? Dat lijkt erop te wijzen dat je dacht dat je er een nodig zou hebben.'

Hill richtte zijn blik op Rebus, maar zijn vraag was op de overkant van de tafel gericht. 'Hoe lang denken jullie me hier te kunnen vasthouden?'

'Dat hang ervan af,' antwoordde Davidson. 'Weet je, die contacten van jou met de paramilitairen...' Hij tikte nog steeds op het dossier. 'Dankzij de wetgeving op terrorisme kunnen we je langer vasthouden dan je misschien dacht.'

'Dus nou ben ik ook al een terrorist?' zei Hill honend.

'Je bent altijd een terrorist geweest, Peter. Het enige wat is veranderd, is hoe je het geld ervoor bij elkaar krijgt. Vorige maand was je dealer, vandaag ben je een slavenhandelaar...'

Er werd op de deur geklopt. Een rechercheur keek om de hoek.

'Heb je het?' vroeg Davidson. Het hoofd knikte. 'Dan kun je binnenkomen en de verdachte gezelschap houden.' Davidson stond op en zei ten behoeve van de opnameapparatuur dat het verhoor werd opgeschort. Hij keek op zijn horloge om de exacte tijd te vermelden. De apparaten werden afgezet. Davidson bood de rechercheur een stoel aan en kreeg daar een stukje papier voor terug.

Buiten in de gang vouwde hij het papiertje pas open, bekeek het en overhandigde het toen aan Storey, op wiens gezicht een stralende grijns verscheen.

Ten slotte werd het papiertje doorgegeven aan Rebus. Er stond een beschrijving van de rode BMW op vermeld, en het nummerbord. Daaronder stonden, in hoofdletters, de gegevens van de eigenaar.

Die eigenaar was Stuart Bullen.

Storey graaide de notitie weer uit Rebus' hand en plantte er een kus op. Vervolgens maakte hij een dansje.

Die opgewektheid werkte blijkbaar aanstekelijk. Ook Davidson grijnsde. Hij klopte Felix Storey op de rug. 'Het gebeurt niet vaak dat surveillance resultaat oplevert,' merkte hij op, terwijl hij naar Rebus keek voor bijval.

Maar het was niet de surveillance, dacht Rebus. Het was weer een mysterieuze tip.

Dat was het geweest, en de ingeving van Storey over de eigenaar van de BMW.

Als het tenminste alleen maar een ingeving was geweest...

25

Toen ze bij de Nook aankwamen, liepen ze een ander gezelschap met belangstelling voor deze plek tegen het lijf: Siobhan en Les Young. Het was het tijdstip waarop kantoren sluiten; een paar zakenlieden liepen al langs de portiers naar binnen. Rebus vroeg Siobhan juist wat ze hier kwam doen, toen hij zag dat een van de portiers een hand op de microfoon van zijn oortelefoon legde. Hij begreep meteen dat ze gezien waren.

'Hij vertelt Bullen dat wij hier zijn!' riep Rebus tegen de anderen. Meteen drongen ze langs de zakenlieden het pand binnen. De muziek stond hard en het was drukker dan bij het eerste bezoek van Rebus. Er waren ook meer danseressen, van wie er vier op het podium stonden. Siobhan hield zich op de achtergrond en keek aandachtig om zich heen, terwijl Rebus de anderen naar het kantoor van Bullen leidde. De deur met het cijferslot was gesloten. Toen Rebus om zich heen keek, zag hij de barkeeper, van wie hij zich op hetzelfde moment zijn naam herinnerde: Barney Grant.

'Barney!' schreeuwde hij. 'Kom hier!'

Barney zette het glas neer dat hij stond te vullen en kwam achter de bar vandaan. Hij toetste de nummers in.

Het volgende moment zette Rebus zijn schouder tegen de deur en stormde naar binnen. Onmiddellijk leek het of de grond onder zijn voeten wegzakte. Hij was de korte gang in gerend die naar het kantoor van Bullen leidde, niet wetend dat vlak achter de deur een luik naar een trap naar beneden was weggenomen: hij viel en kwam vervelend terecht op de houten treden.

'Wat is dit verdomme?' schreeuwde Storey.

'Een soort tunnel,' antwoordde de barkeeper.

'Waar gaat die heen?'

Hij schudde alleen maar zijn hoofd.

Rebus hobbelde zo goed en zo kwaad als hij kon de trap af. Zijn rechterbeen voelde aan alsof hij het had opengeschaafd. Zijn linkerenkel leek verzwikt. Hij keek omhoog naar de gezichten boven zich. 'Ga naar buiten en kijk of je erachter kunt komen waar die tunnel heen leidt.'

'Dat kan overal zijn,' mopperde Davidson.

Rebus keek de tunnel in. 'Hij loopt volgens mij in de richting van de Grassmarket.' Toen sloot hij zijn ogen, trachtend ze aan het duister te laten wennen, waarna hij zich met zijn handen tegen de wanden om zich overeind te houden langzaam begon voort te bewegen. Na enkele seconden opende hij zijn ogen weer en knipperde een paar keer. Hij kon de vochtige aarden vloer onderscheiden, de gebogen wanden en het aflopende plafond. Waarschijnlijk eeuwen geleden door mensenhanden gemaakt. De Old Town was een wirwar van tunnels en catacomben, voor het grootste deel nooit onderzocht. Ze hadden de bewoners behoed voor invallen en geheime ontmoetingen en samenzweringen mogelijk gemaakt. Waarschijnlijk waren ze ook door smokkelaars gebruikt. Later hadden mensen geprobeerd er van alles in te kweken, van paddenstoelen tot en met cannabis. Maar de meeste tunnels waren zoals deze: nauw, onaangenaam en gevuld met bedorven lucht.

De tunnel draaide naar links. Rebus pakte zijn mobieltje, maar er was geen signaal, geen mogelijkheid om de anderen in te lichten. Hij hoorde geluid voor zich uit, maar hij kon niets zien.

'Stuart?' riep hij. Zijn stem weerklonk tegen de wanden. 'Dit is ontzettend stom, Stuart!'

Hij probeerde sneller vooruit te komen toen hij een flauwe gloed in de verte zag en een figuur die daarin verdween. Het volgende moment was het weer donker. Het was dus een deur, in de zijwand, en Bullen had die achter zich dichtgetrokken.

Rebus betastte even later met beide handen de rechterwand. Zijn vingers stuitten op iets hards. Een deurknop. Hij draaide die om en trok, maar de deur bleek naar de andere kant open te gaan. Hij probeerde het nogmaals, maar er was geen beweging in te krijgen. Er was kennelijk iets zwaars tegenaan gezet. Zo hard hij kon riep hij om hulp, ondertussen met zijn schouder tegen de deur duwend.

Er kwam geluid van de andere kant, alsof iemand probeerde iets zwaars weg te schuiven.

Toen ging de deur open, maar niet verder dan een halve meter. Rebus kroop erdoor. Hij zag dat er een doos met boeken was gebruikt als barricade. Een oudere man staarde hem aan.

'Hij ging de deur uit,' was alles wat hij zei. Rebus knikte en hinkte in die richting. Eenmaal buiten wist hij precies waar hij was: West Port. Tevoorschijn gekomen uit een tweedehands boekwinkel op nog geen honderd meter van de Nook.

Zijn mobieltje bleek weer signaal te hebben. Hijgend keek hij achter zich naar de verkeerslichten bij Lady Lawson Street en vervolgens naar rechts in de richting van Grassmarket. Meteen zag hij wat hij hoopte te zien: Stuart Bullen, die midden op straat naar hem toe werd gevoerd. Felix Storey hield hem vast, met Bullens rechterarm op diens rug omhooggedraaid. Bullens kleren waren gescheurd en smerig.

Zijn eigen kleren zagen er niet veel beter uit, ontdekte hij op dat moment. Hij trok zijn broekspijp omhoog en was blij dat hij geen bloed zag, maar alleen wat schaafwonden. Shug Davidson kwam op een sukkeldrafje uit Lady Lawson Street, met een gezicht dat rood was van het rennen. Rebus boog zich, nog steeds hijgend. Hij wilde een sigaret, maar wist dat hij geen adem overhad om er een te roken. Hij ging rechtop staan en keek Bullen recht in zijn gezicht.

'Ik was je aan het inhalen,' zei hij tegen de jongeman. 'Echt waar.'

Ze brachten hem terug naar de Nook. Het gerucht had zich snel verspreid en de klanten hadden de zaak verlaten. Siobhan ondervroeg een paar danseressen, die naast elkaar aan de bar zaten. Barney Grant schonk frisdrankjes voor hen in.

Een eenzame klant kwam tevoorschijn van achter het vipgordijn, verbaasd over het plotselinge gebrek aan muziek en stemmen. Hij keek even om zich heen, trok zijn das recht en liep naar de uitgang. Vanwege het gehink van Rebus botsten de twee mannen met hun schouders tegen elkaar. 'Sorry,' mompelde de man.

'Mijn fout, meneer de voorlichter,' zei Rebus vriendelijk, de man nakijkend tot hij was vertrokken. Daarna liep hij naar Siobhan en knikte groetend naar Les Young. 'Wat doen jullie hier?'

Young antwoordde: 'We moeten Stuart Bullen een paar vragen stellen.'

'Waarover?' Rebus' blik was nog steeds op Siobhan gericht.

'In verband met de moord op Donald Cruikshank.'

Nu verplaatste Rebus zijn aandacht naar Young. 'Tja, hoe boeiend dat ook klinkt, jullie zullen achter in de rij moeten aansluiten. Ik denk dat je zult merken dat wíj eerst aan de beurt zijn.'

'Wie is wíj?'

Rebus gebaarde naar Felix Storey, die eindelijk – met tegenzin – Bullen losliet, nu hem de handboeien waren aangedaan. 'Die man is van de immigratiedienst. Hij heeft Bullen wekenlang in het oog gehouden. Mensensmokkel, blanke slavernij, noem maar op.'

'We moeten hem spreken,' zei Les Young.

'Vertel hun dat maar.' Rebus wees met gestrekte arm naar Storey en Shug Davidson. Met een nors gezicht liep Les Young in de hem gewezen richting. Siobhan keek Rebus woedend aan.

'Wat is er?' vroeg hij, een en al onschuld.

'Richt je gechagrijn maar op mij. Reageer je niet af op Les.'

'Les is een grote jongen; hij kan voor zichzelf zorgen.'

'Het probleem is dat hij bij een ruzie eerlijk zou optreden... in tegenstelling tot sommige andere mensen.'

'Dat zijn harde woorden, Siobhan.'

'Soms heb jij die nodig.'

Rebus haalde alleen maar zijn schouders op. 'Hoe zit dat met Bullen en Cruikshank?'

'Eigengemaakte porno in het huis van het slachtoffer. En daarop was minstens één van de danseressen uit deze tent te zien.'

'Is dat alles?'

'We moeten met hem praten.'

'Ik durf te wedden dat sommige van de betrokkenen bij het onderzoek zich zullen afvragen waarom. Die zien vast niet waarom je je druk zou maken over de moord op een verkrachter.' Hij zweeg even. 'Heb ik gelijk of niet?'

'Dat weet jij beter dan ik.'

Hij draaide zich om naar Young en Davidson, die nog steeds in gesprek waren. 'Probeer jij misschien indruk te maken op Les?'

Ze gaf een ruk aan Rebus' schouder, zodat ze zijn volle aandacht weer had. 'Het is een moordzaak, John. Jij zou alles doen wat ik doe.'

Er verscheen een vage glimlach op zijn gezicht, terwijl hij zei: 'Ik plaag je alleen maar, Siobhan.' Daarna keerde hij zich naar de deuropening die toegang verschafte tot het kantoor van Bullen. 'Heb jij de eerste keer dat we hier waren dat trapluik gezien?'

'Ik dacht dat het de kelder was.' Ze zweeg abrupt. 'Had jij het niet gezien?'

'Ik was vergeten dat het er was, dat is alles,' loog hij, terwijl hij over zijn rechterbeen wreef.

'Ziet er niet best uit, makker.' Barney Grant bekeek de verwonding. 'Het lijkt wel of ze de doppen van een voetbalschoen over je been hebben gehaald. Ik heb een tijdje gevoetbald, dus ik weet waar ik het over heb.'

'Je had ons kunnen waarschuwen voor dat trapluik.'

De barkeeper haalde zijn schouders op.

Felix Storey duwde Bullen naar de gang. Rebus stond snel op om achter hem aan te gaan, en Siobhan volgde hem in zijn voetsporen. Storey klapte het trapluik dicht. 'Mooie plek om illegalen te verbergen,' zei hij. Bullen snoof alleen maar. De deur van zijn kantoor stond op een kier. Storey duwde hem met een voet verder open. Het was zoals Rebus zich herinnerde: klein en vol troep.

Storey trok zijn neus op. 'Dat gaat ons heel wat tijd kosten om al die troep als bewijsmateriaal te verzamelen.'

'Tja...' mompelde Bullen.

De deur van de safe stond op een kier. Met de punt van een gepoetste schoen duwde Storey hem verder open. 'Kijk aan,' zei hij. 'Ik denk dat we beter hier bewijs kunnen verzamelen.'

'Ik ben er ingeluisd!' schreeuwde Bullen. 'Dat hebben jullie daar neergelegd, stelletje rotzakken!' Hij wilde zich bevrijden, maar de man van de immigratiedienst was tien centimeter langer en waarschijnlijk tien kilo zwaarder.

Iedereen verdrong zich in de deuropening om een beter zicht te krijgen. Davidson en Young waren erbij gekomen, evenals een paar danseressen.

Rebus keerde zich om naar Siobhan, die haar lippen tuitte. Ze had gezien wat hij zojuist had gezien: in de safe lag een stapel paspoorten, samengehouden door een elastiek, blanco creditcards, verschillende officieel uitziende stempels en frankeermachines. Plus andere opgevouwen documenten, mogelijk geboorte- of huwelijksbewijzen.

Alles wat je nodig had om een nieuwe identiteit te creëren.

Ze namen Stuart Bullen mee naar verhoorkamer 1 op Torphichen Place.

'Je maat zit hiernaast,' zei Felix Storey. Hij had zijn jasje uitgetrokken en knoopte nu zijn manchetknopen los om zijn mouwen op te kunnen stropen.

'Wie is dat dan?' Bullen wreef over zijn rood geworden polsen nu de handboeien waren verwijderd.

'Peter Hill heet hij volgens mij.'

'Nooit van gehoord.'

'Een Ier... hij geeft hoog over je op.'

Bullen keek Storey aan. 'Nu weet ik zeker dat ik erbij gelapt word.'

'Waarom? Omdat je erop vertrouwt dat Hill niet praat?'

'Ik heb je al gezegd dat ik hem niet ken.'

'We hebben foto's van hem, waarop hij je club in en uit gaat.'

Bullen keek Storey aan, alsof hij probeerde te peilen of dit meer dan bluf was. Zelfs voor Rebus was dat niet duidelijk. Het was mogelijk dat de surveillance Hill had gefotografeerd, maar het kon ook zijn dat Storey wilde imponeren. Hij had niets meegenomen naar deze ontmoeting: geen dossiers of mappen.

Bullen keek naar Rebus. 'Weet je zeker dat je hem hierbij wilt hebben?' vroeg hij aan Storey.

'Hoe bedoel je?'

'Het gerucht gaat dat hij een handlanger van Cafferty is.'

'Van wie?'

'Cafferty; hij is de baas in deze stad.'

'En waarom zou jij je daar druk over maken, meneer Bullen?'

'Omdat Cafferty mijn familie haat.' Hij zweeg even voor het effect. 'En íemand heeft die spullen in mijn safe gestopt.'

'Je zult iets beters moeten verzinnen,' zei Storey bijna droevig. 'Probeer je connectie met Peter Hill maar te ontzenuwen.'

'Ik zeg toch,' zei Bullen knarsetandend, 'dat die niet bestaat.'

'En daarom hebben we hem in jouw auto aangetroffen?'

Er viel een stilte in de kamer. Shug Davidson liep heen en weer met over elkaar geslagen armen. Rebus stond op zijn favoriete plek bij de muur. Stuart Bullen maakte een studie van zijn eigen vingernagels.

'Een rode BMW 7-serie,' vervolgde Storey, 'geregistreerd op jouw naam.'

'Ik ben die auto maanden geleden kwijtgeraakt.'

'Heb je dat aangegeven?'

'Dat was nauwelijks de moeite waard.'

'En dat is dan het verhaal waar je aan vasthoudt: ondergeschoven bewijsmateriaal en een verdwenen BMW? Ik hoop dat je een goeie advocaat hebt, meneer Bullen.'

'Misschien probeer ik die Mo Dirwan... Hij lijkt wel eens een zaak te winnen,' merkte Bullen op, zijn blik naar Rebus verplaatsend. 'Ik heb gehoord dat jullie goeie maatjes zijn.'

'Grappig dat je het daarover hebt,' kwam Davidson tussenbeide, terwijl hij voor de tafel bleef staan. 'Want je vriend Hill is in Knoxland gezien. We hebben foto's van hem bij de demonstratie, op dezelfde dag dat de heer Dirwan bijna werd aangevallen.'

'Is dat wat jullie de hele dag doen, foto's van mensen nemen zonder dat ze het weten?' Bullen keek de kamer rond. 'Sommige mannen die dat doen noemen ze pervers.'

'Nu we het daar toch over hebben,' zei Rebus, 'we hebben nog een onderzoeksteam dat met je wil praten.'

Bullen spreidde zijn armen. 'Ik ben populair.'

'En daarom mag je een hele tijd bij ons blijven, meneer Bullen,' zei Storey. 'Dus maak het je maar gemakkelijk...'

Na veertig minuten pauzeerden ze. De gedetineerde kokkelzoekers zaten vast op St Leonard's, de enige plek met voldoende cellen om ze allemaal te plaatsen. Storey liep naar een telefoon om te checken of er vooruitgang was bij de ondervragingen daar. Rebus en Davidson zaten net aan de thee toen Siobhan en Young hen vonden.

'Mogen wij nu met hem gaan praten?' vroeg Siobhan.

'We gaan zo weer verder,' vertelde Davidson haar.

'Maar op dit moment zit hij alleen maar uit zijn neus te vreten,' voerde Les Young aan.

Davidson zuchtte, en Rebus wist wat hij dacht: had ik maar eens rust. 'Hoe lang heb je nodig?' vroeg hij.

'Net zo lang als jullie ons toestaan.'

'Vooruit dan maar...'

Young draaide zich om en wilde weggaan, maar Rebus raakte zijn elleboog aan. 'Heb je er bezwaar tegen als ik meega, gewoon uit belangstelling?'

Siobhan wierp Young een waarschuwende blik toe, maar hij knikte instemmend. Siobhan keerde zich op haar hielen om en stapte naar de verhoorkamer, zodat geen van de mannen haar gezicht kon zien.

Bullen zat met zijn handen achter zijn hoofd gevouwen. Toen hij Rebus met thee zag, vroeg hij waar de zijne was.

'In de pot,' antwoordde Rebus, waarna zijn gezelschap zich bekendmaakte.

'Werken jullie in ploegendienst?' grauwde Bullen.

'Lekkere thee,' merkte Rebus op. De blik die hij van Siobhan ontving, maakte hem duidelijk dat ze zijn bijdrage niet zo zinvol vond.

'We zijn hier om je vragen te stellen over een zelfgemaakte porno-opname,' begon Les Young.

Bullen schoot in de lach. 'Het wordt steeds belachelijker.'

'Er is een tape gevonden in het huis van een slachtoffer van moord,' voegde Siobhan op koele toon toe. 'Sommige van de figuren die er een rol in spelen, kent u misschien.'

'Hoezo?' Bullen leek oprecht nieuwsgierig.

'Ik heb er minstens één herkend.' Siobhan had haar armen voor haar borst gekruist. 'Ze was aan het paaldansen toen ik de eerste keer je bedrijf bezocht, met inspecteur Rebus.'

'Dat is voor mij nieuw,' merkte Bullen schouderophalend op. 'Maar meisjes komen en gaan... Ik ben hun grootmoeder niet, ze zijn vrij om te doen waar ze zin in hebben.' Hij boog zich over de tafel naar Siobhan toe. 'Heb je dat verdwenen meisje al gevonden?'

'Nee,' bekende ze.

'Maar die knaap is toch van kant gemaakt, die kerel die haar zus heeft verkracht?' Toen ze geen antwoord gaf, haalde hij nogmaals zijn schouders op. 'Ik lees de kranten, net als iedereen.'

'In zijn huis is die film gevonden,' vertelde Les Young.

'Ik snap nog steeds niet hoe ik je daarbij kan helpen.' Bullen wendde zich naar Rebus, alsof hij hem om raad wilde vragen.

'Heb je Donny Cruikshank gekend?' vroeg Siobhan.

Bullen keerde zich weer naar haar toe. 'Nooit van gehoord voordat ik over die moord in de krant las.'

'Is het mogelijk dat hij je club heeft bezocht?'

'Natuurlijk, ik ben er wel eens niet... Dat zou je aan Barney moeten vragen.'

'De barkeeper?' vroeg Siobhan.

Bullen knikte. 'Of je kunt het ook nog bij de immigratiedienst vragen... Ze lijken ons van heel dichtbij in de gaten te hebben gehouden.' Hij lachte, niet overtuigend. 'Ik hoop dat ze mij van mijn goeie kant hebben gefotografeerd.'

'Bedoel je dat je een goeie kant hebt?' vroeg Siobhan scherp.

Bullens lachje verdween. Hij keek op zijn horloge. Het zag er duur uit: fors uitgevallen en van goud. 'Zijn we hier bijna klaar mee?'

'Nog lang niet,' merkte Les Young op, maar de deur ging open. Felix Storey kwam binnen, gevolgd door Shug Davidson.

'De hele ploeg is er!' riep Bullen uit. 'Als het in de Nook zo druk was, ging ik rentenieren op Gran Canaria...'

'Het is tijd,' zei Storey tegen Young. 'Wij hebben hem weer nodig.'

Young keek Siobhan aan. Ze haalde snel een paar polaroids uit haar zak, die ze voor Bullen op de tafel uitspreidde. 'Je kent háár,' zei ze, op een foto wijzend. 'Hoe zit het met de anderen?'

'Gezichten zeggen me nooit veel,' zei hij, terwijl hij haar van top tot teen bekeek. 'Ik herinner me meestal alleen maar het lijf.'

'Ze is een van je danseressen.'

'Ja,' gaf hij uiteindelijk toe. 'Dat klopt. En wat dan nog?'

'Ik wil haar spreken.'

'Toevallig treedt ze vanavond op...' Hij keek weer op zijn horloge. 'Als we er tenminste van uitgaan dat Barney de zaak open kan doen.'

Storey schudde zijn hoofd. 'Niet voordat we je zaak hebben doorzocht.'

Bullen slaakte een zucht. 'In dat geval,' zei hij tegen Siobhan, 'kan ik je niet helpen.'

'Je moet een adres van haar hebben... een telefoonnummer.'

'De meisjes houden het graag discreet... Misschien heb ik ergens een nummer van haar mobieltje.' Hij knikte in de richting van Storey. 'Als je het hem vriendelijk vraagt, vindt hij het misschien als hij mijn zaak overhoop haalt.'

'Dat is niet nodig,' zei Rebus. Hij liep naar de tafel en bekeek de foto's. Hij pakte de foto van de danseres op en zei beslist: 'Ik ken haar. En ik weet ook waar ze woont.' Siobhan staarde hem vol ongeloof aan. 'Ze heet Kate.' Hij keek Bullen aan. 'Dat klopt toch?'

'Kate, ja,' gaf Bullen knarsetandend toe. 'Ze is gek op dansen, die Kate.'

Hij zei het bijna weemoedig.

'Je hebt hem goed aangepakt,' zei Rebus, toen hij even later naast Siobhan in de auto zat. Zij zat achter het stuur. Les Young had het verder aan hen overgelaten, omdat hij terug moest naar Banehall. Rebus keek de polaroidfoto's nog eens door.

'Hoezo?' vroeg ze na een korte stilte.

'Met gasten als Bullen moet je rechtdoorzee zijn, anders slaan ze dicht.'

'Hij heeft ons niet veel verteld.'

'Hij had tegenover die jonge Leslie heel wat minder losgelaten.'

'Misschien.'

'Jezus, Shiv, aanvaard nou eens één keer in je leven een complimentje!'

'Ik zoek naar de achterliggende bedoeling.'

'Die is er niet.'

'Dat zou dan de eerste keer zijn...'

Ze waren op weg naar Pollock Halls. Toen ze naar de auto liepen, had Rebus haar verteld waar hij Kate van kende.

'Ik had haar moeten herkennen,' zei hij hoofdschuddend. 'Al die muziek in haar kamer.'

'En dat noemt zich een rechercheur,' merkte Siobhan plagend op. En vervolgens: 'Het had misschien geholpen als ze een string had gedragen.'

Ze reden nu op Dalkeith Road, op een steenworp afstand van St Leonard's met de cellen vol kokkelzoekers. Er was nog niets bekend over de verhoren daar, of niets wat Felix Storey wilde meedelen. Siobhan gaf richting aan naar links, Holyrood Park Road op, en vervolgens rechts naar Pollock.

Andy Edmunds bemande nog altijd de toegang. Hij kwam meteen op de auto af en gluurde door het open raampje.

'Ben je nou al weer terug?' vroeg hij.

'Ik heb nog een paar vragen voor Kate,' verklaarde Rebus.

'Je bent te laat, ik heb haar net zien wegrijden op haar fiets.'

'Hoe lang geleden?'

'Niet meer dan een minuut of vijf...'

Rebus keerde zich naar Siobhan toe. 'Ze is vast op weg naar haar werk.'

Siobhan knikte. Kate kon niet weten dat ze Stuart Bullen hadden ingerekend. Rebus zwaaide naar Edmunds en zij keerde de auto. Ze negeerde het rode licht bij Dalkeith Road, met als gevolg dat er overal om haar heen werd geprotesteerd met getoeter.

'Ik moet een sirene op die auto laten zetten,' mopperde ze. 'Denk je dat we eerder dan zij bij de Nook zijn?'

'Nee, maar dat betekent niet dat we haar niet te pakken krijgen. Ze zal een verklaring willen.'

'Zijn er mensen van Storey?'

'Geen idee,' bekende Rebus. Ze waren voorbij St Leonard's en gingen nu in de richting van Cowgate en Grassmarket. Het kostte Rebus enkele seconden om vast te stellen wat Siobhan al wist: dit was de kortste route.

Maar ook vatbaar voor verkeersopstoppingen. Er werd nog meer getoeterd en geseind met koplampen wees hen op onwettige en ongemanierde manoeuvres.

'Hoe zag die tunnel eruit?' vroeg Siobhan onverstoorbaar.

'Deprimerend.'

'Maar geen immigranten gezien?'

'Nee,' bekende Rebus.

'Weet je, als ik de leiding had over een surveillance dan zou ik hén in de gaten houden.'

Rebus was geneigd daarmee in te stemmen. 'Maar wat als Bullen nooit bij hen in de buurt komt? Dat hoeft hij tenslotte niet; hij heeft die Ier als tussenpersoon.'

'De Ier die je ook in Knoxland hebt gezien?'

Rebus knikte. Toen zag hij waarop ze doelde. 'Daar zitten ze, hè? Ik bedoel, dat is de beste plek om hen te verbergen.'

'Ik dacht dat die buurt van onder tot boven was doorzocht?' vroeg Siobhan, in de rol van advocaat van de duivel.

'Maar we waren op zoek naar een moordenaar, naar getuigen...' Hij zweeg abrupt.

'Wat is er?' vroeg Siobhan.

'Mo Dirwan kreeg een pak slaag toen hij ging rondsnuffelen... in Stevenson House.' Hij pakte zijn mobieltje en toetste het nummer van Caro Quinn in. 'Caro? Met John. Ik heb een vraag: waar was jij precies toen je weggejaagd werd uit Knoxland?' Zijn blik was op

Siobhan gericht terwijl hij luisterde. 'Weet je dat zeker? Nee, geen echte reden... Ik spreek je later nog. Tot kijk.' Hij beëindigde het gesprek. 'Ze was net bij Stevenson House aangekomen,' vertelde hij Siobhan.

'Dat is nog eens toevallig.'

Rebus staarde naar zijn mobieltje. 'Dit moet ik Storey vertellen.' Maar in plaats van dat te doen, draaide hij het mobieltje om en om in zijn hand, in gedachten voor zich uit starend.

'Je belt hem niet,' merkte ze op.

'Ik weet niet of ik hem kan vertrouwen,' bekende Rebus. 'Hij krijgt steeds van die nuttige anonieme tips. Daarom was hij op de hoogte van Bullen, van de Nook, de kokkelzoekers...'

'En?'

Rebus haalde zijn schouders op. 'En hij had die plotselinge ingeving over de BMW... precies wat hij nodig had om het verband met Bullen aan te tonen.'

'Ook weer een tip?' vroeg Siobhan.

'Nou, van wie komen die dan?'

'Het moet iemand uit de omgeving van Bullen zijn.'

'Het kan ook gewoon iemand zijn die veel van hem weet. Maar als Storey al die informatie krijgt... Dat moet hem zelf toch ook achterdochtig maken?'

'Je bedoelt dat hij denkt: waarom krijg ik al die geweldige info? Misschien is hij gewoon het type niet om een gegeven paard in de bek te kijken.'

Rebus overwoog dit even. 'Een gegeven paard of een Trojaans paard?'

'Is ze dat?' vroeg Siobhan plotseling. Ze wees op een naderende fietser. De fiets passeerde hen en ging heuvelafwaarts naar Grassmarket.

'Ik heb het niet goed gezien,' bekende Rebus.

Siobhan beet op haar lip. 'Hou je vast,' zei ze. Ze trapte hard op de rem, keerde in één keer, deze keer met remmende auto's uit beide richtingen tot gevolg. Bij wijze van verontschuldiging haalde Rebus zijn schouders op en knikte naar een aantal chauffeurs, maar toen een van de bestuurders uit zijn raampje begon te schreeuwen, ging hij over op minder vriendelijke gebaren. Siobhan reed terug naar Grassmarket met de woedende automobilist in hun kielzog. Hij had zijn groot licht aan en hij claxonneerde onophoudelijk.

Rebus draaide zich om op zijn stoel en keek woedend naar de man, die bleef schreeuwen en met zijn vuist zwaaide.

'Laat hem die vuist in zijn reet steken,' zei Siobhan.

337

'Kom, kom,' zei Rebus. 'Denk om je taalgebruik.' Vervolgens, terwijl hij zich uit het raampje boog, schreeuwde hij zo hard mogelijk: 'We zijn van de politie, klootzak!' hoewel hij zich er heel goed van bewust was dat de man hem niet kon horen.

Siobhan barstte in lachen uit en gaf toen een scherpe draai aan het stuur. 'Ze is gestopt,' zei ze. De fietser stapte van haar fiets af en maakte hem met een kettingslot aan een lantaarnpaal vast. Ze waren in het hartje van Grassmarket, met overal bistro's en toeristenpubs.

Zodra Siobhan bij een dubbele gele streep was gestopt, haastte ze zich de auto uit. Vanaf deze afstand herkende Rebus Kate. Ze droeg een gerafeld spijkerjack en een afgeknipte spijkerbroek, lange zwarte laarzen en een zijdeachtig roze sjaaltje. Ze keek onthutst toen Siobhan zich aan haar bekendmaakte.

Juist toen Rebus zijn riem losmaakte om het portier open te doen en uit te stappen, kwam er een arm in zijn gezichtsveld en werd zijn hoofd in een ijzeren greep genomen.

'Waar ben je mee bezig, eikel?' bulderde iemand van dichtbij. 'Jij denkt zeker dat de weg van jou is, hè?'

Rebus' mond en neus werden gesmoord door de gewatteerde mouwen van het waxjasje van de man. Hij graaide naar de knop van het portier en duwde met al zijn kracht, waarbij hij uit de auto op zijn knieën viel, wat een nieuwe pijnscheut door zijn beide benen zond. De man bleef hem vasthouden. Het portier diende als een schild dat hem beschermde tegen de uithalen en meppen van Rebus.

'Jij vindt jezelf een stoere kerel, hè? Je middelvinger naar me opsteken...'

'Hij ís een stoere kerel,' hoorde Rebus Siobhan zeggen. 'Hij is van de politie, net als ik. Laat hem los.'

'Wat is hij?'

'Ik zei: laat hem los!' De druk op Rebus werd minder en hij kon eindelijk zijn hoofd lostrekken. Hij stond op en voelde het bloed in zijn oren pompen. De wereld draaide om hem heen. Ondertussen had Siobhan de man bij zijn vrije arm gepakt en die op zijn rug gedraaid. Ze dwong hem nu op de knieën, met zijn hoofd vooroverrgebogen.

Rebus haalde zijn legitimatie tevoorschijn en hield die voor de neus van de man.

'Probeer dat nog een keer en ik maak je af,' hijgde hij.

Siobhan liet los en deed snel een stap achteruit. Ook zij had haar legitimatie in de hand tegen de tijd dat de man overeind krabbelde.

'Hoe kon ik dat nou weten?' was alles wat hij zei. Maar Siobhan was al klaar met hem. Ze liep terug naar Kate, die de voorstelling met grote ogen had gevolgd.

Met veel vertoon noteerde Rebus het nummerbord van de man toen die terugliep naar zijn auto. Toen draaide hij zich om en voegde zich bij Siobhan en Kate.

'Kate was net afgestapt om iets te gaan drinken,' verklaarde Siobhan. 'Ik heb gevraagd of we haar mogen vergezellen.'

Rebus kon niets beters bedenken.

'Ik heb over een halfuur met iemand afgesproken,' waarschuwde Kate.

'Meer dan een halfuur hebben we niet nodig,' zo verzekerde Rebus haar.

Ze gingen naar de dichtstbijzijnde zaak, waar ze een tafeltje vonden. De jukebox stond hard, maar Rebus wist de barkeeper over te halen hem zachter te zetten. Een pint voor zichzelf en frisdrank voor de twee vrouwen.

'Ik zei net tegen Kate,' zei Siobhan, 'dat ze erg goed danst.' Rebus knikte instemmend en voelde een pijnscheut door zijn nek gaan. 'Dat vond ik de eerste keer dat ik je in de Nook zag al,' vervolgde Siobhan, en ze liet haar woorden klinken alsof het om een dure disco ging. Slimme meid, dacht Rebus, geen gemoraliseer, de getuige niet zenuwachtig maken of in verlegenheid brengen... Hij nam een stevige slok uit zijn glas.

'Dat is het alleen maar, weet u... dansen.' Kates blik flitste heen en weer tussen Siobhan en Rebus. 'Al die dingen die ze over Stuart zeggen – dat hij een mensensmokkelaar is – daar wist ik niets van.' Ze zweeg alsof ze op het punt stond nog meer te gaan zeggen, maar in plaats daarvan nipte ze van haar glas.

'Doe je dat om je studie te kunnen betalen?' voeg Rebus.

Ze knikte. 'Ik zag een advertentie in de krant. "Danseressen gevraagd".' Ze lachte. 'Ik ben niet achterlijk, ik wist gelijk al wat voor soort zaak de Nook zou zijn, maar de meiden daar zijn geweldig... en het enige wat ik doe, is dansen.'

'Al is het zonder kleren aan,' merkte Rebus peinzend op.

Siobhan keek hem woedend aan, maar het was te laat. Kates gelaat verstrakte. 'Luistert u niet? Ik zei dat ik geen van die andere dingen doe.'

'Dat weten we, Kate,' zei Siobhan zacht. 'We hebben de film gezien.'

Kate keek haar aan. 'Welke film?'

'De film waarin jij danst bij een open haard. Siobhan legde de polaroidfoto op tafel. Kate griste hem weg; ze wilde niet dat hij gezien werd.

'Dat is maar één keer gebeurd,' zei ze zonder oogcontact te maken. 'Een van de meiden zei tegen me dat het gemakkelijk verdiend geld was. Ik heb haar gezegd dat ik niets zou doen...'

'En dat heb je ook niet gedaan,' beaamde Siobhan. 'Ik heb de film gezien, dus we weten dat dat waar is. Jij hebt muziek opgezet en je hebt gedanst.'

'Ja, en toen wilden ze mij niet betalen. Alberta bood me een deel van haar geld aan, maar dat wilde ik niet van haar aannemen. Zij had voor dat geld gewerkt.' Ze nam nog een slok van haar drankje, en Siobhan volgde haar voorbeeld. Beide vrouwen zetten tegelijkertijd hun glas neer.

'Die jongen achter de camera,' zei Siobhan, 'kende je hem?'

'Ik had hem nog nooit gezien voordat we dat huis binnenkwamen.'

'En waar was dat huis?'

Kate haalde haar schouders op. 'Ergens buiten Edinburgh. Alberta reed... Ik heb er niet echt veel aandacht aan besteed.' Ze keek Siobhan aan. 'Wie heeft deze film nog meer gezien?'

'Alleen ik,' loog Siobhan. Kate keek naar Rebus, die zijn hoofd schudde om aan te geven dat hij hem niet had gezien. 'Ik ben bezig met het onderzoek van een moordzaak,' vervolgde Siobhan.

'Dat weet ik... die immigrant in Knoxland.'

'Dat is de zaak waaraan inspecteur Rebus werkt. De zaak waar ik bij betrokken ben, vond plaats in een stadje dat Banehall heet. De man achter de camera...' Ze onderbrak zichzelf. 'Kun je je misschien zijn naam herinneren?'

Kate keek nadenkend. 'Mark?' opperde ze ten slotte.

Siobhan knikte traag. 'Geen achternaam?'

'Hij had een grote tatoeage in zijn hals...'

'Een spinnenweb,' beaamde Siobhan. 'Op een gegeven moment kwam er een andere man binnen en Mark gaf de camera aan hem.' Siobhan liet een andere polaroidfoto zien, met een vage afbeelding van Donny Cruikshank. 'Kun je je hem herinneren?'

'Om eerlijk te zijn had ik mijn ogen het grootste deel van de tijd dicht. Ik probeerde me op de muziek te concentreren... Zo doe ik mijn werk, door aan niets anders dan de muziek te denken.'

Siobhan knikte nogmaals, om duidelijk te maken dat ze dat begreep. 'Hij is vermoord, Kate. Kun je me iets over hem vertellen?'

Ze schudde haar hoofd. 'Ik had het gevoel dat die twee het naar hun zin hadden. Net schooljongens, weet u? Ze maakten een koortsachtige indruk.'

'Koortsachtig?'

'Bijna alsof ze beefden. In een kamer met drie naakte vrouwen. Ik had het gevoel dat het nieuw voor hen was, nieuw en opwindend...'

'Ben je niet bang geweest?'

Ze schudde haar hoofd weer.

Rebus zag dat ze terugdacht aan het tafereel, dat geen enkele dierbare herinnering opriep. Hij schraapte zijn keel. 'Je zei dat die andere danseres je meenam naar die vertoning?'

'Ja.'

'Wist Stuart Bullen ervan?'

'Volgens mij niet.'

'Maar je weet het niet zeker?'

Ze haalde haar schouders op. 'Stuart heeft de meiden altijd fair behandeld. Hij weet dat de andere clubs ook danseressen zoeken. Als we het niet naar onze zin hebben, kunnen we altijd weg.'

'Alberta moet de man met de tatoeage gekend hebben,' zei Siobhan.

Kate haalde nogmaals haar schouders op. 'Ik denk het.'

'Weet je waar ze hem van kende?'

'Misschien omdat hij in de club kwam... op die manier kwam Alberta meestal in contact met mannen.' Ze liet het ijs in haar glas ronddraaien.

'Wil je nog iets drinken?' vroeg Rebus.

Ze keek op haar horloge en schudde haar hoofd. 'Barney zal hier nu wel gauw zijn.'

'Barney Grant?' veronderstelde Siobhan. Kate knikte.

'Hij probeert met alle meiden te praten. Barney weet dat hij ons kwijt is als we een dag of twee zonder werk zitten.'

'Betekent dat dat hij van plan is de Nook open te houden?' vroeg Rebus.

'Alleen maar totdat Stuart terug is.' Ze zweeg even. 'Kómt hij terug?'

In plaats van te antwoorden dronk Rebus zijn glas leeg.

'We zullen je verder met rust laten. Bedankt dat je met ons hebt willen praten.' Siobhan stond op.

'Het spijt me dat ik u niet beter kan helpen.'

'Als je je nog iets herinnert over die twee mannen...'

Kate knikte. 'Dan laat ik het u weten.' Ze zweeg even. 'Die film met mij erin...'

'Ja?'

'Hoeveel exemplaren zijn er volgens u van?'

'Geen idee eigenlijk. Danst je vriendin Alberta nog in de Nook?'

341

Kate schudde haar hoofd. 'Ze is kort daarna weggegaan.'

'Je bedoelt kort nadat de film was gemaakt?'

'Ja.'

'En hoe lang geleden was dat?'

'Een week of twee, drie geleden.'

Ze bedankten Kate nogmaals en verlieten de zaak. Buiten keken ze elkaar aan. Siobhan sprak het eerst. 'Donny Cruikshank moet toen net uit de gevangenis zijn gekomen.'

'Geen wonder dat hij een koortsachtige indruk maakte. Ga je proberen Alberta te vinden?'

Siobhan slaakte een zucht. 'Ik weet het niet... Het was een lange dag, vandaag.'

'Zullen we ergens anders nog iets gaan drinken?' Ze schudde haar hoofd. 'Heb je een afspraak met Les Young?'

'Hoezo? Heb jij een afspraak met Caro Quinn?'

'Ik vroeg het alleen maar.' Rebus pakte zijn sigaretten uit zijn zak.

'Kan ik je een lift geven?' bood Siobhan aan.

'Ik denk dat ik ga lopen, maar evengoed bedankt.'

'Oké dan...' Ze aarzelde en keek toe terwijl hij zijn sigaret aanstak. Toen hij niets zei, draaide ze zich om en liep naar haar auto. Hij keek haar na. Even concentreerde hij zich op het roken, toen stak hij de straat over en slenterde naar een hotel. Zijn sigaret was net opgerookt toen hij Barney Grant uit de richting van de Nook zag komen lopen. Hij had zijn handen in zijn zakken en floot. Aan niets was te zien dat hij zich zorgen maakte over zijn baas. Hij liep de pub in. Om de een of andere reden keek Rebus op zijn horloge om vervolgens de tijd te noteren.

En hij bleef staan waar hij stond, voor het hotel. Door de ramen kon hij het restaurant van het hotel zien. Het zag er wit en steriel uit... vast het soort tent waar de omtrek van de borden tegengesteld was aan de hoeveelheid voedsel die erop geserveerd werd. Er waren maar een paar tafeltjes in gebruik; er was meer personeel dan dat er klanten waren. Een van de obers keek naar hem en maakte een gebaar dat hij niet door de ramen moest staan te gluren, maar Rebus trok zich er niets van aan. Hij knipoogde.

Na enige tijd, net op het moment dat hij zich begon te vervelen en besloot te vertrekken, stopte er een auto voor de pub. De motor ronkte af en toe. Kennelijk zat de bestuurder met het gaspedaal te spelen. De passagier sprak in een mobiele telefoon. Het volgende moment ging de deur van de pub open en stapte Barney Grant naar buiten. Hij liet zijn mobieltje in zijn zak glijden terwijl de passagier het zijne dichtklapte. Grant ging achterin zitten, en de auto reed al weer weg voordat hij het portier had gesloten.

Rebus zette zich meteen in beweging: hij zou hem te voet volgen.

Binnen enkele minuten kwam hij bij de Nook aan, net op het moment dat de auto er wegreed. Hij keek naar de afgesloten deur van de Nook en vervolgens naar de overkant van de straat, waar de leegstaande winkel stond. Geen surveillance meer, geen teken van de geparkeerde bestelwagen. Hij probeerde de deur van de Nook, maar die was afgesloten. Toch was Barney Grant om de een of andere reden binnen geweest, terwijl de auto op hem had gewacht. Rebus had de bestuurder niet herkend, maar wel de persoon op de passagiersplaats. Hij kende die persoon sinds die tegen hem had geschreeuwd toen hij hem tegen de grond had gedrukt, terwijl camera's dat moment vastlegden.

Howie Slowther, die knaap uit Knoxland, met de paramilitaire tatoeage en de rassenhaat.

Een vriend van de barkeeper van de Nook...

Of een vriend van de eigenaar.

DAG NEGEN

DINSDAG

26

Er was een politie-inval in de vroege ochtend in Knoxland, met de ploeg die aan de kust van Cramond jacht gemaakt had op de kokkelzoekers. Stevenson House werd binnengevallen, het flatgebouw zonder graffiti. Waarom was dat? Uit angst of respect? Rebus realiseerde zich dat hij zich dat al bij het begin had moeten afvragen. Stevenson House had er anders uitgezien dan de andere gebouwen, en het was er ook anders gegaan.

Bij het huis-aan-huisonderzoek was er in Stevenson House vaak niet gereageerd op gebel of geklop, door bijna een hele verdieping niet. Waren de agenten teruggegaan om het nog eens te proberen? Nee. Waarom niet? Omdat de moordbrigade ondertussen op een laag pitje was gezet... en misschien omdat de agenten zich niet al te zeer hadden ingespannen, omdat het slachtoffer voor hen niet meer was dan een statistisch gegeven.

Felix Storey ging grondiger te werk. Ditmaal werd er op deuren gebonkt en door brievenbussen naar binnen gekeken. Ditmaal zouden ze geen nee als antwoord accepteren. De immigratiedienst pakte het – net als de douane – krachtiger aan dan de politie. Deuren konden worden ingetrapt zonder dat er een bevel tot huiszoeking aan te pas hoefde te komen. 'Gerede gronden' was de term die Rebus had horen noemen, en voor Storey was het kennelijk duidelijk dat ze, wat ze verder ook mochten hebben, over ruim voldoende 'gerede gronden' beschikten.

Caro Quinn, bedreigd toen ze probeerde foto's te nemen in en rond Stevenson House.

Mo Dirwan, aangevallen toen zijn huis-aan-huisactiviteiten hem naar Stevenson House voerden.

Om vier uur was Rebus wakker geworden, om vijf uur had hij Storeys peptalk aangehoord, omringd door slaperige mensen en de geuren van mondverfrissers en koffie.

Kort daarna was hij in zijn auto gestapt, op weg naar Knoxland, met vier anderen die meereden. Ze zeiden niet veel en hadden de raampjes opengedraaid om het beslaan van de voorruit te stoppen. Ze waren langs donkere winkels gereden en daarna langs bungalows, waar soms al een licht aan was. Een konvooi van auto's, niet allemaal ongemerkt. Taxichauffeurs keken hen na en beseften dat er iets aan de hand was. De vogels zouden al wel wakker zijn, maar daarvan was niets te horen toen de auto's in Knoxland stopten.

Alleen het openen en sluiten van autoportieren, heel zacht.

Gefluister en gebaren, een paar onderdrukte kuchjes. Iemand spoog op de grond. Een nieuwsgierige hond werd weggejaagd voordat hij kon gaan blaffen.

Schoenen schuifelden op de trap en maakten een geluid als schuurpapier.

Nog meer gebaren en gefluister. Posities werden ingenomen over de hele derde verdieping.

De verdieping waar maar zo weinig was opengedaan toen de politie daar de eerste keer was geweest.

Ze stonden klaar, drie voor iedere deur. Horloges werden gecheckt: om precies kwart voor zes zouden ze beginnen met bonken en roepen.

Nog dertig seconden te gaan.

En toen was de deur van het trapportaal opengegaan en stond er een buitenlandse jongen met een lang kledingstuk over zijn broek en een boodschappentas in zijn hand. De tas viel op de grond; er stroomde melk uit. Een van de beambten legde net een vinger op zijn lippen toen de jongen zijn longen vulde.

En een enorme kreet slaakte.

Gebonk op de deuren en gerammel met de brievenbussen. De jongen werd opgetild en naar beneden gedragen. De beambte die hem droeg, liet voetsporen van melk na.

Deuren gingen open, andere werden geforceerd. Onthuld werden:

Huiselijke taferelen, gezinnen gezeten rond de ontbijttafel.

Huiskamers waar mensen in slaapzakken of onder dekens lagen. Een stuk of zeven, acht per kamer, soms nog meer in de gang.

Kinderen die schreeuwden van angst, met wijd opengesperde ogen. Moeders die hen naar zich toe trokken. Jonge mannen die gehaast kleren aantrokken of net wakker waren, met hun slaapzak in hun handen geklemd, angstig kijkend naar de binnenstormende mannen.

Ouderen die protesteerden in een stortvloed van talen, druk gebarend met de handen. Grootouders die gehard waren tegen deze nieuwe vernedering, half blind zonder hun bril, maar vastbesloten elk beetje waardigheid dat de situatie toestond bijeen te rapen.

Storey ging kamer in, kamer uit, flat in, flat uit. Hij had drie tolken meegebracht, bij lange na niet genoeg. Een van de beambten gaf hem een blad papier dat van een muur was getrokken. Storey gaf het door aan Rebus. Het zag eruit als een werkschema, kennelijk voor levensmiddelenfabrieken, want daarvan vond hij de adressen. Het was een opsomming van achternamen, ingedeeld in groepjes. Voor de ploegendienst? Rebus gaf het terug. Hij was geïnteresseerd in de grote plastic tassen in een gang.

Die waren gevuld met koopwaar: mutsen en staafjes met lichtjes. Hij zette een van de mutsen aan; twee kleine lichtjes flitsten rood op. Hij keek om zich heen, maar zag de jongen van Lothian Road die dezelfde soort spullen had verkocht nergens. In de keuken trof hij een gootsteen vol verdorrende rozen aan, met hun knoppen nog stevig gesloten.

De meegebrachte tolken lieten surveillancefoto's zien van Bullen en Hill en vroegen de mensen of ze hen kenden. Velen schudden hun hoofd, een paar knikten. Een man – Rebus dacht een Chinees – schreeuwde in gebroken Engels: 'Wij betalen geld om hier te komen... veel geld! Werken hard... sturen geld naar huis. Wij willen werken! Wij willen werken!'

Een vriend beet hem iets toe in hun eigen taal. Die vriend keek Rebus strak aan, en Rebus knikte traag: hij begreep de essentie van zijn boodschap.

Spaar je adem.

Ze zijn niet geïnteresseerd.

Niet geïnteresseerd in ons... niet in wie wij zijn.

Toen de man op Rebus wilde afstappen, schudde die zijn hoofd en gebaarde naar Felix Storey. De man bleef vlak voor Storey staan. De enige manier waarop hij diens aandacht op zich kon vestigen, was hem aan zijn mouw trekken, iets wat hij waarschijnlijk niet meer had gedaan sinds hij een kind was.

Storey keek hem nijdig aan, maar de man negeerde dat. 'Stuart Bullen,' zei hij. 'Peter Hill.' Hij wist dat hij nu Storeys aandacht had. 'Dat zijn de mannen die u wilt.'

'Die zitten al in verzekerde bewaring,' vertelde Storey hem.

'Dat is goed,' zei de man zacht. 'En hebt u de mensen gevonden die ze hebben vermoord?'

Storey keek Rebus aan en wendde zich toen weer tot de man.

'Zou u dat willen herhalen?' vroeg hij.

De man heette Min Tan en was afkomstig uit een dorp in Centraal China. Hij zat achter in de auto van Rebus met Storey naast zich.

Rebus zat achter het stuur.

Ze stonden geparkeerd voor een bakkerij op Gorgie Road. Min Tan nam hoorbaar slokken uit een beker zwarte thee met suiker. Rebus had zijn eigen beker al leeggegooid. Pas toen hij de beker slappe grauwe koffie naar zijn lippen had gebracht, schoot het hem te binnen: dit was de zaak waar hij die ondrinkbare koffie had gekocht op de middag dat het lichaam van Stef Yurgii werd gevonden. Toch deed de bakkerij goede zaken, want hij zag een aantal mensen bij de bushalte vlakbij met eenzelfde beker in de hand. Anderen aten broodjes, vast ook daar gekocht.

Storey had de ondervraging even onderbroken, zodat hij even kon bellen. Hij voerde een ander gesprek met wie het ook was.

Hij had een probleem. De politiebureaus van Edinburgh konden de immigranten van Knoxland niet bergen. Er waren er te veel voor het aantal cellen. Hij had het geprobeerd bij de gerechtsgebouwen, maar die kampten ook met accommodatieproblemen. Voorlopig werden de immigranten vastgehouden in hun flats. De derde verdieping van Stevenson House was afgezet voor bezoekers.

Er was nog een probleem: de mankracht. De beambten die Storey had opgetrommeld, waren ondertussen weer nodig voor hun dagelijkse taken. Ze konden niet als bewakers blijven optreden. Dat was vervelend, want Storey twijfelde er niet aan dat de illegalen in Stevenson House zich door een uitgeklede ploeg bewakers niet zouden laten tegenhouden. Ze zouden vluchten.

Hij had zijn superieuren in Londen en elders gebeld en gevraagd om hulp van de douanediensten.

'Je gaat me toch niet vertellen dat er niet een paar douaniers zijn die duimen zitten te draaien,' had Rebus hem horen zeggen. Dat betekende dat hij zich vastklampte aan een strohalm.

Eigenlijk zou Rebus die arme donders het liefst laten gaan. Hij had de uitputting op hun gezichten gezien; ze hadden zo hard gewerkt dat ze vermoeid waren tot in hun botten. Storey zou beweren dat de meesten – zo niet allen – het land illegaal waren binnengekomen, of dat hun visa en verblijfsvergunningen waren verlopen. Het waren criminelen voor hem, maar voor Rebus was het duidelijk dat het ook slachtoffers waren. Min Tan had het gehad over de schrijnende armoede van het bestaan dat hij in de provincie achter zich had gelaten, en over zijn 'plicht' om geld naar huis te sturen.

Plicht: een woord dat Rebus niet al te vaak tegenkwam.

Rebus had de man iets te eten aangeboden uit de bakkerij, maar hij had zijn neus opgetrokken: hij was niet zo wanhopig dat hij gebruik wilde maken van de plaatselijke cuisine. Ook Storey had bedankt, waarna Rebus een opgewarmd broodje had gekocht waarvan het grootste deel nu in de goot lag, naast de koffie.

Storey klapte zijn mobieltje met een grauw dicht. Min Tan deed alsof hij zich concentreerde op zijn thee, maar Rebus had dat soort scrupules niet. 'Je zou altijd nog je nederlaag kunnen erkennen,' opperde hij.

Storeys half toegeknepen ogen vulden de achteruitkijkspiegel. Toen richtte hij zijn aandacht op de man naast zich. 'Dus het gaat om meer dan één slachtoffer?' vroeg hij.

Min Tan knikte en stak twee vingers op.

'Twee?' herhaalde Storey.

'Zeker twee,' zei Min Tan. Hij leek te huiveren en nam nog een slok thee.

Toen pas realiseerde Rebus zich dat de kleren die de Chinees droeg lang niet voldoende waren om hem tegen de ochtendkou te beschermen. Hij startte de motor en zette de verwarming aan.

'Gaan we ergens heen?' snauwde Storey.

'We kunnen niet de hele dag in de auto blijven zitten,' antwoordde Rebus. 'Niet als we niet dood willen.'

'Twee doden,' benadrukte Min Tan, die de woorden van Rebus verkeerd begreep.

'Was een van hen de Koerd?' vroeg Rebus. 'Stef Yurgii?'

De Chinees trok zijn wenkbrauwen op. 'Wie?'

'De man die neergestoken werd. Hij was een van jullie, toch?' Rebus had zich omgedraaid op zijn stoel, maar Min Tan schudde zijn hoofd.

'Die ken ik niet.'

Kennelijk had hij te snel conclusies getrokken. 'Peter Hill en Stuart Bullen, hebben zij Stef Yurgii niet vermoord?'

'Ik zeg u, ik ken die man niet!' zei Min Tan nu met stemverheffing.

'U hebt gezien dat ze twee mensen hebben vermoord,' kwam Storey tussenbeide. De man schudde zijn hoofd weer. 'Maar u zei zojuist van wel...'

'Iedereen weet het.'

'Wat?' drong Rebus aan.

'Die twee...' Min Tan leek de juiste woorden niet te kunnen vinden. 'Twee lichamen... u weet wel, als ze dood zijn.' Hij kneep in het vel van de arm waarmee hij zijn beker vasthield. 'Het gaat allemaal, niets over.'

'Geen vel over?' raadde Rebus. 'Lichamen zonder huid. U bedoelt skeletten?'

Min Tan stak triomfantelijk een vinger op.

'En praten mensen daarover?' vervolgde Rebus.

'Eén keer... man niet wil werken voor zo weinig geld. Hij spreekt hard. Hij zei tegen mensen niet werken, vrij zijn...'

'En werd hij vermoord?' onderbrak Storey hem.

'Niet vermoord!' riep Min Tan geërgerd uit. 'Luister, alstublieft! Hij werd gebracht naar een plaats met lichamen zonder huid. Ze zeggen dat dat met hem – met iedereen – gebeuren als hij niet luisterde en zijn werk goed deed.'

'Twee skeletten,' zei Rebus zacht, in zichzelf pratend.

Maar Min Tan had hem gehoord.

'Moeder en kind,' zei hij, en zijn ogen werden groot bij de gruwelijke herinnering. 'Als ze een moeder en kind kunnen vermoorden – niet politie weten – dan kunnen ze alles doen, iedereen vermoorden... iedereen niet gehoorzaam!'

Rebus knikte begrijpend.

Twee skeletten.

Moeder en kind.

'Hebt u die skeletten gezien?'

Min Tan schudde zijn hoofd. 'Anderen. De ene baby, in een krant. Ze lieten het in Knoxland zien, ze lieten het hoofd en de handen zien. Toen hebben ze moeder en baby begraven in...' Hij zocht naar de woorden die hij nodig had. 'Plek onder de grond...'

'Een kelder?' opperde Rebus.

Min Tan knikte heftig. 'Daar begraven, met een van ons erbij om te zien. Hij heeft ons het verhaal verteld.'

Rebus staarde door de voorruit. Daar zat iets in: de skeletten gebruiken om de immigranten schrik aan te jagen en ze bang te houden. De draden en schroefjes eruit halen om ze nog authentieker te maken. En als uitsmijter beton erop storten in bijzijn van een getuige, de man die terugging naar Knoxland om het verhaal te verspreiden.

Ze kunnen alles doen, iedereen vermoorden... iedereen die niet gehoorzaamt...

Het was een halfuur voor openingstijd toen hij op de deur van de Warlock klopte.

Siobhan vergezelde hem. Hij had haar vanuit zijn auto gebeld, nadat hij Storey en Min Tan bij Torphichen had afgezet. De man van de immigratiedienst was nu gewapend met nog meer vragen voor Bullen en de Ier.

Siobhan was nog niet helemaal wakker: hij had het verhaal meer dan één keer moeten vertellen. Zijn belangrijkste punt was: hoeveel paren skeletten waren er de laatste maanden opgedoken?

Haar uiteindelijke antwoord: alleen dat ene paar dat ze wist te bedenken.

'Ik moet Mangold trouwens toch spreken,' zei ze nu, terwijl Rebus tegen de deur van de Warlock schopte omdat zijn beleefde klopje werd genegeerd.

'Met een bepaalde reden?' vroeg hij.

'Dat merk je wel als ik hem ondervraag.'

'Bedankt voor de mededeelzaamheid.' Een laatste schop en hij deed een stap achteruit. 'Niemand thuis.'

Ze keek op haar horloge. 'Die komt pas op het laatste nippertje.'

Hij knikte. Meestal was er iemand zo kort voor openingstijd. Degene die de bar bemande, zou zich toch moeten voorbereiden op het openen van de zaak? En het zou in deze buurt slim zijn je pub als eerste open te gooien. Dat zou de kassa extra spekken.

'Wat heb jij gisteravond gedaan?' vroeg Siobhan zo gemoedelijk als ze kon.

'Niet veel.'

'Het is niets voor jou om een lift te weigeren.'

'Ik had zin om te lopen.'

'Dat zei je.' Ze sloeg haar armen over elkaar en keek hem peinzend aan. 'Onderweg nog gestopt bij een paar kroegen?'

'In tegenstelling tot wat jij denkt kan ik urenlang zonder drank.' Hij hield zich bezig met het opsteken van een sigaret. 'En jij? Had je weer een rendez-vous met Majoor Onderbroek?' Hij lachte om haar verbazing. 'Bijnamen hebben de gewoonte snel de ronde te doen.'

'Kan zijn, maar je hebt het mis. Het is Kapitein, niet Majoor.'

Rebus schudde zijn hoofd. 'Dat mag het oorspronkelijk geweest zijn, maar ik kan je verzekeren dat het nu Majoor is. Grappig, bijnamen...' Hij slenterde Fleshmarket Close heuvelopwaarts in, draaide zich om terwijl hij rook uitblies en zag toen opeens iets. Hij beende naar de kelderdeur.

Die bleek op een kier te staan.

Hij duwde hem open en stapte naar binnen. Siobhan volgde.

Binnen stond Ray Mangold naar een van de muren te staren, met zijn handen in zijn zakken, diep in gedachten verzonken. Hij was alleen. De betonnen vloer was in zijn geheel weggehaald. De rommel was verdwenen, maar er hing nog steeds stof in de lucht, wat het geheel een mysterieuze sfeer gaf.

'Meneer Mangold?'

De betovering was verbroken: Mangold draaide zich om. 'O, bent u het,' zei hij zonder veel enthousiasme.

'Mooie blauwe plekken,' merkte Rebus op.

'Ze genezen al,' vertelde Mangold luchtig, over zijn wang strijkend.

'Hoe komt u daaraan?'

'Zoals ik al tegen uw collega heb gezegd...' Mangold knikte in de richting van Siobhan, 'heb ik een aanvaring met een klant gehad.'

'Wie heeft gewonnen?'

'Hij komt de Warlock niet meer in, dat staat vast.'

'Sorry als we u hebben gestoord,' zei Siobhan.

Mangold schudde zijn hoofd. 'Ik probeer me alleen maar voor te stellen hoe het eruit zal zien als het klaar is.'

'De toeristen zullen elkaar verdringen,' beweerde Rebus.

Mangold glimlachte. 'Dat hoop ik.' Hij haalde zijn handen uit zijn zakken en klapte. 'En waar kan ik u vandaag mee helpen?'

'Die skeletten...' Rebus gebaarde naar de plek waar de vondst was gedaan.

'Ik kan niet geloven dat u nog steeds uw tijd verspilt...'

'Dat doen we niet.' Rebus onderbrak hem. Hij stond naast een kruiwagen, waarschijnlijk van de klusjesman, Joe Evans. Een gereedschapskist stond er geopend in, met een hamer en een beitel. Rebus tilde de beitel op, onder de indruk van het gewicht. 'Kent u iemand die Stuart Bullen heet?'

Mangold dacht na over zijn antwoord. 'Ik ken hem van naam. De zoon van Rab Bullen.'

'Dat klopt.'

'Volgens mij heeft hij een soort striptent...'

'De Nook.'

Mangold knikte traag. 'Dat is hem...'

Rebus liet de beitel weer in de kruiwagen vallen. 'Hij heeft ook een leuke bijverdienste in de slavernij, meneer Mangold.'

'Slavernij?'

'Illegale immigranten. Hij zet ze aan het werk en houdt daar waarschijnlijk zelf aardig wat aan over. Het ziet ernaar uit dat hij ze ook van een nieuwe identiteit voorziet.'

'Jezus.' Mangold keek van Rebus naar Siobhan en weer terug. 'Maar wacht even... wat heb ik daarmee te maken?'

'Toen een van de immigranten in opstand kwam, besloot Bullen hem af te schrikken. Hij liet hem een stel skeletten zien die in een kelder begraven lagen.'

Mangold zette grote ogen op. 'De skeletten die Evans heeft opgegraven?'

Rebus haalde alleen maar zijn schouders op, Mangold strak aankijkend. 'Is de kelderdeur altijd afgesloten, meneer Mangold?'

'Luister, ik heb u gelijk in het begin al gezegd dat dat beton was gestort voordat ik hier kwam.'

Rebus haalde nogmaals zijn schouders op. 'Tja, we moeten u op uw woord vertrouwen nu we weten dat u ons geen papieren kunt laten zien.'

'Misschien kan ik nog eens kijken.'

'Misschien kunt u dat. Maar wees voorzichtig. De knappe koppen van het politielab zijn heel slim... Ze kunnen precies vaststellen hoe lang geleden iets is geschreven of getypt. Wist u dat?'

Mangold knikte. 'Ik zeg niet dat ik iets zál vinden...'

'Maar u kijkt er nog een keer naar, en dat stellen wij op prijs.' Rebus tilde de beitel weer op. 'En u kent Stuart Bullen niet... hebt u hem nooit ontmoet?'

Mangold schudde krachtig zijn hoofd.

Rebus liet de stilte tussen hen in hangen en keerde zich naar Siobhan om aan te geven dat het haar beurt was om het strijdperk te betreden.

'Meneer Mangold,' zei ze, 'mag ik u iets vragen over Ishbel Jardine?'

Mangold leek perplex. 'Wat is er met haar?'

'Dat is min of meer een antwoord op een van mijn vragen. U kent haar dus?'

'Haar kennen? Nee... Ik bedoel... ze kwam wel eens in mijn club.'

'De Albatross?'

'Ja.'

'En u kende haar?'

'Niet echt.'

'Gaat u me vertellen dat u zich de naam van elke klant herinnert die in de Albatross kwam?'

Rebus moest hierom lachen, wat het onbehagen van Mangold nog versterkte.

'Ik ken de naam,' stuntelde Mangold verder, 'vanwege haar zus. Die heeft zelfmoord gepleegd. Luister...' Hij keek op zijn gouden polshorloge. 'Ik zou boven moeten zijn... We gaan over een minuut open.'

'Toch nog een paar vragen,' zei Rebus resoluut, terwijl hij nog altijd de beitel vasthield.

'Ik snap niet wat er aan de hand is. Eerst zijn het die skeletten, nu weer is het Ishbel Jardine... Wat heb ik ermee te maken?'

'Ishbel is verdwenen, meneer Mangold,' vertelde Siobhan. 'Ze kwam wel eens in uw club en nu is ze verdwenen.'

'Er kwamen iedere week honderden mensen naar de Albatross,' zei Mangold klagend.

'Maar ze zijn toch niet allemaal verdwenen?'

'We weten van de skeletten in uw kelder,' voegde Rebus hieraan toe, terwijl hij de beitel weer met een oorverdovende klap liet vallen. 'Maar hoe zit het met de lijken in uw kast? Is er iets wat u ons wil laten weten, meneer Mangold?'

'Luister, ik heb u niets te vertellen.'

'Stuart Bullen zit in verzekerde bewaring. Hij zal een deal willen maken en ons meer vertellen dan we moeten weten. Wat denkt u dat hij ons over die skeletten zal vertellen?'

Opeens liep Mangold naar de openstaande deur, tussen de twee rechercheurs door, alsof hij behoefte aan zuurstof had. Hij perste zich naar buiten Fleshmarket Close in en draaide zich naar hen om, luidruchtig ademhalend. 'De zaak moet open,' bracht hij hijgend uit.

'Goed, we luisteren,' zei Rebus.

Mangold staarde hem aan. 'Ik bedoel dat ik de bar moet openen.'

Rebus en Siobhan traden in het daglicht. Mangold draaide de sleutel in het hangslot achter hen om. Ze keken hem na toen hij door de steeg naar boven stapte en om de hoek verdween.

'Wat denk jij?' vroeg Siobhan.

'Ik denk dat we nog steeds een goed team vormen.'

Ze knikte instemmend. 'Hij weet meer dan hij vertelt.'

'Net als iedereen.' Rebus schudde met zijn pakje sigaretten en besloot dat hij de laatste voor later zou bewaren. 'En wat nu?'

'Kun je mij afzetten bij mijn flat? Ik moet mijn auto ophalen.'

'Je kunt van je flat naar Gayfield Square lopen.'

'Maar ik ga niet naar Gayfield Square.'

'Waar ga je dán naartoe?'

Ze tikte tegen de zijkant van haar neus. 'Geheimen, John... net als iedereen.'

27

Rebus was weer op bureau Torphichen, waar Felix Storey in een hevig debat was verwikkeld met inspecteur Shug Davidson over zijn dringende behoefte aan een kamer, een bureau en een stoel.

'En een telefoonlijn naar buiten,' voegde Storey eraan toe. 'Ik heb mijn eigen laptop.'

'We hebben geen bureaus over, laat staan kamers,' antwoordde Davidson.

'Mijn bureau op Gayfield Square komt vrij,' bood Rebus aan.

'Ik moet híér zijn,' hield Storey vol, en hij wees naar de vloer.

'Wat mij betreft mag je daar blijven staan!' beet Davidson hem toe, en hij beende weg.

'Geen slechte uitsmijter,' mijmerde Rebus.

'Wat is er gebeurd met de samenwerking?' vroeg Storey, die plotseling klonk alsof hij zich bij zijn lot had neergelegd.

'Misschien is hij jaloers,' raadde Rebus. 'Al die mooie resultaten die jij bereikt.' Storey keek al trots. 'Ja,' vervolgde Rebus, 'al die mooie, gemakkelijke resultaten.'

'Wat bedoel je daarmee?'

Rebus haalde zijn schouders op. 'Helemaal niets, behalve dat je die mysterieuze tipgever van je een kist of twee malt schuldig bent als je bekijkt wat hij in dit geval voor je heeft betekend.'

Storey keek hem nog steeds aan. 'Dat gaat jou niets aan.'

'Is dat niet wat crimi's meestal tegen ons zeggen als er iets is wat beter verborgen kan blijven?'

'En wat zou er dan precies verborgen moeten blijven?' Storey klonk minder zeker.

'Misschien weet ik dat niet tot jij het me vertelt.'

'En waarom zou ik dat doen?'

Rebus toonde een oprechte glimlach. 'Omdat ik niet bij de crimi's hoor?' opperde hij.

'Daar ben ik nog niet van overtuigd, inspecteur.'

'Ondanks het feit dat ik in dat konijnenhol ben gedoken om Bullen er aan het andere eind uit te jagen?'

Storey glimlachte koeltjes. 'Moet ik je daarvoor bedanken?'

'Ik heb ervoor gezorgd dat jouw mooie, dure pak niet de vernieling in ging...'

'Zó duur is het niet.'

'En ik ben erin geslaagd te zwijgen over Phyllida Hawes en jou...'

Storey keek hem stuurs aan. 'Rechercheur Hawes was een lid van mijn team.'

'En daarom zaten jullie op een zondagmorgen achter in die bestelwagen?'

'Als je met verdachtmakingen begint...'

Maar Rebus glimlachte en gaf een vriendschappelijke tik op Storeys arm. 'Ik zit je alleen maar te jennen, Felix.'

Storey nam even de tijd om te kalmeren. Rebus gebruikte die tijd om hem te informeren over het bezoek aan Ray Mangold.

Storey luisterde met groeiende aandacht. 'Denk je dat die twee samenwerken?'

Rebus haalde zijn schouders op. 'Ik weet niet of het belangrijk is. Maar er is nog iets waar we naar moeten kijken.'

'Wat?'

'Die flats in Stevenson House... die zijn van de gemeente.'

'En?'

'En welke namen staan er in de huurcontracten?'

Storey keek hem indringend aan. 'Ga door.'

'Hoe meer namen we hebben, hoe meer mogelijkheden we hebben om Bullen in het nauw te drijven.'

'Dat betekent dus dat we de gemeente moeten benaderen.'

Rebus knikte. 'En weet je wat? Ik ken iemand die kan helpen...'

De twee mannen zaten in de kamer van mevrouw Mackenzie, terwijl zij voor hen de verwikkelingen van Bob Bairds onwettige rijk tentoonspreidde. Een rijk dat, zo bleek, ten minste drie van de flats omvatte die op deze ochtend waren binnengevallen.

'En misschien meer,' merkte mevrouw Mackenzie op. 'We hebben tot dusver elf pseudoniemen gevonden. Hij heeft gebruikgemaakt van de namen van verwanten, van namen die hij uit het telefoonboek lijkt te hebben gehaald en ook nog namen van personen die onlangs zijn overleden.'

'Gaat u hiermee naar de politie?' vroeg Storey, vol bewondering voor de administratie van mevrouw Mackenzie. Het was een enorme stamboom, bestaande uit vellen kopieerpapier die met sellotape aan elkaar waren bevestigd en het grootste deel van haar bureau in beslag namen. Naast elke naam stonden bijzonderheden over de herkomst ervan.

'De machine is al in beweging gezet,' zei ze. 'Ik wil er alleen voor zorgen dat ik van mijn kant heb gedaan wat ik kan.'

Rebus knikte haar lovend toe, wat ze aanvaardde met een blos op haar wangen.

'Mogen we aannemen,' zei Storey, 'dat de meeste flats op de derde verdieping van Stevenson House werden onderverhuurd door Baird?'

'Ik denk van wel,' antwoordde Rebus.

'En mogen we ook aannemen dat hij er volledig van op de hoogte was dat zijn huurders werden aangeleverd door Stuart Bullen?'

'Dat lijkt me logisch. Volgens mij wist de helft van de buurt wat er aan de hand was. Daarom waagden de jongens uit de buurt het niet de muren van die flat te bekladden.

'Die Stuart Bullen,' zei mevrouw Mackenzie, 'is dat iemand voor wie mensen bang moeten zijn?'

'Maakt u zich geen zorgen, mevrouw Mackenzie,' verzekerde Storey haar snel, 'Bullen zit in verzekerde bewaring.'

'En hij komt niet te weten hoe druk u het hebt gehad,' voegde Rebus hieraan toe, terwijl hij op het overzicht tikte.

Storey, die over het bureau geleund had gezeten, richtte zich nu op. 'Misschien wordt het tijd dat we een babbeltje gaan maken met Baird.'

Rebus knikte instemmend.

Bob Baird was door twee agenten in uniform naar bureau Portobello gebracht. Ze hadden de reis te voet gemaakt en Baird had het grootste deel van die tijd besteed aan het woedend protesteren tegen het vernederende hiervan.

'Waardoor mensen nog meer op ons letten,' meldde een van de agenten, niet geheel zonder tevredenheid.

'Maar het betekent dat hij een verschrikkelijk humeur zal hebben,' waarschuwde zijn collega.

Rebus en Storey keken elkaar aan.

'Prima,' zeiden ze tegelijkertijd.

Baird ijsbeerde door de kleine ruimte van de verhoorkamer. Toen de twee mannen binnenkwamen, opende hij zijn mond om weer een lijst van bezwaren aan te voeren.

'Kop dicht,' beet Storey hem toe. 'Gezien de problemen waar je in zit, raad ik je aan absoluut niets anders in deze kamer te doen dan de vragen beantwoorden die wij je willen stellen. Duidelijk?'

Baird lachte honend. 'Als ik je een goeie raad mag geven, vriend, doe wat kalmer aan met de hoogtezon.'

'Ik neem aan dat je daarmee op mijn huidskleur doelt, meneer Baird? Ik neem aan dat het helpt als je in jouw vakgebied een racist bent.'

Baird vatte het niet. 'Wat voor vakgebied?'

Onmiddellijk haalde Storey zijn legitimatie uit zijn jasje. 'Ik ben een ambtenaar van de immigratiedienst, meneer Baird.'

'O, en heeft dit dan met interraciale betrekkingen te maken?' Baird lachte weer, met een vreemd keelgeluid. Hij deed Rebus opeens denken aan een varken. 'Allemaal voor het verhuren van flats aan je stamgenoten?'

Storey wendde zich tot Rebus. 'Jij had me gezegd dat hij amusant zou zijn.'

'Dat komt omdat hij nog steeds denkt dat dit over het bedriegen van de gemeente gaat.'

Storey keerde zich weer naar Baird toe en keek hem met grote ogen van verbazing aan. 'Dacht je dat werkelijk, meneer Baird? Wel, het spijt me dat ik de boodschapper van slecht nieuws ben.'

'Is dit een van die programma's met een verborgen camera?' zei Baird. 'Komt er zo meteen een komediant opduiken om mij in de grap te laten delen?'

'Het is geen grap,' zei Storey hoofdschuddend. 'Je hebt Stuart Bullen je flats laten gebruiken. Hij verborg daar zijn illegale immigranten wanneer ze niet als zijn slaven voor hem aan het werk waren. Volgens mij heb je zijn partner een paar keer ontmoet, een aardige kerel die luistert naar de naam Peter Hill. Leuke contacten met de paramilitairen in Belfast.' Storey stak twee vingers op. 'Slavernij en terrorisme, dat is nog eens een combinatie, hè? En dan heb ik het nog niet over het smokkelen van mensen, al die valse paspoorten en ziekenfondskaarten die we bij Bullen hebben gevonden.' Storey stak een derde vinger op, vlak voor Bairds gezicht. 'En we gaan jou aanklagen voor samenzwering... niet alleen maar voor het oplichten van de gemeente en de eerlijke, hardwerkende belastingbetaler, maar ook voor smokkelen, slavernij, diefstal van identiteitsbewijzen... het kan niet op. De openbare aanklager is op niets zo verzot als op een mooie, nauwsluitende samenzwering, dus als ik jou was, zou ik proberen dat gevoel voor humor vast te houden, je zult het nog nodig hebben in de gevangenis.' Storey liet zijn hand zakken. 'Let wel... zo'n tien, twaalf jaar, dan kan de mop een aardig baardje hebben gekregen.'

Het was stil in de kamer, zo stil dat Rebus een horloge hoorde tikken. Hij nam aan dat het het horloge van Storey was. Waarschijnlijk een mooi model, chic zonder opvallend te zijn. Het zou het werk doen dat ervan verlangd werd, en dat met precisie.

Een beetje, zo was Rebus gedwongen te erkennen, als zijn eigenaar.

Alle kleur was uit het gezicht van Baird weggetrokken. Hij leek aan de buitenkant heel kalm, maar Rebus wist dat de aanpak zijn werk had gedaan. Zijn gezicht stond strak, en zijn lippen waren op elkaar geklemd terwijl hij nadacht. Hij had eerder dit soort situaties meegemaakt en hij wist dat zijn eerstvolgende beslissingen de belangrijkste uit zijn leven konden zijn.

Tien, twaalf jaar, had Storey gezegd. Zo lang zou Baird zeker niet vastzitten, zelfs niet met in zijn oren naklinkende schuldigverklaringen. Maar Storey had het precies goed uitgedrukt. Als hij vijftien tot twintig jaar had gezegd, dan was de kans groot geweest dat Baird zou hebben geweten dat hij blufte. Of hij zou hebben kunnen besluiten de schuld op zich te nemen en hun niets te vertellen.

Een man die niets te verliezen had.

Maar tien tot twaalf jaar... Baird zou aan het rekenen slaan. Zeg dat Storey overdreef om indruk te maken, wat misschien betekende dat hij zeven tot negen jaar zou krijgen. Dan zou hij altijd nog een jaar of vier, vijf moeten uitzitten, misschien nog wat meer. Jaren werden steeds kostbaarder als je Bairds leeftijd had. Het was Rebus wel eens uitgelegd: de beste genezing voor recidivisten was het proces van ouder worden. Je wilde niet in de gevangenis sterven, je wilde er zijn voor je kinderen en je kleinkinderen, de dingen doen die je altijd al had willen doen...

Dit alles dacht Rebus af te kunnen lezen aan de diepe rimpels op het gezicht van Baird.

En toen, eindelijk, knipperde de man een paar keer met zijn ogen, waarna hij naar het plafond keek en zuchtte. 'Vraag maar wat je te vragen hebt,' zei hij.

En dat deden ze.

'Laten we hier duidelijk over zijn,' zei Rebus. 'Je hebt Stuart Bullen een aantal van je flats laten gebruiken?'

'Inderdaad.'

'Wist je wat hij ermee deed?'

'Ik had zo mijn vermoedens.'

'Hoe is het begonnen?'

'Hij kwam me opzoeken. Hij wist al dat ik onderverhuurde aan hulpbehoevende minderheden.' Bij het uitspreken van de laatste woorden ging de blik van Baird naar Felix Storey.

'Hoe wist hij dat?'

Baird haalde zijn schouders op. 'Misschien heeft Peter Hill het hem verteld. Die hing rond in Knoxland, waar hij sjoemelde en dealde. Vooral dat laatste. Het is mogelijk dat hij dingen te horen kreeg.'

'En jij was bereid om aan zijn wensen tegemoet te komen?'

Baird lachte wrang. 'Ik heb de ouwe heer van Stu gekend. Ik ben Stu ook al een paar keer tegengekomen. Begrafenissen en zo. Hij is niet het type waar je nee tegen wil zeggen.' Baird bracht de mok naar zijn lippen en smakte daarna alsof hij van de smaak genoot. Rebus had voor hen alle drie thee gemaakt, die hij uit het kleine keukentje van het bureau had ontvreemd. Er zaten nog maar twee theezakjes in het doosje. Hij had er het leven uitgeknepen om drie mokken te kunnen vullen.

'Hoe goed heb je Rab Bullen gekend?' vroeg Rebus.

'Niet zo goed. Ik was toen zelf min of meer een sjacheraar en dealer. Ik dacht dat Glasgow misschien iets te bieden had... Rab bracht me al gauw op andere gedachten. Hij was echt vriendelijk, net als andere zakenmensen. Hij zette gewoon uiteen hoe de stad was opgedeeld en dat er geen ruimte was voor een nieuweling.' Baird zweeg even. 'Moeten jullie dit niet opnemen of zo?'

Storey boog zich naar voren op zijn stoel, met zijn handen tegen elkaar gedrukt. 'Dit is bij wijze van een voorlopig verhoor.'

'Betekent dat dat er nog meer komen?'

Storey knikte langzaam. 'En die worden wel opgenomen, op geluidsband en op video. Voor dit moment zou je kunnen zeggen dat we de zaak verkennen.'

'Oké.'

Rebus had een nieuw pakje sigaretten tevoorschijn gehaald en ging ermee rond. Storey schudde zijn hoofd, maar Baird nam er een. Er hing NIET ROKEN op drie van de vier muren. Baird blies rook in de richting van een ervan.

'We overtreden allemaal wel eens een paar voorschriften, hè?'

Rebus negeerde dit en stelde in plaats daarvan zelf een vraag. 'Wist je dat Stuart Bullen deel uitmaakte van een organisatie die zich bezighoudt met mensensmokkel?'

Baird schudde krachtig zijn hoofd.

'Ik vind dat moeilijk te geloven,' zei Storey.

'Dat verandert niets aan de waarheid.'

'Waar kwamen dan volgens jou al die immigranten vandaan?'

Baird haalde zijn schouders op. 'Vluchtelingen... asielzoekers... het was niet echt mijn zaak om daarnaar te vragen.'

'Was je niet nieuwsgierig?'

'Nieuwsgierigheid kan heel ongezond zijn.'

'Maar toch...'

Baird haalde nogmaals zijn schouders op en bestudeerde het puntje van zijn sigaret.

Rebus verbrak de stilte met een volgende vraag. 'Wist je dat hij al die mensen als illegale arbeiders gebruikte?'

'Ik zou je niet kunnen vertellen of ze illegaal waren of niet.'

'Ze werkten zich uit de naad voor hem.'

'Waarom gingen ze dan niet weg?'

'Je hebt zelf gezegd dat jíj bang voor hem was, waarom zouden zij dat dan volgens jou niet zijn?'

'Daar zit wat in.'

'We hebben bewijzen van intimidatie.'

'Dat zou wel eens in zijn genen kunnen zitten.' Baird tipte as op de vloer.

'Zo vader zo zoon?' voegde Felix Storey hieraan toe.

Rebus stond op en liep om de stoel van Baird heen. Daar bleef hij staan en bukte zich zodat zijn gezicht zich vlak naast de schouder van de andere man bevond. 'Je wist dus niet dat hij een mensensmokkelaar was?'

'Nee.'

'Goed, maar nu we je hebben ingelicht, wat denk je ervan?'

'Hoe bedoel je?'

'Ben je verrast?'

Baird dacht even na. 'Eigenlijk wel, ja.'

'En waarom dan wel?'

'Ik weet niet... misschien omdat Stu nooit de indruk heeft gewekt dat hij een rol van dat formaat zou gaan spelen.'

'Hij is in wezen iemand van het kleine werk?' opperde Rebus.

Baird dacht nogmaals na en knikte toen. 'Mensensmokkel... dan zet je hoog in, hè?'

'Klopt,' beaamde Felix Storey. 'En misschien heeft Bullen het daarom wel gedaan, om te bewijzen dat hij niet onderdeed voor zijn ouweheer.'

Dit gaf Baird even de tijd om na te denken, en Rebus zag dat hij aan zijn eigen zoon Gareth dacht. Vaders met zonen die iets willen bewijzen...

'Laten we dit even duidelijk vaststellen,' zei Rebus, weer om de stoel heen lopend zodat hij Baird recht in de ogen kon kijken. 'Jij wist niets af van die vervalste identiteitsbewijzen, en het verbaast je dat Bullen lef genoeg had om bij zoiets betrokken te raken?'

Baird knikte, terwijl hij oogcontact met Rebus bleef houden.

Nu stond Felix Storey op. 'Goed, dat deed hij dus wel, of we dat nu leuk vinden of niet...' Hij stak een hand uit.

Baird ging aarzelend staan. 'Laat je me gaan?' vroeg hij.

'Als je me maar belooft dat je er niet vandoor gaat. We bellen je, over een dag of wat. Dan leg je weer een verhoor af, dat dan op band wordt vastgelegd.'

Baird knikte alleen maar en liet de hand van Storey los. Hij keek naar Rebus, wiens handen in zijn zakken bleven. Van die kant werd geen handdruk aangeboden.

'Je vindt zelf je weg naar buiten wel?' vroeg Storey.

Baird knikt en draaide de deurknop om, nauwelijks in staat om in zijn geluk te geloven.

Rebus wachtte totdat de deur weer gesloten was. 'Waarom denk jij dat hij er niet vandoor gaat?' siste hij, omdat hij niet wilde dat Baird hem zou horen.

'Intuïtie.'

'En als je het mis hebt?'

'Hij heeft ons niets gegeven wat we niet al hebben.'

'Hij is een stukje van de legpuzzel.'

'Misschien, John, maar als hij dat is, dan is hij niet meer dan een stukje lucht of wolk. Ik zie het plaatje duidelijk genoeg zonder hem.'

'Het hele plaatje?'

Storeys gezicht verstrakte. 'Vind je niet dat ik al genoeg politie-cellen in Edinburgh in gebruik heb?' Hij zette zijn mobieltje aan om te kijken of er boodschappen voor hem waren.

'Luister,' zei Rebus, 'je werkt al een tijdje aan deze zaak, nietwaar?'

'Klopt.' Storey bekeek de display van zijn mobieltje.

'En hoe ver kun je het spoor terug volgen? Wie ken jij nog meer buiten Bullen?'

Storey keek op. 'We hebben een paar namen: een vrachtrijder uit Essex, een Turkse bende in Rotterdam...'

'En die houden verband met Bullen?'

'Inderdaad.'

'En dat komt allemaal van jouw anonieme tipgever? Je gaat me toch niet vertellen dat je je daarbij niet afvraagt...'

Storey stak een vinger op om hem te vragen te zwijgen zodat hij naar een boodschap kon luisteren. Rebus draaide zich op zijn hielen om en liep naar de andere muur, waar hij zijn eigen mobieltje in-schakelde. De beltoon ging onmiddellijk. Het was geen boodschap, maar een gesprek. 'Hallo, Caro,' zei hij, omdat hij het nummer her-kend had.

'Ik heb het net op het nieuws gehoord.'

'Wat gehoord?'

'Al die mensen die ze in Knoxland hebben gearresteerd... die arme, arme mensen.'

'Als het je kan troosten, we hebben ook de boeven gearresteerd, en die zullen we achter de tralies houden lang nadat die anderen weggestuurd zijn.'

'Maar waarnaartoe weggestuurd?'

Rebus keek naar Felix Storey. Er bestond geen gemakkelijke manier om haar vraag te beantwoorden.

'John?' Een fractie van een seconde voordat ze het vroeg, wist hij wat haar vraag zou zijn. 'Was jij erbij? Toen ze de deuren hebben ingetrapt en ze allemaal bij elkaar gedreven hebben, heb jij daarbij staan kijken?'

Hij dacht er even aan om te liegen, maar ze verdiende beter. 'Ik was erbij,' zei hij. 'Dat is mijn werk, Caro.' Hij sprak zachter omdat hij merkte dat Storeys gesprek beëindigd werd. 'Heb je gehoord dat ik zei dat we de verantwoordelijke mensen hebben opgepakt?'

'Er zijn wel andere banen te krijgen, John.'

'Dit is mijn baan, Caro... of je het leuk vindt of niet.'

'Je klinkt zo boos.'

Hij keek naar Storey, die zijn mobieltje in zijn zak stak. Hij besefte dat op dit moment zijn prioriteit bij Storey lag en niet bij Caro. 'Ik moet ervandoor... kunnen we later praten?'

'Over wat?'

'Wat je maar wilt.'

'De uitdrukking op hun gezichten? De huilende baby's? Kunnen we daarover praten?'

Rebus drukte op de rode toets en klapte het mobieltje dicht.

'Alles in orde?' vroeg Storey bezorgd.

'Kan niet beter, Felix.'

'Banen als de onze kunnen voor een berg ellende zorgen... Die avond dat ik naar je flat kwam, heb ik geen mevrouw Rebus bespeurd.'

'We maken nog een rechercheur van je.'

Storey glimlachte. 'Mijn eigen vrouw... nou ja, we blijven bij elkaar voor de kinderen.'

'Maar je draagt geen ring.'

Storey stak zijn rechterhand op. 'Inderdaad, die draag ik niet.'

'Weet Phyllida Hawes dat je getrouwd bent?'

De glimlach verdween en hij kneep zijn ogen halfdicht. 'Dat gaat je niks aan, John.'

'Daar heb je gelijk in... Laten we het dan hebben over die informant van jou.'

'Wat is daarmee?'

'Hij lijkt verdomd veel te weten.'

'En?'

'Heb je je niet afgevraagd wat zijn beweegreden is?'

'Niet echt.'

'En je hebt het hem niet gevraagd?'

'Wil je dat ik hem afschrik?' Storey sloeg zijn armen over elkaar. 'Maar waarom wil je dat weten?'

'Hou op met alles te verdraaien.'

'Weet je wat, John? Nadat Stuart Bullen die Cafferty had genoemd, heb ik wat achtergrondinformatie ingewonnen. Cafferty en jij kennen elkaar al heel lang.'

Het was Rebus' beurt om kwaad te kijken. 'Wat wou je daarmee zeggen?'

Verontschuldigend stak Storey zijn handen in de lucht. 'Dat was niet netjes. Weet je wat...' Hij keek op zijn horloge. 'Ik vind dat we wel een lunch hebben verdiend. Ik trakteer. Weet jij een goeie zaak in de buurt?'

Rebus schudde langzaam zijn hoofd, waarbij hij Storey bleef aankijken. 'We rijden naar Leith, daar vinden we wel iets aan de kust.'

'Jammer dat jij moet rijden,' zei Storey. 'Dat betekent dat ik voor ons allebei moet drinken.'

'Ik denk dat ik wel een glaasje aankan,' verzekerde Rebus hem.

Storey hield de deur open en gebaarde Rebus hem voor te gaan. Rebus deed dat, zonder met zijn ogen te knipperen en met malende gedachten. Storey was op stang gejaagd en had Cafferty gebruikt om op zijn beurt Rebus aan te pakken. Waar was hij bang voor?

'Die anonieme tipgever van je,' zei Rebus bijna terloops, 'heb je wel eens je gesprekken met hem op de band gezet?'

'Nee.'

'Heb je enig idee hoe hij aan jouw nummer is gekomen?'

'Nee.'

'Kun je hem niet terugbellen?'

'Nee.'

Rebus keek over zijn schouder naar de vertoornde man van de immigratiedienst. 'Hij is bijna niet echt, hè, Felix?'

'Echt genoeg,' gromde Storey. 'Anders zouden we hier niet zijn.'

Rebus haalde alleen maar zijn schouders op.

'We hebben hem,' zei Les Young tegen Siobhan toen ze de bibliotheek van Banehall binnenkwam. Roy Brinkley stond achter de balie, en ze lachte naar hem in het voorbijgaan. Het gonsde in de moordkamer, en nu wist ze waarom.

Ze hadden Spinneman gepakt.

'Vertel op,' zei ze.

'Je weet toch dat ik Maxton naar Barlinnie heb gestuurd om na te vragen of Cruikshank daar vrienden had gemaakt? En daar werd de naam Mark Saunders genoemd.'

'De spinnenwebtatoeage?'

Young knikte. 'Heeft drie van de vijf jaar gezeten voor een seksmisdrijf. Hij kwam een maand eerder vrij dan Cruikshank. Is teruggegaan naar de stad waar hij vandaan kwam.'

'Niet Banehall?'

Young schudde zijn hoofd. 'Bo'ness. Maar een kilometer of vijftien ten noorden van Banehall.'

'Heb je hem daar gevonden?' Ze zag Young alweer knikken. Ze moest onwillekeurig denken aan de hondjes die ze vaak op de hoedenplank achter in auto's zag. 'En heeft hij bekend dat hij Cruikshank heeft vermoord?'

Het geknik kwam abrupt tot stilstand.

'Ik denk dat dat wat te veel gevraagd was,' moest ze toegeven.

'Maar waar het om gaat,' zei Young, 'is dat hij zich niet meldde toen de zaak bekend werd.'

'Je denkt dat dat betekent dat hij iets te verbergen heeft? Zou het niet zo kunnen zijn dat hij alleen maar denkt dat wij hem de schuld in de schoenen willen schuiven...'

Nu fronste Young zijn voorhoofd. 'Dat is bijna exact het excuus waar hij mee kwam.'

'Heb je dan met hem gepraat?'

'Ja.'

'Heb je hem nog gevraagd naar die film?'

'Wat had ik erover moeten vragen?'

'Waarom hij hem gemaakt heeft.'

Young vouwde zijn armen over elkaar. 'Hij denkt dat hij een soort pornokoning kan worden en dat hij zijn verkoop via het internet kan regelen.'

'Hij heeft kennelijk heel wat nagedacht in Barlinnie.'

'Daar heeft hij les gehad in het werken met computers en met webdesign...'

'Fijn om te weten dat we onze gevangenen zulke nuttige vaardigheden leren.'

Youngs schouders zakten iets. 'Geloof je niet dat hij het heeft gedaan?'

'Geef me een motief en vraag het me dan nog eens.'

'Dat soort figuren... die hebben voortdurend ruzie.'

'Ik heb iedere keer ruzie met mijn moeder als ik haar aan de telefoon heb. Maar ik geloof niet dat ik met een hamer op haar af ga...'

Young zag de uitdrukking die plotseling op haar gezicht kwam. 'Wat is er?' vroeg hij.

'Niets,' loog ze. 'Waar wordt Saunders vastgehouden?'

'Livingston. Over een uur of zo heb ik weer een gesprek met hem, dus als je erbij wilt zijn...'

Maar Siobhan schudde haar hoofd. 'Ik moet nog wat andere dingen doen.'

Young bestudeerde zijn schoenen. 'Misschien kunnen we elkaar dan later nog zien?'

'Misschien,' zei ze toegevend.

Hij maakte aanstalten om te vertrekken, maar toen schoot hem blijkbaar nog iets te binnen. 'We ondervragen ook de heer en mevrouw Jardine.'

'Wanneer?'

'Vanmiddag.' Hij haalde zijn schouders op. 'Dat moet nu eenmaal gebeuren, Siobhan.'

'Dat weet ik, je doet je werk. Maar pak ze niet te hard aan.'

'Maak je geen zorgen, de tijd dat ik gewelddadig was ligt achter me.' Hij leek blij met de glimlach die ze hem schonk. 'En de namen die jij ons hebt gegeven – de vriendinnen van Tracy Jardine –, we hebben nu eindelijk ook de tijd om ons met hen bezig te houden.'

Dat betekende Susie...

Angie...

Janet Eylot...

Janine Harrison...

'Denk je dat ze iets verdoezelen?' vroeg ze.

'Laten we zeggen dat Banehall niet echt meewerkt.'

'Ze laten ons hun bibliotheek gebruiken.'

Ditmaal was het Les Youngs beurt om te glimlachen. 'Dat is waar.'

'Gek eigenlijk,' zei Siobhan. 'Donny Cruikshank stierf in een stad vol vijanden, en de enige die we opgepakt hebben is zo'n beetje de enige vriend die hij had.'

Young haalde zijn schouders op. 'Je hebt het zelf gezien, Siobhan. Als vrienden ruzie krijgen, kan het erger worden dan een vendetta.'

'Dat is waar,' zei ze zacht, in zichzelf knikkend.

Les Young speelde met zijn horloge. 'Ik moet ervandoor,' zei hij.

'Ik ook, Les. Succes met Spinneman. Ik hoop dat hij doorslaat.'

Hij stond voor haar. 'Maar je rekent er niet op?'

Ze glimlachte en schudde haar hoofd. 'Maar dat wil niet zeggen dat het niet gebeurt.'

Vertederd gaf hij haar een knipoog, en hij liep naar de deur. Ze wachtte totdat ze buiten een auto hoorde starten, waarna ze naar de receptiebalie liep. Daar zat Roy Brinkley op zijn computerscherm te kijken of er een bepaald boek beschikbaar was voor een van zijn klanten. De vrouw was klein en zag er breekbaar uit. Haar handen knepen in het looprek en ze trok lichtjes met haar hoofd. Ze keerde zich naar Siobhan toe en glimlachte stralend naar haar.

'*Cop Hater*,' zei Brinkley, 'dat is het boek waar u naar zoekt, mevrouw Shields. Ik kan het bestellen via de bibliotheekcentrale.'

Mevrouw Shields knikte tevreden en zette zich schuifelend in beweging.

'Ik bel u wel wanneer het binnenkomt,' riep Brinkley haar na. Vervolgens, tegen Siobhan: 'Een van mijn vaste klanten.'

'En haat ze de politie?'

'Het is van Ed McBain. Mevrouw Shields houdt van het hardere werk.' Hij beëindigde het intikken van de bestelling met een zwierig gebaar. 'Kan ik u ergens mee van dienst zijn?' vroeg hij, terwijl hij opstond.

'Ik heb gezien dat jullie ook kranten hebben,' zei Siobhan, en ze knikte in de richting van de ronde tafel waar vier gepensioneerden gedeelten van tabloids met elkaar uitwisselden.

'We hebben de meeste dagbladen, plus nog wat tijdschriften.'

'En als ze uitgelezen zijn?'

'Dan gooien we ze weg.' Hij zag de uitdrukking op haar gezicht. 'Sommige grotere bibliotheken hebben ruimte om ze te bewaren.'

'Maar jullie niet?'

Hij schudde zijn hoofd. 'Was u op zoek naar iets?'

'Een *Evening News* van vorige week.'

'Dan hebt u geluk,' zei hij, en hij kwam achter zijn balie vandaan. 'Komt u maar mee.'

Hij ging haar voor naar een gesloten deur. Op het bordje stond vermeld ALLEEN PERSONEEL. Brinkley toetste cijfers op het toetsenpaneeltje in en duwde de deur open. Die gaf toegang tot een kleine personeelskamer met een aanrecht, een waterkoker en een magnetron. Een andere deur leidde naar een wc, maar Brinkley ging naar de deur daarnaast en draaide de knop om.

'Opslag,' zei hij.

Het was een plek waar oude boeken op hun dood lagen te wachten: planken vol, sommige zonder omslag en andere waaruit losse bladen hingen.

'Zo af en toe proberen we ze aan de man te brengen,' verklaarde hij. 'Als dat niet lukt, zijn ze voor liefdadigheidswinkels. Maar er zijn er ook bij die zelfs liefdadigheidswinkels niet willen.' Hij sloeg er een open om Siobhan te laten zien dat de laatste bladzijden eruit gescheurd waren. 'Deze recyclen we, samen met oude tijdschriften en kranten.' Hij tikte met zijn schoen tegen een uitpuilende boodschappentas. Er stonden andere naast, gevuld met krantenpapier. 'U hebt geluk, morgen worden ze opgehaald voor de recycling.'

'Weet je zeker dat "geluk" het juiste woord is?' vroeg Siobhan sceptisch. 'Ik neem aan dat je geen idee hebt in welke van deze tassen de kranten van de vorige week zitten?'

'U bent de rechercheur.' Het vage geluid van een zoemer kwam van buiten. Er stond een klant te wachten bij de balie van Brinkley. 'Ik laat u ermee alleen,' zei hij met een glimlach.

'Bedankt.' Siobhan stond daar, met haar handen op haar heupen, en ze haalde diep adem. Het rook er muf, en ze overwoog haar alternatieven. Er waren er een paar, maar die hielden stuk voor stuk een rit naar Edinburgh in, waarna ze weer terug zou moeten naar Banehall.

Ze nam een besluit, hurkte neer en trok een krant uit de eerste tas om de datum te controleren. Ze legde hem naast de tas en probeerde een andere die wat verder naar achteren stak. Die legde ze ook neer, waarna ze zorgvuldig nog een krant uit de tas trok. Dezelfde procedure volgde ze met de tweede en de derde tas. In de derde tas vond ze kranten van twee weken terug. Ze maakte ruimte vrij en trok het hele pak uit de tas, waarna ze de kranten doorspitte. Meestal nam ze 's avonds een *Evening News* mee naar huis, die ze soms de volgende ochtend bij het ontbijt doorbladerde. Dat was een goede methode om vast te stellen waar de voorlichters en politici mee bezig waren. Maar nu leken de recente krantenkoppen haar niet te interesseren. De meeste ervan kon ze zich meteen al niet meer herinneren. Ten slotte vond ze dat waarnaar ze op zoek was. Ze scheurde de hele pagina eruit, vouwde hem op en stak hem in haar zak. De kranten pasten niet allemaal meer in de tas, maar ze deed haar best. Vervolgens nam ze bij de aanrecht een mok koud water. Bij het weggaan stak ze haar duimen op naar Brinkley en liep naar haar auto.

Het was in feite maar een klein stukje lopen naar de kapsalon, maar ze had haast. Ze parkeerde dubbel, want ze wist dat ze niet veel tijd nodig had. Ze liep naar de deur en wilde die openduwen, maar hij gaf niet mee. Ze tuurde door de ruit: niemand thuis. De openingsuren stonden op een bordje achter het raam. Woensdags en zondags gesloten. Maar het was vandaag dinsdag. En toen zag ze een andere vermelding, haastig geschreven op een papieren zakje. Het was oorspronkelijk op de ruit geplakt, maar het had losgelaten en lag nu op de vloer: GESLOTEN WEGENS ONVOORZIENE. Het volgende woord was begonnen als OMSTANDIGHEDEN, maar de spelling was kennelijk een probleem voor de schrijver geweest, die het had doorgeschrapt en de boodschap onvoltooid had gelaten.

Siobhan verwenste zichzelf. Had Les Young zelf het niet tegen haar gezegd? Ze zouden worden ondervraagd. Officieel ondervraagd. Dat betekende een tochtje naar Livingston. Ze stapte weer in haar auto en reed die richting uit.

Het was niet druk op de weg en het duurde niet lang. Ze vond al snel een parkeerplek voor het hoofdbureau van de F-divisie. Ze ging naar binnen en vroeg de dienstdoende brigadier aan de balie waar de verhoren in de zaak Cruikshank plaatsvonden. Hij wees haar de juiste richting. Even later klopte ze op de deur van de verhoorkamer en duwde hem open. Les Young en een andere rechercheur zaten binnen. Tegenover hen aan tafel zat een man die bedekt was met tatoeages.

'Sorry,' verontschuldigde Siobhan zich, alweer binnensmonds vloekend. Ze wachtte even in de gang om te zien of Young naar buiten zou komen omdat hij zich misschien afvroeg wat ze van plan was. Dat deed hij niet. Ze liet de adem gaan die ze had vastgehouden en probeerde de volgende deur. Nog twee rechercheurs keken op en fronsten hun wenkbrauwen over de verstoring.

'Het spijt me als ik jullie stoor,' zei Siobhan, terwijl ze naar binnen stapte. Angie keek naar haar op. 'Ik vroeg me alleen af of iemand weet waar ik Susie kan vinden.'

'In de wachtkamer,' zei een van de rechercheurs.

Siobhan lachte Angie bemoedigend toe en verliet de kamer. Driemaal scheepsrecht, dacht ze.

En dat klopte. Susie zat met over elkaar geslagen benen haar nagels te vijlen en kauwgum te kauwen. Ze knikte bij iets wat Janet Eylot tegen haar zei. De twee vrouwen waren alleen, geen spoor van Janine Harrison. Siobhan begreep de redenering van Les Young: breng ze bij elkaar, zorg dat ze gaan praten en misschien zenuwachtig worden. Niemand voelde zich totaal op zijn gemak in een politiebureau. Vooral Janet Eylot maakte een nerveuze indruk. Siobhan herinnerde zich de wijnflessen in haar koelkast. Janet zou waarschijnlijk op dit moment geen nee zeggen tegen een drankje, tegen iets wat verzachtend kon werken...

'Hallo,' zei Siobhan. 'Susie, kan ik je even spreken?'

Eylot keek nog droeviger. Misschien vroeg ze zich af waarom zij alleen werd buitengesloten, terwijl de anderen allemaal met de politie zaten te praten.

'Het duurt nog geen minuut,' verzekerde Siobhan haar. Niet dat Susie zich haastte om te vertrekken. Eerst moest ze haar met een luipaardmotief gedecoreerde schoudertas openen, haar make-uptasje eruit halen en de nagelvijl onder zijn elastieken bandje steken. Pas daarna stond ze op en volgde Siobhan naar de gang.

'Is het mijn beurt voor de ondervraging?' vroeg ze.

'Nog niet.' Siobhan vouwde het stuk krant open. Ze hield het Susie voor. 'Herken je hem?' vroeg ze.

Het was de foto bij het verhaal over Fleshmarket Close. Ray Mangold voor zijn pub, armen over elkaar geslagen en joviaal glimlachend, met Judith Lennox naast zich.

'Hij lijkt op...' Susie was gestopt met op haar kauwgum te kauwen.

'Ja?'

'Die vent die Ishbel vaak kwam ophalen.'

'Heb je enig idee wie hij is?'

Susie schudde haar hoofd.

'Hij was de baas van de Albatross,' hielp Siobhan haar een handje.

'We zijn daar een paar keer geweest.' Susie bekeek de foto wat aandachtiger. 'Ja, nou je het zegt...'

'De geheimzinnige vriend van Ishbel?'

Susie knikte. 'Zou kunnen.'

'Alleen maar "zou kunnen"?'

'Ik heb u al gezegd dat ik hem nooit goed bekeken heb. Maar dit komt in de buurt... het zou hem heel goed kunnen zijn.' Ze knikte traag in zichzelf. 'En weet u wat het gekke is?'

'Wat?'

Susie wees op de krantenkop. 'Ik heb dit gezien toen die krant verscheen, maar het drong niet tot me door. Ik bedoel, het is alleen maar een foto, toch? Je denkt nooit...'

'Nee, Susie, dat doe je nooit,' zei Siobhan, terwijl ze de pagina weer dichtvouwde. 'Dat doe je nooit.'

'Dit verhoor en zo,' zei Susie, wat zachter pratend nu, 'denkt u dat we in de problemen zitten?'

'Waarvoor? Jullie hebben toch niet met zijn allen Donny Cruikshank vermoord?'

Susie kneep als antwoord haar ogen tot spleetjes. 'Maar wat wij in het toilet hebben geschreven... dat is toch vandalisme?'

'Van wat ik van de Bane heb gezien, Susie, zou een beetje advocaat aanvoeren dat het interieurverfraaiing was.' Siobhan wachtte tot Susie lachte. 'Dus maak je geen zorgen... jullie geen van allen. Oké?'

'Oké.'

'En zeg dat ook tegen Janet.'

Susie keek Siobhan onderzoekend aan. 'Hebt u het dan gezien?'

'Ze ziet eruit alsof ze haar vriendinnen op dit moment hard nodig heeft.'

'Altijd al,' zei Susie, met iets van spijt in haar stem.

'Doe je best dan voor haar, hè?' Siobhan legde haar hand even op Susies arm, wachtte tot ze knikte, glimlachte toen en draaide zich om om te vertrekken.

'Als u weer eens gekapt moet worden, is dat voor rekening van het huis,' riep Susie haar na.

'Dat is precies het soort omkoperij waar ik voor open sta,' riep Siobhan terug, en ze zwaaide even.

28

Ze vond een parkeerplek in Cockburn Street, liep Fleshmarket Close door, sloeg links af naar High Street en nogmaals naar links, de Warlock binnen. De clientèle was gemengd: bouwvakkers in schafttijd, zakenlui die over de dagbladen gebogen zaten en toeristen die bezig waren met plattegronden en reisgidsen.

'Hij is er niet,' vertelde de barkeeper haar ongevraagd. 'Als je een minuut of twintig wacht, dan is hij misschien terug.'

Ze knikte en bestelde een frisdrankje. Toen ze wilde betalen, schudde hij zijn hoofd. Maar ze betaalde toch: van sommige mensen nam ze liever niets aan. Een beetje geërgerd haalde hij zijn schouders op en stopte de munten in een busje voor een goed doel.

Op een van de hoge barkrukken gezeten, nam ze een klein slokje van het ijskoude drankje. 'Weet je waar hij is?'

'Gewoon, ergens.'

Siobhan nam nog een slokje. 'Hij heeft toch een auto?' De barkeeper keek haar aan. 'Maak je geen zorgen,' zei ze snel, 'ik zit niet te vissen. Het gaat me er alleen maar om dat parkeren hier in de buurt een ramp is. Ik vroeg me af hoe hij dat voor elkaar kreeg.'

'Ken je die bergruimten in Market Street?'

Ze wilde eerst haar hoofd schudden, maar knikte toen. 'Al die boogvormige deuren in de muur?'

'Dat zijn garages. Hij heeft er ook een. God mag weten wat het hem kost.'

'Dus daar stalt hij zijn auto?'

'Ja, en dan loopt hij hierheen. De enige inspanning die ik van hem ken...'

Siobhan liep al naar de deur.

Market Street lag tegenover de hoofdspoorlijn ten zuiden van Waverley Station. Daarachter kronkelde Jeffrey Street zich steil omhoog naar de Canongate. De bergruimten varieerden in grootte, afhankelijk van de helling van Jeffrey Street. Sommige waren te klein om er een auto in te zetten. Allemaal, op een na, waren ze afgesloten met hangsloten. Siobhan kwam er juist aan op het moment dat Ray Mangold de grote deuren wilde sluiten.

'Leuk karretje,' zei ze. Het kostte hem een moment om haar te plaatsen, waarna zijn blik de hare volgde naar de rode Jaguar met open dak.

'Ik ben er blij mee,' zei hij.

'Ik ben altijd benieuwd naar dit soort plekken,' vervolgde Siobhan, terwijl ze naar binnen stapte en het boogvormige bakstenen dak van de ruimte bestudeerde. 'Ze zijn prachtig, hè?'

Mangolds blik was op haar gericht. 'Wie heeft u verteld dat ik er een heb?'

Ze glimlachte naar hem. 'Ik ben rechercheur, meneer Mangold.' Ze liep om de auto heen.

'U zult niets vinden,' snauwde hij.

'O, dacht u dan dat ik naar iets op zoek was?' Hij had natuurlijk gelijk. Ze bekeek elke centimeter van het interieur met aandacht.

'God mag het weten... misschien naar nog meer skeletten?'

'Het gaat deze keer niet om skeletten, meneer Mangold.'

'Nee?'

Ze schudde haar hoofd. 'Nee: ik ben benieuwd naar Ishbel.' Ze bleef voor hem stilstaan. 'Ik ben benieuwd naar wat u met haar hebt gedaan.'

'Ik weet niet wat u bedoelt.'

'Hoe bent u aan die blauwe plekken gekomen?'

'Ik heb u al verteld...'

'Hebt u getuigen? Voor zover ik het me kan herinneren, heeft uw barkeeper me verteld dat hij er niet bij betrokken was. Misschien helpt een uur of twee in de verhoorkamer hem de waarheid te vertellen.'

'Luister...'

'Nee, u luistert!' Ze rechtte haar rug zodat ze nauwelijks twee centimeter kleiner was dan hij. De deuren stonden nog zo'n halve meter open. Een voorbijganger bleef even staan om een blik naar binnen te werpen. Siobhan negeerde hem. 'U kende Ishbel van de Albatross,' zei ze tegen Mangold. 'U begon met haar uit te gaan en u hebt haar een paar keer opgepikt bij haar werk. Ik heb een getuige die u heeft gezien. Als ik foto's van u en uw auto in Banehall laat rondgaan, zullen er volgens mij nog meer herinneringen loskomen. Ishbel is verdwenen... en u hebt blauwe plekken op uw gezicht.'

'Denkt u dat ik haar iets heb aangedaan?' Hij reikte naar de deuren en wilde ze dichtdoen. Maar Siobhan stond dat niet toe. Ze schopte tegen een ervan, die wijd openzwaaide. Een touringcar reed voorbij, en de passagiers keken nieuwsgierig naar binnen. Siobhan zwaaide naar hen en keerde zich naar Mangold.

'Meer dan genoeg getuigen,' waarschuwde ze hem.

Zijn ogen gingen nog verder open. 'Jezus... luister...'

'Ik luister.'

'Ik heb Ishbel niets aangedaan!'

'Bewijs het.' Siobhan keek hem strak aan. 'Vertel me wat er met haar gebeurd is.'

'Er is niets met haar gebeurd!'

'Weet u waar ze is?'

Mangold klemde zijn lippen van ergernis op elkaar. Zijn kaken bewogen heen en weer. Toen hij eindelijk sprak, knalden de woorden eruit. 'Ja, goed, ik weet waar ze is.'

'En waar is dat?'

'Ze maakt het goed... Er mankeert haar niets.'

'En ze reageert niet als ze gebeld wordt.'

'Omdat ze geen zin heeft haar vader of moeder te spreken.' Nu hij eenmaal had gesproken, leek het alsof er een last van hem was afgevallen. Hij leunde achterover tegen de bumper van de Jaguar. 'Vooral om die ouders is ze weggegaan.'

'Bewijs het dan, laat me zien waar ze is.'

Hij keek op zijn horloge. 'Ze zit waarschijnlijk in de trein.'

'In de trein?'

'Op weg terug naar Edinburgh. Ze is wezen winkelen in Newcastle.'

'Newcastle?'

'Betere winkels, kennelijk, en meer.'

'Hoe laat verwacht u haar?'

Hij schudde zijn hoofd. 'Ergens in de loop van de middag. Ik weet niet hoe laat de treinen aankomen.'

Siobhan keek hem aan. 'Nee, maar ik wél.' Kordaat pakte ze haar mobieltje en belde naar bureau Gayfield. Phyllida Hawes nam op. 'Phyl, met Siobhan. Is Col daar? Geef hem even, wil je?' Ze wachtte even, met haar blik nog steeds op Mangold gericht. Toen: 'Col? Met Siobhan. Luister, jij bent de man die het weet... Hoe laat komen de treinen uit Newcastle aan?'

Rebus zat in de recherchekamer op Torphichen en staarde voor de zoveelste keer naar de vellen papier op het bureau voor zich.

Wat erop stond was het resultaat van een grondige klus. De namen van het werkrooster dat was gevonden in de auto van Peter Hill waren vergeleken met die van de mensen die waren gearresteerd op het strand van Cramond en vervolgens nog eens met de bewoners van de derde verdieping van Stevenson House.

In de kamer was het stil. Toen de verhoren waren beëindigd, waren er een paar overvalwagens vertrokken naar Whitemire, met een lading nieuwe gedetineerden. Voor zover hij wist was Whitemire al aan de limiet van zijn capaciteit. Hij kon zich goed voorstellen hoe ze deze instroom zouden verwerken. Zoals Storey het had geformuleerd: 'Het is een private onderneming. Als eraan verdiend kan worden, redden ze het wel.'

Felix Storey had de lijst op het bureau van Rebus niet samengesteld. Felix Storey had er zelfs niet veel aandacht aan besteed toen die aan hem werd voorgelegd. Hij had het al over teruggaan naar Londen. Andere zaken schreeuwden om zijn aandacht. Hij zou uiteraard van tijd tot tijd terugkomen om de vervolging van Stuart Bullen bij te wonen.

In zijn eigen woorden, hij zou 'blijven meedraaien'.

Commentaar van Rebus: 'Als een hamster in zijn rad.'

Toen Rattenreet Reynolds de kamer binnenkwam, keek hij verstoord op. Reynolds keek rond alsof hij naar iemand op zoek was. Hij droeg een bruine papieren tas en leek erg tevreden met zichzelf.

'Kan ik je ergens mee helpen, Charlie?'

Reynolds grijnsde. 'Ik heb een afscheidscadeautje voor je vriend.' Hij trok een tros bananen uit de tas. 'Ik probeer de beste plek te bedenken waar ik ze kan neerleggen.'

'Omdat je het lef niet hebt om ze hem persoonlijk aan te bieden?' Rebus was langzaam overeind gekomen.

'Gewoon een geintje, John.'

'Voor jou misschien. Ik denk dat Felix Storey er niet zo om kan lachen.'

'Dat klopt.' Met die woorden kwam Storey binnen.

Reynolds stopte de bananen weer in de tas en drukte deze tegen zijn borst.

'Zijn die voor mij?' vroeg Storey.

'Nee,' zei Reynolds.

Storey keek hem recht in zijn gezicht aan en zei onomwonden: 'Ik ben zwart, dus ben ik een aap. Dat is toch jouw logica?'

'Nee.'

Storey maakte de zak open. 'Toevallig hou ik wel van een lekkere banaan... maar deze hebben zo te zien hun beste tijd gehad. Net als jij Reynolds: ranzig.' Hij deed de tas dicht. 'Wegwezen nu, en probeer voor de verandering eens voor rechercheur te spelen. Ik heb een aardige taak voor je. Probeer erachter te komen hoe iedereen hier jóú achter je rug om noemt.' Storey gaf een tikje op Reynolds linkerwang en sloeg zijn armen over elkaar, om duidelijk te maken dat hij kon verdwijnen.

Nadat hij vertrokken was, keerde Storey zich naar Rebus en gaf hem een knipoog.

'Ik zal je nog iets geks vertellen,' zei Rebus.

'Ik ben altijd in voor een grap.'

'Dit is meer gek-gek dan ha-ha-gek.'

'Wat dan?'

Rebus tikte op een van de vellen papier op zijn bureau. 'Voor sommige van die namen hebben we geen personen.'

'Misschien hebben ze ons horen aankomen en zijn ze ervandoor gegaan.'

'Misschien.'

Storey leunde tegen de rand van het bureau. 'Het kan zijn dat ze elders aan het werk waren toen we die kokkelzoekers meenamen. Als ze er lucht van hebben gekregen, is het niet waarschijnlijk dat ze in Knoxland opduiken, toch?'

'Nee,' beaamde Rebus. 'Zo te zien Chinese namen, de meeste dan... En één Afrikaanse. Chantal Rendille.'

'Rendille? Vind jij dat Afrikaans klinken?' Storey fronste zijn wenkbrauwen en boog zich om de papieren te bekijken. 'Chantal is toch een Franse naam?'

'Frans is de nationale taal van Senegal,' lichtte Rebus toe.

'Je ongrijpbare getuige?'

'Dat vraag ik me dus af. Ik kan het aan Kate laten zien.'

'Wie is Kate?'

'Een studente uit Senegal. Ik moet haar trouwens toch iets vragen...'

Storey ging rechtop staan. 'Veel succes dan.'

'Wacht even, er is nog iets.'

Een diepe zucht. 'En wat is dat?'

Rebus tikte op een ander vel. 'Degene die dit gedaan heeft, heeft zich extra uitgesloofd.'

'O ja?'

Rebus knikte. 'Iedereen die we hebben verhoord, hebben we gevraagd naar hun adres voordat ze in Knoxland kwamen.' Rebus keek op, maar Storey haalde alleen zijn schouders op. 'Sommigen van hen noemden Whitemire.'

Nu had hij de aandacht van Storey. 'Wat?'

'Het lijkt erop dat iemand borg voor ze heeft gestaan.'

'Wie?'

'Verschillende namen, waarschijnlijk allemaal nep. En ook nep-contactadressen.'

'Bullen?' veronderstelde Storey.

'Dat dacht ik ook. Het zit perfect in elkaar. Hij zorgt ervoor dat ze op borg vrijkomen, waarna hij ze aan het werk zet. Zodra een van hen klaagt, hangt Whitemire hen als een strop boven het hoofd. En als dat niet werkt, heeft hij altijd nog die skeletten.'

Storey knikte langzaam. 'Daar zit iets in.'

'Ik denk dat we met iemand in Whitemire moeten gaan praten.'

'Met welk doel?'

Rebus haalde zijn schouders op. 'Het is een stuk gemakkelijker om zoiets aan te pakken met een vriend die... Hoe moet ik het zeggen?' Rebus deed alsof hij naar de juiste woorden zocht. 'Die blijft meedraaien?' opperde hij ten slotte.

Even keek Storey nijdig, maar toen gaf hij zich gewonnen. 'Misschien hebje gelijk. En met wie moeten we gaan praten?'

'Iemand die Alan Traynor heet. Maar voordat we daarmee beginnen...'

'Is er nog wat?'

'Een kleinigheidje nog.' Rebus' blik was nog steeds op de vellen papier gericht. Hij had een stift gebruikt om lijnen te trekken die sommige van de namen, nationaliteiten en plaatsen met elkaar verbonden. 'De mensen die we in Stevenson House hebben gevonden, en trouwens ook degenen op het strand...'

'Wat is daarmee?'

'Sommigen kwamen uit Whitemire, anderen hadden verlopen visa, of het verkeerde soort...'

'Ja?'

Rebus haalde zijn schouders op. 'Een paar van hen hebben helemaal geen papieren... Wat betekent dat er maar een handjevol achter in een vrachtwagen hiernaartoe is gekomen. Een handjevol, Felix, en geen valse paspoorten of andere identiteitsbewijzen.'

'En?'

'Waar blijft dan die hele gigantische smokkeloperatie? Bullen is de slimme crimineel met een safe vol onbetrouwbare documenten. Hoe komt het dat er buiten zijn kantoor niets is opgedoken?'

'Het kan zijn dat hij pas een nieuwe voorraad van zijn vrienden in Londen had ontvangen.'

'Londen?' Rebus trok zijn wenkbrauwen op. 'Je hebt mij niet verteld dat hij vrienden in Londen had.'

'Ik heb het toch over Essex gehad? Dat is in wezen hetzelfde.'

'Ik geloof je op je woord.'

'En gaan we nu naar Whitemire of hoe zit het?'

'Nog een laatste vraag...' Rebus stak een vinger op. 'Even tussen jou en mij: is er iets wat jij me niet vertelt over Stuart Bullen?'

'Zoals?'

'Dat weet ik pas wanneer jij het me vertelt.'

'John... de zaak is gesloten. We hebben een resultaat. Wat wil je nog meer?'

'Misschien wil ik ervoor zorgen dat ik blijf...'

Storey stak zogenaamd waarschuwend zijn hand op, maar te laat.

'... meedraaien,' zei Rebus.

Terug naar Whitemire: langs Caro aan de rand van de weg. Ze stond te bellen en wierp zelfs geen vluchtige blik op hen.

De gebruikelijke veiligheidscontroles: hekken werden geopend en achter hen gesloten. Een bewaker begeleidde hen van het parkeerterrein naar het hoofdgebouw. Er stonden zes lege politiebusjes op het parkeerterrein; de vluchtelingen waren al gearriveerd. Felix Storey leek geïnteresseerd in alles wat hij zag.

'Ik neem aan dat je hier niet eerder bent geweest?' vroeg Rebus.

Storey schudde zijn hoofd. 'Maar ik ben wel een paar keer in Belmarsh geweest; wel eens van gehoord?' Nu was het Rebus' beurt om zijn hoofd te schudden. 'Dat is in Londen. Een fatsoenlijke gevangenis, sterk beveiligd. Daar zitten de asielzoekers.'

'Leuk.'

'Daarbij vergeleken lijkt dit wel Club Med.'

Bij de hoofdingang werden ze opgewacht door Alan Traynor. Hij deed geen moeite om zijn irritatie te verbergen. 'Luister, wat het ook is, kan het niet wachten? We proberen tientallen nieuwe gevallen te verwerken.'

'Weet ik,' zei Felix Storey, 'ik heb ze gestuurd.'

Traynor leek dit niet te horen, te zeer in beslag genomen door zijn eigen problemen. 'We moesten beslag leggen op de kantine... Hoe dan ook, het gaat uren duren.'

'In dat geval zou ik zeggen, hoe eerder u van ons af bent, hoe beter,' voerde Storey aan.

Traynor liet een theatrale zucht ontsnappen. 'Goed dan. Komt u maar mee.'

In de kantoortuin passeerden ze Janet Eylot. Ze keek op van haar computer. Haar ogen leken zich in die van Rebus te boren en ze opende haar mond om iets te zeggen, maar Rebus was haar voor.

'Meneer Traynor? Sorry, maar ik moet even...' Rebus wees met zijn duim in de richting van het toilet. 'Ik haal jullie wel in,' zei hij. Storey vermoedde dat hij iets van plan was, maar hij wist niet wat. Rebus gaf alleen maar een knipoog en keerde op zijn hielen om. Hij liep door het kantoor terug naar de gang. En daar wachtte hij totdat hij de deur van Traynor dicht hoorde gaan. Hij stak zijn hoofd om de hoek en floot zacht.

Janet Eylot stapte achter haar bureau vandaan en kwam naar hem toe. 'Jullie met je gelazer!' siste ze. Zodra Rebus zijn vinger op zijn lippen legde, dempte ze haar stem. Die trilde nog steeds van woede. 'Ik heb geen minuut rust gehad, sinds ik met u heb gesproken. Ik heb politie aan mijn deur gehad... in mijn keuken... en nu ben ik net terug van het hoofdbureau van Livingston, en daar bent u alweer! En we zitten met al die nieuwe mensen, hoe moeten we dat aanpakken?'

'Rustig, Janet, rustig.' Ze trilde; haar ogen waren roodomrand en waterig. Ze had een zenuwtic achter haar linker ooglid. 'Het is gauw voorbij, je hoeft je nergens zorgen over te maken.'

'Ook niet als ik verdacht word van moord?'

'Ik weet zeker dat je geen verdachte bent. Het gaat om routineonderzoek.'

'En bent u hierheen gekomen om met meneer Traynor over mij te praten? Is het al niet erg genoeg dat ik tegen hem moest liegen over vanochtend? Ik heb gezegd dat het een dringende familieaangelegenheid was.'

'Waarom vertel je hem niet gewoon de waarheid?'

Fel schudde ze haar hoofd. Rebus boog zich langs haar heen en keek het kantoor in. De deur van Traynor was nog gesloten. 'Luister, ze zullen achterdochtig worden...'

'Ik wil weten waarom dit gebeurt! Waarom gebeurt het met míj?'

Rebus pakte haar bij haar schouders. 'Nog even volhouden, Janet. Het duurt niet lang meer.'

'Ik weet niet hoeveel meer ik kan verdragen...' Haar stem stierf weg.

'Eén dag tegelijk, Janet, dat is de beste manier,' zei Rebus, terwijl hij zijn handen liet zakken. Hij hield heel even oogcontact. 'Eén dag tegelijk,' herhaalde hij, en hij liep langs haar zonder om te kijken.

Hij klopte op de deur van Traynor, ging naar binnen en sloot de deur achter zich.

De twee mannen zaten. Rebus liet zich op de lege stoel zakken.

'Ik heb meneer Traynor zojuist ingelicht over het netwerk van Stuart Bullen,' vertelde Storey.

'En ik vind het onvoorstelbaar,' zei Traynor, zijn handen ten hemel heffend. Rebus negeerde hem en keek Felix Storey aan.

'Heb je het hem niet verteld?'

'Ik heb gewacht tot jij erbij was.'

'Wat verteld?' vroeg Traynor, die probeerde te glimlachen.

'Meneer Traynor, heel wat mensen die we hebben opgepakt, komen van Whitemire. Ze zijn vrijgekocht door Stuart Bullen.'

'Onmogelijk.' De glimlach was verdwenen. Traynor keek beide mannen aan. 'Dat zouden we niet hebben toegestaan.'

Storey haalde zijn schouders op. 'Er kunnen pseudoniemen en valse adressen zijn gebruikt...'

'Maar wij ondervragen de aanvragers.'

'Doet u dat persoonlijk, meneer Traynor?'

'Niet altijd, nee.'

'Er moeten mensen zijn die als dekmantel voor hem hebben gediend, respectabel geachte mensen.' Storey haalde een vel papier uit zijn zak. 'Hier heb ik de lijst van Whitemire... die kunt u heel gemakkelijk controleren.'

Traynor pakte hem aan en bekeek hem.

'Zijn er namen bij die een belletje doen rinkelen?' vroeg Rebus.

Traynor knikte alleen maar traag en nadenkend. Zijn telefoon ging. Hij nam op. 'O ja, hallo,' zei hij in de hoorn. 'Nee, we redden het wel, er gaat alleen wat tijd in zitten. Het betekent waarschijnlijk wel meer werkdruk voor het personeel... Ja, ik kan zeker een spreadsheet maken, maar dat kan een paar dagen duren...' Hij luisterde, met zijn blik op zijn twee bezoekers gericht. 'Ja, natuurlijk,' zei hij ten slotte. 'En als we wat nieuw personeel zouden kunnen aannemen of een paar van onze andere faciliteiten kunnen overnemen? Al was het maar totdat de nieuwen hun plek hebben, om het zo maar uit te drukken...'

Het gesprek ging nog een minuut door. Traynor noteerde iets op een blad papier toen hij de hoorn weer op de haak liet vallen. 'U ziet hoe het ervoor staat,' zei hij tegen Rebus en Storey.

'Georganiseerde chaos?' opperde Storey.

'En daarom moet ik echt een einde maken aan dit gesprek.'

'Moet dat?'

'Ja, dat moet echt.'

'En het is niet omdat u bang bent voor wat we verder nog gaan zeggen?'

'Ik begrijp niet waar u naartoe wilt, inspecteur.'

'Zal ik een spreadsheet voor u maken?' Er verscheen een ijskoude glimlach op het gezicht van Rebus. 'Het is een stuk gemakkelijker iets dergelijks te ondernemen met hulp van binnenuit.'

'Wat?'

'Wat geld dat van eigenaar wisselt, boven op de borgsom.'

'Luister, ik hou niet van de toon die u aanslaat.'

'Kijk nog eens naar die lijst, meneer Traynor. Er staan een paar Koerdische namen op, Turkse Koerden, net als de familie Yurgii.'

'En wat wou u daarmee zeggen?'

'Toen ik u ernaar vroeg, zei u dat er geen Koerden op borgtocht waren vrijgelaten uit Whitemire.'

'Dan heb ik een fout gemaakt.'

'Bij een andere naam op de lijst staat dat ze van Ivoorkust komt.'

Traynor keek op het vel papier. 'Dat ziet er wel naar uit.'

'Ivoorkust, officiële taal Frans. Maar toen ik u vroeg naar Afrikanen in Whitemire, zei u hetzelfde: geen Afrikanen op borgtocht vrij.'

'Luister, ik heb het ontzettend druk gehad... Ik kan me echt niet herinneren dat ik dat gezegd heb.'

'Ik denk van wel, en de enige reden die u – volgens mij – hebt om te liegen, is dat u iets te verbergen hebt. U wilde niet dat ik iets over die mensen te weten kwam, omdat ik dan misschien naar ze op zoek was gegaan en ik achter de valse namen en adressen van hun sponsor was gekomen.' Het was Rebus' beurt om zijn handen in vertwijfeling op te steken. 'Tenzij u een andere reden kunt bedenken.'

Traynor sloeg op zijn bureaublad en stond op, zeer boos kijkend. 'U hebt het recht niet om deze beschuldigingen te uiten!'

'Overtuig me.'

'Ik geloof niet dat ik dat hoef te doen.'

'Ik denk van wel, meneer Traynor,' zei Felix Storey zacht. 'Omdat de beschuldigingen ernstig zijn en onderzocht zullen moeten worden. Dat betekent dat mijn mensen uw dossiers grondig gaan doorspitten. Ze zullen hier overal rondgaan. En we zullen ook onderzoek doen naar uw persoonlijke leven: bankrekeningen, recente aankopen... misschien een nieuwe auto of een dure vakantie. U kunt erop rekenen dat we grondig te werk zullen gaan.'

Geslagen zat Traynor achter zijn bureau. Toen de telefoon weer ging, sloeg hij die van zijn bureau, waarbij tegelijk een ingelijste foto meevloog. Het glas versplinterde, en de foto viel uit de lijst: een glimlachende vrouw, met haar arm om haar dochtertje. Op dat moment vloog de deur open: Janet Eylot stond in de deuropening.

'Donder op!' brulde Traynor, waarop ze afdroop.

Er hing even een diepe stilte in de kamer, die uiteindelijk werd verbroken door Rebus. 'Nog één ding,' zei hij zacht. 'Bullen gaat voor de bijl, daar bestaat geen twijfel aan. Denkt u dat hij zijn mond houdt over andere betrokkenen? Hij zal meeslepen wie hij maar kan. Voor sommigen van hen is hij misschien bang, maar hij zal niet bang zijn voor jou, Traynor. Als we eenmaal met hem gaan onderhandelen, denk ik dat jouw naam de eerste is die uit zijn mond komt.'

'Ik kan dit niet doen... niet nu.' Traynors stem brak bijna. 'Ik moet voor al die nieuwelingen zorgen.' Hij keek op naar Rebus en leek zijn tranen terug te dringen. 'Die mensen hebben me nodig.'

Rebus haalde zijn schouders op. 'En praat u daarna met ons?'

'Daar moet ik over nadenken.'

'Als u praat,' vertrouwde Storey hem toe, 'dan bestaat er voor ons minder reden om uw hele domein door te spitten.'

Traynor toonde een verwrongen glimlach. 'Mijn "domein"? Zodra u uw beschuldiging publiek maakt, ben ik mijn plek hier kwijt.'

'Misschien had u daar eerder aan moeten denken.'

Traynor zei niets. Hij kwam achter zijn bureau vandaan, raapte de telefoon op en legde de hoorn weer op de haak. Onmiddellijk begon het toestel weer te rinkelen. Traynor negeerde het en bukte zich om het fotolijstje op te rapen. 'Wilt u nu gaan, alstublieft? Dan praten we later weer.'

'Maar niet veel later,' waarschuwde Storey hem.

'Ik moet voor de nieuwe mensen zorgen.'

'Morgenochtend?' drong Storey aan. 'We komen morgenochtend vroeg terug.'

Traynor knikte. 'Check even bij Janet of er niets in mijn agenda staat.'

Storey leek hier tevreden mee. Hij stond op en knoopte zijn jasje dicht. 'Dan laten we u voor nu met rust. Maar vergeet niet, meneer Traynor, dit gaat niet over. U kunt maar beter met ons praten voordat Bullen dat doet.' Hij stak zijn hand uit, maar Traynor negeerde die. Storey opende de deur en ging de kamer uit. Rebus bleef nog heel even staan voordat hij hem volgde.

Nerveus bladerde Janet Eylot door een grote kantooragenda. Ze vond de betreffende bladzijde. 'Hij heeft een bespreking om kwart over tien.'

'Zeg die maar af,' beval Storey. 'Hoe laat begint hij?'

'Rond halfnegen.'

'Noteer ons voor dat tijdstip. We hebben een paar uur nodig.'

'Zijn volgende afspraak is om twaalf uur. Moet ik die ook afzeggen?'

Storey knikte. Rebus staarde naar de gesloten deur. 'John,' vroeg Storey, 'ga je morgen mee?'

'Ik dacht dat je zo graag naar Londen terugging.'

Storey haalde zijn schouders op. 'Nu komt alles mooi bij elkaar...'

'Dan ga ik mee.'

De bewaker die hen begeleid had vanaf het parkeerterrein stond al te wachten om hen uit te laten. Rebus vroeg Storey snel: 'Kun je bij de auto op me wachten?'

'Wat is er?'

'Gewoon iemand die ik wil zien... het duurt nog geen minuut.'

'Je sluit me buiten,' stelde Storey vast.

'Misschien. Maar wil je het toch doen?'

Na een aarzeling ging Storey akkoord.

Rebus vroeg de bewaker hem naar de kantine te brengen. Pas toen Storey buiten gehoorafstand was, verfijnde hij zijn verzoek. 'Eigenlijk wil ik naar de gezinsvleugel,' zei hij.

Tot zijn tevredenheid zag hij daar wat hij graag had willen zien: de kinderen van Stef Yurgii speelden met het speelgoed dat hij had gebracht. Ze zagen hem niet; ze gingen te zeer op in hun eigen wereldje, net zoals andere kinderen. De weduwe zag hij niet, maar Rebus hoefde haar niet per se te ontmoeten. Even later liet hij zich door de bewaker terugbrengen naar het binnenplein.

Halverwege het plein hoorde hij gekerm, vanuit het hoofdgebouw. Het geluid leek dichterbij te komen. De deur vloog open en er strompelde een vrouw naar buiten, die op haar knieën viel. Janet Eylot, nog steeds schreeuwend.

Rebus rende naar haar toe, zich ervan bewust dat Storey ook kwam aanhollen.

'Wat is er aan de hand, Janet? Wat is er?'

'Hij heeft... hij heeft...'

Maar in plaats van te antwoorden zakte ze op de grond, jammerend. Ze trok haar knieën op en rolde zich op. Ze lag op haar zij, met haar armen om zich heen geslagen. 'O, God,' jammerde ze. 'God, wees genadig...'

De twee mannen renden naar binnen, de gang door naar de kantoortuin. Traynors kamerdeur stond open; personeelsleden verdrongen elkaar in de deuropening. Rebus en Storey wrongen zich langs hen naar binnen. Een geüniformeerde vrouwelijke bewaker zat geknield naast het lichaam op de vloer. Er was overal bloed, dat het tapijt en het overhemd van Alan Traynor doorweekte. De bewaakster drukte met haar hand op een wond op Traynors linkerpols. Een andere bewaker hield een doek tegen de gewonde rechterpols. Traynor was bij bewustzijn, staarde met wijd geopende ogen; zijn borst rees op en neer. Ook zijn gezicht was besmeurd met bloed.

'Haal een dokter...'

'Een ambulance...'

'Handdoeken...'

'Verband...'

'Hou de druk erop!' schreeuwde de vrouwelijke bewaker tegen haar collega.

Inderdaad, hou de druk erop, dacht Rebus. Was dat niet precies wat Storey en hij hadden gedaan?

Er lagen glasscherven op het overhemd van Traynor. Scherven van het fotolijstje, gebruikt om zijn polsen door te snijden. Rebus voelde dat Storey hem aankeek. Hij beantwoordde de blik.

Jij wist dit, hè? leek Storey te willen zeggen. Jij wist dat het zover zou komen... en je hebt niets gedaan.

Niets.

Niets.

De blik waarmee Rebus terugkeek, zei helemaal niets.

Toen de ambulance arriveerde, stond Rebus binnen de afzetting het laatste restje van zijn sigaret op te roken. Zodra de poort openging, liep hij de weg op, langs het wachthok de helling af naar de plek waar Caro Quinn stond.

'Toch niet weer een zelfmoord?' vroeg ze geschrokken.

'Wel een poging,' zei Rebus. 'Maar niet een van de gevangenen.'

'Wie dan?'

'Alan Traynor.'

'Wat?' Haar hele gezicht leek te verrimpelen.

'Hij heeft geprobeerd zijn polsen door te snijden.'

'Blijft hij in leven?'

'Dat weet ik echt niet. In ieder geval goed nieuws voor jou.'

'Wat bedoel je?'

'De komende dagen gaat de beerput hier flink open, Caro. Misschien zelfs genoeg om ervoor te zorgen dat die hele toestand hier gesloten wordt.'

'En dat noem jij goed nieuws?'

Rebus trok zijn wenkbrauwen op. 'Dat wilde je toch?'

'Niet op deze manier! Ten koste van nog een leven!'

'Zo bedoelde ik het niet,' zei Rebus.

'Volgens mij wel.'

'Dan ben je paranoïde.'

Ze deed een stapje achteruit. 'Ben ik dat?'

'Luister, ik dacht alleen maar...'

'Jij kent mij niet, John. Jij kent mij helemaal niet...'

Rebus zweeg even, alsof hij zijn antwoord overwoog. 'Daar kan ik mee leven,' zei hij ten slotte. Hij draaide zich om en liep terug naar de poort.

Bij de auto stond Storey op hem te wachten. Zijn enige commentaar luidde: 'Jij lijkt hier een heleboel mensen te kennen.'

Rebus snoof. Beide mannen keken toe terwijl een van de ziekenbroeders terugholde naar de ambulance voor iets wat hij was vergeten.

'Volgens mij hadden we twee ambulances moeten hebben,' merkte Storey op.

'Ook een voor Janet Eylot?' raadde Rebus.

Storey knikte. 'Het personeel maakt zich zorgen over haar. Ze ligt in een van de kantoren in dekens gewikkeld op de vloer, en ze trilt als een rietje.'

'Ik had haar gezegd dat alles goed zou komen,' zei Rebus zacht, bijna in zichzelf.

'Dan vertrouw ik niet op jou als ik een deskundig oordeel nodig heb.'

'Nee,' zei Rebus, 'dat moet je absoluut niet doen...'

29

De trein was een kwartier te laat.

Siobhan en Mangold wachtten aan het eind van het perron. Ze zagen de deuren opengaan en de passagiers naar buiten stromen. Er waren toeristen met koffers, die een vermoeide en ontredderde indruk maakten. Zakelijke reizigers kwamen uit de eersteklascoupés en stapten met kwieke tred naar de taxistandplaats. Moeders met kinderen en buggy's, oudere echtparen, mannen die met een licht hoofd wankelden na een uur of drie, vier drinken.

Ishbel was nergens te zien.

Het was een lang perron, met veel uitgangen. Siobhan stond midden op het perron en strekte haar hals in de hoop dat ze haar niet zouden mislopen. Ze negeerde de opmerkingen en blikken van de reizigers die gedwongen werden om haar heen te lopen.

En toen legde Mangold zijn hand op haar arm. 'Daar is ze,' zei hij.

Ze was dichterbij dan Siobhan verwachtte, beladen met boodschappentassen. Toen ze Mangold zag, stak ze die tassen omhoog en deed haar mond wijd open, opgetogen over de onderneming van deze dag. Ze had Siobhan niet opgemerkt. En Siobhan had haar niet herkend. Ze zou haar zonder de waarschuwing van Mangold gewoon langs hebben laten lopen.

Ze was weer zoals vroeger. Haar haar had de natuurlijke kleur en het oude model. Ze was niet langer een kopie van haar dode zusje.

Ishbel Jardine stond daar, in hoogsteigen persoon, en sloeg haar armen om Mangold heen om hem een lange kus op zijn lippen te drukken. Ze had haar ogen stijf dicht, maar die van Mangold bleven open. Hij keek over Ishbels schouder naar Siobhan. Ten slotte deed Ishbel een stap achteruit en keerde Mangold haar bij de schouder om, zodat ze tegenover Siobhan kwam te staan.

Ze herkende haar. 'O, god, u bent het.'

'Hallo, Ishbel.'

'Ik ga niet terug! Vertel ze dat maar!'

'Waarom zeg je het hun zelf niet?'

Verwoed schudde Ishbel haar hoofd. 'Ze zouden me... Ze zouden me ompraten. U weet niet hoe ze zijn. Ik heb ze veel te lang mijn leven laten beheersen!'

'Er is daar een wachtkamer,' zei Siobhan, naar de stationshal wijzend. De menigte was ondertussen uitgedund. Een rij taxi's zocht zijn weg naar Waverley Bridge. 'Zullen we daar even praten?'

'Er valt nergens over te praten.'

'Ook niet over Donny Cruikshank?'

'Wat is er met hem?'

'Je weet dat hij dood is?'

'Opgeruimd staat netjes!'

Haar hele gedrag – de stem, de houding – was harder dan Siobhan zich herinnerde. Ze was geharnast, gehard door ervaring. Niet bang om haar boosheid te laten zien.

Misschien ook in staat tot geweld.

Siobhan verlegde haar aandacht naar Mangold. Mangold met de blauwe plekken op zijn gezicht. 'We praten in de wachtkamer,' zei ze, en ze deed het klinken als een bevel.

Maar tot haar spijt was de wachtkamer gesloten, daarom liepen ze door de stationshal naar het stationscafé.

'Zullen we naar de Warlock gaan?' stelde Mangold voor, terwijl hij naar het vermoeid ogende decor en de nog vermoeidere cliëntèle keek. 'Ik moet trouwens toch terug.'

Siobhan negeerde hem en bestelde drankjes. Mangold haalde een rolletje bankbiljetten uit zijn zak en zei dat hij haar niet wilde laten betalen. Daarover ging Siobhan niet met hem in discussie. Hoewel er in de zaak geen gesprekken werden gevoerd, was het er rumoerig genoeg om alles wat ze zouden zeggen onverstaanbaar te maken. De tv was afgestemd op een sportzender; doedelzakmuziek daalde neer van het plafond; een ventilator gierde; gokautomaten bromden. Ze gingen aan een hoektafeltje zitten. Ishbel spreidde haar tassen om zich heen uit.

'Een goeie vangst,' zei Siobhan.

'Gewoon wat spullen.' Ishbel keek Mangold weer aan en lachte.

'Ishbel,' zei Siobhan kalm, 'je ouders maakten zich zorgen over je, en dat had weer tot gevolg dat de politie zich zorgen over je ging maken.'

'Dat kan ik toch niet helpen? Ik heb jullie niet gevraagd je ermee te bemoeien.'

'Brigadier Clarke doet alleen maar haar werk,' zei Mangold op verzoenende toon.

'En ik zeg dat ze zich er niet mee hoefde te bemoeien... klaar, uit.' Ishbel bracht het glas naar haar mond.

'In feite,' zei Siobhan tegen haar, 'is dat niet helemaal waar. In een moordzaak moeten we met iedere verdachte afzonderlijk praten.'

Haar woorden hadden het gewenste effect. Ishbel staarde haar aan van boven de rand van haar glas en zette het toen onaangeroerd neer. 'Ben ik een verdachte?'

Siobhan haalde haar schouders op. 'Ken jij iemand die meer reden had om Donny Cruikshank aan te pakken?'

'Maar hij is juist de reden waarom ik uit Banehall weg ben gegaan! Ik was bang voor hem...'

'Ik dacht dat je zei dat je weg was gegaan vanwege je ouders?'

'Dat ook, ja... Die probeerden me in Tracy te veranderen.'

'Dat weet ik, ik heb de foto's gezien. Ik dacht dat het jouw idee was, maar meneer Mangold heeft me duidelijk gemaakt dat dat niet zo is.'

Ishbel kneep in Mangolds arm. 'Ray is de beste vriend die ik in heel de wereld heb.'

'En die vriendinnen van je: Susie, Janet en de rest? Dacht je niet dat zij zich zorgen zouden maken?'

'Ik was van plan hen na een tijdje te bellen.' Ishbels toon werd nu nukkig, wat Siobhan eraan herinnerde dat ze ondanks haar uiterlijke pantser nog altijd een tiener was. Pas achttien, misschien half zo oud als Mangold.

'En intussen ben jij Rays geld aan het uitgeven?'

'Ik wil dat ze dat doet,' bracht Mangold hiertegen in. 'Ze heeft een moeilijk leven gehad... Het werd tijd dat ze wat plezier kreeg.'

'Ishbel,' zei Siobhan, 'je zegt dat je bang was voor Cruikshank?'

'Dat klopt.'

'Bang voor wat precies?'

Ishbel sloeg haar blik neer. 'Voor wat hij zou zien als hij naar mij keek.'

'Omdat je hem aan Tracy deed denken?'

Ishbel knikte. 'En ik wéét dat hij dat dacht... dat hij zich herinnerde wat hij met haar had gedaan...' Ze verborg haar gezicht achter haar handen. Troostend sloeg Mangold een arm om haar schouders.

'Maar toch heb je hem geschreven toen hij in de gevangenis zat?' vroeg Siobhan. 'Je schreef hem dat hij net zo goed jouw leven had kunnen nemen als dat van Tracy.'

'Omdat mijn vader en moeder mij in Tracy veranderden.' Haar stem brak.

'Het is goed, meisje,' zei Mangold zacht. Vervolgens, tegen Siobhan: 'Ziet u wat ik bedoel? Het is niet gemakkelijk voor haar geweest.'

'Daar twijfel ik niet aan. Maar ze moet toch verhoord worden.'

'Ze moet met rust worden gelaten.'

'Met rust bij u, bedoelt u?'

Achter de gekleurde glazen veranderden de ogen van Mangold in kleine spleetjes. 'Wat bedoelt u?'

Siobhan haalde alleen maar haar schouders op en deed alsof ze zich bezighield met haar glas.

'Het is zoals ik je gezegd heb, Ray,' zei Ishbel. 'Ik kom nooit los van Banehall.' Traag schudde ze haar hoofd. 'De andere kant van de wereld zou nog niet ver genoeg zijn.' Ze klampte zich nu aan zijn arm vast. 'Jij zei dat het goed zou zijn, maar dat is niet zo.'

'Alles wat je nodig hebt, is vakantie, meisje. Cocktails bij het zwembad... room service en een mooi zandstrand.'

'Wat bedoelde je daarmee, Ishbel?' kwam Siobhan tussenbeide. 'Met dat het niet goed zou zijn?'

'Ze bedoelde niets,' snauwde Mangold, Ishbel tegen zich aan trekkend. 'Als u nog meer vragen hebt, stel die dan maar bij een andere gelegenheid, ja?' Hij kwam overeind en pakte een paar van de tassen op. 'Kom mee, Ishbel.'

Zij pakte de overige tassen en keek nog een laatste keer om zich heen of ze niets vergat.

'Er zal een andere gelegenheid komen, meneer Mangold,' zei Siobhan op waarschuwende toon. 'Skeletten in de kelder zijn één ding, maar moord is heel wat anders.'

Mangold deed zijn best om haar te negeren. 'Kom mee, Ishbel. We nemen een taxi naar de pub... het is niet handig om met al die spullen te gaan lopen.'

'Bel je ouders, Ishbel,' zei Siobhan. 'Zij kwamen bij me omdat ze zich zorgen maakten over jóú... Dat had niets te maken met Tracy.'

Ishbel reageerde niet, maar toen Siobhan haar naam riep, ditmaal harder, draaide ze zich om.

'Ik ben blij dat je in veiligheid bent en dat het goed met je gaat,' zei Siobhan met een glimlach. 'Echt waar.'

'Zegt u dat dan maar tegen mijn ouders.'

'Als je dat wil, doe ik dat.'

Ishbel aarzelde. Mangold hield de deur voor haar open. Ze keek naar Siobhan en knikte bijna onmerkbaar. Toen was ze weg.

Vanachter het raam keek Siobhan hen na toen ze naar de taxistandplaats liepen. Peinzend draaide ze haar glas in het rond. Ze voelde dat Mangold echt om Ishbel gaf, maar dat maakte nog geen goed mens van hem. *Jij zei dat het goed zou zijn, maar dat is niet zo...* Die woorden hadden Mangold ertoe aangezet op te staan. Siobhan dacht dat ze wist waarom. Liefde kon een nog destructievere emotie zijn dan haat. Dat had ze vaak genoeg gezien: jaloezie, wantrouwen, wraak. Wat zou het zijn geweest...

Niet veel later had ze die drie motieven teruggebracht tot één. Wraak.

Joe Evans was niet thuis. De deur van hun bungalow in Liberton Brae werd door zijn vrouw geopend. Er was geen voortuin, alleen een bestrate parkeerplaats, waar een lege aanhangwagen op stond.

'Wat heeft hij nou weer gedaan?' vroeg zijn vrouw nadat Siobhan zich gelegitimeerd had.

'Niets, hoor.' Ze stelde de vrouw snel gerust. 'Heeft hij u verteld wat er in de Warlock is gebeurd?'

'Niet meer dan een stuk of tien keer.'

'Het gaat alleen maar om een paar aanvullende vragen.' Siobhan zweeg even. 'Heeft hij wel eens problemen gehad?'

'Heb ik dat gezegd?'

'Zo goed als,' zei Siobhan glimlachend, waarmee ze de vrouw duidelijk maakte dat het haar niets uitmaakte.

'Een paar keer gevochten in de pub... dronken en agressief... maar het afgelopen jaar heeft hij zich keurig gedragen.'

'Dat is goed om te horen. Weet u waar ik hem kan vinden, mevrouw Evans?'

'Hij zal wel in de sportzaal zitten, meisje. Ik kan hem daar niet vandaan houden.' Ze zag de uitdrukking op Siobhans gezicht en schoot in de lach. 'Ik neem je in de maling... Hij zit waar hij elke dinsdagavond zit: quiz in zijn buurtkroeg. Hier omhoog de heuvel op, aan de overkant van de straat.' Mevrouw Evans gebaarde met haar duim. Siobhan bedankte haar en ging weg.

'En als hij daar niet is,' riep de vrouw haar na, 'kom dan terug en laat het me weten. Dat zou betekenen dat hij ergens stiekem een scharreltje heeft!'

Het hortende gelach volgde Siobhan helemaal tot aan de rand van het trottoir.

De pub had warempel een kleine parkeerplaats, die al helemaal vol stond. Siobhan parkeerde op de straat en liep naar binnen. Het was er gezellig: de klanten zaten op hun gemak te kletsen. Het teken van een goede buurtkroeg. Er waren teams gevormd, die zaten rond elke beschikbare tafel. Een persoon van elk team schreef de

antwoorden op. Er werd een vraag herhaald toen Siobhan binnenkwam. De quizmaster leek de kroegbaas te zijn. Hij stond achter de
bar met een microfoon in zijn ene hand en een blad papier met de
vragen in de andere.

'Laatste vraag, mensen, hier komt-ie weer: "Welk Hollywood-
sterretje verbindt een Schots acteur met het lied 'Yellow'?" Moira
komt over een minuut jullie antwoorden ophalen. We pauzeren even
en dan laten we jullie weten welk team bovenaan is geëindigd. Op
het poolbiljart staan sandwiches, dus tast toe.'

De teams stonden van hun tafeltjes op en overhandigden hun in-
gevulde bladen aan de vrouw van de kroegbaas. Er klonk geroeze-
moes; iedereen was benieuwd wat de andere teams ervan hadden gemaakt.

'Het zijn die verdomde rekenopgaven die me de das omdoen...'

'En jij bent boekhouder!'

'Die laatste, bedoelde hij daar nou "Yellow Submarine" mee?'

'Jezus, Peter, er is na de Beatles nog meer muziek gemaakt, hoor.'

'Maar er is niets wat het bij hen haalt, en ik daag iedereen uit die
iets anders beweert.'

'Wat was ook weer de naam van Humphrey Bogarts partner in
The Maltese Falcon?'

Daar wist Siobhan het antwoord op. 'Miles Archer,' zei ze tegen
Joe Evans.

Hij staarde haar aan. 'Ik ken jou,' zei hij. Hij hield een pint in
zijn ene hand en wees met de andere naar haar.

'We hebben elkaar in de Warlock gezien,' hielp Siobhan hem herinneren. 'Je zat toen cognac te drinken.' Ze gebaarde naar zijn glas.
'Wil je nog wat drinken?'

'Waar gaat dit over?' vroeg hij. De anderen gaven Siobhan en Joe
Evans de ruimte, alsof er plotseling een onzichtbaar krachtveld was
geactiveerd. 'Toch niet weer over die stomme skeletten?'

'Niet echt. Om eerlijk te zijn, ik kom je om een gunst vragen.'

'Wat voor gunst?'

'Een van het soort dat begint met een vraag.'

Hij dacht hier even over na en keek toen naar zijn lege glas. 'Geef
me er dan nog maar eentje,' zei hij. Siobhan voldeed graag aan dat
verzoek. Aan de bar werden vragen op haar afgevuurd, die niets met
de quiz te maken hadden. Enkele buurtbewoners waren nieuwsgierig wie ze was, hoe ze Evans kende, was ze misschien zijn reclasse-
rings-ambtenaar of zijn sociaal werkster? Siobhan sloeg zich daar
heel behendig doorheen, glimlachte bij het gelach en reikte Evans
een verse pint aan.

Hij zette die aan zijn mond en nam drie, vier stevige slokken, om daarna weer op adem te komen. 'Ga je gang en stel je vraag,' zei hij.

'Werk je nog steeds bij de Warlock?'

Hij knikte. 'Was dat het?' vroeg hij.

Ze schudde haar hoofd. 'Ik vroeg me af of je een sleutel van de zaak hebt.'

'Van de pub?' Hij lachte. 'Zo stom is Ray Mangold niet.'

Siobhan schudde nogmaals haar hoofd. 'Ik bedoelde van de kelder,' zei ze. 'Kun jij jezelf toegang verschaffen tot de kelder?'

Evans keek haar vragend aan, nam nog een paar slokken bier en veegde daarna zijn lippen droog.

'Misschien wil je het aan de zaal vragen?' stelde Siobhan voor. Zijn gezicht vertrok tot een grijns.

'Het antwoord is ja,' zei hij.

'Ja, heb je een sleutel?'

'Ja, ik heb een sleutel.'

Siobhan haalde diep adem. '... is het juiste antwoord,' zei ze. 'Wil je nu verdergaan voor de hoofdprijs?'

'Dat hoef ik niet.' Er verscheen een twinkeling in de ogen van Evans.

'Waarom niet?'

'Omdat ik de vraag ken. Je wilt dat ik je mijn sleutel leen.'

'En?'

'En ik vraag me af hoeveel stront ik daarover met mijn werkgever krijg.'

'En?'

'Ik vraag me ook af waarom je hem wilt hebben. Denk je dat daar nog meer skeletten liggen?'

'In zekere zin,' beaamde Siobhan. 'De antwoorden komen in een later stadium.'

'Als ik je de sleutel geef?'

'Of je geeft me die sleutel, of ik ga tegen je vrouw zeggen dat ik je niet op de quizavond kon vinden.'

'Zo'n aanbod kan ik moeilijk weigeren,' zei Joe Evans.

Later die avond in Arden Street. Rebus drukte op de zoemer om haar binnen te laten. Hij stond haar in de deuropening van zijn flat op te wachten toen ze zijn verdieping bereikte.

'Ik kwam toevallig voorbij,' zei ze. 'Ik zag dat je licht nog aan was.'

'Vuile leugenaar! Heb je dorst?'

Ze hield de boodschappentas omhoog. 'Twee zielen enzovoorts.'

Hij gebaarde haar binnen te komen. Het was niet rommeliger in de huiskamer dan anders. Zijn stoel stond bij het raam en de telefoon, de asbak en het glas stonden ernaast op de vloer. Er stond muziek op: Van Morrison, *Hard Nose the Highway*.

'Het gaat slecht, zo te horen.'

'Wanneer niet? Dat is zo'n beetje Vans boodschap aan de wereld.' Hij zette het geluid wat zachter.

Er kwam een fles rode wijn uit haar tas. 'Heb je een kurkentrekker?'

'Ik zal er een halen.' Vanuit de keuken riep hij: 'Ik neem aan dat je ook nog een glas wil?'

'Het spijt me dat ik zo pietluttig ben.'

Ze trok haar jas uit en zat op de armleuning van de bank toen hij terugkwam. 'Een rustig avondje thuis, hè?' zei ze, terwijl ze de kurkentrekker van hem aanpakte. Hij hield het glas voor haar op zodat ze kon inschenken. 'Wil jij ook wat?'

Hij schudde zijn hoofd. 'Ik heb drie glazen whisky op, en je weet wat ze zeggen over druiven en graan.' Ze nam het glas van hem over en maakte het zich gemakkelijk op de bank.

'Heb je zelf ook een rustige avond gehad?' vroeg hij.

'Integendeel. Tot zo'n veertig minuten geleden was ik druk in de weer.'

'O ja?'

'Ik heb Ray Duff kunnen overhalen tot in de kleine uurtjes door te werken.'

Rebus knikte. Hij wist dat Ray Duff bij de forensische dienst werkte op het lab van Howdenhall. Die lui daar waren hem zo langzamerhand een wereld van dank verschuldigd.

'Ray kan moeilijk nee zeggen,' beaamde hij. 'Iets wat ik moet weten?'

Ze haalde haar schouders op. 'Weet ik niet... En hoe is jouw dag geweest?'

'Heb je het gehoord over Alan Traynor?'

'Nee.'

Rebus liet de stilte even tussen hen in hangen. Hij pakte zijn glas en nam een paar kleine slokjes, op zijn dooie gemak. Hij nam de tijd om te genieten van het aroma en de afdronk. 'Gezellig, zo'n babbeltje, hè?' merkte hij ten slotte op.

'Goed, ik geef me over... Jij vertelt jouw verhaal, dan vertel ik het mijne.'

Lachend liep hij naar de tafel waar de fles Bowmore op stond. Hij vulde zijn glas bij en keerde terug naar zijn stoel. En begon te praten.

Daarna vertelde Siobhan hem haar eigen verhaal. Van Morrison maakte plaats voor Hobotalk en Hobotalk voor James Yorkston. Het was middernacht geweest. Ze hadden toastjes beboterd en opgegeten. De wijnfles was voor driekwart leeg en de whisky was aan zijn laatste centimeter gekomen. Siobhan bekende dat ze met een taxi was gekomen.

'Betekent dat dat je ervan uitging dat we dit gingen doen?' vroeg Rebus plagend.

'Ik denk van wel.'

'En wat als Caro Quinn hier was geweest?'

Siobhan haalde alleen maar haar schouders op.

'Niet dat dat zal gebeuren,' voegde Rebus aan zijn woorden toe. Hij keek haar aan. 'Ik geloof dat ik het heb verknald bij de Vrouwe van de Wake.'

'De wat?'

Hij schudde zijn hoofd. 'Zo noemt Mo Dirwan haar.'

Siobhan staarde naar haar glas. Rebus wist wel dat ze met allerlei vragen zat, met allerlei dingen die ze tegen hem wilde zeggen. Maar uiteindelijk was het enige wat ze zei: 'Ik geloof dat ik genoeg heb gehad.'

'Van mijn gezelschap?'

Ze schudde haar hoofd. 'De wijn. Kan ik nog een kop koffie krijgen?'

'De keuken is nog steeds op dezelfde plek.'

'De volmaakte gastheer.' Ze stond op.

'Ik wil ook wel een bak, als je dat aanbiedt.'

'Dat doe ik niet.'

Maar ze bracht toch een mok voor hem mee. 'De melk in je koelkast is nog bruikbaar,' zei ze.

'En?'

'Dat is dan de eerste keer, toch?'

'Moet je zo'n ondankbaar mens nou horen!' Rebus zette de mok op de vloer. Siobhan liep weer naar de bank en hield haar warme mok in haar handen. Toen ze de kamer uit was, had hij het raam een stukje opengezet, zodat ze niet zou klagen over zijn rook. Hij zag dat ze zag wat hij had gedaan, en hij zag haar ook besluiten geen commentaar te leveren.

'Weet je wat ik me afvraag, Shiv? Ik vraag me af hoe de skeletten in handen van Stuart Bullen zijn gekomen. Zou hij die avond met Pippa Greenlaw naar dat feestje zijn gekomen?'

'Dat betwijfel ik. Ze zei dat zijn naam Barry of Gary was en dat hij voetbalde. Ik denk dat ze elkaar daardoor hebben ontmoet...' Ze zweeg abrupt toen ze zag dat zich een glimlach over Rebus' gezicht verspreidde.

'Weet je nog dat ik mijn been schaafde bij de Nook?' vroeg hij. 'Die Australische barkeeper zei me dat hij met me meevoelde.'

Siobhan knikte. 'Een typische voetbalverwonding...'

'En hij heet toch Barney? Dat is niet echt Barry, maar het komt dicht in de buurt.'

Siobhan knikte nog steeds. Ze haalde haar mobieltje en haar no- titieboekje uit haar tas en zocht naar het nummer.

'Het is één uur, hoor,' waarschuwde Rebus haar.

Ze negeerde hem. Ze drukte toetsen in en hield het mobieltje te- gen haar oor. Toen er werd gereageerd, begon ze te praten. 'Pippa? Met brigadier Clarke hier, weet je nog? Ben je aan het stappen of zo?' Haar blik was op Rebus gericht, om hem de antwoorden met- een door te geven. 'Je staat op een taxi te wachten om naar huis te gaan...' Ze knikte. 'Naar de Opal Lounge geweest of zo? Sorry dat ik je zo laat nog lastigval.'

Rebus liep naar de bank en boog zich naar haar toe om mee te luisteren. Hij hoorde verkeersgeluiden en dronken stemmen. Een kreet, 'Taxi!', gevolgd door gevloek.

'Die hebben we gemist,' zei Pippa Greenlaw. Ze klonk eerder bui- ten adem dan dronken.

'Pippa,' zei Siobhan, 'het gaat over je partner... die avond van dat feestje bij Lex...'

'Lex is hier! Wil je hem spreken?'

'Ik wil met jou praten.'

Greenlaw sprak nu zachter, alsof ze probeerde iemand niet te la- ten meeluisteren. 'Ik denk dat het misschien iets wordt tussen ons.'

'Tussen Lex en jou? Dat is geweldig, Pippa.' Siobhan rolde met haar ogen, om de leugen van haar woorden aan te geven. 'Goed, over de nacht dat die skeletten verdwenen...'

'Weet je dat ik een ervan gekust heb?'

'Dat heb je me verteld.'

'Zelfs nu moet ik er nog bijna van over mijn nek... Taxi!'

Siobhan hield het mobieltje verder van haar oor. 'Pippa, ik wil al- leen iets weten... de man die op die avond bij jou was... kan dat een Australiër zijn geweest die Barney heette?'

'Wat?'

'Een Australiër, Pippa. De man met wie jij op het feestje van Lex was.'

'Weet je... nu je het zegt...'

'En je vond het niet de moeite waard dat aan mij te vertellen?'

'Ik vond er op dat moment niet zoveel van. Ik moet het vergeten zijn...' Ze sprak tegen Lex Cater om hem duidelijk te maken waar het gesprek over ging. Het mobieltje ging in een andere hand over.

'Is dat juffrouw Koppelaar?' De stem van Lex. 'Pippa heeft me verteld dat jij ons die avond aan elkaar gekoppeld hebt... Jij zou komen, maar zij kwam in jouw plaats. Vrouwelijke solidariteit en zo, hè?'

'Je hebt me niet verteld dat Pippa's gast op jouw feestje een Australiër was.'

'Was hij dat? Is me niet opgevallen... Hier is Pippa weer.'

Maar Siobhan had het gesprek beëindigd. 'Is me niet opgevallen,' herhaalde ze.

Rebus liep naar zijn stoel terug. 'Dat soort mensen valt zelden iets op. Ze denken dat de wereld om hen draait.' Rebus dacht even na. 'Ik vraag me af wiens idee het was.'

'Wat?'

'Die skeletten werden niet op bestelling gestolen. Dus of Barney Grant kwam op het idee om ze te gebruiken om weerbarstige immigranten af te schrikken...'

'Of Stuart Bullen...'

'Maar als het onze vriend Barney was, dan betekent dat dat hij wist wat er gebeurde; niet alleen maar barkeeper, maar ook handlanger van Bullen.'

'En dat verklaart misschien wat hij bij Howie Slowther deed. Slowther werkte ook voor Bullen.'

'Of eerder nog voor Peter Hill, maar je hebt gelijk, het eindresultaat is hetzelfde.'

'Dus Barney Grant hoort ook achter de tralies,' stelde Siobhan vast. 'Wat zou hen anders beletten de hele handel weer op te starten?'

'Een beetje bewijsmateriaal zou nu nuttig zijn. Alles wat we hebben is dat Barney Grant samen met Slowther in een auto zat...'

'Dat, en die skeletten.'

'Dat is nauwelijks voldoende om de officier van justitie te overtuigen.'

Siobhan blies op haar koffie. De stereo was stilgevallen, en dat was misschien al een tijdje zo.

'Iets voor een andere dag, hè, Shiv?' besloot Rebus ten slotte.

'Wil dat zeggen dat ik mijn biezen moet pakken?'

'Ik ben ouder dan jij... Ik heb mijn slaap nodig.'

'Ik dacht dat je juist minder slaap nodig hebt als je ouder wordt?'

Rebus schudde zijn hoofd. 'Je hebt niet minder slaap nódig; je néémt er gewoon minder tijd voor.'

'Waarom?'

Hij haalde zijn schouders op. 'Omdat de dood dichterbij komt, denk ik.'

'En je kunt zo lang slapen als je wilt wanneer je dood bent?'

'Klopt.'

'Goed. Het spijt me dat ik je zo lang uit je slaap heb gehouden, ouwetje.'

Rebus lachte. 'Het duurt niet lang meer of er zit een jongere politieman tegenover jóú.'

'Dat is nog eens een gedachte om de avond mee te beëindigen...'

'Ik bel een taxi voor je, tenzij je hier wilt blijven pitten. Ik heb een slaapkamer over.'

Ze trok haar jas aan. 'We willen toch niet dat er gekletst wordt, hè? Maar ik loop wel naar de Meadows, daar vind ik er wel een.'

'Zo laat nog in je eentje op stap?'

Siobhan pakte haar tas en hing die over haar schouder. 'Ik ben een grote meid, John. Ik red me wel.'

Hij haalde zijn schouders op en liet haar uit, waarna hij terugkeerde naar het raam van de huiskamer om haar na te kijken toen ze het trottoir af liep.

Ik ben een grote meid...

Een grote meid die bang was voor geklets.

DAG TIEN

WOENSDAG

30

'Ik heb een college,' zei Kate.

Rebus had in de hal op haar gewacht. Ze had hem aangekeken maar haar pas niet vertraagd: ze bleef lopen in de richting van het fietsenrek.

'Ik geef je een lift,' zei hij. Ze reageerde niet en maakte de ketting van haar fietsslot los. 'We moeten praten,' drong Rebus aan.

'Er valt nergens over te praten.'

'Dat klopt, denk ik...' Ze keek hem aan. 'Maar alleen wanneer we Barney Grant en Howie Slowther buiten beschouwing laten.'

'Ik heb u niets te vertellen over Barney.'

'Hij heeft je zeker gewaarschuwd?'

'Ik heb niets te vertellen.'

'Dat zei je al. En Howie Slowther?'

'Die ken ik niet.'

'Nee?'

Ze schudde opstandig haar hoofd en pakte het stuur van haar fiets vast. 'Alstublieft... ik kom te laat.'

'Nog één naam dan.' Rebus stak een wijsvinger op. Hij zag haar zucht als toestemming om zijn vraag te stellen. 'Chantal Rendille... misschien spreek ik het verkeerd uit.'

'Ik ken die naam niet.'

Rebus lachte. 'Je bent een slechte leugenaar, Kate. Je ogen knipperen. Dat heb ik al eerder gemerkt toen ik naar Chantal vroeg. Natuurlijk had ik haar naam toen niet, maar die heb ik nu wel. Nu Stuart Bullen achter slot en grendel zit, hoeft ze zich niet meer schuil te houden.'

'Stuart heeft die man niet vermoord.'

Rebus haalde alleen maar zijn schouders op. 'Hoe dan ook, ik wil het haar graag zelf horen zeggen.' Hij stak zijn handen in zijn zakken. 'Er worden de laatste tijd te veel mensen bang, Kate. Het wordt tijd om dat een halt toe te roepen, vind je ook niet?'

'Dat is niet aan mij om te beoordelen,' zei ze zacht.

'Je bedoelt dat het wel aan Chantal is? Praat dan met haar, en zeg haar dat ze niet bang hoeft te zijn. Het komt allemaal voor elkaar.'

'Ik wou dat ik uw zelfvertrouwen had, inspecteur.'

'Misschien weet ik dingen die jij niet weet... dingen die Chantal moet weten.'

Kate keek om zich heen. Haar medestudenten waren op weg naar de colleges, sommigen met de glazige ogen van de pas ontwaakten, anderen nieuwsgierig naar de man met wie ze stond te praten, zo overduidelijk iemand die noch student noch vriend was.

'Kate?' drong hij aan.

'Ik moet eerst alleen met haar praten.'

'Prima.' Hij gebaarde in de richting van de parkeerplaats. 'Nemen we de auto of is het op loopafstand?'

'Dat hangt ervan af hoe ver u wilt lopen.'

'Even serieus, zie ik eruit alsof ik een fanatiek wandelaar ben?'

'Niet echt.' Ze lachte bijna, maar was nog altijd waakzaam.

'Dan nemen we de auto.'

Zelfs toen ze naast hem was gaan zitten, duurde het even voordat ze het portier dichttrok, en ze had nog meer tijd nodig om haar veiligheidsriem vast te maken.

Het leek wel of ze elk moment de benen kon nemen.

'Waarheen?' vroeg hij, en hij probeerde de vraag gemoedelijk te laten klinken.

'Bedlam,' zei ze, maar net hoorbaar.

Rebus wist niet zeker of hij haar goed had verstaan.

'Bedlam Theatre,' lichtte ze toe. 'Het is een kerk die niet meer in gebruik is.'

'Aan de overkant van Greyfriars Kirk?' vroeg Rebus.

Ze knikte en hij gaf gas. Onderweg verklaarde ze dat Marcus, de student tegenover haar in de gang, actief was in de toneelgroep van de universiteit, en dat ze Bedlam als basis gebruikten.

Rebus zei dat hij de affiches had gezien op de muren van Marcus' kamer, en vervolgens vroeg hij haar hoe ze Chantal had leren kennen.

'Deze stad lijkt af en toe net een dorp,' zei ze. 'Ik liep haar op een dag tegemoet op straat, en ik wist het gewoon toen ik haar aankeek.'

'Wat wist je?'

'Waar ze vandaan kwam, wie ze was... Het is moeilijk uit te leggen. Twee Senegalese vrouwen midden in Edinburgh.' Ze haalde haar schouders op. 'We moesten lachen en we hebben lang met elkaar gepraat.'

'En toen ze bij jou kwam om hulp te vragen?' Ze keek hem aan alsof ze hem niet begreep. 'Wat dacht je toen? Heeft ze je verteld wat er gebeurd is?'

'Min of meer...' Kate keek naar buiten. 'Dat moet zij u maar vertellen, als ze dat wil.'

'Beseft ze dat ik aan haar kant sta? En ook aan de jouwe als het daarop aankomt.'

'Dat weet ik.'

Bedlam Theatre stond op de kruising van twee diagonalen – Forrest Road en Bristo Place – en bood uitzicht op de brede uitgestrektheid van George IV Bridge. Jaren geleden was dit Rebus' favoriete deel van de stad geweest, met zijn vreemde boekwinkeltjes en tweedehands platenzaken. Nu hadden Subway and Starbucks zich er gevestigd en de platenzaak was een themabar. Het aantal parkeerplaatsen was er ook niet op vooruitgegaan, en Rebus parkeerde bij een dubbele gele streep. Als hij geluk had, was hij terug voordat de takelwagen kon worden gebeld.

De hoofdingang was gesloten, maar Kate ging hem voor de hoek om en haalde een sleutel uit haar zak.

'Van Marcus?' giste hij.

Ze knikte, opende de kleine zijdeur en draaide zich toen naar hem om.

'Wil je dat ik hier blijf wachten?' vroeg hij.

Maar ze keek hem diep in zijn ogen en zuchtte. 'Nee,' zei ze vastberaden. 'U kunt net zo goed gelijk mee naar boven gaan.'

Binnen was het schemerig. Ze klommen een krakende trap op en kwamen uit op een balkon voor toeschouwers, dat neerzag op het geïmproviseerde toneel. Er stonden rijen voormalige kerkbanken, de meeste beladen met lege dozen, rekwisieten en belichtingsmateriaal.

'Chantal?' riep Kate. '*C'est moi.* Ben je daar?'

Er verscheen een gezicht boven een van de rijen zitplaatsen. Ze had in een slaapzak gelegen en was kennelijk net wakker geworden, want ze knipperde met haar ogen en wreef erin. Toen ze zag dat Kate iemand bij zich had, gingen haar ogen en haar mond wijd open.

'*Calmes-toi, Chantal. Il est de la police.*'

'Waarom jij breng hem?' Chantals stem klonk schril, uitzinnig. Toen ze opstond en de slaapzak van zich afschudde, zag Rebus dat ze al aangekleed was.

'Ik ben van de politie, Chantal,' zei Rebus op kalme toon. 'Ik wil met je praten.'

'Nee! Dat gebeurt niet!' Ze zwaaide met haar handen voor zich alsof hij rook was die kon worden weggewuifd. Haar armen waren dun, en ze had kortgeknipt haar. Haar hoofd leek buiten proporties, vergeleken met de slanke hals waarop het stond.

'Weet je dat we die mannen hebben gearresteerd?' zei Rebus. 'De mannen die Stef hebben vermoord. Ze gaan naar de gevangenis.'

'Ze zullen me vermoorden.'

Rebus bleef haar aankijken terwijl hij zijn hoofd schudde. 'Ze verdwijnen voor heel lang in de gevangenis, Chantal. Ze hebben een heleboel gedaan wat tegen de wet is. Maar als we hen willen gaan straffen voor wat ze met Stef hebben gedaan... dan geloof ik dat we jouw hulp hard nodig hebben.'

'Stef was goede man.' Haar gezicht vertrok van de pijn bij de herinnering.

'Ja, dat was hij,' beaamde Rebus. 'En voor zijn dood zal geboet moeten worden.' Hij was langzaam dichter bij haar gekomen. Nu stonden ze op een armlengte afstand van elkaar. 'Stef heeft je nodig, Chantal, deze laatste keer.'

'Nee,' zei ze. Maar haar ogen vertelden hem een ander verhaal.

'Ik moet het van jou horen, Chantal,' zei hij zacht. 'Ik moet weten wat jij hebt gezien.'

'Nee,' zei ze, terwijl ze Kate smekend aankeek.

'*Oui*, Chantal,' zei Kate. 'Het is tijd.'

Alleen Kate had ontbeten, dus gingen ze samen naar Elephant House. Ze reden het korte stukje met Rebus mee. Chantal wilde warme chocolademelk en Kate kruidenthee. Rebus bestelde een rondje croissants en kleverige taartjes, plus een grote kop zwarte koffie voor zichzelf. En ook nog flesjes water en sinaasappelsap. Als de anderen er niet van dronken, dan deed hij dat zelf wel. Met misschien nog twee aspirientjes, boven op de drie die hij had geslikt voordat hij zijn flat had verlaten.

Ze zaten aan een tafel helemaal achter in het café. Het raam naast hen keek uit op het kerkhof, waar een paar zwervers de dag begonnen met het delen van een blikje *extra-strong lager*. Nog maar enkele weken geleden hadden een paar jongens een graf geschonden en een schedel als voetbal gebruikt. De geluidsinstallatie van het café liet zacht 'Mad World' horen en Rebus moest daar wel mee instemmen.

Hij nam rustig de tijd om Chantal haar ontbijt te laten opschrokken. De taartjes waren te zoet voor haar, maar ze at twee croissants, die ze wegspoelde met een van de flesjes sap.

'Vers fruit zou beter voor je zijn,' zei Kate, en Rebus wist niet op wie ze doelde omdat hij net een abrikozentaartje naar binnen had gewerkt. Toen werd het tijd voor een tweede koffie. Chantal zei dat ze nog wel een kop warme chocolademelk wilde. Kate schonk zichzelf nog een kopje bramenkleurige thee in. Terwijl Rebus aansloot in de rij bij de toog, keek hij naar de twee vrouwen. Ze zaten rustig te praten, niet opgewonden. Chantal leek kalm genoeg. Daarom had hij voor het Elephant House gekozen; een politiebureau zou niet dezelfde uitwerking hebben gehad. Toen hij terugkeerde met de drankjes, lachte ze zelfs en bedankte ze hem.

'Goed,' zei hij, terwijl hij zijn eigen mok ophief, 'leer ik je eindelijk kennen, Chantal.'

'U erg vasthoudend.'

'Dat is misschien wel mijn enige kracht. Wil je mij vertellen wat er die dag gebeurd is? Ik denk dat ik er wel iets van weet. Stef was journalist; hij zag wanneer er iets was waar een verhaal in zat. Ik neem aan dat jij hem hebt verteld over Stevenson House?'

'Hij wist al iets,' zei Chantal aarzelend.

'Hoe heb je hem leren kennen?'

'In Knoxland. Hij...' Ze wendde zich tot Kate en liet een stortvloed Frans op haar los, die Kate vertaalde.

'Hij heeft een aantal immigranten ondervraagd die hij in het centrum van de stad had ontmoet. Dat bracht hem tot het inzicht dat er iets ergs gebeurde.'

'En Chantal vulde het verhaal aan?' raadde Rebus. 'En werd zijn vriendin bij die onderneming?' Chantal verstond hem en knikte. 'En hij werd betrapt door Stuart Bullen toen hij aan het rondsnuffelen was...'

'Het was Bullen niet,' zei ze.

'Peter Hill dan?' Toen Rebus de Ier beschreef, schoof Chantal wat naar achteren op haar stoel, alsof ze terugdeinsde voor zijn woorden.

'Ja, dat is hem. Hij joeg... en stak...' Ze sloeg haar ogen neer en legde haar handen in haar schoot. Kate sloeg haar arm om haar heen om haar te troosten.

'Je bent gevlucht,' zei Rebus zacht.

Er volgde weer een voor Rebus onverstaanbare woordenstroom.

'Ze moest wel,' vertelde Kate. 'Ze zouden haar in die kelder hebben begraven, bij al die andere mensen.'

'Er waren geen andere mensen,' zei Rebus. 'Het was een truc.'

'Ze was doodsbang,' zei Kate.

'Maar ze is een keer teruggegaan... om bloemen op de plek van de moord te leggen.'

Kate vertaalde dit voor Chantal, die weer knikte.

'Ze is een heel werelddeel doorgetrokken om een plek te zoeken waar ze zich veilig kon voelen,' merkte Kate zacht op. 'Ze is hier al bijna een jaar, en ze begrijpt nog altijd niets van dit land.'

'Zeg haar maar dat ze niet de enige is. Ik probeer het al meer dan vijftig jaar.' Toen Kate dit vertaalde, slaagde Chantal erin een zwakke glimlach te produceren. Rebus dacht na over haar relatie met Stef. Was ze voor hem iets meer geweest dan een bron van informatie, of had hij haar gewoon gebruikt, op de manier waarop zoveel journalisten dat deden?

'Waren er nog anderen bij betrokken, Chantal?' vroeg Rebus. 'Was er iemand bij, die dag?'

'Een jonge man... slechte huid... en zijn tand...' Ze tikte tegen het midden van haar eigen onberispelijke gebit. 'Niet daar.'

Rebus dacht dat ze Howie Slowther bedoelde, en dat ze hem er misschien wel uit zou pikken bij een confrontatie.

'Hoe zijn ze er volgens jou achter gekomen wat Stef deed, Chantal? Hoe wisten ze dat hij van plan was met het verhaal naar de krant te gaan?'

Ze keek hem aan. 'Omdat hij hun vertelt.'

Rebus kneep zijn ogen halfdicht. 'Heeft hij het aan hen verteld?'

Ze knikte. 'Hij wilde zijn gezin bij hem gebracht. Hij weet zij kunnen dat.'

'Je bedoelt dat ze vrijgekocht moesten worden bij Whitemire?' Ze knikte weer. Rebus boog zich over de tafel naar haar toe. 'Hij probeerde die hele bende te chanteren?'

'Hij zal niet vertellen wat hij weet... maar alleen in ruil voor zijn gezin.'

Rebus ging weer rechtop zitten en staarde uit het raam. Op dit moment leek die extra-strong lager hem wel wat. Een krankzinnige wereld. Stef Yurgii had evengoed een zelfmoordbriefje kunnen schrijven. De afspraak met de journalist van de *Scotsman* was niet doorgegaan omdat hij toen dood was, omdat hij Bullen had laten weten waar hij toe in staat was. En dat allemaal voor zijn gezin... Dan was Chantal niet meer dan een vriendin, als ze dat al was. Een wanhopige man – echtgenoot en vader – die een fataal spel speelde.

Vermoord om zijn brutaliteit.

Vermoord vanwege de dreiging die hij vormde. Skeletten hielden hém niet tegen.

'Heb je het zien gebeuren?' vroeg Rebus zacht. 'Heb je Stef zien sterven?'

'Ik kon niets doen.'

'Je hebt gebeld... Je hebt gedaan wat je kon.'

'Het was niet genoeg... niet genoeg...' Ze begon te huilen. Kate troostte haar. Twee oudere vrouwen keken toe vanachter een tafeltje in de hoek. Edinburghse dames, die waarschijnlijk nooit een ander leven hadden gekend dan dit: thee drinken met daarbij een portie roddelpraat. Rebus keek hen dreigend aan tot ze hun blik afwendden en verdergingen met het beboteren van hun scones.

'Kate,' zei hij, 'ze zal het verhaal nog een keer moeten vertellen, om het officieel te maken.'

'Op een politiebureau?' veronderstelde Kate.

Rebus knikte. 'Het zou helpen,' zei hij, 'als jij erbij zou kunnen zijn.'

'Ja, natuurlijk.'

'De man met wie jullie dan moeten praten is ook inspecteur. Zijn naam is Shug Davidson. Het is een goeie kerel, nog meelevender dan ik.'

'Bent u er niet bij?'

'Dat denk ik niet. Shug heeft de leiding over het onderzoek.' Rebus nam een mondvol koffie, genoot van de smaak en slikte toen. 'Ik hoor hier eigenlijk niet te zijn,' zei hij, bijna in zichzelf, en hij keek weer uit het raam.

Hij belde Davidson met zijn mobieltje, zette de zaak uiteen en zei dat hij de vrouwen naar Torphichen zou brengen.

Chantal zweeg in de auto en keek naar de passerende wereld.

Maar Rebus had nog een paar vragen voor haar metgezellin op de achterbank. 'Hoe is je gesprek met Barney Grant verlopen?'

'Goed.'

'Denk je dat hij de Nook openhoudt?'

'Totdat Stuart terugkomt, ja. Waarom lacht u?'

'Omdat ik niet weet of Barney dat wil... of verwacht.'

'Ik geloof niet dat ik u begrijp.'

'Geeft niet. De beschrijving die ik Chantal heb gegeven... die man heet Peter Hill. Het is een Ier, waarschijnlijk met paramilitaire connecties. We denken dat hij Bullen hielp vanuit de overweging dat Bullen hem zou steunen bij het dealen van drugs in de wijk.'

'Wat heb ik daarmee te maken?'

'Misschien niets. Die jongere man, die met de ontbrekende tand... hij heet Howie Slowther.'

'Die naam hebt u vanochtend al genoemd.'

'Dat klopt. Na je praatje met Barney Grant in de pub stapte Barney in een auto. Howie Slowther zat in die auto.' In de achteruitkijkspiegel maakte hij oogcontact met haar. 'Barney zit hier tot aan zijn nek in, Kate... misschien zelfs nog wat verder. Dus als je van plan was op hem te vertrouwen...'

'U hoeft over mij niet in te zitten.'

'Ik ben blij dat te horen.'

Chantal zei iets in het Frans. Kate antwoordde haar in dezelfde taal, waardoor Rebus slechts enkele woorden kon verstaan.

'Ze vraagt zeker of ze het land uitgezet wordt,' giste hij, en hij zag dat Kate in de achteruitkijkspiegel knikte. 'Zeg haar dat ik alles zal doen wat binnen mijn vermogen ligt. Zeg maar dat dat zo vast staat als een huis.'

Een hand beroerde zijn schouder. Hij keek om en zag dat het de hand van Chantal was.

'Ik geloof u,' was alles wat ze zei.

31

Siobhan en Les Young zagen Ray Mangold uit zijn Jaguar stappen. Ze zaten in de auto van Young, geparkeerd tegenover de bergruimte in Market Street. Mangold ontsloot de garagedeuren en trok ze open. Ondertussen zat Ishbel Jardine op de passagiersstoel haar make-up in de achteruitkijkspiegel bij te werken. Toen ze de lipstick naar haar mond bracht, aarzelde ze een fractie te lang.

'Ze heeft ons in de gaten,' zei Siobhan.

'Weet je het zeker?'

'Geen duizend procent.'

'Laten we afwachten.'

Young wilde dat de auto de garage in reed. Op die manier kon hij ervoor rijden en de uitgang blokkeren. Ze hadden hier al zo'n minuut of veertig gezeten, terwijl Young te diep was ingegaan op de details van de spelregels van bridge. De motor was uitgeschakeld, maar hij had zijn hand bij het sleuteltje, klaar voor actie.

Met de garagedeuren wijd open was Mangold teruggelopen naar de stationair draaiende Jaguar. Siobhan zag hem instappen, maar ze kon niet vaststellen of Ishbel iets zei. Toen ze in een van de zijspiegels Mangolds blik op haar gericht zag, wist ze het antwoord.

'We moeten eropaf,' siste ze. Meteen opende ze het portier aan haar kant; er mocht geen moment verloren gaan. Maar de Jaguar reed op volle snelheid langs hen heen, in de richting van New Street, met jankende motor. Siobhan stapte weer in en het portier viel vanzelf dicht toen Young gas gaf. De Jaguar had intussen de kruising van New Street bereikt, keerde slippend en reed vooruit naar de Canongate.

'Pak de radio!' schreeuwde Young. 'Geef een beschrijving!'

Siobhan deed wat van haar verlangd werd. Omdat er een file in de richting van de Canongate stond, draaide de Jaguar naar links, heuvelafwaarts naar Holyrood.

'Wat denk je?' vroeg ze aan Young.

'Jij kent de stad beter dan ik,' bekende hij.

'Ik denk dat hij naar het park gaat. Als hij op de wegen blijft, komt hij vroeg of laat vast te zitten in een verkeersopstopping. In het park bestaat de kans dat hij plankgas kan geven en ons van zich af kan schudden.'

'Belaster je mijn auto?'

'De laatste keer dat ik erop gelet heb, hadden Daewoos geen vierlitermotoren.'

De Jaguar was uitgeweken om een touringcar met open dak te passeren. De straat versmalde, waardoor Mangold de buitenspiegel van een bestelauto af reed. De woedende bestuurder stormde een winkel uit en schreeuwde hem na. Tegemoetkomend verkeer belette Young de bus te passeren die zijn trage afdaling voortzette.

'Toeteren,' opperde Siobhan. Dat deed hij, maar de bus reageerde niet, totdat hij bij een halte voorbij de Tolbooth stopte. Tegenliggers protesteerden toen Young hun rijbaan op schoot en de hindernis passeerde. Mangolds auto was al een heel eind verder. Toen hij bij de rotonde voor Holyrood Palace kwam, sloeg hij links af, in de richting van Horse Wynd.

'Je had gelijk,' zei Young, terwijl Siobhan deze nieuwe informatie doorgaf over de radio. Holyrood Park was eigendom van de kroon en had als zodanig zijn eigen politiekorps, maar Siobhan besefte dat plichtplegingen tot later konden wachten. Nu raasde de Jaguar ervandoor, om Salisbury Crags heen.

'Waar gaat hij nu naartoe?' vroeg Young.

'Of hij blijft de hele dag rond het park rijden, of hij verlaat die weg. Dat betekent Dalkeith Road of Duddingston. Ik gok op Duddingston. Als hij daar eenmaal voorbij is, zit hij vlak bij de A1, en daar schudt hij ons vast en zeker van zich af.

Maar er moest eerst nog een tweetal rotondes genomen worden. Bij de tweede verloor Mangold bijna de macht over het stuur en raakte de Jaguar de stoeprand. Hij reed nu achterlangs Pollock Halls, met brullende motor.

'Duddingston,' zei Siobhan en ze gaf dat ook door over de radio. Dit deel van de weg was een en al bochten en uiteindelijk verloren ze Mangold uit het zicht.

Het volgende moment zag Siobhan, vlak achter een rotspartij, stof opwaaien. 'O, god,' zei ze.

Toen ze de bocht namen, zagen ze wielsporen de berm in gaan. Aan de rechterkant van de weg was een ijzeren vangrail; de Jaguar was daardoorheen geschoten en reed nu de steile helling af naar Duddingston Loch. Eenden en ganzen klapwiekten weg voor het gevaar, terwijl zwanen over het oppervlak van het water gleden, blijkbaar onverstoorbaar. De Jaguar wierp stenen en veren omhoog terwijl hij naar beneden bonkte. De remlichten gloeiden rood, maar de auto leek er andere gedachten op na te houden. Ten slotte gleed hij opzij, en toen draaide hij nog eens negentig graden, waardoor de achterste helft in het water belandde. De auto bleef zo hangen, met de voorwielen langzaam draaiend in de lucht.

Verderop, aan de rand van het water, waren wat mensen. Ouders met hun kinderen, die broodkorstjes voerden aan de vogels. Sommigen van hen renden naar de auto toe. Ondertussen had Young de Daewoo de smalle stoeprand op gereden om de rijbaan niet te blokkeren. Siobhan liet zich omlaagglijden langs de helling. De portieren van de Jaguar stonden open, aan beide kanten van de wagen probeerde iemand naar buiten te komen. Het volgende moment schoot de auto met een ruk naar achteren en begon hij snel te zinken. Mangold was eruit en stond tot zijn borst in het water, maar Ishbel was teruggeworpen op haar stoel. Het water duwde haar portier dicht, terwijl de auto vol begon te lopen. Mangold zag wat er gebeurde, reikte naar binnen en begon haar over de bestuurderskant naar buiten te trekken. Maar ze zat op de een of andere manier vast, en nu waren alleen de voorruit en het dak nog te zien. Zonder aarzelen waadde Siobhan het smerig ruikende water in. Stoom steeg op van de ondergedoken en oververhitte motor.

'Help me!' gilde Mangold. Hij had Ishbel bij beide armen vast. Siobhan haalde diep adem en dook. Het water was troebel en vol belletjes, maar ze zag het probleem. Ishbels voet zat klem tussen de passagiersstoel en de handrem. En hoe harder Mangold trok, hoe steviger de voet vast kwam te zitten. Ze kwam weer boven water.

'Laat haar los!' riep ze. 'Laat haar los, anders verdrinkt ze!' Weer haalde ze adem en dook ze. Ze kwam met haar gezicht voor dat van Ishbel, wier gezicht onverwacht kalm was, omgeven door drijfhout en andere troep uit het loch. Kleine belletjes ontsnapten aan haar neusgaten en haar mondhoeken. Toen Siobhan langs haar heen reikte om de voet te bevrijden, voelde ze dat er armen om haar heen werden geslagen. Ishbel trok haar dichter naar zich toe, alsof ze de bedoeling had dat ze daar met zijn tweeën bleven. Siobhan probeerde zich los te wringen, terwijl ze zich tegelijkertijd met de voet bezighield.

Maar die zat niet langer vast.

En toch bleef Ishbel daar.

En hield haar vast.

413

Siobhan probeerde haar handen te pakken, maar dat was moeilijk. Ze waren achter haar rug in elkaar geklemd. Het laatste beetje lucht verliet haar longen. Bewegen werd bijna onmogelijk en Ishbel probeerde haar verder de auto in te trekken.

Totdat Siobhan haar een stomp in haar maag gaf en de omarming losser voelde worden. Ditmaal was ze in staat zich los te wringen. Ze pakte Ishbel bij haar haren en zette zich af naar de oppervlakte, waar ze onmiddellijk werd gegrepen. Niet door Ishbel ditmaal, maar door Mangold.

Met haar gezicht boven water deed Siobhan haar mond open om lucht naar binnen te zuigen. Daarna spoog ze water uit en veegde het uit haar ogen en haar neus. Ze streek haar weg uit haar gezicht. 'Stomme trut!' schreeuwde ze, toen Ishbel naar adem happend en proestend door Ray Mangold naar de kant werd gebracht. Vervolgens, tegen Les Young, die haar met open mond aangaapte: 'Ze probeerde me met zich mee te nemen!'

Hij hielp haar uit het water. Ishbel lag een paar meter verderop, met een groepje toeschouwers rondom haar. Een van hen had een videocamera en legde het gebeuren vast voor het nageslacht. Toen hij de camera op Siobhan richtte, sloeg ze hem weg en boog ze zich over de vooroverliggende, doordrenkte figuur.

'Waarom deed je dat, verdomme?'

Mangold knielde neer en probeerde Ishbel in zijn armen te wiegen. 'Ik weet niet wat er gebeurde,' zei hij.

'Ik heb het niet tegen jou, maar tegen háár!' Ze gaf Ishbel een por met een teen. Les Young probeerde haar bij haar arm weg te voeren en vormde woorden met zijn mond die ze niet verstond. Er was geraas in haar oren en vuur in haar longen.

Ishbel draaide nu haar hoofd en keek naar haar redder. Haar haar zat aan haar gezicht geplakt.

'Ik weet zeker dat ze dankbaar is,' zei Mangold, terwijl Young er iets aan toevoegde over dat het een automatische reflex was... iets wat hij al eens eerder had gehoord.

Maar Ishbel Jardine zei niets. In plaats daarvan boog ze haar hoofd en spuugde een mengeling van gal en water op de vochtige aarde, die wit bevlekt was met vederdons.

'Ik was jullie spuugzat, als je het weten wilt.'

'En dat is uw excuus, meneer Mangold?' vroeg Les Young. 'Dat is uw hele verklaring?'

Ze zaten in verhoorkamer 1 van bureau St Leonard's, vlak bij Holyrood Park. Enkele agenten hadden hun verbazing getoond over de terugkeer van Siobhan naar haar oude werkplek. Haar humeur was er niet op vooruitgegaan doordat ze op haar mobieltje gebeld werd door hoofdinspecteur Macrae op Gayfield Square, die vroeg waar ze verdomme uithing. Toen ze hem dat verteld had, begon hij aan een lange jammerklacht over houding en teamwerk, en de kennelijke onwil van voormalige functionarissen van St Leonard's om iets anders dan minachting te tonen voor hun nieuwe werkplek.

Terwijl hij aan het praten was, kreeg Siobhan een deken om zich heen geslagen, een mok instantsoep in haar hand gedrukt en werden haar schoenen uitgetrokken om op een radiator te drogen te worden gelegd...

'Sorry, inspecteur, ik heb het niet allemaal kunnen volgen,' was ze gedwongen te bekennen toen Macrae was uitgepraat.

'Denk je dat dit leuk is, brigadier Clarke?'

'Nee, inspecteur.' Maar dat was het wel... in zeker opzicht. Ze dacht alleen niet dat Macrae haar gevoel voor het absurde zou delen.

Daar zat ze nu: zonder beha in een geleend t-shirt, met een zwarte uniformbroek die drie maten te groot was. Aan haar voeten witte mannensokken, overdekt met de plastic slippers die werden gebruikt op plaatsen delict. Rond haar schouders een grijze wollen deken, van het soort dat in iedere politiecel werd verschaft. Ze had geen kans gehad om haar haar te wassen. Het voelde dik en zompig aan en rook naar het loch.

Mangold was ook in een deken gehuld en had zijn handen om een plastic beker met thee geklemd. Hij had zijn bril met de getinte glazen verloren en zijn ogen waren gereduceerd tot spleetjes in de felle neonverlichting. De deken had exact dezelfde kleur als de thee, stelde Siobhan onwillekeurig vast. Er stond een tafel tussen hen in. Les Young zat naast Siobhan, met een pen in de aanslag boven een blok papier.

Ishbel zat in een van de cellen. Zij zou later worden verhoord.

Op dit moment waren ze geïnteresseerd in Mangold. Maar hij had al een paar minuten niets gezegd.

'Dat is dus het verhaal waar u bij blijft,' merkte Les Young op. Hij begon figuurtjes op het blok te krabbelen.

Siobhan keerde zich naar hem toe. 'Hij kan leuteren wat hij wil, dat verandert niets aan de feiten.'

'Welke feiten?' vroeg Mangold, voorwendend dat hij nauwelijks geïnteresseerd was.

'De kelder,' verklaarde Les Young.

'Jezus, gaan we weer over die kelder beginnen?'

Het was Siobhan die antwoordde. 'Ondanks wat u me de vorige keer hebt verteld, meneer Mangold, denk ik dat u Stuart Bullen wél kent. Ik denk dat u hem al een hele tijd kent. Hij kwam op dat idee van een nepbegrafenis. Doen alsof hij de skeletten begroef om de immigranten te laten zien wat er met hen zou gebeuren als ze niet gehoorzaamden.'

Mangold was achteruitgeschoven, waardoor de twee voorpoten van zijn stoel in de lucht hingen. Zijn gezicht was naar het plafond gericht en hij had zijn ogen gesloten.

Siobhan bleef praten, met een zachte en nuchtere stem.

'Toen het beton over de skeletten was gestort, had dat het einde van de vertoning moeten zijn. Maar dat was het niet. Uw pub bevindt zich op de Royal Mile, u ziet elke dag toeristen. Niets vinden ze prettiger dan een beetje sfeer, vandaar dat de spookwandelingen zo populair zijn. U wilde een graantje meepikken voor de Warlock.'

'Dat is geen geheim,' zei Mangold. 'Daarom liet ik die kelder opknappen.'

'Dat klopt... maar wat een promotie toen er plotseling twee skeletten onder de vloer werden ontdekt. Veel gratis publiciteit, vooral met een plaatselijke historica die het vuurtje nog eens opstookt...'

'Ik begrijp nog altijd niet waar u heen wilt.'

'Waar het om gaat, Ray, is dat je het grotere geheel niet zag. Het laatste wat Stuart Bullen wilde was dat die skeletten aan het licht kwamen. Mensen zouden vragen gaan stellen, en die vragen zouden naar hem en naar zijn kleine slavenrijk kunnen leiden. Heeft hij je daarom afgetuigd? Misschien heeft hij dat die Ier wel voor hem laten doen.'

'Ik heb u verteld hoe ik aan die blauwe plekken ben gekomen.'

'En ik ben zo vrij je niet te geloven.'

Mangold begon te lachen, nog altijd naar het plafond kijkend. 'Feiten, zei u. Ik hoor niets waarvan u ook maar een beginnetje van een bewijs hebt.'

'Wat ik me afvraag, is...'

'Wat?'

'Kijk me aan, dan zal ik het je vertellen.'

Langzaam kwam de stoel weer terug op de vloer. Mangold richtte zijn half toegeknepen ogen op Siobhan.

'Wat ik niet kan vaststellen,' zei ze tegen hem, 'is of je het uit boosheid hebt gedaan – tenslotte was je afgetuigd en uitgescholden door Bullen, en je wilde dat afreageren op een ander...' Ze zweeg even. 'Of dat het meer iets was in de aard van een cadeautje voor Ishbel. Ditmaal niet in linten verpakt, maar toch een cadeautje... iets wat haar leven een stuk gemakkelijker zou maken.'

Mangold wendde zich tot Les Young. 'Help me even, hebt u enig idee waar ze het over heeft?'

'Ik weet exact waar ze het over heeft,' zei Young.

'Weet je,' ging Siobhan verder, lichtjes verschuivend op haar stoel. 'Toen inspecteur Rebus en ik je die laatste keer kwamen opzoeken... toen we je in de kelder vonden...'

'Ja?'

'Inspecteur Rebus stond wat te spelen met een beitel, weet je nog?'

'Niet echt.'

'Die zat in de gereedschapskist van Joe Evans.'

'Goh, wat een nieuws!'

Siobhan glimlachte om het sarcasme; ze wist dat ze zich dat kon veroorloven. 'Er was ook een hamer, Ray.'

'Een hamer in een gereedschapskist, wat ze al niet bedenken.'

'Gisteravond ben ik naar je kelder gegaan en heb ik die hamer opgehaald. Ik heb tegen de mensen van de forensische dienst gezegd dat het een haastklus was. Ze hebben vannacht doorgewerkt. Het is nog wat vroeg voor de DNA-resultaten, maar ze hebben bloedsporen op de hamer aangetroffen, Ray. Van dezelfde bloedgroep als die van Donny Cruikshank.' Ze haalde haar schouders op. 'Dat, wat de feiten betreft.' Ze wachtte op een reactie van Mangold, maar die had zijn lippen stijf op elkaar geklemd. 'Goed,' vervolgde ze, 'het gaat hierom... Als die hamer is gebruikt om Donny Cruikshank te vermoorden, dan zijn er volgens mij drie mogelijkheden.' Ze stak om beurten een vinger op. 'Evans, Ishbel, of jijzelf. Het moest een van jullie drieën zijn. En realistisch gezien denk ik dat we Evans kunnen uitsluiten.' Ze liet een van de vingers zakken. 'Blijven over Ishbel en jij, Ray. Wat gaat het worden?'

Les Youngs pen zweefde boven het schrijfblok.

'Ik moet haar zien,' zei Ray Mangold, met een stem die plotseling dof en breekbaar klonk. 'Alleen met haar... vijf minuten maar.'

'Dat kunnen we niet doen, Ray.' Young was vastberaden.

'Ik vertel jullie niks voordat je me bij haar brengt.'

Maar Les Young schudde zijn hoofd. Mangolds blik verplaatste zich naar Siobhan.

'Inspecteur Young heeft de leiding,' zei ze. 'Hij is de baas.'

Mangold boog zich naar voren, met zijn ellebogen op de tafel en zijn hoofd in zijn handen. Toen hij sprak, werd het geluid gedempt door zijn handpalmen.

'Dat hebben we niet verstaan, Ray,' zei Young.

'Nee? Misschien versta je dit!' Hij dook over de tafel, met een vuist zwaaiend. Net op tijd dook Young achteruit. Siobhan stond al, greep zijn arm en draaide die om. Young liet zijn pen vallen, liep om de tafel heen en nam het hoofd van Mangold in de houdgreep.

'Ploerten!' beet Mangold hen toe. 'Jullie zijn allemaal ploerten, die hele teringbende van jullie!'

En toen, een minuut of wat later, toen er versterking kwam, klaar om in te grijpen, zei hij: 'Oké, oké... Ik heb het gedaan. Tevreden nu, stelletje hufters? Ik heb een hamer in zijn kop geramd. Nou en? Daar heb ik de wereld een enorme dienst mee bewezen, meer niet.'

'We moeten dat nog een keer van je horen,' siste Siobhan in zijn oor.

'Wat?'

'Wanneer we je loslaten, moet je het allemaal nog een keer zeggen.' Haar greep werd iets losser toen de agenten binnenkwamen.

'Anders,' verklaarde ze, 'zouden mensen nog gaan denken dat ik je arm heb omgedraaid.'

Eindelijk namen ze een koffiepauze. Siobhan stond met gesloten ogen geleund tegen de drankautomaat. Les Young had soep gekozen, ondanks haar waarschuwingen. Nu snoof hij aan de inhoud van zijn beker en kreunde. 'Wat vind je ervan?'

Siobhan opende haar ogen. 'Ik vind het een slechte keuze.'

'Ik bedoelde Mangold.'

Siobhan haalde haar schouders op. 'Hij wil de schuld op zich nemen.'

'Ja, maar heeft hij het ook gedaan?'

'Hij of Ishbel.'

'Hij houdt van haar, hè?'

'Ik krijg die indruk.'

'Dus het kan zijn dat hij haar dekt?'

Ze haalde nogmaals haar schouders op. 'Ik vraag me af of hij in dezelfde vleugel terechtkomt als Stuart Bullen. Dat zou een vorm van gerechtigheid zijn, vind je niet?'

'Dat zal wel.' Young klonk sceptisch.

'Kop op, Les... We hebben een resultaat.'

Hij bestudeerde met overdreven aandacht het voorpaneel van de drankautomaat. 'Er is iets wat je moet weten, Siobhan...'

'Wat?'

'Dit is de eerste keer dat ik een moordteam leid. Ik wil het goed doen.'

'In de echte wereld doe je nu eenmaal niet alles goed, Les.' Ze gaf hem een klopje op zijn schouder. 'Maar je kunt nu tenminste zeggen dat je je vuurdoop hebt doorstaan.'

Hij glimlachte. 'Terwijl jij de diepte in dook.'

'Ja...' zei ze zacht, 'en ik kwam bijna niet meer boven.'

32

De Edinburgh Royal Infirmary stond net even buiten de stad, in een wijk die Little France heet.

Volgens Rebus deed het ziekenhuis 's avonds aan Whitemire denken; het parkeerterrein was verlicht, maar de wereld eromheen was in duisternis gehuld. Het gebouw had iets stars en terughoudends. Toen hij uit de Saab stapte, viel het hem op dat de lucht anders was dan die in het centrum: minder stinkend, maar kouder. Het duurde niet lang voordat hij de kamer van Alan Traynor had gevonden. Hij was hier zelf niet zo lang geleden patiënt geweest, maar op zaal. Zou er iemand betalen voor Traynors privacy, misschien zijn Amerikaanse werkgevers?

Of de immigratiedienst van het Verenigd Koninkrijk.

Felix Storey zat te doezelen naast het bed. Hij had in een damestijdschrift zitten lezen. Gezien de verfomfaaide randen nam Rebus aan dat het van een stapel in het ziekenhuis afkomstig was. Storey had zijn jasje uitgetrokken en het over zijn stoelleuning gehangen. Hij had nog altijd zijn das om, maar met de bovenste knoop van zijn overhemd losgeknoopt. Voor hem was dat een vrijetijdsuitrusting. Hij snurkte zacht toen Rebus binnenkwam.

Traynor, daarentegen, was wakker, maar maakte een wezenloze indruk. Zijn polsen waren verbonden, en een slang leidde naar een van zijn armen. Hij leek het nauwelijks op te merken dat Rebus binnenkwam. Rebus stak toch maar even een hand op en schopte tegen een van de stoelpoten. Met een ruk schoot het hoofd van Storey omhoog. 'Wakker worden.'

'Hoe laat is het?' Storey streek met een hand over zijn gezicht.

'Kwart over negen. Je zou een slechte bewaker zijn.'

'Ik wil hier zijn wanneer hij wakker wordt.'

'Volgens mij is hij al een tijdje wakker.' Rebus knikte naar Traynor. 'Krijgt hij pijnstillers?'

'Een stevige dosis heeft de dokter gezegd. Ze willen dat er morgen een psychiater naar hem kijkt.'

'Heb je vandaag nog iets uit hem kunnen krijgen?'

Storey schudde zijn hoofd. 'Hé,' zei hij, 'jij hebt me in de steek gelaten.'

'Hoezo?'

'Je had beloofd dat je met me mee zou gaan naar Whitemire.'

'Ik verbreek voortdurend beloftes,' beweerde Rebus schouderophalend. 'Trouwens, ik had wat tijd nodig om na te denken.'

'Waarover?'

Rebus keek hem aan. 'Het is gemakkelijker als ik het je laat zien.'

'Ik weet niet...' Storey keek naar Traynor.

'Hij is niet in staat om vragen te beantwoorden, Felix. Als hij al iets tegen je zou zeggen, zou dat door het hof worden verworpen...'

'Ja, maar ik kan toch niet...'

'Volgens mij kan dat wel.'

'Iemand moet de wacht houden.'

'Voor het geval hij zich weer van kant probeert te maken? Kijk naar hem, Felix, hij is in een andere wereld.'

Storey keek en leek toe te geven.

'Het duurt niet lang,' verzekerde Rebus hem.

'Wat wil je me laten zien?'

'Dat zou de verrassing bederven. Ben je met de auto? Dan kun je achter me aan rijden.'

'Waarheen?'

'Heb je een zwembroek bij je?'

'Zwembroek?' Storey trok zijn wenkbrauwen op.

'Laat maar zitten,' zei Rebus. 'Dan improviseren we wel...'

Rebus reed voorzichtig en bleef de koplampen in zijn achteruitkijkspiegel in de gaten houden. Hij bedacht dat het nu op zijn improvisatietalent aankwam. Halverwege belde hij Storey op zijn mobieltje om hem te zeggen dat ze er bijna waren.

'Als het de moeite maar waard is,' was de geprikkelde reactie.

'Dat beloof ik,' zei Rebus. Eerst door de buitenwijken van de stad, met bungalows langs de weg en nieuwe woonwijken erachter. Het waren de bungalows die bezoekers zouden zien, besefte Rebus, en ze zouden denken dat Edinburgh een aardige, rechtschapen stad was. De werkelijkheid wachtte elders, net buiten hun gezichtsveld.

Wachtte om toe te slaan.

Er was niet veel verkeer op de weg. Ze reden langs de zuidelijke rand van de stad. Morningside vormde de eerste echte aanwijzing dat Edinburgh iets als een nachtleven had: bars en afhaalrestaurants, supermarkten en studenten. Rebus gaf links richting aan en controleerde in zijn spiegel of Storey hetzelfde deed. Toen zijn mobieltje ging, wist hij dat het Storey was: nog geïrriteerder en zich afvragend hoe lang het nog duurde.

'We zijn er,' mompelde Rebus zacht. Hij stopte langs de stoeprand. Storey deed hetzelfde en was als eerste zijn auto uit.

'Tijd om met de spelletjes te stoppen,' zei hij.

'Je haalt me de woorden uit de mond,' reageerde Rebus en hij keerde zich om. Ze stonden in een lommerrijke straat in een buitenwijk, waar grote huizen afstaken tegen de hemel. Rebus duwde een hek open; hij wist dat Storey hem zou volgen. In plaats van aan te bellen, liep hij doelbewust naar de oprit.

De jacuzzi was er nog steeds, het dek ervan was verwijderd en er steeg stoom op.

Big Ger Cafferty zat in het water, met dikke armen over de zijkanten hangend. Operamuziek weerklonk uit de geluidsinstallatie.

'Zit jij de hele dag in dat ding?' vroeg Rebus.

'Rebus,' zei Cafferty op lijzige toon. 'O, je hebt je vriendje meegebracht. Wat lief.' Hij streek met een hand over zijn behaarde borst.

'Dat vergeet ik,' zei Rebus. 'Jullie hebben elkaar nooit in levenden lijve ontmoet, nietwaar? Felix Storey, dit is Morris Gerald Cafferty.'

Aandachtig sloeg hij de reactie van Storey gade. De Londenaar stak zijn handen in zijn zakken. 'Oké,' zei hij, 'waarom zijn we hier? Wat is er aan de hand?'

'Niets.' Rebus zweeg even. 'Ik dacht alleen dat je misschien een gezicht bij de stem wilde hebben.'

'Wat?'

Rebus antwoordde niet onmiddellijk. Hij keek naar de kamer boven de garage. 'Is Joe er vanavond niet, Cafferty?'

'Hij krijgt af en toe een vrije avond, als ik denk dat ik hem niet nodig heb.'

'Met het aantal vijanden dat jij hebt, had ik niet gedacht dat je je ooit veilig zou voelen.'

'We moeten allemaal af en toe wat risico nemen.' Cafferty had zich beziggehouden met het bedieningspaneel en zette zowel de beweging van het water als de muziek af. Maar het licht was nog steeds actief en veranderde elke tien tot vijftien seconden van kleur.

'Luister, word ik hier te grazen genomen?' vroeg Storey. Rebus negeerde hem. Zijn blik was op Cafferty gericht.

'Jij koestert je wrok heel lang, dat moet ik je nageven. Wanneer kreeg je ruzie met Rab Bullen? Vijftien... twintig jaar geleden? Maar die wrok gaat over op de volgende generaties, hè, Cafferty?'

'Ik heb niks tegen Stu,' gromde Cafferty.

'Maar je zou geen nee zeggen tegen wat van zijn activiteiten, hè?' Rebus zweeg even om een sigaret op te steken. 'Je hebt het ook leuk gespeeld.' Hij blies rook in de avondlucht, waar deze zich vermengde met de stoom.

'Ik wil hier niets mee te maken hebben,' zei Felix Storey. Hij deed alsof hij weg wilde lopen. Rebus liet hem gaan en gokte erop dat hij niet zou doorzetten. Inderdaad bleef Storey staan, hij draaide zich om en kwam terug.

'Zeg wat je te zeggen hebt,' eiste hij.

Doodkalm bekeek Rebus het puntje van zijn sigaret. 'Cafferty is jouw tipgever, Felix. Cafferty wist wat er gebeurde, omdat een van zijn mensen voor Bullen werkte: Barney Grant, Bullens handlanger. Barney speelde informatie door aan Cafferty en Cafferty gaf die weer door aan jou. In ruil daarvoor zou Grant Bullens rijk op een presenteerblaadje aangeboden krijgen.'

'Wat doet dat ertoe?' vroeg Storey fronsend. 'Ook al was het jouw vriend Cafferty hier...'

'Niet míjn vriend, Felix, maar de jóuwe. Maar waar het om gaat, is dat Cafferty jou niet alleen de informatie verschafte... Hij zorgde ook voor de paspoorten... Barney Grant heeft ze in de safe gestopt, waarschijnlijk toen wij achter Bullen aan zaten door die tunnel. Bullen zou ervoor opdraaien en alles zou koek en ei zijn. Maar hoe kwám Cafferty aan die paspoorten?' Rebus keek beide mannen aan en haalde zijn schouders op. 'Dat is gemakkelijk omdat hij zelf de immigranten het land binnensmokkelt.' Zijn blik was blijven rusten op Cafferty, wiens ogen kleiner en zwarter dan ooit leken. Wiens hele ronde gezicht glom van kwaadaardigheid. Rebus haalde nogmaals theatraal zijn schouders op. 'Cafferty, niet Bullen. Cafferty heeft jou Bullen toegespeeld, Felix, zodat hij die hele handel voor zichzelf kon inpikken...'

'En het mooie is,' zei Cafferty op lijzige toon, 'dat er geen bewijs is, en dat je er absoluut niets aan kunt doen.'

'Dat weet ik,' zei Rebus.

'Wat heeft het dan voor zin om het te zeggen?' grauwde Storey.

'Als je luistert, kom je daar wel achter.'

Cafferty glimlachte. 'Van Rebus kun je altijd iets leren,' erkende hij.

Rebus tipte as in het bad, wat een abrupt einde aan Cafferty's glimlach maakte. 'Cafferty is degene die Londen kent... hij heeft daar contacten. Niet Stuart Bullen. Herinner je je die foto van je nog,

Cafferty? Daar stond je op met je Londense "collega's". Ook Felix heeft laten vallen dat er een Londense connectie bij dit alles betrokken is. Het ontbrak Bullen aan het vermogen – of iets anders – om zoiets ingewikkelds als mensensmokkel op touw te zetten. Hij is de zondebok, dus alles wordt weer even wat rustiger. Waar het om gaat, is dat de focus op Bullen richten een heel stuk gemakkelijker is als iemand je een handje helpt, iemand als jij, Felix. Een ambtenaar van de immigratiedienst die oog heeft voor een gemakkelijk succesje. Jij pakt de zaak aan, wat een enorme stimulans betekent. Bullen is de enige die genaaid wordt. Wat jou betreft, is hij sowieso uitschot. Jij maakt je niet druk over wie daarachter zit of wat ze eraan overhouden. Maar dit is de waarheid: alle eer waarmee jij gaat strijken, stelt geen reet voor, omdat je in feite vooral de weg voor Cafferty hebt geëffend. Van nu af aan is híj degene die de leiding heeft, niet alleen over het binnensmokkelen van illegalen, maar ook nog eens over hun slavenarbeid.' Rebus zweeg even. 'Hartelijk bedankt daarvoor.'

'Dit is gelul,' beet Storey hem toe.

'Ik dacht van niet. Voor mij klopt het perfect... Het is het enige dat klopt.'

'Maar zoals je al zei,' onderbrak Cafferty hem, 'je kunt niets ervan hardmaken.'

'Dat is waar,' gaf Rebus toe. 'Ik wilde alleen Felix laten weten voor wie hij in werkelijkheid al die tijd heeft gewerkt.' Hij schoot zijn peuk het gazon op.

Storey dook met ontblote tanden op hem af. Rebus ontweek de aanval, pakte hem in een houdgreep om zijn nek en duwde zijn hoofd in het water. Storey was misschien een paar centimeter groter... jonger en fitter. Maar hij had niet Rebus' gewicht. Hij zwaaide wild met zijn armen, niet zeker of hij steun moest zoeken aan de rand van het bad, of dat hij moest proberen zich aan de greep van Rebus te ontworstelen.

Cafferty zat in zijn hoek van het bad de actie gade te slaan alsof hij op de eerste rij bij een worstelwedstrijd zat.

'Je hebt het niet gewonnen,' siste Rebus.

'Vanaf waar ik zit, zou ik zeggen dat je het mis hebt.'

Rebus voelde dat Storeys weerstand verminderde. Hij liet hem los en deed een paar stappen achteruit, buiten bereik van de Londenaar. Die viel proestend en spugend op zijn knieën. Maar hij was snel weer overeind en ging weer op Rebus af.

'Genoeg!' bulderde Cafferty.

Storey keerde zich naar hem toe, klaar om zijn boosheid op iets

anders te richten. Maar er was iets aan Cafferty wat hem tegenhield...
zelfs op zijn leeftijd, met zijn overgewicht en naakt in een bad...

Er was een moediger – of dwazer – man voor nodig dan Storey
om het tegen hem op te nemen.

Iets wat Storey onmiddellijk besefte. Hij nam het juiste besluit,
ontspande zijn schouders en zijn vuisten en probeerde zijn gehoest
en gesputter te beheersen.

'Goed, jongens,' ging Cafferty verder, 'volgens mij is het allang
bedtijd voor jullie, vinden jullie niet?'

Rebus hapte toe: 'Ik ben nog niet klaar.'

'Ik dacht van wel,' zei Cafferty. Het klonk als een bevel, maar Rebus verwierp dat door even met zijn mond te trekken. 'Dit is wat ik
wil.' Zijn aandacht was nu op Storey gericht. 'Ik heb gezegd dat ik
niets kan bewijzen, maar dat hoeft me er niet van te weerhouden het
te proberen. Aan stront zit altijd een luchtje, ook al zie je het niet.'

'Ik heb je al gezegd dat ik niet wist wie mijn tipgever was.'

'En je was niet een heel klein beetje achterdochtig, ook niet toen
hij je tipte van wie de rode BMW was?' Rebus wachtte op een antwoord, maar dat kwam niet. 'Weet je, Felix, voor de meeste mensen zal het erop lijken dat jij fout bent of anders ongelooflijk stom.
Geen van beide ziet er goed uit op je cv.'

'Ik wist het niet,' hield Storey vol.

'Maar ik durf erom te wedden dat je een vermoeden had. Dat heb
je alleen genegeerd en je hebt je geconcentreerd op al die schouder-
klopjes die je zou krijgen.'

'Wat wil je?' vroeg Storey op schorre toon.

'Ik wil dat het gezin Yurgii – de moeder en de kinderen – wordt
vrijgelaten uit Whitemire. Ik wil dat ze ergens een dak boven hun
hoofd krijgen dat jij mag uitkiezen. Morgen nog.'

'Denk je dat ik dat kan?'

'Jij hebt een zwendel met immigranten getorpedeerd, Felix. Ze zijn
je iets schuldig.'

'Is dat het?'

Rebus schudde zijn hoofd. 'Niet helemaal. Chantal Rendille... Ik
wil niet dat zij wordt uitgezet.'

Storey leek op nog meer te wachten, maar Rebus was klaar.

'Ik ben ervan overtuigd dat de heer Storey zal kijken wat hij doen
kan,' zei Cafferty op nuchtere toon, alsof zijn stem altijd al die van
de redelijkheid was.

'En als er illegalen van jou in Edinburgh opduiken, Cafferty...' begon Rebus, in het besef dat het een loos dreigement was.

Cafferty wist dat ook, maar hij lachte en boog zijn hoofd. Rebus wendde zich tot Storey. 'Hoe dan ook, ik denk dat jij gewoon te gretig werd. Je zag een gouden kans en je ging die niet kritisch bekijken, laat staan afwijzen. Maar je hebt een kans om het goed te maken.' Hij stak een vinger in de richting van Cafferty. 'Door je artillerie op hém te richten.'

Storey knikte langzaam, en beide mannen – nog maar enkele seconden terug met elkaar aan het worstelen – keken nu naar de figuur in het bad. Cafferty had zich half omgedraaid, alsof hij ze al uit zijn gedachten en zijn leven had gebannen. Hij was bezig met het bedieningspaneel en het water spoot weer in het bad. 'Neem je de volgende keer je zwembroek mee?' riep hij, toen Rebus naar de oprit liep.

'En een verlengsnoer,' riep Rebus terug.

Voor het elektrische kacheltje. En dan de lichten van kleur zien veranderen als dát het water raakte...

Epiloog

De Oxford Bar.

Harry schonk Rebus een pint IPA in en zei daarna tegen hem dat er een 'persmuskiet' boven zat. 'Ik heb je gewaarschuwd,' zei Harry. Rebus knikte en nam zijn glas mee. Het was Steve Holly. Hij zat te bladeren in wat het ochtendblad van de volgende dag leek. Toen Rebus hem naderde, vouwde hij de krant dicht.

'De tamtams gaan uit hun dak,' zei hij.

'Ik luister er nooit naar,' antwoordde Rebus. 'Ik probeer ook nooit de sensatiekranten te lezen.'

'Whitemire nadert zijn einde, je hebt de eigenaar van een striptent in verzekerde bewaring, en er doet een verhaal de ronde over paramilitairen die zich ingedrongen hebben in Knoxland.' Holly hief zijn handen ten hemel. 'Ik weet nauwelijks waar ik moet beginnen.' Hij lachte en bracht zijn glas naar zijn mond. 'Hoewel, dat is niet helemaal waar... Wil je weten waarom?'

'Waarom?'

Hij veegde schuim van zijn bovenlip. 'Omdat ik overal waar ik kijk jouw vingerafdrukken tegenkom.'

'Is dat zo?'

Holly knikte traag. 'Als ik afga op de vertrouwelijke informatie, kan ik jou tot held van het verhaal maken. Dat zou je binnen de kortste keren van Gayfield Square kunnen verlossen.'

'Mijn redder,' merkte Rebus op, terwijl hij zich op zijn bier concentreerde. 'Maar vertel eens... Herinner je je dat verhaal nog dat je over Knoxland hebt geschreven? De manier waarop je het zo hebt verdraaid dat de vluchtelingen het probleem werden?'

'Ze zíjn een probleem.'

Rebus negeerde dit. 'Jij hebt het op die manier geschreven omdat Stuart Bullen je gezegd had dat je het zo moest doen.' Het klonk als een verklaring, en toen Rebus de verslaggever in de ogen keek, wist hij dat het waar was. 'Wat heeft hij gedaan? Heeft hij je gebeld? Je om een gunst gevraagd? Voor wat, hoort wat. Hij had je tips gegeven over beroemdheden die zijn club verlieten...'

'Ik weet niet waar je heen wilt.'

Rebus boog zich naar voren. 'Heb je je niet afgevraagd waarom hij je dat vroeg?'

'Hij zei dat het een kwestie van tegenwicht was, om de wijkbewoners een stem te geven.'

'Maar waaróm?'

Holly haalde zijn schouders op. 'Ik ging er gewoon van uit dat hij een racist was als zoveel anderen. Ik had geen idee dat hij iets probeerde te verbergen.'

'Maar nu weet je dat wel, toch? Hij wilde dat wij het geval Stef Yurgii zouden zien als een racistische misdaad. En al die tijd waren hij en zijn mannen het... met tuig als jij als hun trouwe vazallen.'

Hoewel Rebus Holly aankeek, dacht hij aan Cafferty en Felix Storey, aan de vele uiteenlopende manieren waarop mensen konden worden gebruikt en misbruikt, belazerd en gemanipuleerd. Hij wist dat hij het allemaal over Holly kon uitstorten, en misschien zou de verslaggever er zelfs nog iets mee doen. Maar waar waren de bewijzen? Al wat Rebus had, was dat misselijkmakende gevoel in zijn maag. Dat, plus wat smeulende restjes woede.

'Ik versla alleen maar wat er gebeurt, Rebus,' zei de verslaggever. 'Ik laat het niet gebeuren.'

Rebus knikte in zichzelf. 'En mensen als ik mogen daarna proberen de problemen op te lossen.'

Holly trok zijn neus op. 'Nou je het daarover hebt, ben je soms wezen zwemmen?'

'Zie ik daarnaar uit?'

'Volgens mij niet. Maar hoe dan ook, ik ruik duidelijk een chloorlucht...'

Siobhan stond voor zijn flat geparkeerd. Toen ze uit haar auto stapte, hoorde hij flessen rinkelen in haar boodschappentas.

'Volgens mij laten we jou niet hard genoeg werken,' zei Rebus. 'Ik heb gehoord dat je de tijd hebt genomen om een duik in Duddingston Loch te nemen.' Ze glimlachte als een boer die kiespijn heeft. 'Maar gaat het weer een beetje?'

'Straks, na een paar glazen... Ervan uitgaande dat je geen ander gezelschap verwacht.'

'Bedoel je Caro?' Rebus stak zijn handen in zijn zakken en haalde zijn schouders op.

'Kwam het door mij?' vroeg Siobhan in de stilte.

'Nee... maar laat dat je er niet van weerhouden de schuld op je te nemen. Hoe gaat het met Majoor Onderbroek?'

'Prima.'

Rebus knikte langzaam en haalde zijn sleutel uit zijn zak. 'Er zit toch geen goedkope hoofdpijnwijn in die tas, hoop ik.'

'Uit de beste wijnzaak van de stad,' verzekerde ze hem. Ze klommen naast elkaar de trap op en vonden troost in de stilte. Maar in het trapportaal van Rebus bleef hij plotseling staan en hij vloekte. Zijn deur stond op een kier, en de deurstijl was versplinterd.

'Godallemachtig,' zei Siobhan, terwijl ze achter hem aan naar binnen liep.

Rechtstreeks naar de huiskamer. 'De tv is weg,' stelde ze vast.

'En de stereo.'

'Zal ik bellen?'

'En Gayfield voor heel de volgende week van lollige opmerkingen voorzien?' Hij schudde zijn hoofd.

'Ik neem aan dat je verzekerd bent?'

'Dan zou ik moeten nagaan of ik op tijd betaald heb...' Rebus zweeg abrupt toen hij iets zag. Een stukje papier op zijn stoel bij het erkerraam. Hij hurkte neer om het te bekijken. Er stond alleen maar een getal van zeven cijfers op. Hij pakte zijn telefoon, draaide het nummer en bleef gehurkt zitten terwijl hij luisterde. Een antwoordapparaat, dat hem alles vertelde wat hij moest weten. Hij legde de hoorn neer en kwam weer overeind.

'En?' vroeg Siobhan.

'Een pandjeshuis in Queen Street.'

Ze keek verbaasd, te meer omdat hij glimlachte.

'Die klote drugsbrigade,' zei hij. 'Ze hebben mijn spullen verpand voor de prijs van die stomme lantaarn.' Toch moest hij lachen. 'Pak de kurkentrekker maar, wil je? Hij ligt in de keukenla...'

Hij raapte het stukje papier op, bekeek het nogmaals, nog steeds zacht lachend. En toen stond Siobhan in de deuropening, met nog een briefje in haar handen.

'Toch niet de kurkentrekker, hè?' vroeg hij, terwijl de lach van zijn gezicht verdween.

'De kurkentrekker,' bevestigde ze.

'Dat is pas misdadig. Dat is meer dan een mens kan verwerken!'

'Misschien kun je er een bij de buren lenen?'

'Ik ken niemand van de buren.'

'Dan is dit je kans om ze te leren kennen. Het is dat of geen drank.' Siobhan haalde haar schouders op. 'De beslissing is aan jou.'

'En dat moet niet licht worden opgevat,' sprak Rebus lijzig. 'Je kunt maar beter gaan zitten... Dit kan een tijdje duren.'

DANKWOORD

Mijn dank aan Senay Boztas en alle andere journalisten die mij hebben geholpen bij de research over vraagstukken aangaande asielzoekers en immigranten, en aan Robina Qureshi van Positive Action In Housing (PAIH) voor informatie over de positie van asielzoekers in Glasgow en in het vertrekcentrum van Dungavel.

Het dorp Banehall bestaat niet, dus ga er s.v.p. niet op kaarten naar zoeken. Evenmin zult u ergens in West Lothian een asielzoekerscentrum vinden met de naam Whitemire, of een wijk die Knoxland heet aan de westkant van Edinburgh. Eigenlijk heb ik deze fictieve wijk gestolen van mijn vriend, de schrijver Brian McCabe. Hij heeft eens een kort verhaal geschreven dat 'Knoxland' getiteld was.

Raadpleeg voor meer informatie de volgende websites:

www.paih.org
www.closedungavelnow.com
www.amnesty.org.uk/scotland